HISTOIRE ECCLÉSIASTIQUE

SOURCES CHRÉTIENNES

N° 418

SOZOMÈNE

HISTOIRE ECCLÉSIASTIQUE

LIVRES III-IV

TEXTE GREC DE L'ÉDITION J. BIDEZ

INTRODUCTION ET ANNOTATION
PAR
Guy SABBAH
Université Lumière-Lyon II

TRADUCTION
PAR
† **André-Jean FESTUGIÈRE**, o.p.

Revue par **Bernard GRILLET**
Université Lumière-Lyon II

*Ouvrage publié avec le concours
du Centre National du Livre*

LES ÉDITIONS DU CERF, 29, Bd de Latour-Maubourg, PARIS 7ᵉ
1996

*La publication de cet ouvrage a été préparée avec le concours
de l'Institut des « Sources Chrétiennes »
(U.P.R.E.S.A. 5035 du Centre National de la Recherche Scientifique)*

INTRODUCTION

*Qu'on ne prenne pas à mal ... que j'aie loué
certains hommes qui furent ou fondateurs ou
partisans des hérésies susdites. Pour leur
facilité de parole et leur habileté dans le discours, je m'accorde à dire qu'ils furent dignes
d'admiration; quant à leurs dogmes, qu'en
décident ceux qui ont le droit de le faire. Car
ce n'est pas ce que je me suis proposé d'écrire
et cela ne convient pas à l'histoire, dont la
tâche est de raconter seulement les faits sans
y introduire aucun élément personnel.*

H.E. III, 15, 10

Les livres III et IV de l'*Histoire Ecclésiastique* de
Sozomène couvrent une période d'environ vingt-cinq
années, s'étendant de la mort de Constantin (en 337) au
concile de Constantinople (en 360).

L'unité de ces livres réside dans l'enchaînement des
épisodes de la crise arienne bien plus que dans la succession des événements politiques qui ont marqué les
règnes des fils de Constantin, Constantin II (337-340),
Constant (337-350), Constance II (337-361).

Toutefois, le personnage de Constance II, seul empereur
à partir de 350, constitue le centre autour duquel s'en-
trecroisent les péripéties de la crise arienne et les faits
politiques et militaires, en raison de l'interventionnisme

permanent de ce prince en matière religieuse et de son effort méthodique pour établir à son profit un système politico-religieux, le «césaropapisme». En face de lui, parmi d'innombrables évêques et personnalités du monde ecclésiastique, se détache la figure, sans doute idéalisée et grandie pour les besoins de la cause orthodoxe (Sozomène, avant d'être historien, fut avocat!) de l'évêque d'Alexandrie, Athanase, diacre à l'époque du concile de Nicée (en 325) et assurant, contre vents et marées, la permanence de l'orthodoxie nicéenne dans l'une des quatre grandes métropoles de l'Église, en harmonie avec Rome et, le plus souvent, en désaccord, plus ou moins violent, avec Antioche et Constantinople[1]. Ce duel entre les fortes personnalités de Constance et d'Athanase, comme représentants respectifs du pouvoir séculier et du pouvoir ecclésiastique, est un facteur important de cohérence pour ces deux livres.

Cette cohérence n'est pas, à première vue, évidente. Le récit de Sozomène n'est pas linéaire, il est interrompu par des digressions[2]. Il est loin d'obéir toujours à un ordre chronologique même conçu au sens large[3]. Quel-

---

1. Sur la tentative «césaropapiste» de Constance, voir STEIN-PALANQUE, p. 145-146 ; C. PIETRI, «La politique de Constance II : un premier "césaropapisme" ou l'*Imitatio Constantini?*», dans *L'Église et l'Empire au IVᵉ s.*, Vandœuvres-Genève 1989 (*Entretiens sur l'Antiquité classique*, 34), p. 113-172. Sur la postérité de cette tentative dans l'Empire byzantin, voir G. DAGRON, *Empereur et prêtre. Étude sur le «césaropapisme» byzantin*, Paris 1996. Sur Athanase, voir maintenant le recueil : *Arius and Athanasius. Two Alexandrian Theologians*, de C. KANNENGIESSER, 1991 et la synthèse d'A. MARTIN, *Athanase d'Alexandrie et l'Église d'Égypte au IVᵉ siècle (328-373)*, Paris 1996 (Coll. de l'École Française de Rome, 216).
2. Au l. III, les chap. 14-16, consacrés aux moines d'Égypte, de Palestine, d'Arménie, puis au couple antithétique Didyme-Aèce et à l'éloge d'Éphrem, peuvent apparaître comme une interminable digression. À l'intérieur du récit de l'incendie de Nicomédie en IV, 16, le récit concernant Arsace le confesseur est une digression édifiante.
3. Parmi de nombreux accrocs à l'ordre chronologique, nous relevons

quefois, le blocage des événements de plusieurs années
en un ensemble unique, blocage qui nécessite ensuite
une importante régression chronologique, est volontaire
et destiné à assurer une compréhension complète et plus
claire[1]. Cependant, le plus souvent, le brouillage ou même
la confusion chronologique s'expliquent par la difficulté
qu'éprouve Sozomène, dont l'esprit de synthèse est limité,
à dominer la complexité d'une époque troublée[2], dans
laquelle, pour ne tenir compte que des événements ecclésiastiques, les conciles, les synodes, les conciliabules pré-
paratoires se succèdent sur un rythme accéléré, ou même
s'entremêlent en prenant place simultanément dans des

la confusion entre les deux synodes d'Antioche, celui des Encaénies en
341 (III, 5, 1) et celui de 338/339 qui avait déposé Athanase (III, 5,
4). En III, 9, le retour de Paul à Constantinople (341) et son arrestation par Philippe, postérieure à 344, sont présentés ensemble; en III,
10, 1, une régression nous ramène en 339; en III, 20, 1, Sozomène
revient à l'année 343, après avoir évoqué les conciles de Rimini-Séleucie
qui datent de 359. En IV, 1, 1, l'assassinat de Constant (en 350) est
présenté comme postérieur de 3 ans au concile de Sardique, parce que
Sozomène date celui-ci de 347 alors qu'il eut lieu en 342/343. En IV,
4, 1, il établit un synchronisme erroné entre la fuite d'Athanase (9 février
356) et l'entrée de Georges à Alexandrie (le 24 février 357) d'une part
et des événements politiques de 350 (abdication de Vétranion) et
351 (nomination de Gallus comme César) d'autre part. En IV, 8, 1,
après avoir mentionné la visite de Constance à Rome (avril-mai 357),
Sozomène prête à l'empereur le projet de réunir un concile en Italie :
ce concile ne peut être que celui de Milan, qui a eu lieu 2 ans plus
tôt, en 355. Immédiatement après, toujours dans le contexte de 357, il
mentionne la mort de l'évêque de Rome Jules, qui remonte à 352...

1. *H.E.* IV, 11, 1 : une phrase récapitule les événements depuis la
mort de Constant (350) jusqu'à la fuite d'Athanase (356) et l'installation
de Georges (357) : «Tout cela advint de la sorte à Athanase et à l'Église
d'Alexandrie successivement, non au même moment, après la mort de
Constant : c'est par souci de clarté que j'ai relaté ici, en bref, ces événements».

2. A. MARTIN, *Athanase d'Alexandrie...*, remarque, p. 417, que la chronologie de Socrate et de Sozomène est «aberrante» pour la période
allant de 339 à 346.

lieux différents et en regroupant des évêques appartenant aux factions rivales : ainsi les conciles de Philippopolis et de Sardique, puis ceux de Rimini et de Séleucie[1].

Toutefois, la difficulté principale tient à la nécessité d'articuler les événements ecclésiastiques et les événements politiques. Par le fait même que Sozomène compose une histoire ecclésiastique focalisée, comme celle d'Eusèbe de Césarée, le fondateur du genre[2], sur les événements et les affrontements de caractère religieux, dogmatique et ecclésial, les cadres traditionnels de l'histoire politique, et notamment ceux de l'annalistique, ne peuvent plus constituer l'armature forte qui était de règle et de nécessité dans l'historiographie classique. Le cadre constitué par la succession des années consulaires ne saurait être remplacé par un ordre de succession épiscopale, car le projet de Sozomène est celui d'une histoire ecclésiastique universelle et non pas celui d'une histoire de tel ou tel siège métropolitain.

Du reste, Sozomène, qui entend revenir, comme l'a justement noté A. Momigliano, à une conception plus classique de l'historiographie, tient à donner *aussi* plus de place que son prédécesseur lointain Eusèbe[3], ou que son

---

1. Conciles simultanés de Philippopolis et de Sardique (III, 11-12), de Rimini et de Séleucie (IV, 16-17). L'épisode le plus compliqué est celui où Sozomène raconte comment, à Constantinople, les ariens, en faisant croire aux ambassadeurs des Occidentaux que les pères de Rimini qui les ont envoyés ont changé d'avis entre-temps, les déterminent à entrer en communion avec les hérétiques (IV, 19).

2. Voir toutefois, sur l'effort de Sozomène pour redéfinir l'histoire ecclésiastique en échappant au modèle eusébien, J. HARRIES, « Sozomen and Eusebius. The lawyer as church historian in the fifth century », dans *The inheritance of historiography 350-900*, Holdsworth Chr., Wiseman T. P. edd., *Exeter Studies in history* 12, 1986, p. 45-52.

3. « L'historiographie païenne et chrétienne au IVᵉ siècle après J. C. », dans *Problèmes d'historiographie ancienne et moderne*, Paris,

prédécesseur immédiat Socrate, à la matière politico-militaire. De cette ambition de réunir, ou du moins de rapprocher deux historiographies opposées dans leurs principes, l'historiographie nouvelle, et même révolutionnaire, des chrétiens et l'historiographie classique – ambition qui se comprend dans le renouveau culturel classicisant de la Cour de l'impératrice Eudocie[1] –, naît une difficulté nouvelle : une tension entre deux conceptions très différentes et même inconciliables de l'histoire, tension que Sozomène n'arrive pas à assumer ni même à réduire.

Elle se traduit souvent par des décalages entre les deux systèmes chronologiques, celui de l'histoire ecclésiastique et celui de l'histoire politique. Il arrive que les synchronismes indiqués entre l'un et l'autre soient vagues ou faux[2] et même que, par une régression chronologique, Sozomène reprenne le même événement et lui donne un sens politique tout différent[3].

En raison d'une telle complexité, il ne nous a pas paru inutile de donner ici quelques indications préliminaires sur la structure et le contenu des livres III et IV, sur le contexte historique et politique, sur la succession des

1983 (*Bibliothèque des Histoires*), p. 144-168, à la p. 159 : «Les contemporains eurent conscience qu'Eusèbe avait donné le signal d'un recommencement. Les continuateurs, les imitateurs et les traducteurs se multiplièrent. Certains d'entre eux, et plus particulièrement Sozomène, essayèrent de se montrer plus classiques dans leur style d'historiographie, plus respectueux des traditions rhétoriques...»

1. Sur Athénaïs Eudocie, athénienne, fille de rhéteur, voir OSTROGORSKY, p. 82, STEIN-PALANQUE, p. 281-283 : malgré sa conversion sincère au christianisme, «Eudocie resta fidèle à l'idéal de sa jeunesse d'une culture fondée sur la rhétorique; elle-même s'est essayée à la poésie sur des sujets non seulement sacrés mais aussi profanes...»

2. Par exemple en IV, 4, 1.

3. Ainsi pour le sens de la visite de Constance à Rome en 357, en IV, 8, 1, puis en IV, 11, 3.

évêques dans les sièges principaux et naturellement les plus disputés : Rome, Alexandrie, Antioche, Jérusalem, Constantinople.

Les livres III-IV : structure et contenu

La structure du **livre III** est rendue évidente par la présence, au centre du livre, d'une digression consacrée aux moines et aux saints hommes (chap. 14-16). De part et d'autre de ce long morceau en forme d'éloge se disposent symétriquement le récit des intrigues menées avec succès contre les deux évêques orthodoxes, Paul de Constantinople et Athanase d'Alexandrie (chap. 1-13) et celui de la victoire de l'orthodoxie par la restauration sur leur siège des mêmes Athanase et Paul (chap. 17-24).

1. Les intrigues dirigées contre Paul et Athanase (1-13)

1-2 : Malgré les manœuvres de Théognios et d'Eusèbe, Athanase est rétabli par Constantin II sur le trône d'Alexandrie (337). Constantin II est tué lors de la guerre contre son frère Constant (340).

3-4 : Paul, sur lequel sont rapportés des jugements opposés, est ordonné évêque de Constantinople (338). Mais ses adversaires, partisans de Macédonius, ourdissent un complot contre lui : il est chassé du siège de Constantinople par ordre de Constance II et remplacé par Eusèbe de Nicomédie (339).

5-6 : Les adversaires d'Athanase réunissent un synode à Antioche, à l'occasion de la dédicace de la « Grande Église » (synode des Encaénies en 341) pour le déposer et le remplacer par Grégoire. Ils composent deux formules refusant le consubstantiel de Nicée. Eusèbe d'Émèse

refuse à Antioche de souscrire à la condamnation
d'Athanase. Celui-ci cherche refuge à Rome.

7 : Des troubles violents étant survenus à Constantinople entre les partisans de Paul (revenu en 341) et ceux
de Macédonius ordonnés simultanément par ceux de leur
faction, Constance vient punir l'assassinat de son Maître
de la cavalerie Hermogène (342). Mais, chassant Paul, il
laisse en place Macédonius, tandis que les ariens remplacent Grégoire par Georges de Cappadoce sur le trône
d'Alexandrie (342).

8 : L'évêque de Rome Jules accueille les évêques nicéens
déposés. Il les rétablit dans leurs droits et signifie sa
décision aux évêques d'Orient qui refusent de restaurer
les évêques nicéens et interdisent à Jules d'outrepasser
ses prérogatives.

9 : Sur l'ordre de Constance, le préfet Philippe expulse
Paul de Constantinople, l'exile à Thessalonique (après
344), tandis qu'Athanase, craignant l'hostilité de Constance,
continue à se tenir loin d'Alexandrie.

10-13 : Jules de Rome, n'ayant pas obtenu le rétablissement de Paul et d'Athanase, demande l'intervention de
Constant. Celui-ci fait venir à lui une délégation des
évêques orientaux pour leur demander, sans succès, des
explications sur leurs raisons de déposer Athanase et Paul.

Les Orientaux ayant envoyé l'«exposition macrostique»
aux Occidentaux qui la refusent et s'en tiennent à la foi
de Nicée, Constant et Constance convoquent un concile
général à Sardique. Les Orientaux refusant d'y siéger en
présence des évêques déposés par eux, deux conciles
séparés, dont les décisions sont contraires, se tiennent,
en 342/343, à Sardique pour les Occidentaux, à Philippopolis pour les Orientaux. Désormais, il n'y a plus de
communion entre les Occidentaux et les Orientaux, à l'ex-
ception d'Athanase, de Paul, d'Antoine et des moines
d'Égypte.

2. Éloge des moines et des saints hommes (chap.14-16)

14 : Parmi les moines menant dans le désert une vie d'ascèse et de sainteté, se distingua Pachôme : instaurant une règle, il créa le semi-cénobitisme qui essaima largement à partir de la communauté-mère de Tabennèse. En Palestine, le monachisme fut illustré par Hilarion, tandis que Julien se distinguait à Édesse et Eustathe en Arménie. En Occident, le premier ascète fut Martin de Tours.

15 : Parmi les plus doctes de cette époque se distinguaient Didyme d'Alexandrie, dit l'Aveugle, nicéen obstiné et convaincant, comme en Occident Hilaire de Poitiers, Eusèbe de Verceil, Lucifer de Cagliari. Dans le camp opposé, Aèce faisait l'admiration des hétérodoxes et devint le familier du César Gallus.

16 : Le plus remarquable de tous fut cependant Éphrem le Syrien par son ascétisme, sa culture, son génie littéraire et sa bienfaisance.

3. Le rétablissement d'Athanase et de Paul et la victoire de l'orthodoxie (chap. 17-24)

17-19 : Grâce aux mérites des moines, à l'activité des évêques et à la législation des empereurs, le christianisme s'est développé contre le paganisme et le judaïsme. Mais le désaccord s'introduit entre Constant, fidèle à l'*homoousios* nicéen, et Constance, passé à l'*homoiousios*, sous l'influence des Orientaux ariens. Ce n'est pas, comme ces derniers le prétendent, pour obéir – vingt-deux ans après! – à un vœu de son père que Constance réunit, en 359, un second concile général, celui de Rimini-Séleucie, pour remettre en cause la foi établie à Nicée.

20-21 : Sous la pression de Constant, mécontent des décisions prises à Sardique-Philippopolis (342/343), Constance rétablit Athanase à Alexandrie (346).

22-24 : Ce rétablissement est salué par le synode de Jérusalem (346) et accepté par les ariens Valens et Ursace qui admettent, dans une lettre à Jules, avoir calomnié Athanase, auquel ils adressent une lettre de réconciliation, tandis que Paul retrouve le siège de Constantinople.

La structure du **livre IV** est beaucoup moins nette, au point qu'on peut même douter qu'elle existe : les doublets, les anticipations, les régressions, les erreurs chronologiques ne sont pas rares. Cela est dû à la place plus grande qu'accorde ici Sozomène aux événements politico-militaires : l'usurpation de Magnence contre Constant, la guerre civile menée par Constance contre Magnence, les nominations successives de Gallus comme César en Orient et de Julien comme César en Occident, la visite de Constance à Rome, la préparation de la guerre contre les Perses.

Plutôt qu'une véritable structure, il y a des éléments de structuration. Notamment la volonté de faire alterner assez régulièrement les événements de l'histoire ecclésiastique qui ont eu lieu en Occident et ceux qui ont pris place en Orient, selon le schéma approximatif suivant, avec un certain souci d'équilibrer les volumes à l'intérieur de cette répartition :

Occident : chapitres 1-11

Orient : chapitres 12-14

Occident : chapitres 15-19

Orient : chapitres 20-30

Toutefois, la véritable progression narrative est celle qui nous mène de la victoire éphémère de l'orthodoxie nicéenne, par le rétablissement d'Athanase et de Paul, au triomphe de l'homéisme, en passant par l'intermédiaire de l'*homoiousios*, avec le risque même, évité de justesse, d'un basculement complet dans l'anoméisme radical. Fureur (des affrontements doctrinaux et personnels) et tristesse (de l'historien en face de la dégradation du dogme

et de l'Église) pourraient donner la note dominante de ce livre IV dont le contenu est particulièrement complexe.

1. *Événements d'Occident (chap.1-11)*

1-5 : L'assassinat de Constant, lors de l'usurpation de Magnence (350) permet à Constance de chasser Paul de Constantinople, donnant ainsi sa place à Macédonius, dont le retour autorise des violences et des meurtres. Athanase fuit. Constance se débarrasse de Vétranion (350), nomme Gallus César (351), tandis qu'un signe de croix apparaît dans le ciel de Jérusalem.

6-11 : Constance se débarrasse des usurpateurs Magnence (353) et Silvanus (355), ainsi que du César Gallus (354). Il rend une visite solennelle à Rome (357).

Libère ayant succédé à Jules (352), les ariens complotent contre Athanase. Celui-ci, après avoir longtemps défié l'autorité impériale, finit par s'enfuir d'Alexandrie (356). Son successeur Georges se rend odieux par sa violence tyrannique. Libère, refusant de condamner Athanase, est exilé par Constance (355).

2. *Événements d'Orient (chapitres 12-14)*

Partisan de la doctrine anoméeene du diacre Aèce, Eudoxe s'empare du siège d'Antioche (357/358). Les Orientaux, effrayés eux-mêmes par une hétérodoxie aussi radicale, obtiennent de Constance sa condamnation (358 et 359).

3. *Événements d'Occident (chapitres 15-19)*

15 : Constance rétablit Libère sur le siège de Rome (358).

16-17 : Pour condamner l'hérésie anoméenne, Constance convoque un concile à Nicomédie. Cette ville étant détruite par un tremblement de terre (357), le concile doit se réunir à Nicée. Mais les Orientaux obtiennent que soient

tenus deux conciles séparés, à Rimini et à Séleucie d'Isaurie (359). Le concile de Rimini condamne toutes les nouvelles formules de foi, notamment le «Credo daté», et dépose Ursace et Valens.

18-19 : Constance, irrité par le rejet du «Credo daté», refuse d'entendre les envoyés des Pères de Rimini. Ursace et Valens en profitent pour imposer, dans un concile qu'ils réunissent à Nikè, leur propre texte qu'ils présentent aux Orientaux comme ayant été adopté à Rimini.

4. *Événements d'Orient (chapitres 20-30)*

20-21 : Macédonius s'en prend violemment, à Constantinople, aux partisans de l'*homoousios* et aux novatiens. Il projette de faire transférer le cercueil de Constantin dans l'église d'Akakios. Constance nomme Julien César (355).

22-25 : Un concile réunit les Orientaux en 359 à Séleucie. Il confirme les décisions prises à Antioche, au synode des Encaénies (341), refuse le «Credo daté» et condamne une nouvelle formule de foi homéenne présentée par Acace.

Les ambassadeurs des conciles de Rimini et de Séleucie, présents simultanément à Constantinople, condamnent l'anoméisme d'Aèce. Mais, pressés par Constance, ils tombent d'accord sur le «Credo daté» homéen qui avait été présenté (et rejeté) à Rimini. Les acaciens vainqueurs déposent leurs adversaires Macédonius, Basile d'Ancyre, Eustathe de Sébaste, Cyrille de Jérusalem (360).

26-27 : Eudoxe, s'étant emparé du siège de Constantinople (360), s'emploie à développer l'homéisme avec Acace. Chassé de Constantinople, Macédonius introduit, avec l'aide de ses partisans, Eleusios, Eustathios, Marathonios, une doctrine nouvelle sur l'Esprit Saint, celle des Pneumatomaques.

28-30 : À Antioche, Mélèce, pourtant installé par les ariens, confesse publiquement son orthodoxie. Il est immé-

diatement remplacé par Euzoïos, vieux compagnon d'Arius
(360). Les acaciens en viennent à professer l'anoméisme
radical. À Alexandrie, Georges se déchaîne contre les
païens et les chrétiens partisans d'Athanase qui est toujours en exil.

Le contexte historique et politique

Sozomène, malgré ses efforts, est loin de nous donner
un récit complet et intelligible des faits historiques qui
ont marqué la période allant de 337 à 360. Des événements politiques et militaires sont bien mentionnés en
assez grand nombre, mais ils ne forment pas une trame
continue. Pour connaître l'histoire de la période, il faut
recourir à d'autres sources : Ammien Marcellin, pour les
années 354-360 ; pour les années antérieures, les abrégés
d'Aurelius Victor, d'Eutrope, l'*Epitome de Caesaribus*, les
Historiarum aduersus paganos d'Orose et l'*Histoire nouvelle* de Zosime.

Sozomène ne dit presque rien de la succession de
Constantin et des conditions du partage qui s'opéra entre
ses trois fils, même s'il évoque, indirectement, l'importante entrevue de Viminacium[1]. Il ne parle pas davantage
des rudes guerres soutenues par Constance contre les
Perses entre 337 et 350, avec notamment les trois sièges
repoussés victorieusement par Nisibe – bien que, dans
l'un d'entre eux, se soit distingué l'évêque Jacques ! – et
la bataille sanglante de Singara. Même silence sur la politique intérieure de Constance qui ne manqua pourtant
pas de mérites : son souci de justice et de morale, le
soin qu'il prit des finances publiques compensèrent lar-

---

1. *H.E.* III, 2, 1-6. Au cours de cette entrevue, le 9 septembre 337,
les trois fils de Constantin se proclamèrent ensemble Augustes.

gement son autoritarisme tâtillon (renforcement de l'hé-
rédité des conditions, mesures contre les curiales fugitifs)
et son absolutisme policier, sinon terroriste (par la pro-
lifération des *agentes in rebus* et des *notarii*). La phy-
sionomie de ce prince en est donc déséquilibrée : à lire
Sozomène, on croirait qu'il a passé tout le temps de son
règne à intervenir dans les controverses théologiques, alors
que son souci de l'État, pour garantir à la fois sa sta-
bilité, sa prospérité et son intégrité territoriale, a été
reconnu même par ses adversaires, comme Julien, et par
ses juges les plus critiques, comme Ammien Marcellin[1].

La politique de son frère Constant n'est pas plus nettement dessinée. Sozomène ne mentionne pas son installation à Milan après sa victoire sur Constantin II. Il ne
dit rien de ses guerres victorieuses contre les Francs ni
de sa campagne de Bretagne. De sa politique intérieure,
il donne une image très simplifiée : il ne souligne pas le
souci de moralité qui l'inspirait, n'évoque pas les relations tendues de Constant avec l'aristocratie païenne de
Rome ni, à plus forte raison, sur un plan plus technique,
les excellentes intentions de sa politique monétaire qui
suscitèrent finalement des trafics et une crise grave[2]. C'est
seulement sur sa politique religieuse qu'il donne des informations ; encore le fait-il d'une façon unilatérale et toujours positive : il présente comme d'excellentes mesures,
propres à favoriser le développement du christianisme,
une législation persécutrice inspirée par la haine des
Juifs[3] et des païens auxquels les sacrifices sont interdits[4].
Un autre aspect négatif de la politique religieuse de

---

1. Voir le portrait relativement équilibré qu'Ammien Marcellin, malgré
ses préférences pour Julien, a su donner de lui en 21, 16.
2. PIGANIOL, p. 87-89.
3. *Code Théodosien*, XVI, 8, 6 ; XVI, 9, 2 ; XVI, 8, 1.
4. *Code Théodosien* XVI, 10, 2. Cf. PIGANIOL, p. 88.

Constant, les persécutions violentes dirigées, sans succès, en Afrique contre les Donatistes, est passé sous silence[1] : par ignorance ? plutôt, pensons-nous, pour maintenir intacte l'image du fidèle défenseur d'Athanase et du pur champion de l'orthodoxie.

La rébellion de Magnence contre Constant, l'assassinat de ce dernier, le soulèvement de deux autres usurpateurs, Vétranion et Népotien, en 350, sont sommairement évoqués[2]. Le rôle décisif du comte Marcellinus dans la tentative de Magnence et dans sa réussite, celui du préfet Titianus à Rome en faveur de l'usurpateur ne sont pas soulignés, ni non plus, ce qui est plus surprenant, l'action adroite de Constantia, sœur de Constance, poussant Vetranion en avant pour contrecarrer les projets de Magnence, l'ennemi le plus dangereux de son frère[3]. La politique de Magnence n'a droit à aucune caractérisation, bien que cet officier semi-barbare ait su habilement louvoyer entre païens et chrétiens et trouver, en imposant lourdement les riches, les moyens de financer ses audacieuses entreprises[4]. Les divers épisodes de la guerre entre Constance et Magnence, successivement en Illyrie (bataille de Mursa en 351), en Italie, puis en Gaule (bataille de Mons Seleucus et suicide de Magnence à Lyon, en 353)[5] sont mentionnés d'une manière rapide ou erronée[6].

Du règne de Gallus en Orient (351-354), Sozomène n'évoque que la nomination du César[7], ses relations fami-

---

1. PIGANIOL, p. 89-90.
2. *H.E.* IV, 1.
3. PIGANIOL, p. 94-95.
4. *Ib.* p. 95.
5. *Ib.* p. 96-99.
6. *H.E.* IV, 7, 1 où Sozomène se trompe à la fois sur la géographie, la chronologie et le sens des mouvements stratégiques et IV, 7, 2 où il confond les deux frères de Magnence Desiderius et Decentius et intervertit leurs destins.
7. *H.E.* IV, 4, 4.

lières avec l'hérétique Aèce, le théoricien de l'anoméisme[1], sa mort tragique provoquée par les intentions d'usurpation qu'on lui prêtait[2]. Il mentionne bien, comme on pouvait s'y attendre étant donné l'hostilité qu'il leur témoigne, l'insurrection, en 352, des Juifs à Diocésarée[3], mais pas la révolte, militairement et politiquement beaucoup plus grave, des rebelles Isauriens mettant plusieurs provinces à feu et à sang et bloquant la capitale provinciale, Séleucie (354)[4], non plus que les actes de cruauté de Gallus à Antioche, peut-être exagérés par Ammien Marcellin[5], ni les étapes de sa tragique dépossession du pouvoir.

Sozomène n'explicite pas davantage l'enchaînement des événements qui amena, ou contraignit, Constance à nommer son autre cousin, Julien, comme César en Gaule : la mort de Magnence avait dégarni le *limes* et les barbares Alamans et Francs s'empressèrent de s'engouffrer dans la brèche. Constance essaya bien de s'opposer à leur invasion par deux campagnes militaires peu efficaces en 354 et 355[6]. Mais il eut bientôt à réduire une nouvelle tentative d'usurpation, celle du général d'origine franque Silvanus[7]. Cette fois encore, la mort de l'usurpateur dégarnit la frontière et toutes les villes fortes construites en bordure du Rhin, au nombre de quarante-cinq[8], furent prises par les barbares, ce qui amena

---

1. *H.E.* III, 15, 8.
2. *H.E.* IV, 7, 6-7.
3. *H.E.* IV, 7, 5; cf. Piganiol, p. 103; Stein-Palanque, p. 141.
4. Amm. 14, 2. Il fallut envoyer contre eux le comte Nebridius, pour dégager Séleucie pourtant défendue par trois légions.
5. Amm. 14, 1 et 7 et E. A. Thompson, *The historical Work of Ammianus*, Cambridge 1947, p. 56-59 et p. 71.
6. Piganiol, p. 98-99 et 104.
7. *H.E.* IV, 7, 4 et Amm. 15, 5 (août-septembre 355). Cf. Piganiol p. 104-105.
8. Selon Julien, *Lettre aux Athéniens*, 7.

Constance à confier la défense des Gaules à Julien. Les succès inespérés que ce dernier remporta sur les barbares de 356 à 360, et notamment la victoire d'Argentoratum (Strasbourg) en septembre 357[1], font bien partie de la période traitée au livre IV, mais Sozomène en a réservé l'évocation sommaire pour le livre V[2].

En revanche, il mentionne bien et par deux fois, mais en lui donnant un sens différent, un événement important et symbolique : la visite solennelle rendue par Constance à Rome en avril-mai 357[3]. Cependant, les résultats politiques de cette démarche, le rapprochement entre l'empereur chrétien et le Sénat païen, la suspension des lois portées contre le paganisme, le début de renaissance païenne dont témoigne l'émission, à la suite de la visite de Constance à «Rome éternelle», des premiers médaillons contorniates par le préfet Memmius Vitrasius Orfitus, ne sont ni dégagés ni sans doute compris[4].

La présence de Constance à Sirmium pendant les années 357-359 n'est évoquée qu'à l'occasion de la préparation et de la tenue de trois conciles : il n'est rien dit des raisons militaires de ce long séjour qui avait pour but, en répondant à l'appel d'un remarquable préfet, Anatolius, de mettre à l'abri l'Illyricum des menaces que les Sarmates Argaragantes, les Quades et les Sarmates Limigantes faisaient peser sur le *limes* danubien[5].

---

1. Amm. 16, 12.

2. *H.E.* V, 1, 1 : le César Julien, ayant vaincu les barbares au-delà du Rhin, massacra les uns, captura les autres. Comme cette victoire l'avait illustré…

3. *H.E.* IV, 8, 1 (Constance vint à la vieille Rome pour y célébrer son triomphe sur les usurpateurs) et IV, 11, 3 (Avant de venir à Rome et d'y célébrer le triomphe habituel chez les Romains sur les ennemis vaincus…).

4. Piganiol, p. 109-110.

5. Amm. 17, 12. Cf. Piganiol, p. 110-111.

Une rapide allusion, sous la forme d'un prétexte invoqué par Constance pour ne pas recevoir des délégués orthodoxes[1], est tout ce que fournit l'*Histoire Ecclésiastique* sur les négociations maladroitement engagées, en 357, par les Romains avec les Perses sur le statut de l'Arménie et de la Mésopotamie, sur leur échec, sur le déroulement des hostilités et sur la cuisante défaite romaine marquée par la perte d'Amida, la place-forte du Haut-Tigre (septembre 359) et les succès remportés en 360 par le Roi des Rois Sapor II, s'emparant de Singara et de Bézabdé[2].

Des mesures politiques importantes que prit Constance au cours de son séjour à Constantinople (hiver 359-360)[3], notamment celles qui favorisèrent le Sénat de la «nouvelle Rome», Sozomène n'indique qu'un seul élément et encore au passage[4] : la substitution à l'ancien proconsul d'un préfet de la Ville, réplique du *Praefectus Vrbis Romae*[5].

Ainsi, l'histoire politique et militaire n'apparaît que d'une manière fugitive, incomplète et souvent privée de sens, sous la forme d'événements et de personnages détachés de leur contexte et qui ne sont mentionnés que lorsqu'ils viennent à interférer avec l'histoire religieuse. Il n'y a pas là, à proprement parler, d'insuffisance de la méthode historique, malgré l'agacement que peut inspirer une chronologie trop souvent brouillée, mais la pratique, relativement cohérente, d'une «autre» sorte d'histoire, où ce qui faisait la matière et la richesse de l'histoire classique n'apparaît plus que sous forme de vestiges.

---

1. *H.E.* IV, 19, 2.
2. Piganiol, p. 111-113 et 119.
3. Piganiol, p. 116-117. Dagron, p. 215 s.
4. *H.E.* IV, 23, 3.
5. Stein-Palanque, p. 145; Dagron, p. 215. Le premier préfet fut Honoratus, nommé le 11 septembre 359 : cf. *P.L.R.E.*, t. I, p. 438-439.

Pour porter un jugement objectif, il faut tenir également compte du fait que Sozomène écrit un grand siècle après les événements qu'il rapporte, dans un environnement politique, culturel et même religieux tout différent de celui dans lequel vivaient et écrivaient les auteurs contemporains des événements qui sont nos meilleures sources[1]. Tout, du reste, n'est pas négatif dans cette distance relativement grande de l'historien par rapport aux événements rapportés[2]. Certes, on peut, comme G. Dagron, constater que la version Socrate-Sozomène ne constitue, pour l'historien d'aujourd'hui, qu'une seconde «strate», dans laquelle l'élaboration ultérieure des sources primaires que sont les œuvres apologétiques et historiques d'Athanase ou mieux encore les Actes des conciles, comme ceux que nous ont conservés les Fragments historiques d'Hilaire de Poitiers, a déjà beaucoup joué dans le sens de l'hagiographie. Le meilleur exemple est le «remodelage» qu'offrent Socrate-Sozomène de l'histoire réelle de Paul de Constantinople sur le patron de la vie d'Athanase, ce remodelage s'expliquant lui-même par la rivalité de prestige religieux entre Alexandrie et Constantinople à l'époque des successeurs déjà lointains de Paul sur le siège de Constantinople (Grégoire de Nazianze, Jean Chrysostome, Nestorius)[3].

---

1. Cf. introd. de SC 306, p. 78-87 (Sozomène et son public).

2. Des études récentes s'efforcent de déterminer les dates relatives de publication des Histoires de Socrate, Sozomène et Théodoret : G. F. CHESNUT, «The date of composition of Theodoret's Church History», VChr 35, 1981, p. 245-252 ; B. CROKE, «Dating Theodoret's Church History and Commentary on the Psalms», Byzantion 54, 1984, p. 59-74 ; C. ROUECHE, «Theodosius II, the cities, and the date of the Church History of Sozomen», JThS 37, 1986, p. 130-132.

3. DAGRON, p. 425-434 (Paul de Constantinople ; le double d'Athanase) explique très bien comment le remodelage de la vie de Paul et, notamment, les rapports étroits qui sont prêtés, contrairement à la réalité historique, à cet évêque dont la carrière fut courte et finalement peu

Mais, inversement, le prestige dont jouissait le monachisme à l'époque du très dévot Théodose II[1] a, tout autant que l'admiration à la fois personnelle et de tradition familiale que nourrissait Sozomène pour les moines de Syrie[2], permis à notre historien de reconnaître au monachisme la place centrale qui lui revenait dans le développement du christianisme, notamment dans les masses populaires. Le long chapitre du livre III[3] sur le monachisme, que l'on pourrait considérer comme une digression ou comme une effusion pieuse et naïve, est en réalité d'un historien qui a compris et mis en valeur, par la longueur et la place de ce développement, l'importance extraordinaire du monachisme comme facteur d'explication historique : c'est lui qui rend compte notamment du caractère populaire pris à cette époque par les disputes christologiques qui ne se cantonnèrent pas – ou plus – à des cercles d'initiés et de théologiens. C'est le prestige des moines, l'action incitative, sinon irritante, qu'ils exercèrent sur les masses, les formules et les slogans par lesquels ils les enflammèrent qui expliquent la popularisation ou la vulgarisation de la théologie et, par elle, la sensibilisation des masses aux problèmes religieux, la concentration de leur intérêt le plus profond sur de tels problèmes, quand on eût attendu que les ancêtres, à la fois très lointains et très proches, des fellahs

brillante, avec le pape de Rome visent à réhabiliter, dans le contexte de l'orthodoxie rétablie par Thédose I et triomphante sous Théodose II, l'image de Constantinople, accusée d'avoir longtemps pactisé avec l'arianisme impérial.

1. STEIN-PALANQUE, p. 297 : à partir de la disgrâce d'Eudocie et du préfet Cyrus de Panopolis, «Grec d'Égypte, poète, pénétré de l'idéal de culture rhétorique», l'influençable Théodose tomba sous la coupe de ses eunuques et notamment de Chrysaphios «aussi dévot qu'avide».

2. Cf. *H.E.* I, 1, 18-19 et le commentaire de B. Grillet, dans l'introd. de *SC* 306, p. 13 et 16-17.

3. *H.E.* III, 14.

égyptiens, fussent plutôt préoccupés de leur subsistance immédiate et de leur survie quotidienne[1].

Certes, Sozomène, conformément à ses convictions religieuses personnelles et à la vénération dont son époque entourait les moines et leurs œuvres, a donné de l'action historique du monachisme une image uniquement positive. Il n'a pas relevé, comme le font les historiens d'aujourd'hui, les pertes qu'il a causées à l'Empire, en favorisant et en multipliant la fuite des curiales, ni l'«influence dissolvante» qu'il a exercée contre l'État romain en favorisant les nationalismes copte et syrien. Il n'a pas vu comment «les grands princes de l'Église d'Orient, sans cesse opposés au gouvernement impérial, à l'aide du monachisme qu'ils tenaient en lisière tout en le flattant, ont organisé la résistance des nations opprimées contre le pouvoir de l'État, et cela à commencer par Athanase et les moines coptes Antoine et Pachôme»[2].

Mais tout cela, un homme de son siècle pouvait-il le voir? et s'il l'avait vu, pouvait-il le dire? L'immense succès populaire de la *Vie d'Antoine* composée par Athanase avait imposé un modèle intouchable. La figure exemplaire de résistant farouche aux empiètements du pouvoir

---

1. STEIN-PALANQUE, t. I, p. 146 s.
2. STEIN-PALANQUE, t. I, p. 149. À une époque postérieure, on connaît les démêlés du patriarche d'Alexandrie Cyrille avec le préfet augustal Oreste, qui fut agressé par une foule de cinq cents moines appelés du désert de Nitrie à Alexandrie par l'évêque responsable d'un véritable «terrorisme» (STEIN-PALANQUE, p. 277; voir aussi, pour un état plus récent de la question, l'introduction de P. ÉVIEUX à CYRILLE D'ALEXANDRIE, *Lettres festales*, SC 372, Paris 1991, p. 50-55). Il nous semble que le chapitre consacré aux moines par Sozomène *à la fois* reflète l'importance religieuse reconnue au monachisme à son époque (autour de 440) et récuse discrètement les formes violentes et politiques qu'il a pu prendre contrairement à sa vocation première, par exemple celle que représente le moine Chenoudi d'Atripe (cf. J. LEIPOLDT, *Schenute von Atripa und die Entstehung des national ägyptischen Christentums*, dans *TU* XXV, 1, 1903).

impérial, de défenseur héroïque et de martyr de l'orthodoxie qu'Athanase avait su forger de lui-même et que
les générations suivantes amplifièrent, interdisait, même à
un esprit plus libre et plus «douteur», la moindre
ouverture pour une mise en question. En cela, par son
unilatéralité franche et sa totale fermeture au doute, l'*Histoire ecclésiastique* constitue elle-même un précieux
document historique.

Le récit de la crise arienne :
péripéties et unité

Les livres III-IV sont consacrés à l'histoire de la deuxième
phase de la «crise arienne», depuis la mort de Constantin
(337) jusqu'au triomphe de l'arianisme par le ralliement
général à la formule homéenne, en 360. Ces quelque
vingt-cinq années du débat trinitaire, portant sur la définition de la personne du Fils et de son rapport avec le
Père, ne sont pas celles d'un glissement progressif et
constant, à partir de l'orthodoxie nicéenne qui s'était
exprimée dans la formule du consubstantiel (*homoousios*),
pour aller vers un arianisme prenant des formes de plus
en plus radicales, en affirmant la simple ressemblance
(*homoios*) et même la dissemblance (*anomoios*) du Fils[1].

---

1. DANIÉLOU-MARROU, p. 295-309 «Les péripéties de la crise arienne».
Ouvrages plus complets sur la question : M. SIMONETTI, *Studi sull'arianesimo*, Roma, 1965 ; MESLIN, *Les ariens d'Occident* ; SIMONETTI, *La crisi
ariana* (pour la période concernée ici, 337-361, p. 135-349) et les
recherches récentes de H. C. BRENNECKE, *Hilarius von Poitiers und die
Bischofsopposition gegen Konstantius II*, Berlin 1984 (*PTS* 26) et de J.
ULRICH, *Die Anfänge der abendländischen Rezeption des Nizänums*, Berlin
1994 (*PTS* 39), p. 111-135 et, dans une optique plus théologique, de
R. P. C. HANSON, *The Search for the Christian Doctrine of God. The
Arian Controversy 318-381*, Edinburgh 1988.

C'est, en fait, une période très agitée, faite d'avances et de reculs de l'un et de l'autre parti, en gros le parti orthodoxe et, comme le dit Sozomène, le «parti d'Arius» ou la «secte adverse»[1]. Ces fluctuations ne sont pas seulement dues au développement de la réflexion théologique amorcée par Arius sur le problème christologique[2]. Elles dépendent aussi des événements historiques, des options personnelles des princes, des rapports de force quand plusieurs empereurs règnent en même temps, des revirements qui s'opèrent dans leur politique selon que, tel parti leur paraissant dominer et représenter la majorité, ils l'appuient de leur autorité, en abandonnant le point de vue opposé qu'ils avaient jusque-là soutenu. Aux discussions portant sur les dogmes et aux multiples interventions des empereurs, s'ajoutent les luttes pour le pouvoir, notamment pour la conquête des grands sièges, entre des évêques dotés de fortes personnalités et souvent d'une ambition féroce.

Sozomène a donné de cette période une représentation qui rend assez bien compte de ce qu'H. I. Marrou a appelé la «structure polyphonique» de l'événement his-

1. *H.E.* III, 7, 8 les sectateurs d'Arius; III, 6, 9 les partisans d'Arius; III, 11, 3 la secte adverse; III, 12, 6 les sectateurs d'Arius; III, 20, 4 ceux du parti adverse; IV, 2, 2 les gens de la secte adverse; IV, 10, 3 ceux de la secte adverse; IV, 19, 9 les partisans de la secte adverse.

2. Sur les écrits ariens, voir R. GRYSON, *Scripta Arriana latina*, dans *CCSL* LXXXVII, 1982 et *Scolies ariennes sur le concile d'Aquilée*, Paris, 1980, *SC* 267 (avec une importante introduction). Sur le problème christologique, voir A. GRILLMEIER, *Jesus der Christus im Glauben der Kirche* I, (dernière éd.) Freiburg 1982, R. WILLIAMS, *Arius, Heresy and Tradition*, London 1987, TH. BÖHM, *Die Christologie des Arius. Dogmengeschichtliche Überlegungen unter besonderer Berücksichtigung der Hellenisierungsfrage*, St. Ottilien 1991, B. SESBOÜÉ-B. MEUNIER, *Dieu peut-il avoir un Fils?*, Paris 1993 et B. SESBOÜÉ-J. WOLINSKI, *Le Dieu du Salut*, dans B. SESBOÜÉ (dir.), *Histoire des dogmes*, t. I, Desclée, 1994, p. 250 s.

torique[1]. Certes, on ne saurait lui demander ce qu'il déclare lui-même s'interdire d'aborder, c'est à dire une histoire des dogmes qu'il laisse aux spécialistes[2]. Sur ce terrain, il ne s'aventure qu'avec d'extrêmes précautions, tout en adoptant nettement et une fois pour toutes la ligne de l'orthodoxie[3].

Pour le reste, qui est proprement l'objet de l'historien, sa distance personnelle par rapport à des hommes et à des événements éloignés de près d'un siècle et surtout son souci d'impartialité lui permettent de prendre un certain recul critique par rapport à des querelles et à des polémiques qui furent souvent acharnées. Certes, par honnêteté, il n'en dissimule pas la violence, mais sans jamais la mettre en relief par la rhétorique[4]. Certes aussi, il lui arrive de prendre position de façon assez tranchée, mais

---

1. *Décadence romaine ou Antiquité tardive? IIIe-IVe s.*, Paris 1977, p. 43 et p. 169.

2. *H.E.* III, 15, 10 : «Qu'on ne prenne pas à mal... que j'aie loué certains hommes qui furent ou fondateurs ou partisans des hérésies susdites...quant à leurs dogmes, qu'en décident ceux qui ont le droit de le faire. Car ce n'est pas ce que je me suis proposé d'écrire et cela ne convient pas à l'histoire, dont la tâche est de raconter seulement les faits sans y introduire aucun élément personnel».

3. L'orthodoxie est définie par la position des Églises d'Occident, fidèles à Rome (III, 13, 2 : «Généralement parlant, l'Église, dans tout l'Occident, étant dirigée avec pureté selon les dogmes traditionnels, avait échappé à l'esprit de querelle et aux jongleries de mots sur ces problèmes»). Sozomène fait preuve d'une extrême prudence quand il s'agit de juger de l'orthodoxie des formules de foi professées par les Orientaux, par ex. en III, 5, 8 : «S'étant repentis à ce qu'il semble de ce premier écrit, les évêques firent, outre celui-là, un autre exposé de foi, qui dans l'ensemble à mon avis, s'accorde avec le dogme des pères de Nicée, à moins que quelque sens à moi obscur ne se cache en secret dans les formules...»

4. En IV, 25, 4, l'implacable réquisitoire prononcé contre Basile d'Ancyre par ses ennemis est présenté sous la forme monotone d'une longue énumération.

toutefois sans âpreté polémique[1]. Il a plutôt tendance à
estomper les frictions et les luttes trop violentes, à ne
pas noircir les figures. Il donne bien un portrait tout à
fait négatif de l'évêque arien Georges de Cappadoce,
l'usurpateur du trône d'Athanase; mais le personnage, à
la fois haï par les chrétiens et par les païens, faisait,
semble-t-il, à juste titre l'unanimité contre lui[2]. Un évêque
ambitieux, représentant d'un arianisme extrême, Acace de
Césarée, est pourtant gratifié d'un portrait flatteur sur le
plan intellectuel[3].

Cette aptitude à la compréhension, cette attitude de
sympathie – qui paraîtra à certains une indulgence trop
lénifiante – se marque tout particulièrement dans les jugements portés sur les empereurs. Prenons Constantin : il
est toujours présenté comme un ferme tenant de l'orthodoxie, comme le champion de la foi de Nicée[4]. Et peu

---

1. Un passage polémique comme III, 19, 7, destiné à démontrer la
fausseté d'un « ingénieux récit » inventé par les ariens, est exceptionnel.
2. Voir notamment IV, 10, 9 (esprit de domination, violence, com-
portement tyrannique : « Il s'était exposé à la haine commune ») et IV,
30, 1 « Georges... maltraitait cruellement les païens et ceux des chrétiens qui ne pensaient pas comme lui... il était haï des gens de distinction comme les méprisant et donnant des ordres aux magistrats, de
la plèbe comme agissant en tyran »). Comparer AMM. 22, 11, 3-10 (*Georgi
odio omnes indiscreti flagrabant*).
3. III, 2, 9 : « Disciple fervent d'Eusèbe même et formé sous sa
direction dans l'étude des saintes Lettres, il avait acquis capacité de
pensée et élégance de style, en sorte qu'il laissa beaucoup d'ouvrages
dignes d'estime »; IV, 23, 2 : « Acace ne paraissait pas le premier venu :
il était naturellement habile à concevoir et à parler et à faire aboutir
ce qu'il avait délibéré... il se glorifiait d'avoir eu pour maître Eusèbe
de Pamphile... et il estimait que la réputation de sa bibliothèque dont
il avait hérité lui valait d'en savoir plus que les autres. »
4. III, 1, 1-2 (« Quand il fut mort, le dogme des pères réunis à Nicée
fut de nouveau remis en question. Ce dogme même, si tous ne l'acceptaient pas, personne, lorsque Constantin était encore en vie, n'avait
osé le rejeter ouvertement »); III, 18, 1 (« Pour ce qui regarde le dogme
même, les empereurs gardèrent d'abord l'opinion de leur père : tous

importe qu'il ait rappelé Arius à la fin de sa vie, qu'il soit tombé sous la coupe d'Eusèbe de Nicomédie, qu'il ait été baptisé dans l'arianisme. Au nom du respect dû à l'orthodoxie à laquelle il identifie sans réserve Constantin, Sozomène condamne l'évêque Macédonius pour avoir osé faire transporter le cercueil de l'empereur hors de la basilique des Apôtres[1]. En simplifiant dans le sens de l'idéalisation la figure de Constantin, Sozomène a déjà pris le recul de l'historiographie postérieure qui ne voit plus en cet empereur que le fondateur de l'Empire chrétien et juge qu'à ce titre, il a droit d'échapper à la polémique.

Une telle prise de distance apparaît même au profit de Constance, pourtant responsable en grande partie de la montée de l'arianisme que Sozomène considère avec sévérité. Il n'y a pas là, à proprement parler, de contradiction, mais, dans un esprit de modération, la recherche d'un difficile équilibre entre ses convictions orthodoxes et son souci de ménager un empereur profondément chrétien, dont il perçoit les intentions comme fondamentalement bonnes. Pour Sozomène, Constance a été longtemps orthodoxe, comme son père et comme son frère Constant[2]. S'il a varié, c'est moins par conviction arienne que parce qu'il a subi des influences, celle d'un prêtre, celle de son épouse, celle des eunuques du Palais, plus généralement de tous ceux qui critiquaient devant lui l'*homoousios*. Et même quand il s'est montré franchement arien, c'était plus en apparence, par les mots, qu'en réalité, par les pensées[3].

---

deux en effet approuvaient la foi de Nicée»); IV, 21, 4 («les tenants du dogme de Nicée ne souffraient pas qu'on fît injure au corps de Constantin, en tant qu'il avait pensé comme eux»).

1. Rapprocher II, 34, 5 et IV, 21, 3-6.
2. III, 18, 1.
3. III, 18, 4 («Pour le sens, à ce que je conjecture, il pensait comme son père et son frère, mais il échangea un terme pour l'autre et au lieu d'*homoousios* disait *homoiousios*»).

Si Sozomène prend ainsi un certain recul par rapport à l'arianisme, ce n'est pas qu'à son époque l'arianisme soit mort ni même appartienne à un passé assez largement révolu. Certes, d'autres controverses ont surgi, sur l'Esprit Saint d'abord avec les Pneumatomaques, puis l'hérésie apollinariste dès les années 370, enfin, à partir de 428, l'hérésie nestorienne. Mais la contestation arienne a été au centre de la réflexion chrétienne jusqu'à la fin du IVe s. – Basile de Césarée, Grégoire de Nysse, Théodore de Mopsueste ont écrit contre Eunome, le plus important disciple d'Aèce – et, dans les premières décennies du Ve s., certains des *Dialogues sur la Trinité* de Cyrille d'Alexandrie, notamment le second, visent encore nommément Eunome[1]. La relative objectivité dont fait preuve Sozomène relève plutôt d'une disposition d'esprit personnelle faite d'ouverture et de respect, qui ne peut pas admettre que des empereurs, que des évêques se soient entièrement fourvoyés. Sans doute aussi faut-il y voir la position d'un laïc, plus sensible aux enjeux sociaux et politiques qu'aux enjeux religieux et spirituels.

Il a bien vu en effet les enjeux concrets, qu'ils soient de politique ecclésiastique ou de politique impériale. Sans le condamner, il a reconnu le poids écrasant du pouvoir temporel sur l'évolution de la crise arienne : c'est la mort de Constantin qui donne le signal du réveil du parti antiathanasien ; c'est le rapport de force politique entre Constant et Constance qui fait plier le second, par la

---

1. D'après B. Sesboüé-B. Meunier, *Dieu peut-il avoir un Fils?*, p. 134-135, Eunome ne manquait pas de sincérité dans ses convictions. Voir sa propre *Apologie* dans le t. 2 de Basile de Césarée, *Contre Eunome*, éd. B. Sesboüé, G.-M. de Durand, L. Doutreleau, SC 305, Paris 1983, p. 233-299. Sozomène ne le mentionne qu'une fois dans les livres III-IV, quand il est nommé évêque de Cyzique à la place du macédonien Eleusios et, par anticipation, comme fondateur d'une hérésie nouvelle nommée d'après lui (IV, 25, 6).

menace d'une guerre, jusqu'à accepter le retour
d'Athanase[1] ; c'est la mort de Constant, puis le triomphe
de Constance sur les usurpateurs qui permettent à celui-
ci d'intervenir de manière de plus en plus décidée en
faveur du parti arien majoritaire, celui des homéens[2]. L'in-
terférence des considérations d'ordre public et des questions religieuses, notamment dans les positions prises par
l'empereur dans les démêlés de Paul et de Macédonius à
Constantinople, n'a pas non plus échappé à l'historien[3].

C'est surtout à propos de la conquête des grands sièges
métropolitains, Constantinople et Alexandrie, mais aussi
Antioche et Jérusalem, que Sozomène a montré que les
enjeux de pouvoir primaient souvent, pour les évêques,
sur les positions doctrinales. La grande rivalité est entre
l'Occident, identifié à Rome, et l'Orient. Les évêques de
Rome, Jules[4], puis Libère, cherchent, en incarnant jalou-
sement l'orthodoxie et en soutenant Athanase, à affaiblir

---

1. III, 20, 1-2.
2. IV, 8, 5 où la liaison est explicite («Dès que Magnence eut péri
et que Constance fut le seul maître de tout l'Empire romain, ce dernier
fit tous ses efforts pour que les évêques d'Occident approuvassent ceux
qui ne tenaient pas le Fils pour consubstantiel au Père»).
3. III, 7.
4. Caractéristique de la politique de Jules, le chap. 7 du l. III (§ 1-3) :
«Comme avaient été saisis à l'avance les sièges les plus distingués, à
Alexandrie d'Égypte, à Antioche de Syrie et à la capitale de l'Hellespont,
les ariens tenaient sous leur obéissance les évêques de cette partie de
l'Empire. Mais le chef de l'Église de Rome et les évêques d'Occident
prenaient cela pour un outrage personnel. Car sur tous les points ils
avaient approuvé, dès le principe, le vote des pères réunis à Nicée...
aussi quand Athanase fut arrivé chez eux, ils l'accueillirent avec amitié
et revendiquèrent pour eux-mêmes le procès qui le concernait. Eusèbe
souffrit mal la chose». La cause profonde du conflit qui opposa Occidentaux et Orientaux au concile double de Sardique-Philippopolis, c'est
la prétention des Occidentaux à juger, en même temps que les Orientaux,
d'une affaire que les Orientaux estimaient avoir le droit de considérer
comme relevant d'eux seuls et comme définitivement réglée par eux
au concile de Tyr qui avait déposé Athanase.

le pouvoir des Églises d'Orient en accentuant leurs divisions[1]. Quand il s'agit de conquérir un grand siège, Constantinople, Antioche ou Jérusalem, Sozomène montre que les hommes d'Église s'appuient sur un parti qui les pousse pour pouvoir lui-même dominer. Dans ces intrigues, la jalousie, l'ambition, l'antipathie personnelle jouent le rôle principal et premier, les raisons doctrinales ne viennent qu'en second à titre de justification.

Caractéristique est la façon dont Sozomène présente la lutte entre Acace de Césarée et Cyrille de Jérusalem. La déposition de ce dernier est justifiée par son adversaire par des motifs de discipline ecclésiastique : «Cyrille s'était associé à Eustathe et à Elpidius qui avaient pris parti contre les pères du synode de Mélitène auquel il avait lui-même participé». Les deux évêques s'attaquent aussi sur le dogme : «Ils s'accusaient mutuellement de n'avoir pas d'opinions théologiques saines... l'un comme professant la doctrine d'Arius, Cyrille comme suivant ceux qui enseignaient que le Fils est consubstantiel au Père». Mais l'historien montre qu'en fait le nœud du conflit est dans la définition de leur pouvoir respectif et de leur relation hiérarchique : «après que lui avait été confié l'évêché de Jérusalem, Cyrille avait été en désaccord sur les droits métropolitains avec Acace de Césarée en alléguant qu'il gouvernait un siège apostolique». Il s'agit donc bien d'une lutte de prééminence entre le métropolitain de Cappadoce et l'évêque de Jérusalem, qui prétend échapper au pouvoir hiérarchique du premier en

---

1. Cette «politique» des évêques de Rome est mise en relief tant par SIMONETTI, *La crisi ariana*, que par PIETRI, *Roma Christiana*. Si cette politique a su habilement jouer sur l'«affaire Athanase», l'évêque d'Alexandrie n'a pas moins su en tirer profit pour réaliser ses objectifs personnels. Noter cependant, avec SIMONETTI, *La crisi ariana*, p. 152 «qu'une tradition déjà plus que séculaire liait d'une manière particulièrement étroite l'évêque de Rome à l'évêque d'Alexandrie».

invoquant une raison d'ordre supérieur, spirituel et non pas institutionnel[1].

Sozomène discerne aussi, autant que pouvait le faire un historien de l'Antiquité, les enjeux économiques – Constance diminue de moitié l'annone de Constantinople pour imposer son pouvoir au peuple et aux deux factions opposées[2]; ce qu'il reproche, entre autres, à Athanase, c'est d'avoir détourné à son profit l'allocation de grains destinée aux pauvres[3] – et cet enjeu suprême qu'est le pouvoir sur les masses. Constance a beau détenir le pouvoir politique et militaire et chercher à s'arroger le pouvoir sur l'Église, la maîtrise du peuple lui échappe : tantôt celui-ci se dresse en sédition violente, quand l'empereur veut lui dicter sa volonté[4]; tantôt il se déchaîne contre un évêque imposé d'en haut et le chasse[5]; tantôt, dans le cas d'Athanase, mais aussi de Paul, il prend fait et cause pour un évêque persécuté et lui témoigne par des cris, mais aussi par une protection et un dévouement qui vont jusqu'à la mort un véritable culte d'admiration[6]. Le peuple est, lui aussi, acteur de la crise arienne et le rôle qu'il joue contre la diffusion de l'arianisme et contre

---

1. IV, 25, 1-2. Acace saisit ensuite un assez pitoyable prétexte pour déposer Cyrille (IV, 25, 3-4).

2. III, 7, 5-8.

3. III, 9, 5.

4. III, 7, 6 (assassinat d'Hermogène, maître de la cavalerie).

5. III, 6, 11 (furieux de se voir imposer Grégoire, le peuple d'Alexandrie met le feu à l'Église de Denys); IV, 10, 10 (le peuple d'Alexandrie se soulève, dans l'église, contre l'évêque Georges qui doit s'enfuir auprès de l'empereur).

6. Pour Paul, voir III, 7, 5-6 (le peuple résiste aux soldats d'Hermogène), III, 9 (Paul est déporté par le préfet Philippe, le peuple, massé aux portes de l'église, est massacré par les soldats); pour Athanase, voir notamment IV, 9 (par deux fois, l'évêque et le peuple, solidaires, refusent d'obéir aux envoyés impériaux) et 10 (Athanase est caché par ses fidèles).

sa main mise sur l'Orient n'est pas négligé, même s'il
paraît souvent orienté, voire manipulé par les évêques et
par les moines[1].

Sozomène saisit donc bien, d'une manière certes inégale,
des enjeux compliqués qui souvent interfèrent. En historien, il distingue des étapes dans l'invasion arienne.
Mais il marque bien d'abord l'unité de la période. Arius
est mort en 335 ; son ombre domine pourtant toute l'histoire de ses épigones. Il n'est pas indifférent de constater
que son nom est présent au début du livre III. Au chapitre premier, il est rappelé que « ceux qui », dès après
la mort de Constantin, « montraient le plus de zèle pour
que l'emportât la thèse d'Arius étaient Eusèbe et Théognios » et que, dans leurs efforts pour maintenir Athanase
en exil, ils étaient « aidés par le prêtre qui avait été cause,
sous Constantin, du rappel d'Arius ». Ce qui est plus signi-
ficatif, car Sozomène indique ainsi que le développement
de la crise arienne forme un cycle complet, c'est qu'il
rappelle le nom du premier responsable de cette crise à
l'extrême fin du livre IV : non seulement, au chapitre 28,
il conclut le récit des troubles d'Antioche, causés par l'ordination de Mélèce par les ariens et par sa profession
de foi inopinée d'orthodoxie, avec une mention objective :
« Le siège d'Antioche fut confié à Euzoïos », mais il prend
soin de caractériser ce dernier par la précision rétrospective, « qui, en même temps qu'Arius, avait déjà été
déposé ». Et au chapitre 29, il insiste sur la continuité
entre l'arianisme extrémiste d'Aèce, véritable *Arius
rediuiuus*, et la doctrine du fondateur : « les acaciens...
introduisirent la formule que le Fils était en tout, et quant
à l'essence et quant à la volonté, dissemblable par rapport
au Père et qu'il avait été tiré du néant, comme, dès le

---

1. IV, 10, 12 (le peuple suit les moines d'Égypte contre l'évêque
Georges d'Alexandrie).

principe, l'avait enseigné Arius. Ils avaient pour auxiliaires des partisans d'Aèce, qui, le premier après Arius, avait osé se servir ouvertement de ces termes».

Ayant ainsi marqué fortement l'unité de la crise arienne, en dépit de la diversité de ses manifestations, Sozomène y distingue des étapes qui sont tout d'abord les principaux conciles. Mais allant au-delà de leur simple succession, il indique aussi des paliers importants. Ainsi, il souligne qu'au terme de la première étape de leur reconquête, les ariens ont tout lieu d'être satisfaits dès lors que tous ceux qui avaient été fidèles au dogme de Nicée se trouvaient déposés. Et il récapitule les sièges, Alexandrie, Antioche, Constantinople, tombés ou retombés sous la coupe d'évêques ariens[1]. Mais il donne tout son relief à la coupure la plus importante qui se situe entre l'avant et l'après du concile de Sardique-Philippopolis (342/343). Convoqué pour assurer l'unité, il aboutit à la scission irréparable. Avant, les évêques nicéens et les évêques ariens étaient encore en communion. Après, la communion est rompue entre eux.

Sozomène souligne de plusieurs manières l'importance décisive de cette coupure. D'abord en consacrant à ce concile tout un ensemble de chapitres[2], ce qui est exceptionnel, en résumant aussi de façon énergique et lapidaire la situation : «Après ce concile, il n'y eut plus de relations ni de communion mutuelles comme entre gens de même opinion»[3], et surtout en soulignant l'aggravation du mal au moyen d'une longue comparaison entre hier et aujourd'hui : «Même si auparavant on différait sur le dogme, du moins comme on participait à la même communion, on ne rendait pas le mal très grave»[4], et par

1. III, 7, 4.
2. III, 11, 12 et 13.
3. III, 13, 1.
4. III, 13, 2.

une évocation nostalgique, et quelque peu idéalisée, du
règne de l'orthodoxie nicéenne jusqu'à cette date critique,
non seulement en Occident, mais même en Orient où,
dit-il, les ariens étaient moins nombreux qu'on ne croit
et où la plupart d'entre eux restaient fidèles en fait à
l'esprit, sinon à la lettre, de Nicée[1] !

Dans la suite, il distingue aussi d'autres étapes, celle
de la division des ariens entre les deux tendances de
Basile d'Ancyre et d'Acace de Césarée, au concile de
Séleucie[2], puis celle d'une subdivision de la deuxième
tendance elle-même, effrayée des audaces d'Aèce et le
retranchant de son parti[3]. Mais son mérite principal, en
tant qu'historien, est d'avoir discerné et mis en relief, au-
delà de toutes les péripéties, la coupure fondamentale de
Sardique-Philippopolis, à la fois comme point d'aboutis-
sement du désaccord de plus en plus profond entre les
deux partis et comme nouveau point de départ pour un
arianisme qui, délié de toute prudence puisque l'irréparable est accompli, se fait de plus en plus radical[4].

---

1. III, 13, 4-6.

2. IV, 22 (scission entre les homéousiens conduits par Eleusios de
Cyzique et les homéens conduits par Acace de Césarée).

3. IV, 23, 2-4.

4. Sur le fond du conflit (les Orientaux ne peuvent pas supporter que
les décisions prises par eux au concile de Tyr soient remises en cause
par les Occidentaux ; ces derniers considèrent comme intolérable que les
Orientaux puissent, en maintenant par principe leur décision de Tyr, faire
penser qu'un concile convoqué régulièrement par l'évêque de Rome soit
nul et non avenu), voir SIMONETTI, *La crisi ariana*, p. 170. Sur le concile
de Sardique comme «un moment important de l'histoire de l'Église, même
au-delà du contexte spécifique de la controverse arienne», *ibid.*, p. 176-
177 («Ainsi se transférait pour la première fois d'une manière ouverte à
l'intérieur de l'Église le conflit plurielséculaire, culturel et aussi politique,
entre l'Occident romain et l'Orient hellénisé… en somme, commencent
à s'annoncer, dans le grand corps de l'Église, les premières lézardes qui
devaient graduellement s'élargir jusqu'à provoquer, de nombreux siècles
plus tard, la scission de ce corps en deux tronçons»).

Sozomène a également saisi et caractérisé les deux tac-
tiques utilisées avec un grand sens de l'opportunisme par
les ariens. La première est prudente et insidieuse : même
Ursace et Valens, les deux évêques illyriens intrigants, se
gardent bien d'abord, étant donné la conjoncture politique favorable à l'orthodoxe Constant, d'exercer des pressions sur Constance ; ils vont même jusqu'à adresser des
lettres de conciliation et de repentance à Jules de Rome
et à Athanase[1] ! La seconde est beaucoup plus offensive.
Elle consiste à s'appuyer sur un pouvoir politique de plus
en plus acquis, en lui faisant exercer de fortes pressions
sur les autres évêques par son représentant[2], en l'amenant
à de multiples interventions armées, à Constantinople[3],
mais surtout à Alexandrie[4], pour installer l'un des hommes
du parti ou pour capturer ou faire fuir Paul ou Athanase.

Cette lutte sans scrupule pour le pouvoir a des aspects
cruels que Sozomène représente avec objectivité : ainsi
l'acte d'accusation interminable et sans merci dressé par
les ariens contre un de leurs chefs de file, Basile d'Ancyre,
jugé trop mou, projette une lumière crue sur tout ce qui
pouvait être alors reproché à un évêque ambitieux[5] ; mais
aussi l'habileté et la célérité avec lesquelles les évêques
ariens, à peine un concile terminé et surtout quand il a
tourné à leur désavantage, font le siège de l'empereur et
le circonviennent avant que n'arrivent les ambassadeurs

---

1. Arrivés devant Constant, les envoyés ariens se gardent bien de
présenter la formule de foi élaborée à Antioche, mais remettent à l'empereur une autre profession de foi (III, 10, 5). Lettre d'Ursace et de
Valens à Jules en III, 23, à Athanase en III, 24.

2. Par exemple, le questeur Léônas lors du concile de Séleucie (IV,
22) a pour mission de surveiller le concile et se montre ouvertement
favorable aux homéens.

3. III, III, 7 et 9.

4. III, 6, 9 (installation de Grégoire par les soldats) ; IV, 9 et 10 (pour
déposer Athanase et s'emparer de sa personne).

5. IV, 24, 4-8.

officiels envoyés par la majorité[1]; enfin le mensonge
même et la manipulation : les ariens divisent le concile
entre Rimini et Séleucie de façon à être sûrs qu'au moins
l'un des deux conciles ne tournera pas contre eux[2]; ils
font croire aux uns que les autres ont décidé dans le
sens de l'arianisme afin d'amener les premiers à aller
dans le sens qui leur plaît[3]; ils se servent d'une lettre
extorquée au confesseur Hosius de Cordoue, champion
de Nicée et vieillard centenaire[4], pour assurer le triomphe
de leur parti.

En fin de compte, Sozomène, en représentant la crise
arienne, semble avoir tenu, pour une grande part, la
gageure de marquer les responsabilités, en mettant plus
en cause des personnes, mues par des sentiments trop
humains (amour-propre, entêtement, faveur), que des fonctions à ses yeux éminemment respectables; de rendre
perceptible sous des péripéties, en apparence désor-
données, l'unité de la période et les principales étapes

---

1. IV, 19, 1 «Ursace et Valens avaient devancé les ambassadeurs
envoyés par les pères, ils avaient montré à l'empereur l'écrit qu'ils
avaient lu et ils attaquaient le concile»; IV, 23, 1 «les acaciens se rendirent en hâte au Palais... les acaciens avaient déjà réussi à gagner à
leur opinion les puissants du palais et, par eux, avaient cherché à
obtenir la faveur du prince».
2. IV, 16, 21-22. Les chefs ariens Eudoxe, Acace, Ursace et Valens
ont l'appui du grand chambellan Eusèbe.
3. IV, 19, 5-12 où Sozomène donne du reste deux versions du «retournement» des ambassadeurs des Pères de Rimini par les manœuvres de
Valens et d'Ursace à Niké de Thrace. Sur la question extrêmement compliquée des manœuvres qui aboutirent à la volte-face des envoyés des
pères de Rimini, SIMONETTI, *La crisi ariana*, p. 319-321, qui explique
la conduite du chef de l'ambassade Restitutus de Carthage par le souci
de ne pas s'aliéner les ariens et l'empereur, alors qu'il avait déjà fort
à faire avec les donatistes en Afrique.
4. IV, 6, 13 : «Hosius, au début, avait refusé de les approuver, mais
violenté et même, dit-on, frappé de coups, vieillard comme il était, il
finit par consentir et soussigna.»

de la crise; de donner au moins une idée du caractère *polyphonique* de cette crise, en faisant certes passer à l'arrière-plan sa dimension théologique, mais en analysant finement ses aspects psychologiques, institutionnels et politiques. Il donne ainsi une image d'ensemble de l'«arianisme historique»[1] qui est doublement intéressante pour ses lecteurs d'aujourd'hui : tout d'abord par ce qu'elle nous *dit* de la réalité des événements, des faits et des hommes, mais plus encore par ce qu'elle *est* : une vision ancienne de l'arianisme.

Guy SABBAH

---

1. DANIÉLOU-MARROU, p. 303.

ABRÉVIATIONS BIBLIOGRAPHIQUES

AMM. : AMMIEN MARCELLIN, *Histoire* (*Collection des Universités de France*, Paris 1968 s.).

BARDY : A. FLICHE – V. MARTIN, *Histoire générale de l'Église depuis les origines jusqu'à nos jours*, t. 3 : *De la paix constantinienne à la mort de Théodose*, par J.-R. PALANQUE, G. BARDY, P. DE LABRIOLLE, Paris 1950.

CAVALLERA : F. CAVALLERA, *Le schisme d'Antioche (IVe – Ve siècle)*, Paris 1905.

DACL : *Dictionnaire d'archéologie chrétienne et de liturgie*, Paris.

DAGRON : G. DAGRON, *Naissance d'une capitale. Constantinople et ses institutions de 330 à 451*, Paris 1974.

DANIÉLOU-MARROU : J. DANIÉLOU – H.-I. MARROU, *Nouvelle histoire de l'Église. I. Des origines à saint Grégoire le Grand*, Paris 1963.

DECA : *Dictionnaire Encyclopédique du Christianisme Ancien*, dir. A. DI BERARDINO, trad. fr., Paris 1990, 2 vol.

DHGE : *Dictionnaire d'Histoire et de Géographie Ecclésiastiques*, Paris.

DS : *Dictionnaire de spiritualité*, Paris

H.E. sans indication d'auteur renvoie à l'*Histoire ecclésiastique* de Sozomène.

HEFELE-LECLERCQ : C.J. HEFELE – H.-L. LECLERCQ, *Histoire des conciles*, t. I-2, Paris 1907.

JANIN, *Géographie* : R. JANIN, *La géographie ecclésiastique de l'Empire byzantin. III. Les églises et les monastères*, Paris 1969.

JONES : A.H.M. JONES, *The later Roman Empire, 284-602. A social, economic and administrative survey*, 3 vol., Oxford 1964.

LTK: *Lexikon für Theologie und Kirche*, 11 vol., Friburg 1957-1967.

MESLIN, *Les ariens d'Occident*: M. MESLIN, *Les ariens d'Occident 335-430*, Paris 1967 (*Patristica Sorbonensia* 8).

Opitz: *Athanasius Werke*, éd. H.G. Opitz, t. II, Berlin-Leipzig 1934-1935, et III (*Urkunden zur Geschichte des arianischen Streites 318-328*), Berlin-Leipzig 1934.

PALANQUE: A. FLICHE – V. MARTIN, *Histoire générale de l'Église depuis les origines jusqu'à nos jours*, t. 3: *De la paix constantinienne à la mort de Théodose*, par J.-R. PALANQUE, G. BARDY, P. DE LABRIOLLE, Paris 1950.

PIETRI: C. PIETRI, *Roma Christiana. Recherches sur l'Église de Rome, son organisation, sa politique, son idéologie de Miltiade à Sixte III (311-440)*, 2 vol., Paris 1976.

PIGANIOL: A. PIGANIOL, *L'Empire chrétien*, 2ᵉ éd. mise à jour par A. CHASTAGNOL, Paris 1972.

P.L.R.E.: *The Prosopography of the Later Roman Empire. I: a.d. 260-395*, par A.H.M. JONES – J.R. MARTINDALE – J. MORRIS, Cambridge 1971. *II: a.d. 395-527*, par J.R. MARTINDALE, Cambridge 1980.

PW: PAULY-WISSOWA, Realencyclopädie der classischen Altertumswissenschaft, Stuttgart.

QUASTEN: J. QUASTEN; *Initiation aux Pères de l'Église*, trad. fr., 4 vol., Paris 1955-1987.

SCHWARTZ, *Gesamm. Schriften*: E. SCHWARTZ, *Gesammelte Schriften. III: Zur Geschichte des Athanasius,* Berlin 1959.

SEECK, *Regesten*: O. SEECK, *Regesten der Kaiser und Päpste (311-476 p. C.)*, Stuttgart 1919.

SIMONETTI, *La crisi ariana*: M. SIMONETTI, *La crisi ariana nel quarto secolo*, Roma 1975 (*Studia Ephemeridis Augustinianum* 11).

STEIN-PALANQUE: E. STEIN, *Histoire du Bas-Empire. I: De l'État romain à l'État byzantin (284-476)*, éd. française par J.-R. PALANQUE, 2 vol., Paris 1959.

TEXTE ET TRADUCTION

Α΄. Ὡς μετὰ θάνατον τοῦ Μεγάλου Κωνσταντίνου, πάλιν οἱ περὶ Εὐσέβιον καὶ Θεόγνιον τὴν ἐν Νικαίᾳ πίστιν ἐτάραττον.

Β΄. Περὶ τῆς ἐκ τῆς Γαλλίας καθόδου τοῦ Μεγάλου Ἀθανασίου· καὶ περὶ τῆς ἐπιστολῆς Κωνσταντίνου Καίσαρος, τοῦ υἱοῦ τοῦ Μεγάλου Κωνσταντίνου, καὶ τῆς κατὰ τοῦ Ἀθανασίου αὖθις ἐπιβουλῆς τῶν Ἀρειανῶν· καὶ περὶ Ἀκακίου τοῦ Βερροίας· καὶ περὶ τοῦ πολέμου Κώνσταντος καὶ Κωνσταντίνου.

Γ΄. Περὶ Παύλου τοῦ Κωνσταντίνου πόλεως, καὶ Μακεδονίου τοῦ πνευματομάχου.

Δ΄. Περὶ τῆς γενομένης στάσεως διὰ τὴν Παύλου χειροτονίαν.

Ε΄. Περὶ τῆς ἐν Ἀντιοχείᾳ μερικῆς συνόδου, ἥτις καθεῖλε μὲν Ἀθανάσιον, Γρηγόριον δὲ ἀντεισήγαγε· καὶ περὶ τῶν δύο ἐκθέσεων τῆς πίστεως· καὶ περὶ τῶν συμφωνησάντων αὐτοῖς.

Ϛ΄. Περὶ Εὐσεβίου τοῦ Ἐμεσηνοῦ· καὶ ὡς Γρηγόριος κατέλαβεν Ἀλεξάνδρειαν, Ἀθανάσιος δὲ φυγὼν εἰς Ῥώμην διασώζεται.

Ζ΄. Περὶ τῶν ἐν Ῥώμῃ καὶ τῶν ἀρχιερέων τῆς Κωνσταντίνου· ὡς μετὰ Εὐσέβιον πάλιν Παῦλος ἀποκατέστη· καὶ περὶ τῆς ἀναιρέσεως τοῦ στρατηλάτου Ἑρμογένους· καὶ ὡς ἐξ Ἀντιοχείας ἥκων Κωνστάντιος τόν τε Παῦλον μεθίστησι, καὶ πρὸς τὴν πόλιν ὀργίλως διατίθεται, καὶ ὡς εἴασε τὸν Μακεδόνιον ἀμφιβόλως, καὶ ἀνεχώρησε πάλιν εἰς Ἀντιόχειαν.

Η΄. Περὶ τῶν εἰς Ῥώμην ἀπελαθέντων ἑῴων ἀρχιερέων· καὶ οἷα περὶ αὐτῶν Ἰούλιος ὁ Ῥώμης γράφει. Καὶ ὡς ἔλαβον αὖθις γράμμασιν Ἰουλίου Παῦλος καὶ Ἀθανάσιος τοὺς ἰδίους θρόνους· καὶ οἷα οἱ τῆς ἕω ἀρχιερεῖς πρὸς Ἰούλιον ἔγραψαν.

Θ΄. Ὅπως ἐξηλάθη Παῦλος καὶ Ἀθανάσιος καὶ ἀντεισήχθη Μακεδόνιος εἰς τὴν Κωνσταντίνου.

Ι΄. Οἷα ὁ Ῥώμης ἔγραψεν ὑπὲρ Ἀθανασίου τοῖς ἀνὰ τὴν ἕω ἐπισκόποις καὶ ὡς ἐστάλησαν εἰς Ῥώμην ἐπίσκοποι, συν-

διασκεψόμενοι τῷ Ῥώμης τὰ κατὰ τῶν ἑῴων ἐπισκόπων ἐγκλήματα. Καὶ ὡς ἀπεπέμφθησαν παρὰ Κωνσταντίου τοῦ Καίσαρος.

ΙΑ΄. Περὶ τῆς μακροστίχου ἐκθέσεως· καὶ περὶ τῶν ἐν Σαρδικῇ συνόδῳ γεγενημένων· ὡς καθεῖλον οἱ τῆς ἑῴας Ἰούλιον τὸν Ῥώμης καὶ Ὅσιον τὸν Σπάνιον ἐπίσκοπον, ὡς Ἀθανασίῳ καὶ τοῖς λοιποῖς κοινωνήσαντας.

ΙΒ΄. Ὡς οἱ περὶ Ἰούλιον καὶ τὸν Ὅσιον ἐπίσκοποι πάλιν καθίσαντες, τοὺς ἑῴους καθεῖλον ἀρχιερεῖς, ποιήσαντες καὶ ἔκθεσιν πίστεως.

ΙΓ΄. Ὅτι μετὰ τὴν σύνοδον ἡ Ἕως καὶ ἡ Ἑσπέρα διέστη· καὶ ἡ μὲν Ἑσπέρα καλῶς τῆς ἐν Νικαίᾳ πίστεως εἴχετο· ἡ δὲ Ἕως διὰ τὴν ἔριν περὶ τὸ δόγμα, ἔν τισιν ἐστασίαζε.

ΙΔ΄. Περὶ τῶν ἐν τοῖς χρόνοις ἐκείνοις ἐν Αἰγύπτῳ ἀκμασάντων ἁγίων ἀνδρῶν, Ἀντωνίου, τῶν δύο Μακαρίων, Ἡρακλείου, Κρονίου, Παφνουτίου, Πουτουβάστου, Ἀρσισίου, Σαραπίωνος, Πιτυρίωνος, Παχωμίου, Ἀπολλωνίου, Ἀνοῦφ, Ἰλαρίωνος καὶ ἑτέρων πλείστων ἁγίων κατάλογος.

ΙΕ΄. Περὶ Διδύμου τοῦ τυφλοῦ, καὶ περὶ Ἀετίου τοῦ αἱρετικοῦ.

ΙϚ΄. Περὶ τοῦ ἁγίου Ἐφραίμ.

ΙΖ΄. Περὶ τῶν τότε πραγμάτων, ὅπως ἐκ συνδρομῆς τῶν βασιλέων καὶ τῶν ἀρχιερέων, τὸ κατὰ Χριστὸν ηὔξανε δόγμα.

ΙΗ΄. Περὶ τῆς δόξης τῶν παίδων Κωνσταντίνου· καὶ περὶ τοῦ ὁμοουσίου καὶ ὁμοιουσίου διαφορά· καὶ ὅθεν παρετράπη τῆς ὀρθῆς πίστεως Κωνστάντιος.

ΙΘ΄. Ἔτι περὶ τοῦ ὁμοουσίου, καὶ περὶ τῆς ἐν Ἀριμήνῳ συνόδου, ὅπως καὶ ὅθεν καὶ διὸ συνέστη.

Κ΄. Ὡς γράμμασι Κωνσταντίου πάλιν Ἀθανάσιος κάτεισι, καὶ τὸν θρόνον λαμβάνει· καὶ περὶ τῶν τῆς Ἀντιοχείας ἀρχιερέων· καὶ περὶ τῶν Κωνσταντίου πρὸς αὐτὸν ζητημάτων· καὶ περὶ τῆς ἐν ὕμνοις δοξολογίας.

ΚΑ΄. Οἷα Κωνστάντιος ὑπὲρ Ἀθανασίου τοῖς κατ᾽ Αἴγυπτον γράφει, καὶ περὶ τῆς ἐν Ἱεροσολύμοις συνόδου.

52 HISTOIRE ECCLÉSIASTIQUE

ΚΒ΄. Ἐπιστολὴ τῆς ἐν Ἱεροσολύμοις συνόδου ὑπὲρ Ἀθανασίου.

ΚΓ΄. Ὁμολογία Οὐάλεντος καὶ Οὐρσακίου τῶν τὰ Ἀρείου φρονούντων, πρὸς τὸν Ῥώμης, ὡς ψευδῆ κατεῖπον Ἀθανασίου.

ΚΔ΄. Ἐπιστολὴ εἰρηνικὴ τῶν αὐτῶν πρὸς τὸν μέγαν Ἀθανάσιον·
ἔτι δὲ καὶ ὅπως οἱ λοιποὶ τῆς Ἑῴας ἐπίσκοποι τοὺς ἰδίους
θρόνους ἀπέλαβον· καὶ ὅτι πάλιν Μακεδονίου ἐκβληθέντος,
Παῦλος τῷ θρόνῳ ἀντικατέστη.

ΤΟΥ ΑΥΤΟΥ
ΕΚΚΛΗΣΙΑΣΤΙΚΗΣ ΙΣΤΟΡΙΑΣ ΤΟΜΟΣ ΤΡΙΤΟΣ

1

PG 67
col. 1033
Bidez 101 **1** Τὰ μὲν δὴ κατὰ τὴν Κωνσταντίνου βασιλείαν συμβάντα ταῖς ἐκκλησίαις ὧδε ἔσχε. Τελευτήσαντος δὲ αὐτοῦ πάλιν εἰς ζήτησιν ἤγετο τῶν ἐν Νικαίᾳ συνελθόντων τὸ δόγμα· τοῦτο γὰρ εἰ καὶ μὴ πάντες ἀπεδέχοντο, Κωνσταντίνου ἔτι περιόντος τῷ βίῳ οὐδεὶς περιφανῶς ἐκβαλεῖν ἐτόλμησεν. **2** Ὡς δὲ ἐτε-λεύτησε, πολλοὶ ταύτης τῆς δόξης ἀπέστησαν· οὗτοι δὲ ἦσαν οἱ καὶ πρὶν ἐπὶ προδοσίᾳ ταύτης ὕποπτοι· πάντων δὲ μάλιστα πλείστην ἐποιοῦντο σπουδὴν τὴν Ἀρείου δόξαν κρατεῖν Εὐ-σέβιος καὶ Θεόγνιος οἱ ἐκ Βιθυνίας. **3** Ὤιοντο δὲ τοῦτο κατορ-θώσειν ῥαδίως, εἰ τὴν ἐκ τῆς ὑπερορίας κάθοδον Ἀθανασίῳ ἀνέλοιεν, ὁμοδόξῳ δὲ αὐτοῖς τὰς κατ' Αἴγυπτον ἐκκλησίας παραδοῖεν. Καὶ οἱ μὲν τάδε ἐπόνουν ὑπουργὸν ἔχοντες τὸν

---

1. Voir *H.E.* II, 32, 7-8 (*SC* 306, p. 374-375) et les notices concernant Eusèbe, *SC* 306, p. 188, note 1 et Théognios, *SC* 306, p. 208, note 1.

DU MÊME
HISTOIRE ECCLÉSIASTIQUE

LIVRE III
(Règnes de Constantin II,
Constant et Constance 337-350)

Chapitre 1

*Après la mort du grand Constantin à nouveau
les partisans d'Eusèbe et de Théognios
jettent le trouble dans la foi de Nicée.*

1 Tel fut donc le sort des Églises sous le règne de
Constantin. Quand il fut mort, le dogme des pères réunis
à Nicée fut de nouveau remis en question. Ce dogme,
même si tous ne l'acceptaient pas, personne, lorsque
Constantin était encore en vie, n'avait osé le rejeter ouvertement. **2** Mais, après sa mort, beaucoup se détachèrent
de cette doctrine ; c'étaient ceux qui, auparavant déjà,
étaient soupçonnés de la trahir ; entre tous, ceux qui montraient le plus de zèle pour que l'emportât la thèse d'Arius
étaient Eusèbe et Théognios, les évêques de Bithynie[1].
3 Ils pensaient réaliser aisément leurs desseins s'ils empêchaient le retour d'exil d'Athanase et livraient à un homme
de leur opinion les Églises d'Égypte. Ils s'y efforçaient
donc, aidés en cela par le prêtre qui avait été cause,

πρεσβύτερον, ὃς αἴτιος ἐπὶ Κωνσταντίνου ἐγένετο τῆς Ἀρείου ἀνακλήσεως. Ἐτύγχανε γὰρ καὶ Κωνσταντίῳ τῷ βασιλεῖ κεχαρισμένος, καθότι τὴν πατρῴαν αὐτῷ διαθήκην ἀπέσωσεν.
4 Οἷά τε πιστὸς παρρησίαν λαβὼν μέχρι τῆς βασιλέως γαμετῆς, καὶ τῶν ἐν δυνάμει θαλαμηπόλων εὐνούχων συνήθης ἐγένετο· προειστήκει δὲ τότε τῆς βασιλικῆς οἰκίας Εὐσέβιος, ὃς ἐπαινέτης τῆς Ἀρείου δόξης γενόμενος ὁμόφρονας ἑαυτῷ τὴν βασιλίδα καὶ πολλοὺς τῶν περὶ τὰ βασίλεια κατεστήσατο.
5 Ἐντεῦθέν τε πάλιν περὶ τοῦ δόγματος ἰδίᾳ τε καὶ δημοσίᾳ συχναὶ διαλέξεις ἐγίνοντο, σὺν ταύταις τε καὶ ὕβρεις καὶ ἀπέχθειαι. Καὶ τὸ πρᾶγμα τοῖς ἀμφὶ Θεόγνιον κατὰ γνώμην προύχώρει.

---

1. Sur ce prêtre, nommé Eutokios par SOCRATE, H.E. I, 39, voir H.E. II, 27,1-4 (SC 306, p. 348-351) et II, 34, 2 (SC 306, p. 380-381).
2. Constance II (324 ou 317?-361) régna de 337 à 361, d'abord avec ses frères Constantin II et Constant, puis seul, à partir de 350 : voir PW IV, 1, 1900, c. 1044-1094 (SEECK), art. Constantius 4 et P.L.R.E., t. 1, p. 226, Fl. Iul. Constantius 8. Sur sa politique religieuse, violemment attaquée par Hilaire de Poitiers, In Constantium (éd. A. Rocher, SC 334, 1987), voir, dans L'Église et l'Empire au IVe siècle, Entretiens sur l'Antiquité classique, n° 34, Fondation Hardt, Vandœuvres-Genève, 1989, W. H. C FREND, «The Church in the Reign of Constantius II (337-361). Mission. Monasticism. Worship», p. 73-111 et C. PIETRI, «La politique de Constance II : un premier "césaropapisme" ou l'Imitatio Constantini?», p. 113-172. Une synthèse de son action politique est donnée par V. NERI, Costanzo, Giuliano e l'ideale del ciuilis princeps nelle Storie di Ammiano Marcellino, Roma, 1984.

férocité, il a été arraché aux mâchoires des hommes qui
l'attaquaient et il a reçu l'ordre de vivre sous ma coupe,
en telle manière que dans cette ville où il séjournait[1], il
jouît à profusion de tout le nécessaire, quand bien même
sa vertu digne de louange, confiante dans les secours
divins, ne compte pour rien même les épreuves d'une
fortune très cruelle. **5** Voilà pourquoi, quand bien même,
eu égard à votre Piété très aimée, notre souverain,
Constantin Auguste d'heureuse mémoire, mon père, eût
résolu de remettre ledit évêque sur son siège, néanmoins,
puisqu'il a été enlevé par le sort humain et qu'il est
décédé avant de réaliser son vœu, j'ai estimé conséquent,
puisque je lui ai succédé, d'accomplir la décision de l'empereur de sainte mémoire. Quand Athanase sera revenu
en votre présence, vous apprendrez de quelle révérence
je l'ai entouré. **6** Il n'y a rien là d'étonnant, quoi que
j'aie pu faire pour lui ; car mon âme y a été mue et
engagée, et par l'exemple de votre amour pour lui, et
par la figure d'un si grand homme. Que la divine Pro-
vidence vous garde, mes chers frères. »

7 En vertu de cet écrit de l'empereur, Athanase obtint
son retour et il gouvernait les Églises d'Égypte. Cependant
tous les partisans d'Arius tenaient la chose pour scanda-
leuse et n'acceptaient pas de rester en paix. De là étaient
suscitées de continuelles séditions, ce qui fournit à
nouveau un prétexte à d'autres complots contre Athanase.
8 Eusèbe et son parti l'accusaient en effet avec empressement devant l'empereur comme un être séditieux et qui
s'était permis, contre les lois de l'Église, de rentrer à
Alexandrie sans un jugement des évêques. Mais comment
leur complot eut pour résultat de le chasser à nouveau
d'Alexandrie, je le dirai bientôt au lieu propre[2].

9 Περὶ δὲ τοῦτον τὸν χρόνον Εὐσεβίου τοῦ Παμφίλου τελευ–
τήσαντος διαδέχεται τὴν ἐν Καισαρείᾳ τῆς Παλαιστίνης
ἐπισκοπὴν Ἀκάκιος. Ὃς πρὸς αὐτὸν Εὐσέβιον τὸν ζῆλον ἔχων
καὶ ὑπ' αὐτῷ τοὺς ἱεροὺς παιδευθεὶς λόγους ἱκανός τε νοεῖν
καὶ φράζειν ἀστεῖος ἐγένετο, ὡς καὶ πολλὰ συγγράμματα λόγου
ἄξια καταλιπεῖν.

10 Οὐκ εἰς μακρὰν δὲ καὶ Κωνσταντῖνος ὁ βασιλεὺς πό–
λεμον ἐπαγαγὼν Κώνσταντι τῷ ἰδίῳ ἀδελφῷ, περὶ Ἀκυλίαν
104 κτίννυται | παρὰ τῶν αὐτοῦ ἡγεμόνων. Περιίσταται δὲ τῆς
Ῥωμαίων ἀρχῆς τὰ μὲν πρὸς δύσιν εἰς Κώνσταντα, τὰ δὲ πρὸς
ἔω εἰς Κωνστάντιον.

3

1 Ἐν τούτῳ δὲ Ἀλεξάνδρου τετελευτηκότος διεδέξατο

---

1. Eusèbe de Césarée, en Palestine, dit Eusèbe de Pamphile, du nom
de son maître, né vers 260, est mort entre 337 et 340, d'après Moreau,
dans *DHGE*, t. 15, 1963, c. 1437-1460. D'après H. RAHNER, *LTK*, t. 3,
1959, c. 1195-1197, Eusèbe serait né en 265 et mort en mai 339. Voir
DECA, p. 912-918 (C. CURTI).

2. Acace de Césarée, disciple et biographe d'Eusèbe de Pamphile, lui
succéda vers 340. Partisan de la formule homéenne de l'arianisme, en
particulier au synode de Séleucie (359), il dirigea, en 360, les débats
au concile de Constantinople qui adopta la formule arienne de Rimini,
puis passa dans le camp de l'orthodoxie nicéenne sous Jovien, avant
de revenir finalement à l'arianisme sous Valens, pendant le règne duquel
il mourut en 366.

Parmi les fragments conservés de ses œuvres, sur lesquelles Sozomène
porte un jugement flatteur, figurent un écrit polémique contre Marcel
d'Ancyre et des *Problèmes* divers : voir *DHGE*, t. 1, 1912, c. 240-241
(E. MARIN), *LTK*, t. 1, 1957, c. 234 (H. RAHNER) et *DECA*, p. 14 (M. SIMO-
NETTI). Ne pas confondre ce personnage avec Acace de Bérée (= Alep)
comme l'a fait l'auteur anonyme des titres des chapitres.

9 Vers ce temps-là, Eusèbe de Pamphile étant mort[1], c'est Acace[2] qui lui succède à l'évêché de Césarée de Palestine. Disciple fervent d'Eusèbe même et formé sous sa direction dans l'étude des saintes Lettres, il avait acquis capacité de pensée et élégance de style, en sorte qu'il laissa beaucoup d'ouvrages dignes d'estime.

10 Peu après, l'empereur Constantin, ayant engagé une guerre contre son propre frère Constant[3], est tué à Aquilée par les officiers de celui-ci. La partie occidentale de l'Empire romain passe aux mains de Constant, la partie orientale à celles de Constance.

Chapitre 3

Paul de Constantinople et Macédonius le pneumatomaque.

1 En ce temps-là, Alexandre étant mort[4], Paul lui

---

3. Fl. Iul. Constans, né en 320 (ou en 323), proclamé César le 25 décembre 333, puis Auguste, avec ses deux frères, le 9 septembre 337 (cf. *P.L.R.E.*, t. 1, p. 220 Fl. Iul. Constans). Après sa victoire sur Constantin II, mort en mars ou avril 340 (PIGANIOL, p. 84, renvoyant à EUTROPE X, 9, 2; *Epitome de Caes.* 41, 22; SOCRATE, *H.E.* II, 5; ZOSIME II, 41; ZONARAS XIII, 5, 5), il régna sur l'Occident jusqu'en janvier 350, date à laquelle il fut assassiné sur ordre de l'usurpateur Magnence. OROSE, 7, 29, 5, écrit que Constantin fut tué par les officiers de Constant. La version courante fait périr Constantin dans une embuscade à Aquilée sans préciser les responsables de sa mort (STEIN-PALANQUE, p. 132 et note 5, p. 485).

4. Sur cet évêque de Constantinople, voir *H.E.* II, 29, 1-3, *SC* 306, p. 362-365 et la note 2, p. 362.

64 HISTOIRE ECCLÉSIASTIQUE

Παῦλος τὴν Κωνσταντινουπόλεως ἱερωσύνην, ὡς μὲν λέγουσιν οἱ τὰ Ἀρείου καὶ Μακεδονίου φρονοῦντες, ἑαυτῷ ταύτην πραγματευσάμενος παρὰ γνώμην Εὐσεβίου τοῦ Νικομηδείας ἐπισκόπου καὶ Θεοδώρου τοῦ ‹τῆς› ἐν Θρᾴκῃ Ἡρακλείας, οἷς ὡς γείτοσιν ἡ χειροτονία διέφερεν· **2** ὡς δὲ πολὺς ἔχει λόγος, μαρτυρίᾳ Ἀλεξάνδρου, ὃν διεδέξατο, ἐχειροτονήθη παρὰ τῶν ἐνδημούντων τῇ πόλει ἐπισκόπων. Ἤδη γὰρ ὀκτὼ καὶ ἐνενήκοντα ἄγων ἐνιαυτοὺς ὁ Ἀλέξανδρος, ἐκ τούτων δὲ εἴκοσι τρεῖς ἐν τῇ ἐπισκοπῇ ἀνδρείως διαγενόμενος, ἐπειδὴ τελευτᾶν ἔμελλε, πυνθανομένων αὐτοῦ τῶν κληρικῶν, τίνι μετ' αὐτὸν ἐπιτρεπτέον τὴν ἐκκλησίαν, «εἰ μὲν ἀγαθὸν τὰ θεῖα διδακτικόν τε ἅμα ἐπιζητεῖτε», ἔφη, «Παῦλον ἔχετε· εἰ δὲ πρὸς τὰ ἔξω πράγματα καὶ τὰς συνουσίας τῶν ἀρχόντων, ἀμείνων Μακεδόνιος.» **3** Ἀλλ' ἑκάτερον μεμαρτυρῆσθαι παρὰ Ἀλεξάνδρου καὶ οἱ Μακεδονίου ἐπαινέται συνομολογοῦσι, περὶ δὲ πράγματα καὶ λόγους δεινὸν γεγενῆσθαι λέγουσι τὸν

---

1. Paul, né à Thessalonique, eut une carrière épiscopale tumultueuse (cf. W. TELFER, «Paul of Constantinople», dans *Harvard Theological Review*, 43, 1950, p. 31-92). Mais Sozomène, après Socrate, l'a compliquée en y introduisant des doublets empruntés à la vie d'Athanase et en modelant la vie de Paul sur celle du grand évêque d'Alexandrie. D'après DAGRON, p. 425-434 (et notamment le résumé figurant dans la note 5, p. 432), Paul, ordonné prêtre par Alexandre de Contantinople, lui succéda en 337/338, contre le candidat des ariens. Mais, dès la fin de 338 ou au début de 339, accusé par Macédonius, il fut remplacé par Eusèbe de Nicomédie et renvoyé dans ses foyers à Thessalonique. En 339/340 se place sa démarche à la cour de Constantin II à Trèves. En 341, il se hâte de regagner Constantinople, après le concile d'Antioche et la mort d'Eusèbe de Nicomédie. En 342, sa rivalité avec Macédonius provoque des émeutes et l'assassinat d'Hermogène. Malgré la responsabilité qu'on lui attribue dans cette *stasis*, il reste à Constantinople tandis que se tient le concile de Sardique (342/343). À une date qui se situe entre 344 et 350, alors qu'il était resté à la tête de la communauté nicéenne, il est arrêté par le préfet Philippe, exilé à Singara, puis à Émèse. Vers 350, il est emprisonné à Cucuse en Arménie et mis à mort. Voir aussi l'art. Paulos I dans *LTK*, t. 8, 1963, c. 212 (NIGGL) et *DECA* p. 1954 (M. SIMONETTI).

2. Macédonius, successeur de l'arien Eusèbe de Nicomédie sur le

succéda[1] au siège de Constantinople. Selon ce que disent les partisans d'Arius et de Macédonius[2], il s'était préparé à lui-même cette élévation contre l'avis d'Eusèbe évêque de Nicomédie[3] et de Théodore évêque d'Héraclée en Thrace[4], auxquels revenait, comme voisins, l'ordination; **2** selon le bruit courant, c'est sur le témoignage d'Alexandre, auquel il succéda, qu'il fut ordonné par les évêques présents en la ville[5]. Quand Alexandre en effet, âgé de quatre-vingt-dix-huit ans, dont il avait passé vingt-trois virilement dans l'épiscopat, fut sur le point de mourir, comme ses clercs lui demandaient à qui il fallait confier l'Église après lui, « Si vous recherchez, dit-il, un homme à la fois bon théologien et capable d'instruire, prenez Paul; si vous voulez un homme ouvert aux choses du dehors et au commerce des hommes au pouvoir, Macédonius vaut mieux.» **3** Que ces deux sortes de témoignages aient été rendues par Alexandre, les disciples aussi de Macédonius en conviennent, mais ils disent que c'est Paul qui fut habile aux affaires et aux discours, et en

siège de Constantinople en 342, se rapprocha, à partir de 350, des homéousiens. Au concile de Séleucie, il était à leurs côtés contre Acace de Césarée. Celui-ci, au concile de Constantinople (360), le fit condamner et remplacer par Eudoxe. Macédonius mourut probablement avant 364. Voir la notice de *LTK*, t. 6, 1961, c.1314-1315 (GRUMEL), l'article plus détaillé de G. BARDY, dans *DTC* 9,2, 1927, p. 1464-1478; *DECA*, p. 1515 (M. SIMONETTI) et DAGRON, p. 423 et 433, qui le considère comme le grand évêque de Constantinople.

3. Voir *H.E.* I, 15, 9 et la note 1, *SC* 306, p. 188.

4. De 335 à 355, Théodore fut l'un des semi-ariens les plus importants : voir *LTK*, t. 10, 1965, c. 40 (VAN ROEY) et *DECA* p. 2406 (M. SIMONETTI). Il était déjà présent au concile de Tyr : cf. *H.E.*, II, 25,19, *SC* 306, p. 344-345 et la note 1.

5. Existait-il, dès 340, à Constantinople, un synode permanent d'évêques composant le conseil de ce qui fut plus tard (après 381) le patriarcat? Cette suggestion de H. G. BECK, *Kirche und Theologische Literatur im Byzantinischen Reich*, München, 1959, p. 42 s., n'est pas retenue par DAGRON, p. 422 et note 5.

Παῦλον, τὴν δὲ περὶ τοῦ βίου μαρτυρίαν Μακεδονίῳ ἀνατι
θέασι, Παῦλον δὲ περὶ τρυφὴν καὶ βίον ἀδιάφορον ἐσχολα
κέναι διαβάλλουσι. **4** Φαίνεται γοῦν ἐκ τῆς πάντων ὁμολογίας
1040 ἐλλόγιμον ἄνδρα γεγενῆσθαι τὸν | Παῦλον καὶ ἐπὶ ἐκκλησίας
διδάξαι λαμπρόν, πρὸς δὲ τὰς περιπετείας τοῦ βίου καὶ τὰς
ὁμιλίας τῶν ἐν δυνάμει φαύλως αὐτὸν ἐσχηκέναι μαρτυρεῖ τὰ
πράγματα · οὐδεμίαν γὰρ ἐπιβουλὴν τῶν ἐπαναστάντων αὐτῷ,
ὡς εἰκὸς τοὺς περὶ ταῦτα δεινούς, διέλυσεν. **5** Ἀλλὰ καὶ ὑπὸ
τοῦ πλήθους ὑπερφυῶς φιλούμενος κακῶς ἔπαθε σκαιωρίᾳ τῶν
τότε ἀναινομένων τὸ ἐν Νικαίᾳ κρατῆσαν δόγμα. Καὶ τὰ μὲν
πρῶτα, ὡς οὐκ εὖ βεβιωκὼς γραφὴν ὑπομείνας, ἐξεβλήθη τῆς
ἐκκλησίας Κωνσταντινουπόλεως, τελευτῶν δὲ καὶ ὑπερορίαν
οἰκεῖν κατεδικάσθη, ᾗ καὶ τεθνάναι ἐλεεινῶς δι᾽ ἀγχόνης λέ
γεται μηχανησαμένων αὐτῷ φόνον τῶν ἐπιβούλων. Ἀλλὰ τάδε
μὲν ὕστερον συνέβη.

4

105 |**1** Ἐν δὲ τῷ νῦν διὰ ταύτην τὴν χειροτονίαν μεγίστη
ταραχὴ τὴν ἐκκλησίαν Κωνσταντινουπόλεως ἔσχεν. Ἐν ᾧ γὰρ
περιῆν Ἀλέξανδρος, οὐ πολλὴν παρρησίαν ἦγον ὅσοι τὰ
Ἀρείου ἐφρόνουν · καὶ πρὸς αὐτὸν ὁ λαὸς βλέπων ἤγοντο καὶ
τὸ θεῖον ἐδόξαζον, καὶ μάλιστα μετὰ τὴν ἀδόκητον Ἀρείου
συμφοράν, ὃν οὕτως ἀποθανεῖν, ὡς εἴρηται, κατὰ θεομηνίαν
ἐπίστευον ταῖς Ἀλεξάνδρου ἀραῖς. **2** Ἐπεὶ δὲ ἐτελεύτησε, διχῇ

1. Voir *H.E.* II, 29, *SC* 306, p. 362-365.

revanche ils réfèrent à Macédonius le témoignage sur le
genre de vie, tandis qu'ils accusent Paul de s'être adonné
à une vie de plaisirs et sans valeur morale. **4** Il apparaît
en tout cas, de l'avis général, que Paul était éloquent et
à la tête de l'Église un docteur brillant; que, d'autre part,
face aux vicissitudes de la vie et dans ses rapports avec
les puissants, il ait été médiocrement doué, les faits même
le démontrent; car il ne sut rompre aucun complot de
ceux qui conspiraient contre lui, comme il est naturel
que l'eussent fait ceux qui sont habiles en ces choses.
5 Bien plutôt, quoiqu'il fût extraordinairement aimé du
peuple, il souffrit par la perversité de ceux qui refusaient
le dogme qui avait triomphé à Nicée. Tout d'abord, il
fut victime d'une accusation de mauvaise vie et expulsé
de l'Église de Constantinople; à la fin, il fut même
condamné à l'exil, où l'on dit qu'il périt misérablement
par pendaison, les comploteurs ayant machiné son
meurtre. Mais ces événements arrivèrent plus tard.

Chapitre 4

*La sédition survenue
à cause de l'ordination de Paul.*

1 Dans l'instant présent, à cause de cette ordination,
un très grand désordre sévit dans l'Église de Constantinople. En effet, tant qu'Alexandre était en vie, les partisans d'Arius ne montraient pas très grande liberté de
langage; le peuple se laissait conduire et tenait ses opinions sur la divinité en se fixant sur Alexandre, et surtout
après le malheur imprévu arrivé à Arius, dont on croyait
qu'il était mort, comme j'ai dit, en vertu d'une colère
divine par les imprécations d'Alexandre[1]. **2** Mais après

διακριθὲν τὸ πλῆθος εἰς ἔριδας δογμάτων εἰς τὸ φανερὸν καθίσταντο καὶ μάχην. Σπουδὴ δὲ ἐγένετο τοῖς μὲν τὰ 'Αρείου ζηλοῦσι Μακεδόνιον χειροτονεῖσθαι, τοῖς δὲ ὁμοούσιον τῷ πατρὶ τὸν υἱὸν δοξάζουσι Παῦλον ἐπισκοπεῖν· καὶ τοῦτο ἐκράτει. Μετὰ δὲ τὴν Παύλου χειροτονίαν παραγενόμενος ὁ βασιλεύς (ἔτυχε γὰρ τότε ἀπόδημος) ἐχαλέπαινεν ὡς ἀναξίῳ τῆς ἐπισκοπῆς ἐπιτραπείσης. 3 Ἐξ ἐπιβουλῆς τε τῶν πρὸς Παῦλον ἀπεχθανομένων σύνοδον καθίσας, τὸν μὲν ἀπεώσατο τῆς ἐκκλησίας, Εὐσεβίῳ δὲ τῷ Νικομηδείας ἐπισκόπῳ τὸν Κωνσταντινουπόλεως θρόνον παρέδωκε.

5

1041 | **1** Καὶ ὁ μὲν τάδε πράξας εἰς 'Αντιόχειαν τῆς Συρίας ἧκεν. Ἤδη δὲ ἐξεργασθείσης τῆς ἐνθάδε ἐκκλησίας, ἣν μεγέθει καὶ κάλλει ὑπερφυᾶ ἔτι περιὼν Κωνσταντῖνος, ὑπουργῷ χρησάμενος Κωνσταντίῳ τῷ παιδί, οἰκοδομεῖν ἤρξατο, εἰς καιρὸν ἔδοξε τοῖς ἀμφὶ τὸν Εὐσέβιον πάλαι τοῦτο σπουδάζουσι σύνοδον γενέσθαι. **2** Οἳ δὴ τότε καὶ ἕτεροι τῶν τὰ αὐτὰ φρονούντων αὐτοῖς εἰς ἐνενήκοντα καὶ ἑπτὰ τελοῦντες ἐπισκόπους πολλαχόθεν εἰς 'Αντιόχειαν συνῆλθον, προφάσει μὲν ἐπὶ ἀφιερώσει τῆς νεουργοῦ ἐκκλησίας, ὡς δὲ τὸ ἀποβὰν ἔδειξεν, ἐπὶ μεταποιήσει τῶν ἐν Νικαίᾳ δοξάντων. Ἡγεῖτο δὲ τηνικαῦτα

---

1. Dès 338, d'après SCHWARTZ, *Gesamm. Schriften*, p. 278. Cf. DAGRON, p. 427, se fondant sur ATHANASE, *Apol. contra Arianos* 6 (*PG* 25, 260; Opitz, II, p. 93).

2. Voir *H.E.*, II, 3, *SC* 306, p. 236-237 et note 2.

3. Ce «synode des Encaénies», du nom de la «Grande Église» d'Antioche où il se tint, eut lieu pendant l'été de 341 (HEFELE-LECLERCQ I, 2, p. 702-733). Il ne faut pas le confondre, comme le fera Sozomène en III, 5, 4, avec un synode d'Antioche antérieur (daté de 338/339 par SCHWARTZ, *Gesamm. Schriften*, p. 287-291 et 310), qui avait déposé Athanase (le 18 mars 339) et l'avait remplacé par Grégoire, dont l'entrée à Alexandrie eut lieu le 22 mars 339.

sa mort, le peuple se divisa en deux camps et passa ouvertement aux querelles dogmatiques et à la bataille. Les zélateurs d'Arius avaient fait effort pour que fût ordonné Macédonius, les tenants de la consubstantialité du Père et du Fils pour que Paul fût évêque, et c'est ce parti qui l'avait emporté. Mais quand, après l'ordination de Paul, l'empereur fut arrivé – il avait été alors absent –, il fut irrité, estimant que l'épiscopat avait été confié à un indigne. **3** Par suite d'un complot de ceux qui haïssaient Paul il réunit un synode, chassa Paul de l'Église et livra le siège de Constantinople à Eusèbe, l'évêque de Nicomédie[1].

Chapitre 5

Le synode particulier d'Antioche
qui dépose Athanase et met à sa place Grégoire;
les deux exposés de foi;
ceux qui sont en accord avec eux.

1 Constance, ayant ainsi fait, se rendit à Antioche en Syrie. Comme avait été désormais achevée l'église d'Antioche que Constantin, de son vivant encore avec l'aide de son fils Constance, avait commencé de construire, extraordinaire de grandeur et de beauté[2], cela parut l'occasion pour Eusèbe et son parti, qui s'y employaient depuis longtemps, de réunir un synode[3]. **2** Ceux-là donc, alors, et d'autres de ceux qui pensaient comme eux se réunirent, au nombre de quatre-vingt-dix-sept évêques, venus de tout côté à Antioche, sous le prétexte de consacrer la nouvelle église, en réalité, comme le montre le résultat, pour réformer les définitions de Nicée. À la

τῆς Ἀντιοχέων ἐκκλησίας Πλάκητος μετὰ Εὐφρόνιον, πέμπτον
δὲ ἔτος ἠνύετο ἀπὸ τῆς Κωνσταντίνου τοῦ μεγάλου τελευτῆς.

106 3 Ἐπεὶ δὲ πάν| τες οἱ ἐπίσκοποι συνῆλθον, παρῆν δὲ καὶ ὁ
βασιλεὺς Κωνστάντιος, ἠγανάκτουν οἱ πλείους καὶ δεινῶς
Ἀθανάσιον ἐπητιῶντο ὡς ἱερατικὸν ὑπεριδόντα θεσμόν, ὃν
αὐτοὶ ἔθεντο, καὶ πρὶν ἐπιτραπῆναι παρὰ συνόδου τὴν
Ἀλεξανδρέων ἐκκλησίαν ἀπολαβόντα. Ἐκ τούτου δὲ καὶ
θανάτου πολιτῶν αἴτιον αὐτὸν ἔλεγον ὡς, ἡνίκα εἰς τὴν πόλιν
εἰσῄει, στάσεως κινηθείσης καὶ πολλῶν μὲν ἀναιρεθέντων, τῶν
δὲ δικαστηρίοις παραδοθέντων. 4 Μεγίστης τε διαβολῆς ὑπὸ
τοιούτων λόγων κατὰ Ἀθανασίου ὑφανθείσης ἐψηφίσαντο
Γρηγόριον τῆς Ἀλεξανδρέων ἐκκλησίας προστατεῖν.

5 Ἐκ τούτου δὲ μεταβάντες εἰς τὴν περὶ τοῦ δόγματος
ζήτησιν τοῖς μὲν ἐν Νικαίᾳ δόξασιν οὐδὲν ἐμέμψαντο,
γράμματα δὲ διεπέμψαντο τοῖς κατὰ πόλιν ἐπισκόποις, οἷς
ἐδήλωσαν, ὡς ἐπίσκοποι ὄντες οὐκ ἠκολούθησαν Ἀρείῳ (πῶς
γὰρ πρεσβυτέρῳ ὄντι ;), δοκιμασταὶ δὲ γενόμενοι τῆς πίστεως
αὐτοῦ μᾶλλον αὐτὸν προσήκαντο, πιστεύειν δὲ σφᾶς κατὰ τὴν
ἐξ ἀρχῆς παραδοθεῖσαν πίστιν. 6 Εἶναι δὲ ταύτην ἣν ὑπέ-
1044 ταξαν τῇ αὐτῶν ἐπι| στολῇ, οὐσίας μὲν πατρὸς ἢ υἱοῦ ἢ τοῦ

---

1. Ce Plakètos de nos manuscrits (Plakitos dans Socrate, *H.E.* II, 8)
est connu sous le nom de Flacillos que lui donne Eusèbe de Césarée
(*Contre Marcel*, I, 1). D'après CAVALLERA, p. 46-47, ayant succédé à
Euphronios en 334, il prit part à toutes les manifestations du parti
eusébien : il assista au concile de Tyr et présida ceux d'Antioche (339 et
341). Eusèbe de Césarée lui dédia sa réfutation de Marcel d'Ancyre. Il
mourut peu avant 343 et fut remplacé par Stéphanos, jadis chassé par
Eustathe du clergé d'Antioche. La cinquième année de son épiscopat
à partir de la mort de Constantin (337) nous reporte bien à 341, date
du deuxième synode d'Antioche dit des Encaénies.

2. Voir *H.E.* II, 19, 6, *SC* 306, p. 308-311 et note 1, p. 310.

3. Grégoire, originaire de Cappadoce, était, d'après ATHANASE (*Historia arianorum ad mon.* 75, *PG* 25, 754), connu pour avoir organisé
à Constantinople des fêtes immorales. D'après HEFELE-LECLERCQ, I, 2,
p. 692-695, son entrée à Alexandrie aurait eu lieu le 19 mars 340.
D'après PALANQUE- BARDY, p. 117-118, renvoyant à SOCRATE *H.E.* II, 9,
pour l'élection de Grégoire, et à ATHANASE, *Hist. arian.* 9-10 pour le

tête de l'Église d'Antioche était alors Plakètos[1], qui avait
succédé à Euphronios[2], et il accomplissait sa cinquième
année d'épiscopat depuis la mort du grand Constantin.
3 Lorsque tous les évêques furent rassemblés et qu'était
présent aussi l'empereur Constance, la plupart s'indignaient
et accusaient violemment Athanase, lui reprochant d'avoir
méprisé le décret ecclésiastique qu'eux-mêmes avaient
édicté et d'avoir repris l'Église d'Alexandrie avant d'en
avoir reçu permission d'un synode; par là, disaient-ils, il
avait causé la mort de citoyens, attendu que, quand il
était entré dans la ville, il y avait eu sédition, et beaucoup
avaient été tués, d'autres livrés aux tribunaux. **4** Une très
grave accusation ayant ainsi été tissée contre Athanase
par de tels propos, les pères décrétèrent que Grégoire
présiderait à l'Église d'Alexandrie[3].

5 Après cela ils passèrent à la question du dogme. Ils
ne jetèrent aucun blâme sur les définitions de Nicée, mais
ils envoyèrent une lettre aux évêques de chaque ville.
Ils y signifiaient que, étant évêques, ils n'avaient pas suivi
Arius – comment l'eussent-ils pu, puisqu'il n'était que
prêtre? – mais que, après avoir fait l'examen de sa foi[4],
il l'avaient, plutôt, admis; et qu'ils croyaient eux-mêmes
selon la formule de foi transmise depuis le commencement. **6** C'était la formule qu'ils avaient jointe à leur
lettre; elle ne faisait nulle mention de l'*ousia* du Père

récit des troubles survenus à Alexandrie lors de l'arrivée de Grégoire,
cette entrée prit place le 22 mars 339. C'est la date correcte : cf. Pietri,
Roma christiana, I, p. 194-195, note 1.

4. Il ne peut s'agir que de l'*ekthesis* qu'Arius avait remise à Constantin
pour obtenir sa réhabilitation : *H.E.* II, 27, 6-10, *SC* 306, p. 350-353. –
Le mot μᾶλλον fait difficulté : le verbe προσήκαντο (προσίημι au moyen)
signifie recevoir, admettre) répond à ἠκολούθησαν, les évêques voulant
dire qu'ils ont «reçu» Arius plutôt qu'ils ne l'ont «suivi». Sozomène
paraphrase un texte qu'Athanase (*De synodis* 22, Opitz II, p. 248) donne
intégralement; on y lit : μᾶλλον προσηκάμεθα ἤπερ ἠκολουθήσαμεν.

ὁμοουσίου ὀνόματος μηδαμῶς μεμνημένην, ἐπαμφοτερίζουσαν
δὲ ταῖς ἐννοίαις, ὡς μήτε τοὺς τὰ 'Αρείου φρονοῦντας μήτε
τοὺς ἑπομένους τῇ ἐν Νικαίᾳ συνόδῳ δύνασθαι τῇ συντάξει
τῶν ῥημάτων ἐπισκήπτειν ὡς ἀγνώστων ταῖς ἱεραῖς γραφαῖς.

7 Παραλιπόντες γάρ, ἅπερ ἑκάτεροι οὐ προσίεντο, τὰ παρ'
ἑκατέρων ὁμολογούμενα τεθείκασιν ὀνόματα ταύτῃ τῇ γραφῇ ·
συνεῖναι μὲν γὰρ τὸν υἱὸν τῷ πατρὶ καὶ μονογενῆ καὶ θεὸν
εἶναι καὶ πρὸ πάντων ὑπάρχειν, σάρκα τε ἀνειληφέναι καὶ τὴν
πατρῴαν πεπληρωκέναι βουλήν, καὶ τὰ ἄλλα ὁμοίως συνω-
μολόγησαν · πότερον δὲ συναΐδιος καὶ ὁμοούσιός ἐστι τῷ πατρὶ
ἢ τοὐναντίον, οὐκ ἐνέγραψαν.

8 Μεταμεληθέντες δὲ ὡς ἔοικεν ἐπὶ ταύτῃ τῇ γραφῇ, πάλιν
ἑτέραν παρὰ ταύτην ἐξέθεντο, τὰ μὲν ἄλλα, ὡς οἶμαι,
συνᾴδουσαν τῷ δόγματι τῶν ἐν Νικαίᾳ συνελθόντων, εἰ μή
τις ἐμοὶ ἄδηλος διάνοια τοῖς ῥητοῖς ἀφανῶς ἔγκειται · οὐκ οἶδα
δὲ ἀνθ' ὅτου ὁμοούσιον εἰπεῖν τὸν υἱὸν παραιτησάμενοι
ἄτρεπτόν τε καὶ ἀναλλοίωτον τῆς θεότητος ἀπεφήναντο,
οὐσίας τε καὶ βουλῆς καὶ δυνάμεως καὶ δόξης ἀπαράλλακτον
εἰκόνα καὶ πρωτότοκον πάσης κτίσεως. 9 Ἔλεγον δὲ ταύτην
τὴν πίστιν ὁλόγραφον εὑρηκέναι Λουκιανοῦ τοῦ ἐν
107 Νικο|μηδείᾳ μαρτυρήσαντος, ἀνδρὸς τά τε ἄλλα εὐδοκιμω-
τάτου καὶ τὰς ἱερὰς γραφὰς εἰς ἄκρον ἠκριβωκότος · πότερον

---

1. Sur le terme Monogène (= *Unigenitus)*, voir G. W. H. LAMPE, *A
Patristic Greek Lexikon*, p. 880-882, en particulier la rubrique B 8 pour
les implications et commentaires théologiques. Pour une affirmation ultérieure mais particulièrement énergique de l'attribut Monogénès (Fils
unique) du Christ, voir CYRILLE D'ALEXANDRIE, *Lettres festales VII-XI,
SC* 392, Paris 1993 (éd. P. Évieux, W.H. Burns, L. Arragon, R. Monier),
par ex. VII, 1, 95; VII, 2, 160 et 175; VIII, 4, 20, 27, 31...
2. Sozomène résume ici l'*ekthesis* du deuxième synode d'Antioche.
Certains, comme SCHWARTZ, *Gesamm. Schriften*, p. 311 s. et H. G. Opitz,
éd. du *De synodis*, p. 248, note sur la l. 29, estiment que les évêques
réunis à Antioche voulaient ainsi répliquer à Jules de Rome.
3. Le texte de cette deuxième *ekthesis* est, comme celui de la première, résumé par Sozomène. ATHANASE, *De syn.* 23, le cite en entier.
SCHWARTZ, *Gesamm. Schriften*, p. 312-315, pense que cette *ekthesis* était
destinée à combattre les idées de Marcel d'Ancyre.

ou du Fils ou du mot *homoousios,* mais présentait de l'ambiguïté quant au sens, en sorte que ni les partisans d'Arius ni les sectateurs du concile de Nicée ne pussent attaquer l'arrangement des formules comme étant inconnues des saintes Écritures. **7** Délaissant en effet ce que l'un et l'autre camp n'admettaient pas, les évêques établirent par cet écrit les termes reconnus des deux côtés : le Fils était uni au Père, il était Monogène[1] et Dieu, et existait avant toutes choses, il avait pris chair et avait accompli la volonté paternelle; tout le reste, ils le reconnurent également en commun; quant à savoir si le Fils est coéternel et consubstantiel au Père ou le contraire, ils ne le mirent pas par écrit[2].

8 S'étant repentis, à ce qu'il semble, de ce premier écrit, les évêques firent, outre celui-là, un autre exposé de foi[3], qui dans l'ensemble, à mon avis, s'accorde avec le dogme des pères de Nicée, à moins que quelque sens à moi obscur ne se cache en secret dans les formules. Je ne sais d'ailleurs pourquoi, ayant refusé de dire le Fils consubstantiel, ils l'ont déclaré sans changement et sans altération par rapport à la déité du Père, image immuable de l'*ousia,* de la volonté, de la puissance et de la gloire du Père, et premier-né de toute la création (*Col.* 1, 15). **9** Ils disaient avoir trouvé cet exposé de foi écrit de la main de Lucien[4] qui avait été martyr à Nicomédie, homme par ailleurs de grande réputation et qui en particulier avait scruté au plus haut point les saintes Écritures : quant

4. Lucien est associé à Marcianos comme saint et martyr (fête le 26 octobre). Tous deux subirent le martyre par le feu lors de la persécution de Décius (vers 250), probablement à Nicomédie. Le récit de leur martyre, à l'origine en grec, est conservé dans une version latine et une version syriaque fondées sur des Actes dont le noyau est historique : cf. *LTK,* t. 6, 1961, c. 1212-1213 (O. VOLK).

δὲ ἀληθῶς ταῦτα ἔφασαν ἢ τὴν ἰδίαν γραφὴν σεμνοποιοῦντες τῷ ἀξιώματι τοῦ μάρτυρος, λέγειν οὐκ ἔχω.

10 Μετέσχον δὲ ταύτης τῆς συνόδου οὐ μόνον Εὐσέβιος, ὃς μετὰ Παῦλον ἐκβεβλημένον ἐκ Νικομηδείας μεταστὰς τὸν Κωνσταντινουπόλεως εἶχε θρόνον, ἀλλὰ καὶ Ἀκάκιος ὁ Εὐσεβίου τοῦ Παμφίλου διάδοχος καὶ Πατρόφιλος ὁ Σκυθοπόλεως καὶ Θεόδωρος ὁ Ἡρακλείας τῆς πρὶν Περίνθου ὀνομαζομένης, Εὐδόξιός τε ὁ Γερμανικείας, ὃς ὕστερον μετὰ Μακεδόνιον τὴν Κωνσταντινουπόλεως ἐπετράπη ἐκκλησίαν, καὶ Γρηγόριος ὁ τῆς Ἀλεξανδρέων ἐκκλησίας αἱρεθεὶς προστατεῖν, οἳ δὴ τότε τὰ αὐτὰ φρονεῖν ἀλλήλοις ὡμολόγηντο, ἀλλὰ γὰρ καὶ Διάνιος
1045 ὁ τῆς παρὰ Καππαδόκαις Καισαρείας ἐπί|σκοπος καὶ Γεώργιος ὁ Λαοδικείας τῆς παρὰ Σύροις, ἄλλοι τε πολλοὶ μητροπολιτικὰς καὶ ἄλλως ἐπισήμους ἐκκλησίας ἐπισκοποῦντες.

1. Voir *supra*, III, 2, 9.
2. Cet évêque souscrivit à contrecœur au credo de Nicée (*H.E.* I, 21, 2, *SC* 306, p. 208-209) et défendit Arius au synode d'Antioche (*H.E.* II, 19, 1, *SC* 306, p. 306-307; notice *ibid*, p. 190, note 1).
3. Identique à Théodore d'Héraclée de Thrace (cf. III, 3, 1 avec la note). Il fut déposé par le concile de Sardique (III, 12, 3).
4. Cet évêque arien influent, né vers 300, mourut en 370 alors qu'il occupait le siège de Constantinople depuis que Macédonius avait été déposé, à l'instigation d'Acace de Césarée, en 360. Vraisemblablement formé à l'école d'Antioche et influencé par Lucien d'Antioche, il prit part, en tant qu'évêque de Germanicie (dans la province de Syrie III *Euphratensis*), siège placé sous la dépendance d'Hiérapolis (patriarcat d'Antioche), aux synodes d'Antioche (341), Sardique (342/343), Sirmium (351), Milan (355), dans les rangs du parti d'Eusèbe de Nicomédie : voir *LTK*, t. 3, 1959, c.1171 (L. UEDING), art. Eudokios et *DECA*, t. 1, p. 903-904 (M. SIMONETTI).

à savoir si les évêques dirent la vérité ou s'ils donnèrent plus de poids à leur propre écrit par la dignité du martyr, je ne saurais le dire.

10 Prirent part à ce synode non seulement Eusèbe qui, après l'expulsion de Paul, avait passé de Nicomédie au siège de Constantinople, mais encore Acace, successeur d'Eusèbe de Pamphile[1], Patrophile de Scythopolis[2], Théodore d'Héraclée[3] appelée auparavant Périnthe, Eudoxe de Germanicie[4] qui reçut la charge plus tard, après Macédonius, de l'Église de Constantinople, et Grégoire[5], qui avait été choisi pour présider à l'Église d'Alexandrie : tous ces gens-là étaient alors reconnus comme étant entre eux de même sentiment. Il y avait en outre Dianios l'évêque de Césarée en Cappadoce[6], Georges de Laodicée[7] en Syrie, et beaucoup d'autres qui gouvernaient des Églises métropolitaines ou par ailleurs importantes.

5. Voir *supra*, III, 5, 4.

6. Dianos/Dianios, évêque de Césarée de 341 à 362, prend place dans la liste des titulaires de cet évêché de Cappadoce après Dianios I (336), Eusèbe III (340), Eulalios (341), Hermogène (341) et avant Eusèbe IV (362-370) et saint Basile le Grand (370-379) : voir *DHGE*, t. 12, 1953, c. 199-203, art. Césarée de Cappadoce (R. JANIN).

7. Il sera l'un des chefs du parti homéousien : *LTK*, t. 4, 1960, c. 702-703 (O. PERLER) et *DHGE*, t. 20, 1984, c. 629-630 (P. NAUTIN), article Georges n° 46.

76 HISTOIRE ECCLÉSIASTIQUE

6

1 Σὺν αὐτοῖς δὲ καὶ Εὐσέβιος ὁ ἐπίκλην Ἐμεσηνός· ὃς τὸ μὲν γένος ἐξ Ἐδέσσης τῆς Ὀσροηνῶν εὐπατρίδης ὑπῆρχεν, ἐκ νέου δὲ κατὰ πάτριον ἔθος τοὺς ἱεροὺς ἐκμαθὼν λόγους μετὰ ταῦτα καὶ τὰ παρ' Ἕλλησιν ἐξεδιδάχθη παιδεύματα, διδασκάλοις τοῖς ἐνθάδε τότε οὖσι φοιτήσας, **2** ὕστερον δὲ ἐξηγηταῖς Εὐσεβίῳ τῷ Παμφίλου καὶ Πατροφίλῳ τῷ προϊσταμένῳ Σκυθοπόλεως τὰς θείας βίβλους ἠκρίβωσε. Παραγενόμενός τε εἰς Ἀντιόχειαν, ἐπεὶ συνέβη Εὐστάθιον καθαιρεθῆναι διὰ τὴν Κύρου κατηγορίαν, Εὐφρονίῳ τῷ μετ' αὐτὸν συνῆν. Φεύγων δὲ ἱερᾶσθαι ἀφίκετο εἰς Ἀλεξάνδρειαν, φιλοσόφοις ‹τε› τοῖς τῇδε φοιτήσας καὶ τὰ ἐκείνων ἀσκηθεὶς μαθήματα ἐπανῆλθεν εἰς Ἀντιόχειαν καὶ Πλακήτῳ πάλιν τῷ μετὰ Εὐφρόνιον συνδιέτριβεν. **3** Ὡς δὲ συνέβη ταύτην ἐνθάδε συγκροτεῖσθαι σύνοδον, ἐπὶ τὸν Ἀλεξανδρείας προεβλήθη θρόνον ὑπὸ Εὐσεβίου τοῦ Κωνσταντινουπόλεως ἐπισκόπου· ᾤετο γὰρ αὐτὸν εὖ μάλα πολιτευόμενον καὶ λέγειν κράτιστον ὄντα ῥᾳδίως μεταστῆσαι τοὺς Αἰγυπτίους τῆς περὶ Ἀθανάσιον εὐνοίας. **4** Ἐπεὶ δὲ
108 ταύτην παρ|ῃτήσατο τὴν χειροτονίαν, λογισάμενος ὡς εὐτρεπὲς εὑρήσει μῖσος παρὰ Ἀλεξανδρεῦσιν οὐκ ἀνεχομένοις

---

1. Formé à l'école d'Édesse, puis auprès d'Eusèbe de Césarée et de Patrophile de Scythopolis, Eusèbe resta évêque d'Émèse (en Phénicie II) depuis 341 jusqu'à sa mort (avant 359), sans être jamais un chef de file. Certaines de ses œuvres (17 discours ou opuscules, 12 homélies) ont été retrouvées. Rigoriste pour la doctrine spirituelle, il exerça néanmoins une influence pacificatrice : voir *DHGE*, t. 15, 1963, c. 1462-1463 complétant, pour la question des œuvres conservées d'Eusèbe d'Émèse, les données biographiques de *DTC*, t. 5, 1939, c. 1537-1739 (P. GODET) ainsi que *DECA*, p. 919 (M. SIMONETTI).
2. Eustathe fut déposé en 330 (CAVALLERA, p. 57 ; SIMONETTI, *La crisi ariana*, p. 104-107, discute cette date et propose 327). Ses adversaires l'accusaient d'immoralité le plus souvent et de sabellianisme (sur Sabellius et l'hérésie à laquelle il donna son nom, voir *SC* 306, p. 304-305). Telle était en particulier l'opinion de Cyr, évêque de Bérée, d'après SOCRATE, *H.E.*, I, 24 et II, 9 : voir BARDY, p. 101, note 4 et l'article Monarchia-

Chapitre 6

Eusèbe d'Émèse;
Grégoire s'empare d'Alexandrie;
Athanase, en fuyant à Rome, sauve sa vie.

1 Avec eux il y avait aussi Eusèbe surnommé d'Émèse[1]. Il était né d'une famille noble d'Édesse en Osrhoène et dès l'enfance, selon la coutume de ses pères, il avait appris par cœur les saintes Lettres. Ensuite il avait été formé aussi aux disciplines des Grecs, ayant fréquenté les maîtres qui se trouvaient alors à Édesse, **2** et plus tard, avec les exégètes Eusèbe de Pamphile et Patrophile, qui présidait au siège de Scythopolis, il avait scruté à fond les saints Livres. Parvenu à Antioche au temps où il arriva qu'Eustathe fut déposé à cause de la calomnie de Cyr[2], il vécut avec Euphronios, successeur d'Eustathe[3]. Fuyant une ordination, il se rendit à Alexandrie, où il fréquenta les philosophes et s'exerça à leurs disciplines, puis il revint à Antioche et, de nouveau, vécut avec Plakètos le successeur d'Euphronios[4]. **3** Lorsqu'il advint que fut là rassemblé ce synode[5], il fut élevé au siège d'Alexandrie par Eusèbe évêque de Constantinople : celui-ci pensait en effet que par sa conduite très vertueuse et ses grandes qualités d'orateur il détournerait facilement les Égyptiens de leur bienveillance à l'égard d'Athanase. **4** Mais Eusèbe d'Émèse refusa cette ordination, s'étant dit qu'il trouverait de la haine toute préparée de la part des Alexandrins

---

nisme dans *DTC*, t. X, 2, 1929, c. 2193-2209, en particulier c. 2201 sur Sabellius (G. BARDY).

3. Voir *H.E.* II, 19, 6, *SC* 306, p. 308-311, et III, 5, 2.

4. Sur Plakètos/ Flacillos, voir *H.E.* III, 5, 2.

5. Par ταύτην, Sozomène désigne le synode des Encaénies réuni à Antioche en 341. Or, c'est au synode précédent, celui de 338/339, qui se tint également à Antioche, que fut déposé Athanase et que Grégoire fut nommé à sa place : voir *H.E.* III, 5, 1.

ἕτερον ἀντὶ ᾿Αθανασίου ἰδεῖν, ἐπιτρέπεται Γρηγόριος τὴν τῶν ᾿Αλεξανδρέων, αὐτὸς δὲ τὴν ᾿Εμέσης ἐκκλησίαν. **5** ᾿Ενταῦθά τε στάσιν ὑπομείνας (διεβάλλετο γὰρ ἀσκεῖσθαι τῆς ἀστρο- νομίας ὃ μέρος ἀποτελεσματικὸν καλοῦσι) φυγὰς ἦλθεν εἰς Λαοδίκειαν πρὸς Γεώργιον τὸν ἐνθάδε ἐπίσκοπον, ἐπιτήδειον ὄντα. ῾Ο δὲ εἰς ᾿Αντιόχειαν αὐτῷ συνελθὼν πρὸς Πλάκητον καὶ Νάρκισσον τοὺς ἐπισκόπους, ἐπανελθεῖν εἰς ῎Εμεσαν παρεσκεύασεν. **6** ᾿Εγένετο δὲ Κωνσταντίῳ τῷ βασιλεῖ κεχα-
1048 ρισμένος · ἀμέλει τοι, ἡνίκα Πέρσαις ἐπιστρα| τεύειν ἔμελλεν, αὐτὸν ἐπήγετο · λέγεται γὰρ πολλὰ δι᾿ αὐτοῦ θαυματουργῆσαι τὸ θεῖον, ὡς μαρτυρεῖ Γεώργιος ὁ Λαοδικεύς, ταῦτα καὶ ἕτερα περὶ αὐτοῦ διεξελθών. **7** ᾿Αλλ᾿ ὁ μὲν καίπερ τοιοῦτος ὢν οὐ διέφυγε τὸν φθόνον τῶν ἀνιᾶσθαι πεφυκότων ἐπὶ ταῖς ἄλλων ἀρεταῖς. ῾Υπέμεινε δὲ καὶ αὐτὸς μέμψιν ὡς τὰ Σαβελλίου φρυνῶν. ᾿Εν δὲ τῷ νῦν τὰ αὐτὰ τοῖς ἐν ᾿Αντιοχείᾳ συνελθοῦσιν ἐψηφίσατο.

8 Μάξιμον μέντοι τὸν ᾿Ιεροσολύμων ἐπίσκοπον ἐπίτηδες λέ- γεται ταύτην ἀποφυγεῖν τὴν σύνοδον, μεταμεληθέντα καθότι ἀπατηθεὶς σύμψηφος ἐγένετο τοῖς ᾿Αθανάσιον καθελοῦσιν. Οὐ μὴν οὐδὲ ὁ τὸν ῾Ρωμαίων διέπων θρόνον οὐδὲ τῶν ἄλλων ᾿Ιταλῶν ἢ τῶν ἐπέκεινα ῾Ρωμαίων οὐδεὶς ἐνθάδε συνῆλθεν.

---

1. L'apotélesmatique est la partie de l'astrologie qui traite des effets des étoiles sur la destinée humaine (G. W. H. LAMPE, *A Patristic Greek Lexikon*, p. 217). Voir BOUCHE-LECLERCQ, *L'astrologie grecque*, Paris 1899, p. 348-542.
2. Cet évêque avait pour siège Néronias, en Cilicie, lors des conciles de 314 et de 325, et Eirénopolis, en Cilicie également, lors du concile d'Antioche en 341. Il ne s'agit pourtant pas d'un transfert de siège : THÉODORET, *H.E.* I, 7 indique que Néronias était le nom ancien du siège qui prit ensuite le nom d'Eirénopolis (cf. BARDY, p. 120 : Nar- cisse de Néronias a souscrit à la lettre adressée aux Orientaux par le Pape Jules conservée par ATHANASE, *Apol. contra Arianos*, 21-35).
3. Voir *H.E.* II, 18, 3-4, *SC* 306, p. 304-305 et la note 1 : Sabellius, théologien romain du IIIème siècle, était partisan du monarchianisme et chef de file de la tendance modaliste.

qui ne supportaient pas de voir d'autre évêque qu'Athanase. Grégoire reçoit alors la charge de l'Église d'Alexandrie, et lui celle de l'Église d'Émèse. **5** Il fut là victime d'une sédition – on l'accusait de pratiquer cette partie de l'astrologie qu'on nomme apotélesmatique[1] – et, prenant la fuite, il se réfugia à Laodicée chez l'évêque du lieu, Georges, qui était son ami. Ce Georges se rendit avec lui à Antioche auprès des évêques Plakètos et Narcisse[2] et fit en sorte qu'il retournât à Émèse. **6** Il fut très en faveur auprès de l'empereur Constance : par exemple, quand Constance fut sur le point de partir en expédition contre les Perses, il l'emmena avec lui. On dit que la Divinité opéra par lui beaucoup de miracles, comme en témoigne Georges de Laodicée, qui a raconté ce trait et d'autres sur lui. **7** Pourtant, tel qu'il était, il n'échappa pas à la jalousie des gens naturellement disposés à se chagriner des vertus des autres. On le blâma lui aussi de partager les idées de Sabellius[3]. Il avait pourtant à ce moment-là voté comme les évêques réunis à Antioche.

8 Quant à Maxime, l'évêque de Jérusalem[4], il évita, dit-on, à dessein ce synode, car il s'était repenti de ce que, trompé, il eût donné sa voix à la déposition d'Athanase. Celui qui gouvernait le siège de Rome[5] non plus, ni aucun autre des évêques d'Italie ni des pays romains au-delà de l'Italie, ne s'y rendirent.

---

4. Voir *H.E.* II, 20, *SC* 306, p. 310-313 et note 4, p. 311.

5. Jules, évêque de Rome du 6 février 337 au 12 avril 352, au moment où Constant régnait en Occident, défenseur de l'orthodoxie nicéenne et protecteur d'Athanase, fut très actif dans la deuxième phase des querelles entre les catholiques nicéens et les semi-ariens. Pour une appréciation nuancée des résultats de l'action qu'il mena patiemment en vue de faire reconnaître la primauté romaine, voir PIETRI, *Roma Christiana* I, p. 187-237.

9 Ἐν τούτῳ δὲ Φράγκων μὲν τοὺς πρὸς δύσιν Γαλάτας
δῃούντων, τῆς δὲ πρὸς ἕω ἀρχομένης ὑπὸ μεγίστων σεισμῶν
τινασσομένης καὶ μάλιστα τῆς Ἀντιοχέων πόλεως, μετὰ τὴν
ἐνθάδε σύνοδον ἧκε Γρηγόριος εἰς Ἀλεξάνδρειαν σὺν πλήθει
στρατιωτῶν, οἳ προνοεῖν προσετάχθησαν ὡς ἂν ἀστασίαστος
καὶ ἀσφαλὴς αὐτῷ ἡ εἴσοδος γένοιτο. Συνελαμβάνοντο δὲ
αὐτοῖς καὶ οἱ τὰ Ἀρείου φρονοῦντες περί τε ταῦτα καὶ ὅπως
Ἀθανάσιον ἐξελάσωσιν. Ὁ δὲ ἐδεδίει, μή τι δι' αὐτὸν ὁ λαὸς
πάθοι. 10 Καὶ τῆς νυκτὸς ἐπιλαβούσης ἐκκλησίαζεν, ἤδη τε
τῶν στρατιωτῶν καταλαβόντων τὴν ἐκκλησίαν εὐχὴν ἐπιτε-
λέσας πρότερον ψαλμὸν ῥηθῆναι παρεκελεύσατο. Συμφώνου δὲ
τῆς ψαλμῳδίας γενομένης οἱ στρατιῶται τέως ἡσύχαζον, ὡς
οὐκ εὔκαιρον ὂν ἐπιθέσθαι τότε. 11 Ἐν τούτῳ δὲ διαδὺς ὑπὸ
τοὺς ψάλλοντας ἔλαθεν ἐξελθὼν καὶ εἰς τὴν Ῥώμην ἀνήχθη.
109 Γρηγόριος δὲ τὸν Ἀλεξανδρέων κατέσχε θρό|νον· ὁ δὲ λαὸς
χαλεπήνας τὴν ἐπώνυμον Διονυσίου τοῦ τῇδε ἐπισκοπήσαντος
ἐκκλησίαν ἐνέπρησαν.

---

1. C'est-à-dire en 341. Sozomène ne respecte pas la chronologie : les
deux événements relatés ici (arrivée de Grégoire à Alexandrie, expulsion
et exil d'Athanase à Rome) se sont déroulés *avant* le synode des
Encaénies d'Antioche (341) qui a déjà été rapporté plus haut (III, 5,
1 et III, 6, 3 et note). Ils sont par conséquent *antérieurs* au séisme
d'Antioche et à la guerre contre les Francs (341). L'installation de Grégoire à Alexandrie, après l'expulsion d'Athanase, eut lieu le 22 mars
339.

2. Après sa victoire sur son frère Constantin II, Constant guerroya
victorieusement contre les Francs sur le Rhin en 341-342 : Amm. 20, 1,
1 ; 27, 8, 4 ; 30, 7, 5 ; Libanios, *Discours* 59, 124-141, en particulier 127 ;
Jérôme, *Chron.* a. 342, éd. Helm, *GCS*, p. 239. Voir Piganiol, p. 87 et
Stein-Palanque, t. 1, p. 133 et p. 486, note 15.

3. Rapprocher Jérôme, *Chron. a.* 341, éd. Helm, p. 235 (*multae
Orientis urbes terrae motu horribili consederunt* : «beaucoup de villes
d'Orient s'affaissèrent à cause d'un horrible tremblement de terre»),
suivi par Orose, 7, 29, 5.
Le séisme a eu lieu en 341. D'après G. Downey, *A History of Antioch
in Syria from Seleucus to the Arab Conquest*, Princeton 1961, p. 369 et

9 À ce moment[1], alors que les Francs ravageaient la Gaule occidentale[2] et que la partie orientale de l'Empire, et surtout Antioche, étaient secouées de terribles séismes[3], après le synode d'Antioche Grégoire arriva à Alexandrie avec une foule de soldats[4], qui avaient reçu l'ordre de veiller à ce que son entrée se fît sans trouble et sans qu'il eût à craindre. Les partisans d'Arius les aidaient pour cela et pour chasser Athanase. **10** Celui-ci avait peur que le peuple fidèle ne souffrît à cause de lui. La nuit venue, il célébrait le culte, et, alors que les soldats avaient déjà occupé l'église, il acheva la prière et commanda qu'on chantât d'abord un psaume. Tandis que tous, d'une même voix, chantaient ce psaume, les soldats jusque là se tenaient tranquilles, estimant que ce n'était pas l'heure d'attaquer. **11** A ce moment donc, se faufilant parmi les chanteurs, Athanase sortit en cachette de l'église et se fit mener à Rome[5]. Grégoire se rendit maître du siège d'Alexandrie. Mais le peuple, furieux, mit le feu à l'église dénommée d'après Denys, l'ancien évêque du lieu[6].

note 189, citant, outre Sozomène, le chroniqueur byzantin THÉOPHANE (éd. de Boor, p. 36, 28-29) et SOCRATE, *H.E.* II, 10, le théâtre de Daphné, le riche faubourg d'Antioche, fut à cette occasion endommagé ou détruit.

4. Le 22 mars 339 (voir III, 5, 4).

5. Voir ATHANASE, *Hist. Arian.* 9-10.

6. La vie et le caractère de Denys (le Grand), évêque d'Alexandrie, sont connus grâce à EUSÈBE DE CÉSARÉE, *H.E.* VI-VII. Évêque d'Alexandrie en 247, juste avant la grande persécution de 248, il fut emprisonné de 249 à 251. Il fut remis en liberté pour être à nouveau exilé sous Valérien pendant la persécution de 257. Il mourut vers 264. Grand pasteur, il avait écrit de nombreuses lettres, notamment sur ceux qui avaient failli lors des persécutions (les *lapsi*), et des traités (*Réfutation des Allégoristes, Sur la Nature*, dirigé contre Épicure, *Sur la tentation, Sur le sabbat*) : voir DHGE, t. 14, 1960, c. 248-252 (A. VAN ROEY) et DECA p. 651-652 (P. NAUTIN).

7

1049 | **1** Ὧδε μὲν τοῖς ἀπὸ τῆς ἐναντίας αἱρέσεως τὰ βεβουλευμένα κατώρθωτο καθῃρημένων τῶν σπουδῇ προϊσταμένων ἀνὰ τὴν ἕω τοῦ ἐν Νικαίᾳ βεβαιωθέντος δόγματος. Προκατειλημμένων τε τῶν ἐπισημοτάτων θρόνων, Ἀλεξανδρείας τῆς κατ' Αἴγυπτον καὶ Ἀντιοχείας τῆς ἐν Συρίᾳ καὶ τῆς παρὰ τὸν Ἑλλήσποντον βασιλίδος πόλεως, πειθομένους εἶχον τοὺς ἀνὰ τόδε τὸ ὑπήκοον ἐπισκόπους. **2** Ὁ δὲ τὴν Ῥωμαίων ἐκκλησίαν ἐπιτροπεύων καὶ οἱ ἀνὰ τὴν δύσιν ἱερεῖς ὕβριν οἰκείαν ταῦτα ἡγοῦντο. Ἐφ' ἅπασι γὰρ τῶν ἐν Νικαίᾳ συνεληλυθότων ἐξ ἀρχῆς τὴν ψῆφον ἐπαινέσαντες εἰσέτι νῦν οὐ διέλιπον ὧδε φρονοῦντες· ἀφικόμενόν τε ὡς αὐτοὺς Ἀθανάσιον φιλοφρόνως ἐδέξαντο καὶ πρὸς αὐτοὺς τὴν κατ' αὐτὸν εἷλκον δίκην. **3** Ἐπὶ τούτοις δὲ χαλεπῶς φέρων Εὐσέβιος ἔγραψεν Ἰουλίῳ, ὥστε αὐτὸν γενέσθαι κριτὴν τῶν ἐπὶ Ἀθανασίῳ δοξάντων ἐν Τύρῳ. Ἀλλ' ὁ μέν, πρὶν μαθεῖν τὴν Ἰουλίου γνώμην, οὐ πολλῷ ὕστερον τῆς ἐν Ἀντιοχείᾳ γενομένης συνόδου ἐτελεύτησεν. **4** Οἱ δὲ ἐν Κωνσταντινουπόλει τὴν ἐκτεθεῖσαν ἐν Νικαίᾳ δόξαν ζηλώσαντες εἰς τὴν ἐκκλησίαν ἤγαγον Παῦλον. Ἐν τῷ αὐτῷ δὲ συλλαμβανομένων τῶν ἀπὸ τοῦ ἐναντίου πλήθους ἐν ἑτέρᾳ ἐκκλησίᾳ συνελθόντες οἱ ἀμφὶ Θέογνιον τὸν Νικαίας ἐπίσκοπον καὶ Θεόδωρον τὸν Ἡρακλείας, ἕτεροί τε οἱ τὰ τούτων φρονοῦντες, οἳ ἔτυχον ἐνδημοῦντες, Μακεδόνιον ἐχειρο-

---

1. Opposée à l'orthodoxie nicéenne. La périphrase désigne les ariens.
2. Il s'agit d'Eusèbe de Nicomédie, devenu évêque de Constantinople après la mort d'Alexandre et l'éviction de Paul (voir la notice de A. BIGELMAIR, dans *LTK*, t. 3, 1959, c. 1198 et *H.E.* I, l5, 9-10, *SC* 306, p. 188, note 1). Eusèbe étant décédé en 341 ou 342, la décision de Jules dut être prise à la fin de l'année 341. Sur le concile – le «brigandage» – de Tyr, voir *H.E.* II, 25, *SC* 306, p. 334-335.
3. Théognios de Nicée et Théodore d'Héraclée avaient participé au concile de Tyr (en 335) qui avait déposé Athanase : *H.E.* II, 25, 19, *SC* 306, p. 344-345 et la note 1.

Chapitre 7

Les évêques à Rome et à Constantinople ;
après Eusèbe Paul est rétabli ;
l'assassinat d'Hermogène, chef militaire ;
Constance, arrivé d'Antioche, fait partir Paul
et est irrité contre la cité ;
il laisse Macédonius sans prendre parti
et revient à Antioche.

1 C'est ainsi que pour les partisans de la secte adverse[1] leurs desseins se trouvaient réalisés puisqu'avaient été déposés ceux qui présidaient avec zèle en Orient au dogme sanctionné à Nicée. Comme ils avaient occupé d'avance les sièges les plus fameux, Alexandrie d'Égypte, Antioche de Syrie et la capitale de l'Hellespont, les ariens tenaient sous leur influence les évêques qui en dépendaient. **2** Mais le chef de l'Église de Rome et les évêques d'Occident prenaient cela pour un outrage personnel. Car sur tous les points ils avaient approuvé, dès le principe, le vote des pères réunis à Nicée, et ils ne cessaient pas, maintenant encore, de garder les mêmes sentiments ; aussi quand Athanase fut arrivé chez eux, ils l'accueillirent avec amitié et ils revendiquèrent pour eux-mêmes le procès qui le concernait. **3** Eusèbe souffrit mal la chose[2], et il écrivit à Jules, pour qu'il devînt lui-même le juge de ceux qui avaient décidé à Tyr du sort d'Athanase. Mais il mourut peu après le synode d'Antioche, avant d'avoir appris la décision de Jules. **4** Cependant les partisans, à Constantinople, de la doctrine exposée à Nicée avaient conduit Paul à l'église. Dans le même temps, avec le concours de ceux du camp adverse, les partisans de Théognios évêque de Nicée et de Théodore d'Héraclée[3], et d'autres évêques de même opinion qui se trouvaient présents dans la ville, s'étaient réunis dans une autre église

τόνησαν Κωνσταντινουπόλεως ἐπίσκοπον. **5** Ἐντεῦθέν τε συχναὶ κατὰ τὴν πόλιν ἐγίνοντο στάσεις πολέμοις ἐμφερεῖς· εἰς ἑαυτὸ γὰρ ἑκατέρωθεν τοῦ πλήθους συμπίπτοντος πλεῖστοι διώλλυντο. Καὶ ταραχῆς ἡ πόλις ἀνάπλεως ἦν, ὡς καὶ βασιλέα τότε ἐν Ἀντιοχείᾳ ὄντα τάδε μαθεῖν καὶ πρὸς ὀργὴν κινηθέντα προστάξαι πάλιν ἀπελαύνεσθαι Παῦλον.

6 Διηκονεῖτο δὲ τοῖς βασιλέως προστάγμασιν Ἑρμογένης ὁ τὴν ἱππικὴν δύναμιν ἐπιτετραμμένος στρατηγός, ὃς ἐπὶ Θράκην τότε ἀποσταλείς, παριὼν διὰ Κωνσταντινουπόλεως, ἐβιάζετο Παῦλον διὰ στρατιωτῶν ἐξελάσαι τῆς ἐκκλησίας. Ἐπεὶ δὲ τὸ πλῆθος οὐ συνεχώρει, πῇ δὲ καὶ ἠμύνετο, βιαιότερόν τε ἐπεχείρουν οἱ στρατιῶται ἐπιτελεῖν τὸ προσταχθέν, καταλαβόντες τὴν Ἑρμογένους οἰκίαν οἱ στασιῶται ἐνέπρησαν καὶ αὐτὸν **110** ἀναιροῦσι, καὶ σχοινίον ἐξάψαντες εἷλκον διὰ τῆς | πόλεως.

7 Ἀκούσας δὲ ὁ βασιλεὺς ἱππεὺς ἐλάσας ἧκεν εἰς Κωνσταντινούπολιν ὡς κακῶς δράσων τὸ πλῆθος. Ἀλλὰ τῶν μὲν **1052** ἐφεί|σατο, δεδακρυμένους αὐτῷ ἰδὼν ὑπαντωμένους καὶ ἀντιβολοῦντας, ἀμφὶ δὲ τὸ ἥμισυ τοῦ σίτου τὴν πόλιν ἀφείλετο, ὃν ὁ πατὴρ αὐτοῦ Κωνσταντῖνος ἑκάστου ἔτους ἀπὸ τοῦ δημοσίου τοῖς πολίταις ἐδωρήσατο ἐκ τῶν Αἰγυπτίων φόρων, ὑπολαβὼν ἴσως ὑπὸ τρυφῆς καὶ ῥᾳστώνης τοὺς πολλοὺς ἀργοῦντας ἑτοίμους εἰς στάσεις εἶναι. **8** Τρέπει δὲ τὴν ὀργὴν ἐπὶ Παῦλον καὶ τῆς πόλεως ἀπελαθῆναι προσέταξεν αὐτόν. Οὐ μὴν ἀλλὰ καὶ πρὸς Μακεδόνιον ἐχαλέπαινεν ὡς τῆς ἀναιρέσεως τοῦ στρατηγοῦ καὶ ἄλλων πολλῶν αἴτιον, καὶ ὅτι, πρὶν

---

1. Sur Hermogène, *magister equitum*, voir *P.L.R.E.*, t. 1, p. 422 (H. 1). L'épisode au cours duquel il périt eut un grand retentissement : AMM. l'avait mentionné sans doute en détail, d'après la référence rétrospective qu'il y fait dans son *Histoire* en 14, 10, 2. La réaction de Constance fut immédiate, puisque, parti d'Antioche (voir *infra* III, 7, 8), il arriva à Constantinople dès janvier 342 (cf. O. SEECK, *Regesten*, a. 342, p. 190, se fondant sur LIBANIOS, *Or*. 59, 96; et SCHWARTZ, *Gesamm. Schriften*, p. 321).

2. Sur les dispositions prises par Constantin, en 332, en faveur de Constantinople, pour donner à sa capitale un statut politique égal à

et avaient ordonné comme évêque de Constantinople Macédonius. **5** Il en résulta dans la ville de fréquentes séditions pareilles à des guerres : car, de chaque camp, les gens se jetaient les uns sur les autres, et beaucoup périssaient. Et la ville était pleine de trouble, au point que l'empereur, alors à Antioche, l'apprit et que, pris de colère, il ordonna qu'on chassât de nouveau Paul.

6 Or servait aux ordres du prince le maître de cavalerie Hermogène[1]. Comme il avait été alors envoyé en Thrace, il passa par Constantinople, et, avec l'aide de ses soldats, voulut chasser de force Paul de l'église. Comme la populace ne cédait pas, mais parfois même repoussait les soldats, ceux-ci tentaient avec plus de violence d'exécuter les ordres. Les séditieux alors, ayant gagné la maison d'Hermogène, l'incendièrent et le mettent à mort lui-même ; et, l'ayant attaché à une corde, ils le traînaient par la ville. **7** À cette nouvelle, l'empereur monta à cheval et arriva à Constantinople pour punir sévèrement la populace. Il épargna les gens quand il les vit venir à sa rencontre en larmes avec supplications, mais il enleva à la ville la moitié de l'annone[2] que son père Constantin avait accordé annuellement aux citoyens sur le trésor public en prenant sur les revenus de l'Égypte, conjecturant peut-être que c'est par mollesse et facilité de vie que la multitude, ne faisant rien, était prête à des séditions. **8** Il tourna sa colère contre Paul et ordonna qu'il fût chassé de la ville. Il n'en était pas moins irrité contre Macédonius, comme étant la cause du meurtre du général

celui de Rome, et notamment sur l'«annone civique», voir PIGANIOL, p. 56 et DAGRON, p. 305. Ce n'est qu'en 357, donc quinze ans après la sanction, que le Sénat de Constantinople osa demander à Constance II, par l'intermédiaire de THÉMISTIOS (*Discours* XXIII 298 a-b et XXXIV, ch. 13), le rétablissement de l'annone à son taux primitif de 80 000 boisseaux par jour : DAGRON, p. 141, note 4 et p. 193 avec la note 3.

αὐτὸν ἐπιτρέψαι, ἐχειροτονήθη. Οὔτε δὲ ἐπιψηφισάμενος τῇ αὐτοῦ χειροτονίᾳ οὔτε ἀποχειροτονήσας καταλιπὼν οὕτως ἀνέστρεψεν εἰς ᾽Αντιόχειαν. **9** Ἐν τούτῳ δὲ οἱ τῆς ᾽Αρείου δόξης σπουδασταὶ μετέστησαν Γρηγόριον ὡς ἀμελῆ πρὸς σύστασιν τοῦ οἰκείου δόγματος καὶ ᾽Αλεξανδρεῦσιν ἀκαταθύμιον διὰ τὰ συμβάντα τῇ πόλει χαλεπὰ περὶ τὴν αὐτοῦ εἴσοδον καὶ τὸν ἐμπρησμὸν τῆς ἐκκλησίας. ᾽Αντὶ δὲ τούτου πέμπεται Γεώργιος, ὃς τὸ μὲν γένος ἦν Καππαδόκης, ὡς δραστήριος δὲ ἐθαυμάζετο καὶ περὶ τοῦτο τὸ δόγμα σπουδαῖος.

8

1 ᾽Αθανάσιος δὲ φεύγων ἐκ τῆς ᾽Αλεξανδρείας εἰς Ῥώμην ἀφίκετο. Κατ᾽ αὐτὸ δὲ συνέβη καὶ Παῦλον τὸν Κωνσταντινουπόλεως ἐπίσκοπον συνδραμεῖν καὶ Μάρκελλον τὸν

1. Sur les événements tumultueux rapportés ici, voir DAGRON, p. 419-442 qui, partant souvent des indications de Sozomène, dégage la signification du choc entre Paul et Macédonius dans l'histoire du siège épiscopal de Constantinople – Paul représente le refus de la politique, du prestige, du pouvoir, tandis que Macédonius est le plus conscient de la nouvelle grandeur de la ville – et montre la transformation progressive des rôles de Paul, peu à peu idéalisé comme le champion de l'orthodoxie, et de Macédonius, en fait grand évêque de Constantinople de 341 à 360, caricaturé en hérésiarque par une réinterprétation qui commença à partir du concile de 381 rétablissant l'orthodoxie.

2. Georges de Cappadoce a bien été ordonné par les ariens en 342, au moment de l'assassinat d'Hermogène. Mais il n'occupera effectivement «son» siège que le 24 février 357 (voir H.E. IV, 4, 1). Néanmoins, de 342 à 357, il fut considéré par les ariens comme le véritable évêque d'Alexandrie, Athanase, officiellement déposé au concile de Tyr (335), n'étant qu'un intrus. Pour une confirmation de cette situation, voir H.E. IV, 6, 4 (participation de Georges en tant qu'évêque d'Alexandrie au concile de Sirmium en 351) et IV, 8, 4. La situation était complexe car un troisième personnage, Grégoire, restait l'évêque «officiel» jusqu'à sa mort en 345, suivie du retour d'Athanase de son second exil en 346.

et de beaucoup d'autres, et parce qu'il avait été ordonné avant qu'il ne l'eût permis. Cependant c'est sans avoir sanctionné son ordination, mais sans l'avoir démis de son office et en laissant les choses en l'état[1], qu'il retourna à Antioche. **9** À ce moment, les sectateurs d'Arius firent partir Grégoire comme ne faisant rien pour renforcer leur doctrine et comme indésirable aux Alexandrins à cause des pénibles incidents qui avaient accompagné son entrée dans la ville et à cause de l'incendie de l'église. À sa place est envoyé Georges, originaire de Cappadoce, qui était estimé pour son caractère actif[2] et pour son zèle touchant cette doctrine.

Chapitre 8

Les évêques d'Orient chassés à Rome;
ce qu'écrit à leur sujet Jules, évêque de Rome;
grâce à une lettre de Jules, Paul et Athanase
recouvrent leurs sièges;
lettre des évêques d'Orient à Jules.

1 Athanase, en fuite hors d'Alexandrie, arriva à Rome. À ce moment[3] il advint qu'accoururent aussi à Rome Paul l'évêque de Constantinople, Marcel d'Ancyre[4] et Asclépas

---

Sur Georges de Cappadoce, également détesté des païens et des catholiques orthodoxes, voir le jugement sévère d'AMM. 22, 11, 4 et les notices de *LTK,* t.3, 1959, c. 401 (P. T. CAMELOT), *DHGE*, t. 20, 1984, c. 602-610 (D. GORCE) et *DECA* p. 1033 (M. SIMONETTI).

3. Il s'agit d'un synode qui, en 340, réunit une cinquantaine d'évêques : voir PIETRI, *Roma Christiana* I, p. 187-207, et BARDY, p. 119.

4. Voir *H.E.* II, 33, *SC* 306, p. 376-379. Marcel avait été déposé en 336 par le synode de Constantinople dominé par les ariens (cf. *SC* 306, p. 376, note 1).

Ἀγκύρας καὶ Ἀσκληπᾶν τὸν Γάζης, ὃς ἐναντίος ὢν τοῖς Ἀρείου γραφὴν ὑπομείνας πρὸς ἑτεροδόξων τινῶν ὡς θυσιασ-τήριον ἀνατρέψας καθῃρέθη. Ἀλλ᾿ ἀντὶ τούτου μὲν ἐπιτρέ-πεται τὴν Γαζαίων ἐκκλησίαν Κυντιανός. Καὶ Λούκιος δὲ ὁ Ἀδριανουπόλεως ἐπίσκοπος ἐπ᾿ ἄλλῳ κατηγορηθεὶς καὶ τῆς ὑπ᾿ αὐτὸν ἐκκλησίας ἀφαιρεθεὶς ἐν Ῥώμῃ διῆγε. 2 Μαθὼν δὲ ὁ Ῥωμαίων ἐπίσκοπος τὰ ἑκάστου ἐγκλήματα, ἐπειδὴ πάντας ὁμονοοῦντας εὗρε περὶ τὸ δόγμα τῆς ἐν Νικαίᾳ συνόδου, ὡς ὁμοδόξους αὐτοὺς εἰς κοινωνίαν προσήκατο. Οἷα δὲ τῆς πάντων κηδεμονίας αὐτῷ προσηκούσης διὰ τὴν ἀξίαν τοῦ θρόνου, ἑκάστῳ τὴν ἰδίαν ἐκκλησίαν ἀπέδωκε. 3 Καὶ τοῖς ἀνὰ τὴν ἕω ἐπισκόποις ἔγραψε μεμφόμενος ὡς οὐκ ὀρθῶς βουλευ-σαμένοις περὶ τοὺς ἄνδρας καὶ τὰς ἐκκλησίας ταράττουσι τῷ
111 μὴ ἐμμένειν τοῖς ἐν Νι|καίᾳ δόξασιν. Ὀλίγους δὲ ἐκ πάντων
1053 εἰς ῥητὴν | ἡμέραν παρεῖναι ἐκέλευσε διελέγξοντας δικαίαν ἐπ᾿ αὐτοῖς ἐνηνοχέναι τὴν ψῆφον · ἢ τοῦ λοιποῦ οὐκ ἀνέξεσθαι ἠπείλησεν, εἰ μὴ παύσοιντο νεωτερίζοντες.
Καὶ ὁ μὲν τάδε ἔγραψεν.

1. Asclépas (ou Asclepios) participa aux conciles d'Antioche (324) et de Nicée (325), mais fut relégué, entre 326 et 328, sous la pression des partisans d'Eusèbe de Nicomédie. Rappelé sans doute en 337, il fut dénoncé par les eusébiens au pape Jules, en même temps qu'Athanase et Marcel : voir ATHANASE, *Apol. contra Arianos*, 44. Le synode de Rome (340) le réhabilita : il participa au concile de Sardique (342/343), fut confirmé dans sa fonction épiscopale, tandis que son successeur illé-gitime, l'arien Quintianus, fut déposé : voir *DHGE*, t. 4, 1930, c. 901-902 (G. BARDY) et PIETRI, *Roma Christiana* I, p. 196 avec la note 6.
2. Cet évêque arien, successeur illégitime d'Asclépas, sera condamné au concile de Sardique (342/343) : *H.E.*, III, 8, 1 et III, 12, 2 et HILAIRE dans *Collectanea Antiariana Parisina* Ser. B II 1, 8, éd. Feder, *CSEL*, t. 65, 1916, p. 123 (= *PL* 10, 638). Cf. *PW* XXIV (1963) c. 1265 Quin-tianus 4 (LIPPOLD) et A. MARTIN, *Athanase d'Alexandrie et l'Église d'É-gypte au IVᵉ siècle (328-373)*, Paris 1996, p. 432 et 434 citant la Synodale 8, p. 122-123 (*CSEL* 65) : *Illos autem qui se eorum ecclesiis immerserunt luporum more, id est Gregorium in Alexandria, Basilium in Ancyra et Quincianum in Gaza neque nomen habere episcopi neque communionis omnino eorum habere participatum neque suscipere ab aliquo eorum litteras neque ad eos scribere*, «Quant à ceux qui se sont plongés dans

de Gaza[1]; celui-ci, adversaire des ariens, fut accusé par certains hétérodoxes d'avoir renversé un autel et fut déposé : à sa place, l'Église de Gaza est confiée à Quintianus[2]. Lucius, évêque d'Andrinople[3], victime d'une autre accusation et dépossédé de son siège séjournait à Rome. **2** L'évêque de Rome ayant appris leur plainte à chacun, après qu'il les eut trouvés tous d'une même opinion sur le dogme du concile de Nicée, les admit à sa communion comme en conformité d'opinion avec lui. Et puisque le soin de tous lui revenait à cause de la dignité de son trône, il rendit à chacun son Église. **3** Il écrivit aux évêques d'Orient une lettre de blâme[4], comme quoi ils n'avaient pas délibéré correctement sur les hommes et troublaient les Églises en ne se tenant pas aux dogmes de Nicée. Et il ordonna à un petit nombre d'entre tous ces évêques de venir se présenter à un jour fixé pour démontrer qu'ils avaient porté sur ces affaires un jugement juste : ou alors, il menaça de ne plus être patient désormais s'ils ne cessaient pas d'innover.

Voilà donc ce qu'il écrivit.

les Églises de ceux-ci comme le feraient des loups, c'est-à-dire Grégoire à Alexandrie, Basile à Ancyre, et Quincianus à Gaza, ils n'ont pas le nom d'évêque, et (il ne faut) absolument pas participer à leur communion ni recevoir des lettres de l'un d'eux ni leur en écrire. »

3. Il sera réhabilité par le concile de Sardique (342/343) et réinstallé officiellement par l'empereur Constance dans son siège (cf. *H.E.*, III, 24, 3), puis, peu après, quand l'opinion de l'empereur eut été retournée par les ariens, jeté dans un cachot où il mourut (*H.E.* IV, 2, 1). Ce personnage est distinct de Lucius d'Alexandrie : voir Pietri, *Roma Christiana* I, p. 196 et note 6 et surtout A. Martin, *Athanase d'Alexandrie et l'Église d'Égypte...*, p. 394, 396, 398 et 437 avec la note 216 renvoyant à Athanase, *Hist. Arian.* 19, 1 et *Apol. de fuga*, 3, 3.

4. Sozomène résume ici la lettre qu'Athanase cite dans son *Apol. contra Arianos*, 35. Pour le commentaire de cette lettre, voir Bardy, p. 120, qui en traduit les passages les plus significatifs et Pietri, *Roma Christiana* I, p. 204-207 qui met en relief l'importance de cette Synodale pour l'affirmation des privilèges du primat romain.

4 Οἱ δὲ ἀμφὶ τὸν Ἀθανάσιον καὶ Παῦλον ἕκαστος τὸν
ἑαυτοῦ κατείληφε θρόνον καὶ τὰς Ἰουλίου ἐπιστολὰς διεπέμψαντο τοῖς ἀνὰ τὴν ἕω ἐπισκόποις. Οἱ δὲ ἐπὶ ταύταις χαλεπῶς
ἤνεγκαν· καὶ συλλεγέντες ἐν Ἀντιοχείᾳ ἀντέγραψαν Ἰουλίῳ
κεκαλλιεπημένην τινὰ καὶ δικανικῶς συντεταγμένην ἐπιστολήν, εἰρωνείας τε πολλῆς ἀνάπλεων καὶ ἀπειλῆς οὐκ ἀμοι-
ροῦσαν δεινοτάτης. 5 Φέρειν μὲν γὰρ πᾶσι φιλοτιμίαν τὴν
Ῥωμαίων ἐκκλησίαν ἐν τοῖς γράμμασιν ὡμολόγουν, ὡς ἀποσ-
τόλων φροντιστήριον καὶ εὐσεβείας μητρόπολιν ἐξ ἀρχῆς
γεγενημένην, εἰ καὶ ἐκ τῆς ἕω ἐνεδήμησαν αὐτῇ οἱ τοῦ
δόγματος εἰσηγηταί. Οὐ παρὰ τοῦτο δὲ τὰ
δευτερεῖα φέρειν ἠξίουν, ὅτι μὴ μεγέθει ἢ πλήθει ἐκκλησίας
πλεονεκτοῦσιν, ὡς ἀρετῇ καὶ προαιρέσει νικῶντες. 6 Εἰς
ἐγκλήματα δὲ προφέροντες Ἰουλίῳ τὸ κοινωνῆσαι τοῖς ἀμφὶ
τὸν Ἀθανάσιον ἐχαλέπαινον ὡς ὑβρισμένης αὐτῶν τῆς
συνόδου καὶ τῆς ἀποφάσεως ἀναιρεθείσης· καὶ τὸ γενόμενον
ὡς ἄδικον καὶ ἐκκλησιαστικοῦ θεσμοῦ ἀπᾷδον διέβαλλον.
7 Ἐπὶ τούτοις δὲ ὠδίπως μεμψάμενοι καὶ δεινὰ πεπονθέναι
μαρτυράμενοι, δεχομένῳ μὲν Ἰουλίῳ τὴν καθαίρεσιν τῶν πρὸς
αὐτῶν ἐληλαμένων καὶ τὴν κατάστασιν τῶν ἀντ' αὐτῶν χει-
ροτονηθέντων εἰρήνην καὶ κοινωνίαν ἐπηγγέλλοντο, ἀνθιστα-
μένῳ δὲ τοῖς δεδογμένοις τἀναντία προηγόρευσαν· ἐπεὶ καὶ
τοὺς πρὸ αὐτῶν ἀνὰ τὴν ἕω ἱερέας οὐδὲν ἀντειπεῖν ἰσχυρίζοντο, ἡνίκα Ναυάτος τῆς Ῥωμαίων ἐκκλησίας ἠλάθη. 8 Περὶ

---

1. Après la régression chronologique déjà signalée (de 341 à 339),
Sozomène revient au deuxième synode d'Antioche (dit des Encaénies),
dont l'occasion fut la dédicace de l'église d'or que Constance venait
de faire édifier à Antioche, et qui rassembla, en 341, une centaine
d'évêques (cf. Bardy, p. 121).

2. Le mot désignant d'après G. W. H. Lampe, *A Patristic Greek Lexikon*,
c. 1491, un lieu de méditation, Rome est ainsi reconnue comme le
berceau spirituel du christianisme.

3. Il ne s'agit pas du présent synode d'Antioche en 341, mais du
concile de Tyr (été 335) au cours duquel les évêques orientaux avaient
condamné Athanase : voir *H.E.* II, 25, *SC* 306, p. 333-345.

4 Les partisans d'Athanase et de Paul regagnèrent chacun son siège et transmirent les lettres de Jules aux évêques d'Orient. Ceux-ci prirent mal la chose. Et, comme ils s'étaient rassemblés à Antioche[1], ils répondirent à Jules par une lettre remplie de belles formules et de raisonnements juridiques, mais pleine aussi d'ironie et non dépourvue d'une menace très grave. **5** L'Église de Rome avait primauté d'honneur sur tous, convenaient-ils dans cette lettre, puisqu'elle avait été, dès le début, le phrontistère[2] des Apôtres et la métropole de la religion, même si c'était de l'Orient qu'étaient venus chez elle ceux qui avaient introduit le dogme ; eux cependant, jugeaient-ils, ne devaient pas jouer les seconds rôles pour la raison qu'ils n'avaient pas la supériorité quant à la grandeur ou à la population de leur église, puisqu'ils l'emportaient par la vertu et les principes. **6** D'autre part, ils tournaient en grief contre Jules le fait qu'il eût reçu les partisans d'Athanase en sa communion. Ils en marquaient leur irritation : leur concile était outragé[3] et leur sentence jetée par-dessus bord et ils accusaient l'acte de Jules comme contraire à la justice et inconciliable avec les règles ecclésiastiques. **7** Pour cela, après avoir fait divers reproches et pris Dieu à témoin qu'ils avaient subi de graves injustices, ils promettaient à Jules paix et communion s'il acceptait la déposition des évêques par eux chassés et l'établissement des évêques ordonnés à leur place, mais ils lui déclarèrent les dispositions contraires s'il s'opposait à leurs décisions ; car, affirmaient-ils, les évêques d'Orient avant eux n'avaient nullement protesté non plus quand Novatien[4] avait été chassé de l'Église de Rome. **8** Sur ce

---

4. Les évêques orientaux vont chercher un précédent assez lointain puisque le schisme de Novatien remonte au milieu du IIIe siècle : voir *H.E.* I, 14, 9, *SC* 306, p. 180-181 et note 3 et II, 32, 1, *ibid.*, p. 372-373 et note 1.

1056 δὲ τῶν πεπραγμένων παρὰ τὰ δόξαντα τοῖς| ἐν Νικαίᾳ συνελ-
θοῦσιν οὐδὲν αὐτῷ ἀντέγραψαν, πολλὰς μὲν αἰτίας ἔχειν εἰς
παραίτησιν ἀναγκαίαν τῶν γεγενημένων δηλώσαντες, ἀπολογεῖσθαι δὲ νῦν ὑπὲρ τούτων περιττὸν εἰπόντες ὡς ἅπαξ ὁμοῦ
ἐπὶ πᾶσιν ἀδικεῖν ὑπονοηθέντες.

9

1 Ἰουλίῳ μὲν οὖν τοιάδε ἔγραψαν. Πρὸς δὲ βασιλέα Κωνστάντιον διέβαλλον αὖθις τοὺς πρὸς αὐτῶν καθῃρημένους. Ὁ
112 δὲ ἐν Ἀντιοχείᾳ τότε δια| τρίβων γράφει Φιλίππῳ τῷ ὑπάρχῳ
ἐν Κωνσταντινουπόλει ὄντι, πάλιν Μακεδονίῳ τὴν ἐκκλησίαν
ἀποδοῦναι, Παῦλον δὲ ἐξελάσαι τῆς πόλεως. 2 Δείσας δὲ τὴν
τοῦ πλήθους κίνησιν ὁ ὕπαρχος, πρὶν ἔκπυστον γενέσθαι τὴν
βασιλέως πρόσταξιν, προσελθὼν εἰς δημόσιον λουτρὸν ᾧ ὄνομα
Ζεύξιππος (περιφανὲς δὲ τοῦτο καὶ μέγιστον) ὡς περὶ κοινῶν
πραγμάτων κοινωσόμενος μετεκαλέσατο Παῦλον. Παραγενο-

1. Sur ce personnage, longtemps l'homme de confiance de
Constance II, voir la notice de la *P.L.R.E.*, t. 1, p. 696-697, Flavius Philippus 7. Préfet du prétoire d'Orient de 344 jusqu'à 351 (date à laquelle
il fut disgrâcié à la suite d'une mission compromettante auprès de l'usurpateur Magnence), consul en 348, il fut chargé de l'arrestation de Paul
de Constantinople (après le 6 juillet 344, car son prédécesseur, Léontios,
est encore attesté à cette date : cf. A. H. M. JONES, «The career of
Flavius Philippus», dans *Historia* 4, 1955, p. 229-233) et le fit exécuter
vers 350 à Cucuse, en Arménie mineure (ATHANASE, *Apol. de fuga* 3;
Hist. Arian. 7; SOCRATE, *H.E.* II, 26 et V, 9; SOZ., *H.E.* IV, 2).
Le texte de Sozomène contracte abusivement la chronologie des faits :
le retour de Paul qui mécontente Constance, excité par les ariens, est
celui de 341; l'arrestation de Paul par Philippe, pour un deuxième exil,
est postérieure au 6 juillet 344. DAGRON, p. 431, note 5, explique ce
brouillage chronologique par la volonté de remodeler la vie de Paul
sur celle d'Athanase, comme l'a fait aussi Socrate.
2. Les bains de Zeuxippe auxquels Septime Sévère avait vainement
voulu donner le nom de thermes sévériens (Severion), avaient été res-
taurés ou achevés par Constantin. Zeuxippe était une épithète d'Hélios

qui avait été fait contre les décisions des pères de Nicée ils ne lui firent nulle réponse; ils lui signifièrent qu'ils avaient certes bien des arguments pour fournir une excuse péremptoire à ce qui s'était passé, mais, disaient-ils, il était actuellement superflu de se défendre sur ces points, puisqu'une fois pour toutes on les soupçonnait d'être fautifs uniformément en toutes choses.

Chapitre 9

Paul est chassé, ainsi qu'Athanase,
et Macédonius est mis à sa place à Constantinople.

1 Tel est donc ce qu'ils écrivirent à Jules. D'autre part ils accusaient de nouveau auprès de l'empereur Constance ceux qui avaient été déposés par eux. Constance, qui résidait alors à Antioche, écrivit à Philippe, le préfet du prétoire (d'Orient)[1], qui était à Constantinople, de rendre l'église à Macédonius et de chasser Paul de la ville. **2** Craignant un mouvement populaire, le préfet, avant que l'ordre impérial eût été porté à la connaissance du peuple, entra au bain public nommé Zeuxippos[2] – il est magnifique et très vaste – et y fit venir Paul comme pour s'entretenir avec lui des affaires générales. Paul arrivé, il lui

«dont la statue au Tetrastôon se serait ornée de l'inscription dédicatoire Ζευξίππῳ. Cette statue... évoque un culte primitif et local dont le souvenir et le nom se perpétuent dans la Constantinople chrétienne», cf. DAGRON, p. 368-369, proposant le culte du «cavalier thrace».

Pour la localisation de ce bain, «le plus grand, le plus beau, celui qui était orné des plus belles et des plus nombreuses œuvres d'art», voir R. JANIN, *Constantinople byzantine, développement urbain et répertoire topographique*, Paris, Institut d'études byzantines, 1950 (*Archives de l'Orient chrétien* n° 4), notamment p. 215-217 : «le bain devait être à peu près dans l'alignement du Palais, le long de l'Augustéon et au Nord Ouest de la Chalcè, entre celle-ci et les *carceres* de l'hippodrome».

μένῳ δὲ εὐθὺς τοῦ βασιλέως ἐπέδειξε τὸ γράμμα · λάθρα τε διὰ
τῶν βασιλείων τῷ λουτρῷ παρακειμένων ἐπὶ θάλασσαν αὐτὸν
ἀχθῆναι προστάξας εἰς πλοῖον ἐπεβίβασε καὶ εἰς Θεσσαλο-
νίκην ἔπεμψεν, ὅθεν καὶ τοὺς προγόνους ἔχειν ἐλέγετο.
3 Παντελῶς τε τὴν κατὰ τὴν ἕω ἀρχομένην φεύγειν κατεδίκασεν αὐτόν, Ἰλλυριῶν δὲ καὶ τῆς ἐπέκεινα γῆς ἐπιβαίνειν
οὐκ ἐκώλυσεν. Ἐξελθὼν δὲ ἐκ τοῦ δικαστηρίου, συνοχούμενον
αὐτῷ Μακεδόνιον ἔχων, ἐπὶ τὴν ἐκκλησίαν ᾔει. Τὸ δὲ πλῆθος
(ἤδη γὰρ τούτων γενομένων ἄφατοι συνελέγησαν) εὐθὺς τὴν
ἐκκλησίαν ἐπλήρωσαν · ἕκαστοι γὰρ αὐτήν, οἵ τε ἀπὸ τῆς
Ἀρείου αἱρέσεως οἵ τε Παῦλον ἐπαινοῦντες, προκαταλαβεῖν
ἐσπούδασαν. 4 Ἐπεὶ δὲ πρὸς ταῖς θύραις τῆς ἐκκλησίας ἐγένετο
ὁ ὕπαρχος, σὺν αὐτῷ δὲ καὶ Μακεδόνιος, τὸ δὲ πλῆθος, ὅπως
αὐτοῖς πάροδος γένηται πρὸς τῶν στρατιωτῶν ὠθούμενον,
ὑποχωρεῖν οὐκ ἠδύνατο, τοῦ πρόσω σεσαγμένου, ὑπολαβόντες
οἱ στρατιῶται ἑκοντὶ μὴ εἴκειν τὸν ὄχλον πολλοὺς τοῖς ξίφεσι
διεχειρίσαντο, πολλοὶ δὲ καὶ ὑπ' ἀλλήλων πατούμενοι διεφ-
θάρησαν. Τὸ δὲ βασιλεῖ δόξαν οὕτως ἐγένετο, καὶ τὰς
ἐκκλησίας παρέλαβε Μακεδόνιος.

5 Ὁ μὲν δὴ Παῦλος ἀδοκήτως ὧδε τῆς ἐν Κωνσταντινουπόλει ἐκκλησίας ἀφῃρέθη. Ἀθανάσιος δὲ φεύγων ἀφανὴς ἦν,
δείσας τὴν Κωνσταντίου τοῦ βασιλέως ἀπειλήν · θανάτῳ γὰρ
αὐτὸν ζημιοῦν ἠπείλησεν, αἰτιωμένων τῶν ἑτεροδόξων, ὡς
στάσεις ἐργάζοιτο καὶ εἰσιόντος αὐτοῦ πολλοὶ τεθνήκασι · τὸ
δὲ μάλιστα πρὸς ὀργὴν τὸν βασιλέα κινῆσαν ἦν, ὅτι καὶ
σιτηρέσιον ἔλεγον αὐτὸν πωλοῦντα ἀποκερδαίνειν, ὃ ὁ
βασιλεὺς Κωνσταντῖνος τοῖς ἐν Ἀλεξανδρείᾳ πτωχοῖς ἐδω-
ρήσατο.

---

1. Cette accusation s'ajoute à celles, déjà multiples, portées contre
Athanase au concile de Tyr (H.E. II, 25, SC 306, p. 336-341), à celle
du trafic des «tuniques de lin» et de la tentative de corruption du
maître des offices Philoumenos (H.E. II, 22, 8, SC 306, p. 322-323 et
la note 2; voir PIGANIOL, p. 63).

montra aussitôt la lettre impériale. Et, ayant donné l'ordre qu'il fût conduit secrètement vers la mer à travers la partie du palais sise auprès du bain, il le fit monter sur un bateau et l'envoya à Thessalonique, d'où, disait-on, Paul tirait des ancêtres de sa famille. **3** Il lui interdit absolument de pénétrer dans la partie orientale de l'Empire, mais il ne l'empêcha pas d'entrer dans l'Illyrie et les pays d'au-delà. Puis, sortant du tribunal, et ayant avec lui Macédonius sur un char, il se rendit à l'église. Les fidèles emplirent aussitôt l'église, (car, sur ces entre-faites, ils s'étaient rassemblés déjà en nombre incalcu-lable) : chaque parti en effet, et ceux de l'hérésie d'Arius et les tenants de Paul, s'étaient efforcés d'occuper l'église à l'avance. **4** Quand le préfet fut arrivé aux portes de l'église, et avec lui Macédonius, comme le peuple était poussé par les soldats pour leur permettre l'entrée et qu'il ne pouvait laisser le passage à cause des gens tassés devant, les soldats, croyant que la foule ne voulait pas céder la place, en tuèrent beaucoup par le glaive, et beaucoup aussi périrent foulés aux pieds les uns par les autres. C'est ainsi que fut accompli l'ordre du prince, et Macédonius s'empara des églises.

5 Paul donc fut ainsi à l'improviste dépossédé de l'É-glise de Constantinople. Quant à Athanase en fuite, il se tenait caché, ayant craint les menaces de l'empereur Constance. Celui-ci en effet avait menacé de le punir de mort, sur l'accusation des hétérodoxes qu'il était fauteur de séditions et que, à son entrée à Alexandrie, beaucoup avaient péri. Ce qui poussait surtout l'empereur à la colère, c'est que, disait-on, il vendait lui-même pour en tirer profit l'allocation de grains[1] que l'empereur Constantin avait accordée aux pauvres d'Alexandrie.

10

1057 |1 Τῶν δὲ ἐξ Αἰγύπτου ἐπισκόπων ψευδῆ ταῦτα εἶναι
γραψάντων μαθὼν Ἰούλιος, ὡς οὐκ ἀσφαλὲς Ἀθανασίῳ τέως
ἐν Αἰγύπτῳ διάγειν, τὸν μὲν πρὸς αὐτὸν μετεκαλέσατο, τοῖς δὲ
113 ἐν Ἀντιοχείᾳ συνελθοῦσιν (ἔτυχε γὰρ | τηνικαῦτα τὴν τούτων
δεξάμενος ἐπιστολήν) ἔγραψεν ἐγκαλῶν, ὡς λάθρα περὶ τὸ
δόγμα τῆς ἐν Νικαίᾳ συνόδου νεωτερίζουσι καὶ παρὰ τοὺς
νόμους τῆς ἐκκλησίας αὐτὸν εἰς τὴν σύνοδον οὐ κεκλήκασιν ·
εἶναι γὰρ νόμον ἱερατικόν, ὃς ἄκυρα ἀποφαίνει τὰ παρὰ
γνώμην πραττόμενα τοῦ Ῥωμαίων ἐπισκόπου. 2 Τὰ δὲ ἐν Τύρῳ
καὶ ἐν τῷ Μαρεώτῃ μὴ ἐν δίκῃ πεπρᾶχθαι κατὰ Ἀθανασίου ·
κατηγόρει δὲ τῶν μὲν τὴν κατὰ Ἀρσένιον συκοφαντίαν, τῶν
δὲ ἐν τῷ Μαρεώτῃ τὴν Ἀθανασίου ἀπουσίαν, ἐφ' ἅπασι δὲ τὸ
αὔθαδες τῶν γραμμάτων ἐμέμφετο.

3 Καὶ ἐκ τούτων δὲ καὶ ἐκ πάντων ἀνελογίζετο χρῆναι βοη-

---

1. Nous revenons encore une fois à l'année 339, quand, Grégoire
ayant fait son entrée à Alexandrie (22 mars), Athanase, après plusieurs
jours d'émeute, «quitta Alexandrie et laissa la place à son adversaire » :
cf. BARDY, p. 118, se fondant sur ATHANASE, *Historia Arianorum*, 9-10.
    2. Après le synode d'Antioche de 339 et avant le synode d'Antioche
de 341 (celui des Encaénies), Jules répond à la lettre de janvier
340 (*supra*, III, 8) par laquelle les Orientaux, après beaucoup d'atermoiements, lui signifiaient leur refus de participer au synode de Rome,
tout en faisant de grandes déclarations de respect pour l'Église des
Romains.
    3. Il semble qu'il y ait ici, comme chez SOCRATE, *H.E.* II, 17, une
interprétation erronée de la lettre de Jules (dans ATHANASE, *Apol. contra
Arianos* 35, 3-4, Opitz II, p. 113, l. 2-5) qui disait : «Il fallait nous écrire
à nous tous», en parlant probablement des évêques d'Occident en
général, et non du siège romain en particulier (cf. PIETRI, *Roma Christiana* I, p. 205 et note 3). À moins qu'il ne s'agisse d'une anticipation
par rapport au concile de Sardique (343) dont l'un des canons donnait
à l'évêque de Rome une sorte de juridiction d'appel (STEIN-PALANQUE,
p. 135 et note 28). La première hypothèse est la plus probable.
    4. C'est-à-dire lors du concile de Tyr (été 335) : pour la calomnie
concernant Arsène, voir *H.E.* II, 23 et 25 et pour le conflit d'Athanase
avec un prêtre de Maréotide, voir *H.E.* II, 25, 3. Ce prêtre, nommé

Chapitre 10

*Ce que l'évêque de Rome écrit en faveur d'Athanase
aux évêques d'Orient;
mission à Rome d'évêques afin d'examiner
avec l'évêque de Rome les accusations
portées contre les évêques d'Orient;
le renvoi des émissaires par le César Constant.*

1 Ayant appris par une lettre des évêques d'Égypte
que tout cela était faux, Jules, estimant que pour l'instant
Athanase n'était pas en sécurité en Égypte, le fit venir à
lui[1]. D'autre part il écrivit aux évêques réunis à Antioche[2]
– car il se trouvait alors avoir reçu leur lettre –, les
accusant d'innover secrètement eu égard au dogme du
concile de Nicée et, contrairement aux lois de l'Église,
de ne l'avoir pas invité à leur synode; il y a en effet
une loi ecclésiastique qui déclare sans autorité tout ce
qui a été fait contrairement à l'avis de l'évêque de Rome[3].
2 Les agissements contre Athanase à Tyr et en Maréotide[4],
disait-il, avaient été iniques; Jules mettait en cause les
uns pour la calomnie concernant Arsène, et ceux de
Maréotide pour avoir eu lieu en l'absence d'Athanase;
outre tout cela, il reprochait aux évêques l'insolence de
leur lettre.
3 Pour ces motifs et pour tous autres, il se disait qu'il

Ischyras dans les autres sources, ayant essayé de se soustraire à son
autorité, Athanase chargea Macaire, un membre de son clergé, d'une
inspection en Maréotide : Macaire brisa une table qui servait d'autel et
un vase qui servait de calice (entre 333 et 335). D'où des accusations
qui figurent en bonne place parmi toutes celles qui furent portées
contre Athanase lors du concile de Tyr (voir PIGANIOL, p. 64). Les
conclusions de la commission d'enquête envoyée en Maréotide sont
considérées comme nulles, la commission ayant délibéré *en l'absence
du prévenu* et sans entendre les témoins à décharge (cf. PIETRI, *Roma
Christiana*, I, p. 202).

θεῖν Ἀθανασίῳ καὶ Παύλῳ· μετ' οὐ πολὺ γὰρ καὶ αὐτὸς εἰς Ἰταλίαν παραγενόμενος τὰ κατ' αὐτὸν ἀπωδύρετο. Ἐπεὶ δὲ ἐξ ὧν ἔγραφε περὶ αὐτῶν τοῖς ἀνὰ τὴν ἕω ἱερεῦσιν οὐδὲν ἤνυε, δῆλα τὰ κατ' αὐτοὺς ἐποίησε Κώνσταντι τῷ βασιλεῖ. 4 Ὁ δὲ Κωνσταντίῳ τῷ βασιλεῖ καὶ ἀδελφῷ ἔγραψε πέμψαι τινὰς τῶν ἀπὸ τῆς ἕω ἐπισκόπων ἀπολογησομένους περὶ τῆς αὐτῶν καθαιρέσεως. Καὶ αἱροῦνται ἐπὶ τούτῳ τρεῖς, Νάρκισσος ὁ Εἰ-ρηνοπόλεως τῆς Κιλικίας ἐπίσκοπος καὶ Θεόδωρος ὁ Ἡρακ-
1060 λείας τῆς Θρᾴκης| καὶ Μάρκος ὁ Ἀρεθούσης τῆς Συρίας. 5 Καὶ παραγενόμενοι εἰς Ἰταλίαν τοῖς ὑπ' αὐτῶν πεπραγμένοις ἰσ-χυρίζοντο καὶ τὸν βασιλέα πείθειν ἐπειρῶντο δικαίαν εἶναι τῆς ἀνατολικῆς συνόδου τὴν κρίσιν. Ἀπαιτούμενοι δὲ λέγειν, ὅπως πιστεύσωσι, τὴν μὲν ἐκτεθεῖσαν παρ' αὐτῶν ἐν Ἀντιο-χείᾳ ἀπεκρύψαντο, ἑτέραν δὲ ἔγγραφον ὁμολογίαν ἐκδεδώ-κασι, καὶ οὕτως ἀπᾴδουσαν τῆς ἐν Νικαίᾳ δοκιμασθείσης. 6 Συνιδὼν δὲ Κώνστας, ὡς ἀδίκως ἐπεβούλευσαν τοῖς ἀν-δράσιν, οὐκ ἐγκλημάτων ἕνεκεν οὐδὲ βίου ἀποστρεφόμενοι τὴν πρὸς αὐτοὺς κοινωνίαν, ὡς αἱ καθαιρέσεις εἶχον, ἀλλὰ τῆς περὶ τὸ δόγμα διαφωνίας, ἀπέπεμψε τούτους μὴ πείσαντας περὶ ὧν ἐληλύθεσαν.

1. Contrairement à la démarche mentionnée en III, 8 qui est inventée par suite d'une confusion avec l'une de celles qu'Athanase fit à Rome, cette arrivée de Paul «en Italie» (en fait, à Trèves, en Gaule) est effective. Mais elle doit être datée de 338-339 (cf. DAGRON, p. 432, note 1), alors que Sozomène a déjà mentionné au chap. précédent son deuxième exil après 344.
2. Sur les deux premiers porte-parole des Orientaux, voir déjà *H.E.*, III, 3, 1 et III, 5, 10 (Théodore) et III, 6, 5 (Narcisse). Marc d'Aréthuse participa aux synodes d'Antioche (341), de Sardique (342/343), de Sirmium (359) et mérita sous Julien le titre de confesseur (voir *PW* XIV, 2, 1930, c. 1866-1867 Markos 4 (ELTESTER). D'après BARDY, p. 122, un quatrième évêque, Maris de Chalcédoine, faisait partie de la délé-gation reçue par Constant en 342.

fallait porter secours à Athanase et à Paul[1] : peu après, en effet, Paul était arrivé lui aussi en Italie et il se plaignait de ce qu'il avait subi. Comme Jules, en suite de ce qu'il avait écrit sur eux aux évêques d'Orient, n'aboutissait à rien, il fit connaître tout ce qui les concernait à l'empereur Constant. 4 Celui-ci écrivit à son frère l'empereur Constance d'envoyer certains des évêques d'Orient pour présenter une défense à propos de la déposition d'Athanase et de Paul. Trois furent choisis à cet effet, Narcisse évêque d'Eirènopolis en Cilicie, Théodore d'Héraclée de Thrace et Marc d'Aréthuse[2] en Syrie. 5 Une fois arrivés en Italie, ils tenaient fermement à ce qu'ils avaient fait et cherchaient à persuader l'empereur que le jugement du synode oriental était juste. Quand on leur eut demandé d'exposer leur foi, ils laissèrent sous le boisseau l'exposé de foi qu'ils avaient formulé à Antioche, mais remirent par écrit une autre profession qui, même ainsi, était en désaccord avec la foi sanctionnée à Nicée[3]. 6 Se rendant compte que les évêque d'Orient avaient conspiré injustement contre Athanase et Paul en leur refusant la communion avec eux non à cause d'accusations précises ou en raison de leur conduite, comme le prétendaient les libelles de déposition, mais à cause du désaccord sur le dogme, Constant renvoya ces émissaires sans qu'ils l'eussent convaincu sur les points qui avaient motivé leur venue.

---

3. Apportée à Trèves en 342 par les évêques orientaux partis d'Antioche, cette nouvelle formule édulcorée est appelée habituellement «quatrième symbole d'Antioche», bien qu'elle n'ait rien à voir avec le «synode de la dédicace». Ses thèses principales, éternité du Fils de Dieu, durée illimitée de son règne, anathèmes divers, sont résumées par BARDY, p. 123, se fondant sur ATHANASE, *De synodis* 25.

11

114 |1 Τριῶν δὲ ἤδη διαγενομένων ἐνιαυτῶν πάλιν οἱ ἀπὸ τῆς
ἕω ἐπίσκοποι τοῖς ἀνὰ τὴν δύσιν ἑτέραν διεπέμψαντο γραφήν,
ἣν μακρόστιχον ἔκθεσιν ὀνομάζουσιν, ὡς διὰ πλειόνων ῥημάτων τε καὶ νοημάτων παρὰ τὰς προτέρας συγκειμένην.

Καὶ
οὐσίας μὲν ἐν ταύτῃ θεοῦ μνήμην οὐκ ἐποιήσαντο, τοὺς δὲ
λέγοντας ἐξ οὐκ ὄντων τὸν υἱὸν ἢ ἐξ ἑτέρας ὑποστάσεως καὶ
μὴ ἐκ θεοῦ, καὶ ὅτι ἦν ποτε χρόνος ἢ αἰὼν ὅτε οὐκ ἦν, ἀπε-
κήρυττον. 2 Εὐδοξίου δέ, ὃς ἔτι Γερμανικείας ἐπίσκοπος ἦν,
Μαρτυρίου τε καὶ Μακεδονίου διακομισάντων ταύτην τὴν
γραφὴν οὐ προσεδέξαντο οἱ ἀνὰ τὴν δύσιν ἱερεῖς · ἀρκεῖσθαι
γὰρ ἔφασαν τοῖς ἐν Νικαίᾳ δόξασι, καὶ περὶ ταῦτα πολυπραγμονεῖν οὐδὲν λοιπὸν ᾤοντο δεῖν.

3 Ἐπεὶ δὲ Κώνστας ὁ βασιλεὺς ᾔτει χάριν τὸν ἀδελφόν,
ὥστε τοὺς ἀμφὶ τὸν Ἀθανάσιον τοὺς οἰκείους ἀπολαβεῖν
θρόνους, καὶ γράφων οὐδὲν ἤνυεν ἀντιπραττόντων τῶν ἀπὸ
τῆς ἐναντίας αἱρέσεως, οἱ δὲ περὶ τὸν Ἀθανάσιον καὶ Παῦλον
προσιόντες αὐτῷ γενέσθαι σύνοδον ἐζήτουν ὡς ἐπὶ καθαιρέσει

1. Depuis le synode d'Antioche (341), ce qui nous amène à 344 (Hefele-
Leclercq, I, 2 p. 828) ou plutôt 345 (Daniélou-Marrou, p. 301 et Piganiol,
p. 93, note 2). Sozomène semble avoir emprunté cette précision chronologique à Athanase lui-même, *De synodis* 26, 1, qui nous a conservé
dans le même chapitre le texte de l'exposition détaillée («macrostique»
= aux nombreuses lignes). Longue de 1400 mots, «elle a beau accu-
muler images et anathématismes, elle nous fait tourner autour du problème sans jamais l'aborder de face» (Daniélou-Marrou, p. 301). Elle
était destinée par ses auteurs à ouvrir des possibilités de conciliation
avec les nicéens, notamment les évêques d'Occident, sans accepter pour
autant le terme de consubstantiel.
    2. Sur Eudoxe, voir déjà *H.E.* III, 5, 10. Il ne remplacera Macédonius
à Constantinople qu'en 360. On ne sait pas quel siège oriental occupait
l'arien Martyrios. Macédonius, naturellement distinct du rival de Paul,
était évêque de Mopsueste. Ces représentants des évêques orientaux,
porteurs du nouveau symbole, arrivèrent quand les évêques occidentaux
siégeaient en synode à Milan (355). Mais d'après Hefele-Leclercq, I, 2,
p. 735-736 et p. 828-830, la chronologie de Sozomène, qui suit celle

Chapitre 11

L'« exposition macrostique »;
les événements du concile de Sardique;
les Orientaux déposent Jules, évêque de Rome,
et l'évêque espagnol Hosius,
parce qu'ils étaient en communion
avec Athanase et les autres.

1 Trois années déjà s'étant écoulées[1], de nouveau les évêques d'Orient envoyèrent à ceux d'Occident un autre écrit, qu'on appelle l'«Exposition macrostique», en ce sens qu'elle est plus développée quant aux formules et aux concepts, comparés avec les expositions précédentes. Ils n'y firent pas mention de l'*ousia* de Dieu, mais ceux qui disent que le Fils est tiré du néant ou tiré d'une autre hypostase et non pas de Dieu, et qu'il y a eu un temps ou une portion de l'éternité où il n'existait pas, ils les excommuniaient. **2** Eudoxe, qui était encore évêque de Germanicie, Martyrios et Macédonius[2] ayant apporté cet écrit, les évêques d'Occident ne l'acceptèrent pas : ils dirent qu'ils se contentaient du dogme de Nicée, et ils estimaient qu'il ne fallait plus se livrer à nulle recherche indiscrète sur ces points. **3** Comme l'empereur Constant avait demandé en faveur à son frère qu'Athanase et ses partisans reprissent leurs sièges et que, malgré ses lettres, il n'obtenait rien, vu l'action opposée de la secte adverse, comme aussi Athanase et Paul, étant allés le trouver, demandaient qu'il y eût un synode, disant qu'ils étaient en butte à un

de Socrate II, 19-20, est erronée : ce synode d'Antioche où fut élaborée l'exposition macrostique est *postérieur* au concile de Sardique (342/343) et la formule fut apportée à Milan à la fin de 344 ou au début de 345. BARDY, p. 133-134, place également l'ambassade orientale à Milan *après* le concile de Sardique.

τῶν ὀρθῶν δογμάτων ἐπιβουλευθέντες, ἔδοξε γνώμῃ τῶν βασιλέων τοὺς ἀφ' ἑκατέρας ἀρχομένης ἐπισκόπους εἰς ῥητὴν
ἡμέραν καταλαβεῖν τὴν Σαρδώ (πόλις δὲ αὕτη Ἰλλυριῶν).
1061 4 Συνελθόντες δὲ πρῶτον εἰς Φιλιππούπολιν | τῆς Θρᾴκης οἱ
ἀπὸ τῆς ἕω γράφουσι τοῖς ἀπὸ τῆς δύσεως ἤδη ἐν Σαρδικῇ
συνεληλυθόσιν, ἀπώσασθαι τοῦ συνεδρίου καὶ τῆς κοινωνίας
τοὺς ἀμφὶ τὸν Ἀθανάσιον ὡς καθῃρημένους · ἄλλως δὲ μὴ
συνιέναι ἔφασαν. Μετὰ δὲ ταῦτα καὶ εἰς Σαρδικὴν παραγενό-
μενοι ἰσχυρίζοντο μὴ ἐμβαλεῖν τῇ ἐκκλησίᾳ συνιόντων τῶν
πρὸς αὐτῶν καθῃρημένων. 5 Πρὸς ταῦτα δὲ οἱ ἀπὸ τῆς δύσεως
ἀντέγραψαν, ὡς οὐδέποτε τῆς πρὸς αὐτοὺς κοινωνίας
ἀπέστησαν οὔτε νῦν ταύτης ἀναχωρήσουσι, καὶ μάλιστα Ἰουλίου τοῦ Ῥωμαίων ἐπισκόπου τὰ κατ' αὐτοὺς ἐξετάσαντος καὶ
μὴ καταγνόντος · παρεῖναι δὲ αὐτοὺς καὶ ἑτοίμως ἔχειν δικά-
ζεσθαι καὶ αὖθις ἀπελέγξειν τὰς ἐπαχθείσας αὐτοῖς αἰτίας.
6 Ὡς δὲ παρὰ σφᾶς τοιαῦτα δηλοῦντες οὐδὲν ἤνυον, ἤδη καὶ
ὑπερημέρου τῆς κυρίας γενομένης, ἐν ᾗ κρίνειν ἔδει περὶ ὧν
115 συνεληλύθεσαν, | τὸ τελευταῖον τοιαῦτα ἔγραψαν ἀλλήλοις, ἐξ
ὧν εἰς μείζονα τῆς προτέρας δυσμένειαν κατέστησαν. Καὶ καθ'
ἑαυτοὺς συνελθόντες ψήφους ἐναντίας ἤνεγκαν. 7 Οἱ μὲν γὰρ
ἀπὸ τῆς ἀνατολῆς τὰ ἤδη αὐτοῖς δόξαντα ἐπὶ Ἀθανασίῳ καὶ

1. Le concile de Sardique, daté de 342 par SCHWARTZ, *Gesamm.
Schriften*, p. 325-334, eut lieu plutôt en 343, date donnée par les *Lettres
pascales*, éd. Larsow, p. 31 : cf. SEECK, *Regesten* a. 343, p. 192; BARDY,
p. 123; PIGANIOL, p. 92; SIMONETTI, *La crisi ariana*, p. 167, note 12.
Sozomène a donc placé l'ekthesis macrostique (344 ou 345) avant le
concile de Sardique (343). Et il date, par erreur, ce dernier concile du
«consulat de Rufin et d'Eusèbe» (*H.E.* III, 12, 7), c'est à dire de 347!
2. Sozomène est seul à prétendre, sans doute pour aggraver leur cas,
que les Orientaux, avant même d'arriver à Sardique, avaient envoyé à
leurs frères dans l'épiscopat une première mise en demeure depuis Philippopolis. On admet généralement (cf. A. Martin dans l'éd. d'ATHANASE,
Lettres festales, SC 317, note 143 à l'index syriaque, p. 289-290) que
c'est une fois seulement arrivés à Sardique que les Orientaux posèrent
une condition préalable – les évêques déposés par eux, Athanase, Marcel
et Asclépas, ne devaient pas siéger –, n'obtinrent pas satisfaction et

complot pour la destruction de l'orthodoxie, il fut décidé par sentence des empereurs que les évêques des deux parties de l'Empire se rendraient à un jour fixé à Sardique : c'est une ville d'Illyrie[1]. **4** S'étant donc réunis d'abord à Philippopolis de Thrace[2], les évêques d'Orient écrivirent à ceux d'Occident, qui s'étaient déjà réunis à Sardique, d'exclure Athanase et ses partisans du synode et de la communion puisqu'il avait été déposé : autrement, disaient-ils, ils ne s'adjoindraient pas. Après cela, arrivés à Sardique, ils affirmèrent qu'ils n'entreraient pas à l'église s'ils devaient y rencontrer ceux qu'ils avaient déposés. **5** À cela les évêques d'Occident répondirent qu'ils ne s'étaient jamais séparés de leur communion et qu'ils ne s'en retireraient pas maintenant, d'autant plus que Jules, l'évêque de Rome, avait examiné leur affaire et ne les avait pas condamnés ; et ils étaient là présents, tout disposés à passer en jugement et à se défendre de nouveau sur les crimes qu'on leur imputait. **6** Comme, alors qu'ils s'envoyaient entre eux ces messages, ils n'aboutissaient à rien, et que déjà était passé le jour fixé où l'on devait décider sur les questions qui avaient motivé la rencontre, à la fin ils s'écrivirent mutuellement en telle sorte qu'ils en vinrent à une hostilité pire que la précédente. Chaque camp se réunit à part[3], et ils votèrent en sens contraire l'un de l'autre. **7** Les évêques d'Orient ratifièrent les décisions qu'ils avaient déjà prises sur Athanase, Paul, Marcel

firent *ensuite* sécession pour tenir un concile séparé à Philippopolis à l'instigation de Philagrius, alors vicaire des Thraces (voir BARDY, p. 124-125 et PIGANIOL, p. 92).

3. A Sardique, en Illyrie, pour les Occidentaux, à Philippopolis, en Thrace, pour les Orientaux. Le pas de Succues marque la limite géographique et administrative entre Illyrie et Thrace et, plus généralement, entre Occident et Orient (AMM., 27, 4, 5-9).

Παύλῳ καὶ Μαρκέλλῳ καὶ ᾿Ασκληπᾷ κυρώσαντες καθεῖλον
᾿Ιούλιον τὸν ῾Ρώμης ἐπίσκοπον ὡς ἄρξαντα τῆς πρὸς αὐτοὺς
κοινωνίας, ῞Οσιόν τε τὸν ὁμολογητὴν καὶ διὰ τὴν αὐτὴν αἰτίαν καὶ ὅτι φίλος ἐγένετο Παυλίνῳ καὶ Εὐσταθίῳ τοῖς ἡγη-
σαμένοις τῆς ᾿Αντιοχέων ἐκκλησίας, καὶ Μαξιμῖνον τὸν Τριβέρεως ὡς πρῶτον Παύλῳ κοινωνήσαντα καὶ αἴτιον αὐτῷ
γενόμενον τῆς εἰς Κωνσταντινούπολιν καθόδου καὶ τοὺς εἰς
Γαλλίαν ἀπὸ τῆς ἕω παραγενομένους ἐπισκόπους ἀποκη-
ρύξαντα. 8 ᾿Επὶ τούτοις καθεῖλον καὶ Πρωτογένην τὸν
Σαρδικῆς ἐπίσκοπον καὶ Γαυδέντιον, τὸν μὲν ὡς Μαρκέλλου
ὑπερμαχοῦντα πρότερον αὐτοῦ καταψηφισάμενον, τὸν δὲ Γαυδέντιον ὡς ἐναντία σπουδάζοντα Κυριακῷ, ὃν διεδέξατο, καὶ
περὶ πολλοῦ ποιούμενον τοὺς πρὸς αὐτῶν καθῃρημένους.
1064 Ταῦτα | ψηφισάμενοι τοῖς πανταχῇ ἐπισκόποις δῆλα ἐποίησαν,
ὥστε μήτε προσίεσθαι εἰς κοινωνίαν μήτε γράφειν αὐτοῖς μήτε
τὰ παρ᾿ αὐτῶν γραφόμενα δέχεσθαι. 9 Περὶ δὲ τοῦ θεοῦ

1. Aux conciles de Tyr en 335 (*H.E.* II, 25) et d'Antioche en 341 (*H.E.*
III, 5).

2. Voir *H.E.* I, 10, *SC* 306, p. 154 et la note 1.

3. Sozomène considère comme l'évêque légitime d'Antioche le prêtre
Paulin que les catholiques orthodoxes, après la déposition d'Eustathe
(330), avaient choisi comme évêque, en 331, contre l'arien Paulin de
Tyr, successeur officiel d'Eustathe. Ce Paulin d'Antioche fut plus tard
(en 362) ordonné évêque par l'initiative personnelle de Lucifer de
Cagliari et reconnu officiellement en 381 par Rome comme évêque
d'Antioche : voir *LTK* 8, 1963, c. 207 (A. van Roey); Cavallera, *passim*,
R. Devreesse, *Le Patriarcat d'Antioche*, Paris 1945, p. 22-37 (Paulin et
Mélèce) et Simonetti, *La crisi ariana*, p. 425-427.

4. Voir *H.E.* II, 18 et 19, *SC* 306, p. 305-311 et les notes.

5. Sur Maximin de Trèves, saint, défenseur éminent de l'orthodoxie
contre l'arianisme, mort en 346, voir *LTK*, t. 7, 1962, c. 207 (Kreuz).
Il était l'un des conseillers les plus écoutés de l'empereur Constant dont
Trèves était la capitale. La légère disparate entre 10, 4-6, où il est dit
que les envoyés des Orientaux arrivèrent «en Italie», et le présent
passage où il est indiqué, de manière sans doute plus exacte, qu'ils
étaient venus en Gaule où résidaient l'empereur et l'évêque Maximin,
s'efface si l'on admet que l'Italie correspondait à une étape de leur
ambassade dont la destination finale était la Gaule.

et Asclépas[1]; ils déposèrent l'évêque de Rome Jules comme l'instigateur de la communion avec ces évêques, le confesseur Hosius[2] pour la même raison et parce qu'il avait été l'ami de Paulin[3] et d'Eustathe[4], qui avaient été à la tête de l'Église d'Antioche, et Maximin évêque de Trêves[5] comme étant entré le premier en communion avec Paul, comme ayant été la cause de son retour à Constantinople et comme ayant excommunié les évêques orientaux qui étaient venus en Gaule. **8** En outre ils déposèrent aussi Protogène l'évêque de Sardique[6] et Gaudentius[7], l'un parce qu'il prenait la défense de Marcel alors qu'il l'avait d'abord condamné, Gaudentius parce qu'il avait des activités contraires à celles de Cyriaque[8], auquel il avait succédé, et parce qu'il faisait grand cas des évêques qu'ils avaient déposés. Lorsqu'ils eurent pris ces décisions, ils les firent connaître aux évêques de partout, en telle sorte qu'on ne les reçût pas dans la communion, qu'on ne leur écrivît pas et qu'on n'acceptât pas de lettres d'eux. **9** En matière théologique, ils invi-

6. Considéré par les Eusébiens comme le chef de file des orthodoxes avec Hosius (cf. HEFELE-LECLERCQ, I, 2, p. 748). Il exerça sans doute, en sa qualité d'évêque de Sardique, une certaine influence sur ses hôtes. De plus, son grand âge, le fait qu'il avait pris part au concile de Nicée, ont pu contribuer à lui assurer une considération supérieure : cf. *PW*, XXXIII, 1, 1957, c. 980-981 Protogenes 5, W. ENSSLIN.

7. Évêque de Naïssus (aujourd'hui Nisch), Gaudentius joua un rôle important dans les décisions du concile de Sardique, puisque les canons 4 (affirmant la prééminence de l'évêque de Rome pour trancher toute affaire de succession épiscopale), 18 bis et 20 lui sont nommément attribués (cf. HEFELE-LECLERCQ, I, 2, respectivement aux p. 766-767; 800; 802-803).

8. Prédécesseur de l'orthodoxe Gaudentius, donc évêque de Naïssus avant 359, il avait pris apparemment des positions favorables à l'arianisme et devait être un des satellites des remuants évêques d'Illyricum Ursace et Valens (sur ces derniers, voir MESLIN, *Les ariens d'Occident...*, p. 71-84).

δοξάζειν ἐκέλευον, ὃν τρόπον ὑφηγεῖτο ἡ τῇ αὐτῶν ἐπιστολῇ
ὑποτεταγμένη γραφή, ὁμοουσίου μὲν μνήμην μὴ ποιουμένη,
ἀποκηρύττουσα δὲ τοὺς λέγοντας τρεῖς εἶναι θεούς, ἢ τὸν
Χριστὸν μὴ εἶναι θεόν, ἢ τὸν αὐτὸν εἶναι πατέρα καὶ υἱὸν καὶ
ἅγιον πνεῦμα, ἢ ἀγέννητον τὸν υἱόν, ἢ ὅτι ἦν ποτε χρόνος ἢ
αἰὼν ὅτε μὴ ἦν.

12

1 Ἐν μέρει τε καὶ οἱ ἀμφὶ τὸν Ὅσιον συνελθόντες ἀθῴους
ἀπέφηναν Ἀθανάσιον μὲν ὡς ἀδίκως ἐπιβουλευθέντα παρὰ τῶν
ἐν Τύρῳ συνελθόντων, Μάρκελλον δὲ ὡς μὴ τάδε φρονεῖν ὁμο—
λογήσαντα ἃ διεβάλλετο, Ἀσκληπᾶν δὲ ὡς Εὐσεβίου τοῦ Παμ—
116 φίλου καὶ πυλλῶν ἄλλων δικαστῶν ψήφῳ τὴν | ἐπισκοπὴν ἀπο-
λαβόντα καί, ὅτι τάδε ἀληθῆ εἴη, ὑπόμνημα τῆς δίκης ἐπι-
δείξαντα, Λούκιον δὲ ὡς τῶν αὐτοῦ κατηγόρων φυγόντων.
2 Καὶ πρὸς τὴν ἑκάστου παροικίαν ἔγραψαν αὐτοὺς ἔχειν
ἐπισκόπους καὶ προσδοκᾶν, Γρηγόριον δὲ τὸν ἐν Ἀλεξανδρείᾳ
καὶ Βασίλειον τὸν ἐν Ἀγκύρᾳ καὶ Κυντιανὸν τὸν ἐν Γάζῃ
μηδὲ ἐπισκόπους ὀνομάζειν μηδὲ κοινωνίαν τινὰ πρὸς αὐτοὺς
ἔχειν μηδὲ Χριστιανοὺς ἡγεῖσθαι. **3** Καθεῖλον δὲ τῆς ἐπισκοπῆς
Θεόδωρον τὸν Θρᾷκα καὶ Νάρκισσον τὸν Εἰρηνοπόλεως ἐπίσκοπον καὶ Ἀκάκιον τὸν Καισαρείας τῆς Παλαιστίνης καὶ
Μηνόφαντον τὸν Ἐφέσου καὶ Οὐρσάκιον τὸν Σιγγιδώνου τῆς

1. Voir *H.E.* III, 8, 1.
2. Voir *H.E.* III, 5, 4.
3. Voir *H.E.* II, 33, 1, *SC* 306, p. 377 et note 3.
4. Voir *H.E.* III, 8, 1 et la note 65.
5. Voir *H.E.* II, 25, 19, *SC* 306, p. 344-345 et note 1; III, 3, 1 et III, 5, 10.
6. Voir *H.E.* III, 6, 5.
7. Voir *H.E.* III, 2, 9.
8. Cité ici pour la première fois, il est mentionné par HILAIRE, *Coll. Antiar. Paris.* Ser. B II 1, 8, Feder, p. 123 (= *Fragm. hist.* II, 8, *P. L.* 10, c. 638). Il participera à un synode d'Antioche en 345 (*H.E.* IV, 8, 4).

taient les évêques à croire de la manière qu'indiquait le document attaché à leur lettre, lequel ne faisait pas mention du mot *homoousios,* mais excommuniait ceux qui disent qu'il y a trois Dieux, ou que le Christ n'est pas Dieu, ou qu'il y a identité entre le Père, le Fils et le Saint-Esprit, ou que le Fils est inengendré, ou qu'il y a eu un temps ou une portion de l'éternité où il n'existait pas.

Chapitre 12

Les évêques partisans de Jules et d'Hosius,
siégeant à leur tour,
déposent les évêques d'Orient après avoir aussi
composé une exposition de foi.

1 De leur côté aussi Hosius et ses partisans, s'étant réunis, déclarèrent innocents Athanase, comme ayant été injustement victime d'un complot des pères réunis à Tyr; Marcel, comme ayant professé qu'il n'était pas dans les opinions qu'on lui imputait; Asclépas, parce qu'il avait repris son siège par le vote d'Eusèbe de Pamphile et de beaucoup d'autres juges et qu'il avait fourni un mémoire du procès prouvant que c'était vrai; Lucius[1], parce que ses accusateurs avaient fui. **2** Au diocèse de chacun d'eux ils écrivirent qu'on devait les tenir pour évêques et attendre leur venue, qu'on ne devait ni appeler évêques Grégoire[2] qui l'était à Alexandrie, Basile[3] qui l'était à Ancyre et Quintianus[4] qui l'était à Gaza, ni avoir quelque communion que ce soit avec eux ni les regarder comme chrétiens. **3** Ils déposèrent de l'épiscopat Théodore de Thrace[5], Narcisse évêque d'Eirénopolis[6], Acace de Césarée[7] de Palestine, Ménophante d'Éphèse[8], Ursace de

Μυσίας καὶ Οὐάλεντα τὸν Μουρσῶν τῆς Παννονίας καὶ Γεώργιον τὸν Λαοδικείας, εἰ καὶ μὴ τῇ συνόδῳ ταύτῃ παρεγένετο σὺν τοῖς ἀπὸ τῆς ἕω ἐπισκόποις. **4** Ἀφείλοντο δὲ τούτους τῆς ἱερωσύνης καὶ τῆς κοινωνίας ὡς τὸν υἱὸν χωρίζοντας τῆς τοῦ πατρὸς οὐσίας καὶ τοὺς πάλαι καθαιρεθέντας διὰ τὴν Ἀρείου αἵρεσιν δεξαμένους καὶ εἰς ἀξιώματα μείζω λειτουργίας θεοῦ προαγαγόντας. **5** Διὰ ταῦτά τε αὐτοὺς ἀποκηρύξαντες καὶ τῆς καθόλου ἐκκλησίας ἀλλοτρίους ψηφισάμενοι ἔγραψαν τοῖς 1065 πανταχῇ ἐπισκόποις | ἐπιψηφίσασθαι τοῖς παρ' αὐτῶν κεκριμένοις καὶ ὁμοφρονεῖν αὐτοῖς περὶ τὸ δόγμα. Ἐξέθεντο δὲ καὶ αὐτοὶ τηνικαῦτα πίστεως γραφὴν ἑτέραν, πλατυτέραν μὲν τῆς ἐν Νικαίᾳ, φυλάττουσαν δὲ τὴν αὐτὴν διάνοιαν καὶ οὐ παρὰ πολὺ διαλλάττουσαν τῶν ἐκείνης ῥημάτων. **6** Ἀμέλει Ὅσιος καὶ Πρωτογένης, οἳ τότε ὑπῆρχον ἄρχοντες τῶν ἀπὸ τῆς δύσεως ἐν Σαρδικῇ συνεληλυθότων, δείσαντες ἴσως, μὴ νομισθείέν τισι καινοτομεῖν τὰ δόξαντα τοῖς ἐν Νικαίᾳ, ἔγραψαν Ἰουλίῳ καὶ ἐμαρτύραντο κύρια τάδε ἡγεῖσθαι, κατὰ χρείαν δὲ σαφηνείας τὴν αὐτὴν διάνοιαν πλατῦναι, ὥστε μὴ ἐγγενέσθαι τοῖς τὰ Ἀρείου φρονοῦσιν ἀποκεχρημένοις τῇ συντομίᾳ τῆς γραφῆς εἰς ἄτοπον ἕλκειν τοὺς ἀπείρους διαλέξεως. **7** Ταῦτα πράξαντες ἑκάτεροι διέλυσαν τὸν σύλλογον καὶ εἰς τὰ οἰκεῖα ἕκαστος 117 ἐπανῆλθε. Συνέστη δὲ αὕτη ἡ σύνοδος | Ῥουφίνου καὶ Εὐσε-

---

1. Voir *H.E.* II, 25, 19, *SC* 306, p. 344-345 et note 1 (remarquable analyse de la personnalité et du rôle de ces héritiers d'Eusèbe de Nicomédie dans MESLIN, *Les ariens d'Occident...*, p. 71).

2. Voir *H.E.* III, 5, 10.

3. Le texte du symbole que certains évêques, patronnés par Hosius et par Protogène, soumirent à leurs collègues est conservé dans THÉODORET, *H.E.* II, 6. Il en existe également une version latine (HEFELE-LECLERCQ I, 2, p. 758). Le projet de la lettre d'Hosius et de Protogène qui devait recommander ce symbole au pape Jules est également

Singidunum en Mysie, Valens de Mursa en Pannonie[1] et
Georges de Laodicée[2], bien que celui-ci n'eût pas assisté
à ce synode avec les évêques orientaux. 4 Ils privèrent
ceux-ci du sacerdoce et de la communion en tant qu'ils
séparaient le Fils de l'*ousia* du Père, qu'ils avaient accueilli
des gens déposés depuis longtemps à cause de l'hérésie
d'Arius et qu'ils les avaient élevés à de plus hauts rangs
dans le service divin. 5 Les ayant donc, pour ces raisons,
excommuniés et décrétés étrangers à l'Église catholique,
ils écrivirent aux évêques de tout lieu de sanctionner
leurs décisions et de s'accorder avec eux sur le dogme.

Ils composèrent eux aussi alors une nouvelle exposition de foi, plus développée que celle de Nicée mais
qui en conservait le sens et ne différait pas grandement
des formules de Nicée[3]. 6 Au surplus Hosius et Protogène, alors les chefs des évêques occidentaux réunis à
Sardique, craignant peut-être qu'ils ne parussent à certains innover par rapport au dogme de Nicée, écrivirent
à Jules, prenant Dieu à témoin qu'ils tenaient ce dogme
comme ayant autorité, mais que, par besoin de clarté, ils
l'avaient développé sans en changer le sens, en sorte
qu'il ne fût pas possible aux sectateurs d'Arius, en
mésusant de la concision du texte de Nicée, d'entraîner
à l'erreur les gens inexperts dans la dialectique. 7 Tout
cela fait, l'un et l'autre camp mirent fin au colloque, et
chaque évêque revint chez lui. Ce concile eut lieu sous

conservé. Sozomène n'a pas expressément indiqué que ce symbole ne
fut pas en fait promulgué parce que les évêques de Sardique se ran-
gèrent à l'avis d'Athanase jugeant qu'il ne manquait rien au symbole
de Nicée.

βίου ὑπατευόντων · ἑνδέκατον δὲ τοῦτο ἔτος ἦν ἀπὸ τῆς Κων–
σταντίνου τελευτῆς. Συνῆλθον δὲ ἐκ μὲν τῶν πρὸς δύσιν πόλεων
ἀμφὶ τριακόσιοι ἐπίσκοποι, ἐκ δὲ τῆς ἕω ἓξ καὶ ἑβδομήκοντα ·
σὺν τούτοις δὲ καὶ Ἰσχυρίων, ἐπιτραπεὶς τὴν τοῦ Μαρεώτου
ἐπισκοπὴν πρὸς τῶν Ἀθανασίῳ ἀπεχθανομένων.

13

1 Μετὰ ταύτην δὲ τὴν σύνοδον οὐκέτι ἀλλήλοις ὡς ὁμο–
δόξοις ἐπεμίγνυντο οὐδὲ ἐκοινώνουν, οἱ μὲν ἀνὰ τὴν δύσιν
μέχρι Θρᾳκῶν σφᾶς χωρίσαντες, οἱ δὲ ἀνὰ τὴν ἕω μέχρις Ἰλλυ–
ριῶν · τὰ δὲ τῶν ἐκκλησιῶν ὡς εἰκὸς ἐν διχονοίαις συγκέχυτο
καὶ ἐν διαβολαῖς ἦν. **2** Εἰ γὰρ καὶ πρότερον περὶ τὸ δόγμα
διεφέροντο, ἀλλ' οὖν ἀλλήλοις συγκοινωνοῦντες οὐ μέγα τὸ
κακὸν ἐποίουν καὶ παραπλησίως φρονεῖν ἐνομίζοντο · ὡς
ἐπίπαν γὰρ ἡ μὲν ἀνὰ πᾶσαν τὴν δύσιν ἐκκλησία καθαρῶς
διὰ τῶν πατρίων ἰθυνομένη δογμάτων ἔριδός τε καὶ τῆς περὶ
ταῦτα τερθρείας ἀπήλλακτο. **3** Εἰ γὰρ καὶ τὸ τῇδε ὑπήκοον

---

1. Le consulat de Rufin (*P.L.R.E.*, t. 1, p. 782 Vulcacius Rufinus 25)
et d'Eusèbe (*P.L.R.E.*, t. 1, p. 307, Flavius Eusebius 39; cf. SEECK,
Regesten, p. 194), ainsi que la mention «la onzième année depuis la
mort de Constantin» (337) donnent la date de 347, largement erronée
par rapport à la date réelle du concile de Sardique (342/343): cf.
HEFELE-LECLERCQ I, 2, p. 737-742. Si le nombre des évêques eusébiens
est exact – il correspond aux 73 signataires auxquels s'ajoutent Maris,
Macédonius et Ursace, présents au concile (HEFELE-LECLERCQ, p. 744) –,
en revanche, le nombre des évêques orthodoxes est très exagéré:
d'après les chiffres d'Athanase lui-même, il y eut 94 participants au
concile orthodoxe.

le consulat de Rufin et d'Eusèbe[1] : c'était la onzième
année depuis la mort de Constantin. Ceux qui se rassemblèrent des villes de l'Occident furent environ trois
cents évêques, ceux de l'Orient furent soixante-seize. Avec
ces derniers se trouvait aussi Ischyrion à qui avait été
confié l'évêché du lac Maréotide[2] par ceux qui haïssaient
Athanase.

Chapitre 13

Après le concile l'Orient et l'Occident se séparèrent;
l'Occident s'en tenait correctement à la foi de Nicée,
l'Orient, à cause de la querelle concernant le dogme,
était en dissension sur certains points.

1 Après ce concile, il n'y eut plus de relations ni de
communion mutuelle comme entre gens de même opinion,
les Occidentaux jusqu'à la Thrace s'étant séparés et de
même les Orientaux jusqu'à l'Illyrie; et les Églises, comme
il est naturel, étaient dans la confusion, en proie aux discordes et aux calomnies. **2** De fait, même si auparavant
on différait sur le dogme, du moins, comme on participait à la même communion, on ne rendait pas le mal
très grave et l'on passait pour avoir les mêmes opinions.
Généralement parlant, l'Église, dans tout l'Occident, étant
dirigée avec pureté selon les dogmes traditionnels, avait
échappé à l'esprit de querelle et aux jongleries de mots
sur ces problèmes. **3** Car même si Auxence, devenu

---

2. Ce personnage, plus connu sous le nom d'Ischyras que lui donne
Athanase lui-même (*Apol. contra Arianos* 63, 3, Opitz II, p. 143), a déjà
été cité en II, 25, 3 (concile de Tyr). Une lettre de lui innocentant
Athanase sera lue au concile de Sardique (III, 23, 1).

πρὸς τὴν Ἀρείου δόξαν μετάγειν ἐσπούδαζον Αὐξέντιος ὁ
1068 Μεδιολάνου ἐπίσκοπος γενόμενος καὶ Οὐάλης καὶ | Οὐρσάκιος
οἱ ἐκ Παννονίων, οὐ δή που κατὰ γνώμην αὐτοῖς ἡ σπουδὴ
προὐχώρει, ‹τοῦ› προϊσταμένου τοῦ Ῥωμαίων θρόνου καὶ τῶν
ἄλλων ἱερέων ἐπιμελῶς φθανόντων καὶ τὰς βλάστας ἐκκοπ-
τόντων τῆς τοιαύτης αἱρέσεως. 4 Τὸ δὲ ἑῷον, εἰ καὶ ἐστασίαζε μετὰ τὴν ἐν Ἀντιοχείᾳ σύνοδον καὶ πρὸς τὴν ἐν Νικαίᾳ
πίστιν περιφανῶς ἤδη διεφέρετο, τὸ μὲν ἀληθές, οἶμαι, κατὰ
τὴν τῶν πλειόνων γνώμην εἰς τὴν αὐτὴν συνέτρεχε διάνοιαν
καὶ ἐκ τῆς τοῦ πατρὸς οὐσίας τὸν υἱὸν συνωμολόγει, ἐριστικῶς
δὲ πρὸς τὴν ὁμοούσιον λέξιν τινὲς ἀπεμάχοντο. 5 Οἱ μὲν γὰρ
τὴν ἀρχὴν τῷ ὀνόματι ἐναντιωθέντες, ὡς συμβάλλω, τοῦτο δὴ
τὸ πολλοῖς συμβαῖνον, αἰσχύνην ἡγοῦντο δόξαι νενικῆσθαι.
Οἱ δὲ καὶ ὑπὸ ἕξεως τῶν περὶ ταῦτα συχνῶν διαλέξεων ἐπὶ τὸ
ὧδε δοξάζειν περὶ θεοῦ τραπέντες ἀμεταθέτως λυιπὺν εἶχον. Οἱ
δέ, εἰδότες ὡς οὐ δέον φιλονικοῦσι, πρὸς τὸ κεχαρισμένον ἑκα-
τέροις ὑπεκλίνοντο διὰ δύναμιν ἢ οἰκειότητα ἢ ἄλλας αἰτίας,
ὑφ' ὧν ἄνθρωποι προάγονται τὰ μὴ προσήκοντα χαρίζεσθαι ἢ
παρρησίαν μὴ ἄγειν ἐφ' οἷς χρὴ διελέγχειν. Πολλοὶ δὲ λῆρον
ἡγοῦντο τρίβεσθαι περὶ τὰς τοιαύτας ἔριδας τῶν λόγων, ἡσυχῇ
δὲ τῆς γνώμης εἴχοντο τῶν ἐν Νικαίᾳ συνελθόντων. 6 Ἔῳκεσαν
δὲ παρὰ πάντας τοὺς ἀνὰ τὴν ἕω εἰς τὸ φανερὸν ἀπρὶξ ἔχεσθαι
118 | τῶν ἐν Νικαίᾳ δοξάντων Παῦλος ὁ Κωνσταντινουπόλεως
ἐπίσκοπος καὶ Ἀθανάσιος ὁ Ἀλεξανδρείας καὶ σύμπαν τὸ

1. Sozomène anticipe ici d'une dizaine d'années, car Auxentius I,
d'origine cappadocienne, prêtre à Alexandrie en 343, ne devint évêque
de Milan qu'en 355, à la place de l'évêque orthodoxe Dionysius, banni
par Constance. C'est à cet évêque arien, violemment attaqué à Milan
même par Hilaire de Poitiers, en 364 (*Contra Auxentium*), que succéda
Ambroise en 373. Voir *LTK*, t. 1, 1957, c. 1138 (L. UEDING) et MESLIN,
Les ariens d'Occident...., p. 41-44, qui souligne qu'Auxence a, «durant
dix-neuf ans, maintenu une certaine conception de la paix religieuse,
plus politique que doctrinale».
2. Pour Sozomène (voir déjà III, 7, 8), l'orthodoxe Paul est le seul
évêque légitime de Constantinople. Macédonius qui, du reste, ne sera

évêque de Milan[1], et Valens et Ursace de Pannonie s'efforçaient de faire passer l'Empire occidental à la doctrine d'Arius, leurs efforts n'aboutissaient pas selon leur gré, car le chef du siège romain et les autres évêques les prévenaient avec soin et coupaient ras les pousses de cette hérésie. **4** Quant à l'Orient, même s'il était en dissension après le synode d'Antioche et même si désormais il différait ouvertement eu égard à la foi de Nicée, la vérité, à mon avis, est que, selon le sentiment du plus grand nombre, il s'accordait sur l'interprétation et il convenait que le Fils est bien issu de l'*ousia* du Père; mais dans un esprit de dispute, certains menaient combat contre le terme de *homoousios*. **5** Les uns, en effet, qui dès le début s'étaient opposés au mot, tenaient pour une honte, comme je le conjecture – c'est ce qui arrive dans la plupart des cas – de paraître avoir été vaincus. D'autres qui, par l'habitude de fréquentes discussions sur ces problèmes, avaient été conduits à tenir ces opinions théologiques, restaient désormais immuablement fixés dans leur sentiment. D'autres, sachant qu'ils se cherchaient une querelle inconvenante, inclinaient à ce qui plaisait à l'un ou l'autre camp, sous l'effet de l'influence, ou de la familiarité ou d'autres causes, par lesquelles les hommes sont poussés à favoriser ce qui ne convient pas ou à ne pas montrer franchise de langage en des matières où il faut réfuter. Beaucoup tenaient pour futilité de s'user en de telles querelles de mots, et ils restaient tranquillement attachés à l'avis des pères réunis à Nicée. **6** Ceux qui parurent, plus que tous les Orientaux, tenir mordicus et ouvertement aux dogmes de Nicée furent Paul, l'évêque de Constantinople[2], Athanase, celui d'Alexandrie, et toute

officiellement imposé que dix ans après les événements de 342, n'est à ses yeux qu'un usurpateur.

μοναχικὸν πλῆθος, Ἀντώνιός τε ὁ μέγας ἔτι περιὼν καὶ οἱ συγ-
γενόμενοι αὐτῷ καὶ ἄλλοι πλεῖστοι ἀνὰ τὴν Αἴγυπτον καὶ
ἀλλαχῇ τῆς Ῥωμαίων γῆς. Τούτων δὲ ἐπείπερ ἐπεμνήσθην,
ὅσους περιφανεῖς κατ' αὐτὴν τὴν ἡγεμονίαν παρείληφα ἐπι-
δραμοῦμαι τῷ λόγῳ.

14

1 Ἄρξομαι δὲ ἐξ Αἰγύπτου καὶ Μακαρίων τῶν δύο, τῶν ἀοι-
διμωτάτων ἡγεμόνων τῆς Σκήτεως καὶ τοῦ τῇδε ὄρους. Τούτοιν
δὲ ὁ μὲν Αἰγύπτιος, ὁ δὲ πολιτικὸς ὡς ἀστὸς ὠνομάζετο · ἦν

1. Placé sous l'invocation de l'illustre Antoine, né en 251, mort en
356 à 105 ans (voir *H.E.* I, 13, *SC* 306, p. 168-177 et la note 2 p. 168-
169, à compléter maintenant par l'introduction de l'éd. par G. J. M. Bartelink d'ATHANASE, *Vie d'Antoine*, *SC* 400, Paris 1994, p. 42-62), ce long
et enthousiaste éloge du monachisme, à la fois un et divers, véritable
vie philosophique, tel qu'il était pratiqué dans toutes les provinces de
l'Empire, après s'être diffusé à partir de l'Égypte, poursuit et amplifie
celui qu'a fait déjà Sozomène en *H.E.* I, 12-14, *SC* 306, p. 162-183.
2. Que le mot ὄρος désigne ici la montagne ou qu'il désigne le désert
selon un sens fréquent dans le langage des moines, il s'agit de Nitrie,
située dans la région du Delta, à 60 km au Sud-Est d'Alexandrie, près
du village de Pernoudj, aujourd'hui El-Barnoudji. Scété est le désert correspondant à la longue dépression connue maintenant sous le nom de
Wadi-el-Natroun, à 65 km au Sud-Ouest de Nitrie : voir D. J. CHITTY,
The Desert a City, trad. française, *Et le désert devint une cité. Une introduction à l'étude du monachisme égyptien et palestinien dans l'Empire
chrétien*, Abbaye de Bellefontaine, 1980, *Spiritualité orientale* 31, p. 41-
45. Sozomène ne mentionne pas ici les «Cellules» (*Kellia*, aujourd'hui
El Mûna), à 20 km au Sud-Ouest de Nitrie, qu'il considère sans doute
comme une annexe de Nitrie, annexe réservée aux «parfaits».
3. Au portrait que Sozomène trace de ces deux moines illustres, comparer les chap. 21 (Macaire l'Égyptien) et 22 (Macaire le citadin) dans
Historia Monachorum in Aegypto, éd. A.-J. Festugière, Bruxelles, 1971,
Subsidia Hagiographica 53, et trad. par le même dans *Les moines
d'Orient* IV, 1 : *Enquête sur les moines d'Égypte* (*Historia Monachorum
in Aegypto*), Paris 1964. Voir aussi dans PALLADIUS, *Histoire Lausiaque*
(éd. G. J. M. Bartelink, M. Barchiesi, Ch. Mohrmann, PALLADIO. *La storia*

la gent monastique[1], le grand Antoine alors encore en
vie, ses compagnons, et une foule d'autres en Égypte et
ailleurs dans l'Empire. Et puisque j'ai fait mention de ces
moines, je vais passer brièvement en revue ceux dont
j'ai appris qu'ils furent illustres sous ce règne.

Chapitre 14

Les saints hommes qui en ce temps-là
fleurissent en Égypte;
Antoine, les deux Macaire, Héraclide, Cronios,
Paphnuce, Poutoubastès, Arsisios, Sérapios,
Pityrion, Pachôme, Apollonios, Anouph, Hilarion,
et la liste d'un très grand nombre d'autres saints.

1 Je commencerai par l'Égypte et par les deux Macaire,
ces maîtres tout à fait dignes de louange, de Scété et de
la montagne qui est là[2]. De ces deux, l'un était nommé
l'Égyptien, l'autre le citadin[3] parce qu'il avait habité en

lausiaca, Coll. *Scrittori greci e latini. Vite dei Santi*, vol. II, 1974), les
chap. 17 (Macaire l'Égyptien) et 18 (Macaire d'Alexandrie).
   Toutefois, la source principale de Sozomène est l'*Historia Mona-*
chorum 28-29 de Rufin *(PL* 21, 449-455) d'après F. Thélamon, «Modèles
du monachisme oriental selon Rufin d'Aquilée», dans *Antichità altoa-*
driatiche, XII, 1977, p. 323-352. L'*Historia monachorum in Aegypto* est
«le récit d'un voyage fait en Égypte, au cours de l'hiver 394/395, par
un groupe de moines palestiniens, qui visitèrent les *Kellia*, récit rédigé
en grec par l'un d'eux et adapté ensuite en latin par Rufin qui, lui
aussi, connaissait les *Kellia* où il était passé en 374» (A. Guillaumont,
Aux origines du monachisme chrétien. Pour une phénoménologie du
monachisme, dans *Spiritualité orientale* 30, Bellefontaine 1979, p. 153).
L'adaptation par Rufin est datée de 404 environ par F. Thélamon,
Modèles du monachisme oriental..., p. 330-331.
   Sur Macaire l'Égyptien, D. J. Chitty, *The desert...*, trad. franç., p. 80-
84. Sur Macaire l'Alexandrin, qui mourut centenaire en 393/394, après
avoir été le prêtre des *Kellia* pendant vingt ans, voir, outre D. J. Chitty,
p. 78, A. Guillaumont, «Histoire des moines aux Kellia», *op. cit.*,

1069 γὰρ τῷ γένει | Ἀλεξανδρεύς. Ἄμφω δὲ ὅτι μάλιστα θεσπεσίω ἐγενέσθην καὶ θείαν πρόγνωσιν καὶ φιλοσοφίαν, καὶ δαίμοσι φοβερῷ πολλῶν τε καὶ παραδόξων πραγμάτων καὶ ἰαμάτων δημιουργώ. 2 Τὸν δὲ Αἰγύπτιον λόγος, ὡς καὶ νεκρὸν ζῆν ἐποίησεν, ἵν' ἑτερόδοξον πείσῃ νεκρῶν ἀνάστασιν ἔσεσθαι. διεβίω δὲ ἀμφὶ τὰ ἐνενήκοντα ἔτη, ἑξήκοντα δὲ ἐκ τούτων ἐν ταῖς ἐρήμοις διέτριβεν. Αὐτίκα τε φιλοσοφεῖν ἀρχόμενος ἔτι νέος ὢν διέπρεπεν, ὡς παιδαριογέροντα παρὰ τῶν μοναχῶν ὀνομάζεσθαι καὶ τεσσαράκοντα ἔτη γεγονότα χειροτονηθῆναι πρεσβύτερον. 3 Ὁ δὲ ἕτερος χρόνῳ μὲν ὕστερον πρεσβύτερος ἐγένετο, παντοδαπῆς δὲ σχεδὸν ἀσκήσεως ἐπειράθη, τὰ μὲν αὐτὸς περινοῶν, ἃ δὲ παρ' ἄλλοις ἤκουεν ἐκ παντὸς τρόπου κατορθῶν, ὡς ὑπὸ τοῦ ἄγαν κατεσκληκέναι μὴ φύειν τοῦ γενείου τὰς τρίχας.

4 Ἐν τούτῳ δὲ περὶ τὸν αὐτὸν χῶρον ἐφιλοσόφουν Παμβώ τε καὶ Ἡρακλείδης καὶ Κρόνιος καὶ Παφνούτιος καὶ Πουτου-βάστης καὶ Ἀρσίσιος καὶ Σεραπίων ὁ μέγας καὶ Πιτυρίων, ὃς παρὰ Θηβαίοις τὴν διατριβὴν εἶχε, καὶ Παχώμιος, ὃς ἀρχηγὸς
119 ἐγένετο τῶν καλουμένων Ταβεννησιωτῶν. 5 Σχῆμα δὲ | τούτοις ἦν καὶ πολιτεία ἔν τισι παρηλλαγμένη τῆς ἄλλης μοναχικῆς,

p. 159-160. Le terme φιλοσοφία employé un peu plus loin désigne «la vie selon la sagesse», c'est-à-dire la vie d'ascèse du moine.

1. Sur le mot et le concept, A.-J. Festugière, *Études de religion grecque et hellénistique*, Paris 1972 (*Bibliothèque d'Histoire de la philosophie*), p. 285-287 : *Puer senex*. Le mot παιδαριογέρων se trouve aussi dans l'*Histoire Lausiaque* à propos de Macaire l'Égyptien et chez Cyrille de Scythopolis, à propos de Sabas. Du reste, le topos est ancien (Cicéron, *Cato maior*, 11, 38) et n'est pas exclusivement chrétien. On le trouve notamment chez des rhéteurs comme Apulée, Eunape, Libanios.

2. Parmi tous ces moines d'Égypte, le plus connu est naturellement Pachôme, fondateur du cénobitisme et d'une règle que Sozomène exposera en détail (chap. 14, 9-17). La liste des moines illustres que donne Sozomène recoupe celle de l'*Historia monachorum in Aegypto*, éd. A.-J. Festugière, chap. 14 (Paphnuce) et 18 (les deux Macaires), et surtout celle de l'*Histoire Lausiaque* 7, 3 (Arsisios le Grand, Poutoubastès, Asion, Cronios et Sérapion), 10 (Pambo), 37 (Sérapion),

ville : il était en effet par sa famille alexandrin. Tous deux furent au plus haut point merveilleux quant au don de prophétie divine et à la vie ascétique, terribles aux démons, et opérant une foule de miracles et de guérisons. 2 On dit de l'Égyptien qu'il ressuscita même un mort, pour persuader un hétérodoxe qu'il y aura une résurrection des morts. Il vécut environ quatre-vingt-dix ans, et, de ce nombre, il en passa soixante dans les déserts. Dès qu'il eut commencé de mener la vie d'ascète, jeune encore il brillait au point qu'il était appelé par les moines «l'enfant-vieillard»[1] et que, âgé de quarante ans, il fut ordonné prêtre. 3 L'autre Macaire, plus tard, devint prêtre ; il avait expérimenté presque toutes les sortes d'ascèse, inventant les unes, pratiquant de toute manière celles qu'il avait apprises auprès d'autres, en sorte que, tant il était desséché, il ne lui poussait plus de poils à la barbe.

4 En ce temps-là, dans le même pays, menaient la vie d'ascèse Pambô, Héraclide, Cronios, Paphnuce, Poutoubastès, Arsisios, le grand Sérapion, Pityrion qui vivait en Thébaïde et Pachôme[2], qui fut le fondateur des moines dits Tabennésiotes[3]. 5 Leur vêtement et leur genre de vie étaient quelque peu différents de ceux des autres

47 (Paphnuce et Chronius). Pityrion est peut-être à identifier avec Πιτηροῦμ d'*Histoire Lausiaque* 34, établi en Porphyrite, montagne et désert situés sur la côte de la Mer Rouge.

3. Ainsi nommés du nom de leur monastère de Tabennesi, dans la vallée du Nil, en Thébaïde, diocèse de Tentyra. Pour la localisation, voir Jedin-Latourette-Martin, *Atlas zur Kirchengeschichte*, Freiburg 1970, p. 11. Cependant, D. J. Chitty, trad. franç., p. 61, observe : «Naturellement, (les constructions) n'ont pas laissé de vestiges tels à la surface du sol qu'on puisse en rendre compte au plan archéologique sans effectuer de fouilles et on ignore actuellement le site exact de Tabennési».

πρὸς ἀρετὴν μέντοι ὁρῶσα καὶ τὴν ψυχὴν προσεθίζουσα τῶν ἐπὶ γῆς καταφρονεῖν, ἄνω δὲ ὁρᾶν, ἵν' εὐμαρῶς ἐπὶ τὰ οὐράνια χωροίη, ἡνίκα τοῦ σώματος ἀπαλλαγείη · 6 διφθέρας δὲ ἀμφιέννυσθαι κατὰ μίμησιν Ἠλίου τοῦ Θεσβίτου, ἐμοὶ δοκεῖν, ὥστε ἐκ τοῦ περικειμένου δέρματος εἰς ἀνάμνησιν ἀεὶ λαμβάνοντας τὴν ἀρετὴν τοῦ προφήτου, ἀνδρείως πρὸς τὰς ἐπιθυμίας τῶν ἀφροδισίων συντετάχθαι καὶ ζήλῳ τῷ πρὸς αὐτὸν καὶ ἐλπίδι ὁμοίων ἀμοιβῶν προθυμότερον σωφρονεῖν. 7 Λόγος δὲ καὶ τὰ ἄλλα ἐνδύματα τῶν ἐν Αἰγύπτῳ μοναχῶν συλλαμβάνεσθαι εἰς ὑπόδειγμα φιλοσοφίας τινός, μηδὲ ὡς ἔτυχε παραλλάσσειν τῶν ἄλλων. Καὶ τοὺς μὲν χιτῶνας ἀχειριδώτους ἐνδιδύσκεσθαι, παιδεύοντας μὴ ἑτοίμους ἔχειν τὰς χεῖρας εἰς ὕβριν, τὸ δὲ ἐπὶ τῆς κεφαλῆς σκέπασμα, ὃ κουκούλλιον καλοῦσιν, ὥστε ἐπίσης ἀκεραίως καὶ καθαρῶς βιοῦν τοῖς γάλακτι τρεφομένοις παισίν, οἷς αἱ τοιαῦται τιάραι ἐπίκεινται 1072 τὸ ἡγεμονικὸν σκέπουσαί τε καὶ | περιθάλπουσαι. 8 Ζώνη δὲ καὶ ἀναβολεύς, ἡ μὲν τὴν ὀσφὺν περισφίγγουσα, ὁ δὲ τοὺς ὤμους καὶ τοὺς βραχίονας ἀνέχων, ἑτοίμους εἶναι εἰς διακονίαν θεοῦ καὶ ἐργασίαν ὧν δεῖ παρακελεύεται. Οὐκ ἀγνοῶ δὲ ὡς περὶ τούτων ἄλλοι ἀλλοίους ἀποδεδώκασι λόγους · ἐμοὶ δὲ ἀπόχρη τοσοῦτον εἰπεῖν.

1. Élie le Thesbite (cf. *III Rois* 17, 1), né à Tishbé (aujourd'hui Listih), prophète, vécut au temps d'Achab et de Jézabel (IXᵉ s. avant J.C.). L'iconographie chrétienne le représente comme un grand vieillard émacié, vêtu d'une tunique en peau de chèvre. Il était considéré comme l'exemple de la vie contemplative et le modèle de la vie parfaite, comme un précurseur de la vie érémitique : voir *DS* 4,1, 1965, c. 564-572 (Murphy-Peters), notamment c. 569, citant *H.E.* III, 14 et en rapprochant la *Vita Pachomii* (*PL* 73, 231 a) où Élie est mis en relief avec Élisée et Jean-Baptiste, le grand modèle d'Antoine, ainsi que *DECA*, t. 1, 1990, p. 800-802 (M. Perraymond).

2. Le mot ἀναβολεύς tiré de ἀναβάλλεσθαι qui signifie «relever» (un manteau, un vêtement) n'a pas d'équivalent exact. Il désigne une pièce ou plutôt des pièces de vêtement qui jouent pour les bras et les épaules le même rôle que la ceinture pour les jambes en mettant celui qui les porte à l'aise pour son travail. Voir la description très précise de Jean Cassien, *Instit.* I, 5 : «Ils portent aussi de petites écharpes doubles

moines, mais ils visaient à la vertu et accoutumaient leur âme à mépriser les choses terrestres et à regarder vers le haut, pour qu'elle montât aisément au ciel à l'heure de la séparation d'avec le corps. **6** Ils sont vêtus de vêtements de peau à l'imitation d'Élie le Thesbite[1], à ce qu'il me semble pour que, du fait de cette peau qui les couvre, ils se remettent toujours en mémoire la vertu du prophète, livrant bataille virilement au désir des plaisirs charnels et, par un esprit d'émulation avec lui et l'espoir de parcilles récompenses, se portent plus avidement à la sagesse. **7** Les autres vêtements, dit-on, des moines d'Égypte contribuent à offrir ce modèle d'un certain genre de vie philosophique, et ce n'est pas par hasard qu'ils diffèrent des vêtements des autres hommes. Les tuniques qu'ils enfilent n'ont pas de manches, leur enseignant à ne pas disposer leurs mains à des actes de violence; et le couvre-chef qu'ils portent sur leur tête, qu'ils nomment cuculle, est là pour qu'ils vivent aussi innocemment et purement que les bébés qu'on allaite, sur la tête desquels ces sortes de turbans protègent et réchauffent le siège de l'intelligence. **8** La ceinture et l'*anaboleus*[2], l'une comprimant leurs reins, l'autre soutenant leurs épaules et leurs bras, les engagent à être prêts au service de Dieu et à l'accomplissement de leurs devoirs. Je n'ignore pas que d'autres ont donné d'autres explications à ce sujet[3] : il me suffit d'avoir dit ce qui précède.

---

tissées de fil de lin, que les Grecs appellent *analaboi* (pour *anaboloi*) que nous pourrions appeler des retrousse-vêtements (*succinctoria*) ou proprement des serre-aisselles (*rebracchiatoria*)», trad. J.-C. Guy, *SC* 109, p. 45-46.

   3. Parmi ces autres explications, on peut penser à celle d'Évagre, *Ad Anatolium* (*PG* 40, 1221 A), pour qui cette pièce du vêtement monastique est le symbole de la foi dans le Christ, et à celle de la tradition apophtegmatique pour qui elle est le signe de la croix (*PL* 73, 933) : cf. J.-C. Guy, éd. de JEAN CASSIEN, *Instit.*, *SC* 109, p. 46, note 1.

9 Τόν γε μὴν Παχώμιόν φασι μόνον ἐν σπηλαίῳ τὰ πρῶτα φιλοσοφῆσαι. Προφανέντα δὲ αὐτῷ θεῖον ἄγγελον παρακελεύσασθαι νέους ἀθροῖσαι μοναχοὺς καὶ συνεῖναι αὐτοῖς · εὖ γὰρ τὰ κατ' αὐτὸν ἐν φιλοσοφίᾳ κατωρθωκέναι καὶ χρῆναι συνοικιῶν ἡγούμενον ὠφελεῖν πολλούς, ἄγειν δὲ αὐτοὺς νόμοις οἷς ἂν δοίη · δεδωκέναι δὲ αὐτῷ δέλτον, ἣν ἔτι φυλάττουσιν. 10 Ἡ ἐνοῦσα δὲ ταύτῃ γραφὴ προσέταττε συγχωρεῖν ἑκάστῳ, ὡς ἂν οἷός τε ᾖ, φαγεῖν καὶ πιεῖν καὶ ἐργάζεσθαι, νηστεύειν τε καὶ μή, τοῖς μέντοι ῥωμαλεωτέροις ‹καὶ› ἐσθίουσι τὰ ἐπιπονώτερα τῶν ἔργων ἐπιτρέπειν, τὰ δὲ εὐχερῆ τοῖς ἀσκουμένοις. 11 Οἰκήματα δὲ μικρὰ κατασκευάσαι πολλά, καὶ καθ' ἕκαστον οἴκημα τρεῖς καταμένειν · ὑπὸ ἕνα δὲ οἶκον πάντας τροφῆς μεταλαμβάνειν · σιγῇ τε ἐσθίειν, καὶ καθῆσθαι παρὰ τὰς τρα-
120 πέζας ἐπικεκαλυμμένους τὰ πρόσωπα, | ὡς μήτε ἀλλήλους ὁρᾶν μήτε ἄλλο τι πλὴν τῆς τραπέζης καὶ τῶν προκειμένων. 12 Ξένον δὲ μὴ συνεσθίειν αὐτοῖς, μόνον εἰ μὴ παροδεύων ἐπιξενωθείη · τὸν δὲ συνοικεῖν αὐτοῖς βουλόμενον πρότερον ἐπὶ τριετίαν τὰ χαλεπώτερα τῶν ἔργων πονεῖν καὶ οὕτως μετέχειν τῆς αὐτῶν συνοικίας. 13 Διφθέρας δὲ ἀμφιέννυσθαι καὶ τιάραις ἐρίναις τὰς κεφαλὰς σκέπεσθαι, κατασημαίνεσθαι δὲ ταύτας τὰς τιάρας οἱονεὶ κέντροις πορφυροῖς προσέταξε.

---

1. Sur le monachisme égyptien et particulièrement le monachisme pachômien, l'ouvrage ancien de Dom J.-M. BESSE, *Les moines d'Orient*, Paris, 1900, donne une présentation générale encore utile (les règles, p. 82-85; les vêtements monastiques, p. 248 s.; l'habitation, p. 265, le régime alimentaire, p. 291, la prière, p. 319). Voir aussi la dissertation de P. LADEUZE, *Étude sur le cénobitisme pakhomien pendant le IVe siècle et la première moitié du Ve s,* réimpr. Frankfurt am Main, 1961 et les articles concernant les «Formes du monachisme chrétien» réunis par A. GUILLAUMONT dans son recueil *Aux origines du monachisme chrétien. Pour une phénoménologie du monachisme,* Bellefontaine 1979, p. 69-147 (*Spiritualité Orientale* 30).

Dans cette longue évocation de la Règle de Pachôme, Sozomène s'est inspiré de PALLADIUS, *Histoire Lausiaque* 32. La comparaison entre la Règle de Pachôme et le texte de Sozomène a été tentée par H. BACHT, «Ein Wort zur Ehrenrettung der ältesten Mönchsregel», *Zeitschrift für Katholische Theologie* 72, Innsbruck, 1950, p. 350-359.

9 Pachôme, dit-on, mena la vie d'ascèse d'abord seul dans une caverne. Puis un ange divin lui apparut et lui commanda de réunir de jeunes moines et de vivre avec eux : il avait, pour sa part, bien réussi dans la vie ascétique, et il fallait désormais qu'il dirigeât des communautés et se rendît utile à beaucoup, en les conduisant par les lois que lui, l'ange, lui donnerait. Et l'ange lui avait donné une tablette, qu'ils conservent encore. **10** L'écrit contenu sur cette tablette[1] ordonnait de permettre à chacun, dans la mesure de ses forces, de manger, boire, travailler, jeûner ou non, de confier aux moines plus vigoureux et qui se nourrissaient les travaux les plus pénibles, et les travaux faciles aux moines qui jeûnaient. **11** Il fallait préparer beaucoup de petites maisons et, dans chaque maison, vivraient trois moines. Tous prendraient leur nourriture dans un local unique ; ils mangeraient en silence, seraient assis aux tables le visage couvert, en sorte qu'ils ne se vissent pas l'un l'autre et ne vissent rien que la table et les mets servis. **12** Nul étranger ne mangerait avec eux, à moins que, passant, il n'eût été reçu comme hôte. Celui qui voudrait partager leur vie commencerait par peiner, durant trois ans, aux travaux les plus durs, et participerait ainsi à leur communauté. **13** Pachôme ordonna qu'ils fussent vêtus de vêtements de peau, coiffés de turbans de laine, et que ces turbans fussent marqués par des sortes de clous rouges[2]. Ils use-

---

2. Comparer *Histoire Lausiaque* 32, 3 : « des cuculles sur lesquelles il ordonna que fussent imprimées des marques en forme de croix avec de la pourpre ». Il n'y a pas de correspondance exacte entre κέντροις et καυτῆρα de l'*Histoire Lausiaque*, à moins que l'un ou l'autre de ces mots, graphiquement assez proches, ne soit une déformation imputable à la tradition manuscrite. Si le symbolisme exact reste obscur, l'idée générale qui a inspiré les détails de la tenue monastique est claire : le moine pachômien est un soldat du Christ et porte l'uniforme de son Maître.

Χιτῶσι δὲ λινοῖς καὶ ζώναις κεχρῆσθαι καὶ ἐζωσμένους σὺν τοῖς χιτωνίοις καὶ ταῖς διφθέραις καθεύδειν, καθημένους ἐν οἰκοδομητοῖς θρόνοις ἑκατέρωθεν περιπεφραγμένοις, ὥστε τὴν ἑκάστου συνέχειν στρωμνήν. **14** Τῇ δὲ πρώτῃ καὶ τελευταίᾳ ἡμέρᾳ τῆς ἑβδομάδος ἐπὶ κοινωνίᾳ τῶν θείων μυστηρίων τῷ θυσιαστηρίῳ προσιόντας τὰς ζώνας λύειν καὶ τὰς διφθέρας ἀποτίθεσθαι · δωδέκατον δὲ πάσης τῆς ἡμέρας εὔχεσθαι καὶ πρὸς ἑσπέραν ὁμοίως, τοσαυτάκις δὲ καὶ νύκτωρ, ἐννάτῃ δὲ ὥρᾳ τρίτον. Ἡνίκα δὲ μέλλοιεν ἐσθίειν, ἑκάστης εὐχῆς προᾴδειν ψαλμόν. **15** Πᾶσαν δὲ τὴν συνοικίαν εἰς εἰκοσιτέσσαρα τάγματα διελεῖν καὶ ἐπονομάσαι ταῦτα τοῖς Ἑλλήνων στοιχείοις, καὶ ὅπως ἔχοι βίου καὶ ἤθους ἑκάστῳ τάγματι τὴν
1073 προσηγορίαν ἐφαρ|μόσαι, οἷον ἁπλουστέρους μὲν ἰῶτα ἀποκαλοῦντας, σκολιοὺς δὲ ξ καὶ ἄλλους ἄλλως, καθὼς ἐκλαμβάνειν εὐστόχως ἔστι πρὸς τὸ σχῆμα τοῦ γράμματος τὴν προαίρεσιν τοῦ τάγματος.

16 Κατὰ τούτους τοὺς νόμους τοὺς ἰδίους μαθητὰς ἦγεν ὁ Παχώμιος, ἀνὴρ τὰ μάλιστα φιλάνθρωπος καὶ θεοφιλὴς εἰσάγαν, ὡς προειδέναι τὰ ἐσόμενα καὶ θείοις ἀγγέλοις ὁμιλεῖν πολλάκις. Διέτριβε δὲ ἐν Ταβεννήσῳ τῆς Θηβαΐδος, ὅθεν Ταβεννησιῶται εἰσέτι νῦν ὀνομάζονται. **17** Ὑπὸ δὲ τούτους τοὺς νόμους πολιτευόμενοι ὀνομαστότατοι ἐγένοντο καὶ εἰς πλῆθος τῷ χρόνῳ ἐπέδοσαν, ὡς εἰς ἑπτακισχιλίους ἄνδρας συντελεῖν. Ἡ μὲν γὰρ ἐν Ταβεννήσῳ συνοικία, μεθ᾽ ὧν αὐτὸς Παχώμιος διέτριβεν, ἀμφὶ τοὺς χιλίους καὶ τριακοσίους εἶχεν · οἱ δὲ κατὰ τὴν Θηβαΐδα καὶ τὴν ἄλλην Αἴγυπτον οἰκοῦσι. Μία δὲ καὶ ἡ αὐτὴ ἀγωγὴ πᾶσι, καὶ κοινὰ τὰ πανταχῆ
121 |πάντων · καθάπερ δὲ μητέρα τὴν ἐν Ταβεννήσῳ συνοικίαν

raient de tuniques de lin et de ceintures et dormiraient ainsi ceinturés avec leurs tuniques et leurs vêtements de peau, assis sur des sièges bâtis à cet effet avec des barrières de chaque côté de manière à retenir la couverture de chacun. **14** Le premier et le dernier jour de chaque semaine, quand ils s'approcheraient de l'autel pour communier aux saints mystères, ils devraient délier leurs ceintures et déposer leurs vêtements de peau. Ils devraient prier douze fois dans tout le jour, le soir semblablement, autant de fois la nuit, et trois fois à la neuvième heure; à l'heure des repas ils devraient chanter un psaume avant chaque prière. **15** Il faudrait répartir toute la communauté en vingt-quatre sections et les dénommer d'après les lettres grecques, et adapter la dénomination pour chaque section en fonction de son genre de vie et de son caractère, dénommant par exemple les moines plus simples *iota*, les moines retors *xi* et d'autres d'autre manière, dans la mesure où il est possible de représenter avec justesse la manière d'agir de la section d'après la forme de la lettre.

16 C'est selon ces lois que Pachôme guidait ses propres disciples. Ce fut un homme de la plus grande humanité et extrêmement cher à Dieu, au point de prédire l'avenir et de jouir souvent de la compagnie des saints anges. Il vécut à Tabennèse de Thébaïde, d'où vient qu'aujourd'hui encore ses moines sont dits Tabennèsiotes. **17** Se gouvernant sous la règle de ces lois ils devinrent très célèbres et avec le temps s'accrurent en masse, au point de parvenir jusqu'à sept mille hommes. La communauté de Tabennèse, où séjournait Pachôme lui-même, comprenait en effet dans les mille trois cents moines; les autres habitent en Thébaïde et dans le reste de l'Égypte. Ils n'ont tous qu'une seule et même règle de vie, et tout est partout en commun pour tous. Ils considèrent comme

ἡγοῦνται, πατέρας δὲ καὶ ἄρχοντας τοὺς ἐνθάδε ἡγουμένους.

18 Κατὰ τοῦτον δὲ τὸν χρόνον καὶ Ἀπολλώνιος ἐπὶ
1076 μο|ναχικῇ φιλοσοφίᾳ διέπρεπεν, ὅν φασι δέκα καὶ πέντε ἐτῶν
ὄντα φιλοσοφῆσαι ἐν ταῖς ἐρήμοις· εἰς ἔτη δὲ τεσσαράκοντα
γεγονὼς κατὰ θείαν πρόσταξιν εἰς τοὺς οἰκουμένους ἦλθε
τόπους. Εἶχε δὲ καὶ αὐτὸς ἐν Θηβαΐδι τὴν συνοικίαν.

19 Ἐγένετο δὲ θεοφιλὴς εἰσάγαν καὶ παραδόξων ἰάσεων καὶ
σημείων δημιουργὸς καὶ πρακτικὸς ὢν δεῖ καὶ τῶν εἰς φιλο-
σοφίαν ἡκόντων διδάσκαλος ἀγαθὸς καὶ χαρίεις καὶ ἐπὶ
τοσοῦτον ἐν ταῖς εὐχαῖς εὐήκοος, ὡς μηδὲν ἀνήνυτον γενέσθαι
ὧν παρὰ θεοῦ ἐζήτησε· πάντως γὰρ σοφὸς ὢν σοφῶς τὰς αἰ-
τήσεις ἐποιεῖτο, αἷς ἑτοίμως τὸ θεῖον ἐπινεύειν πέφυκε.

20 Κατὰ τούτους εἰκάζω γενέσθαι καὶ Ἀνοὺφ τὸν θεσ-
πέσιον· ὃν ἐπυθόμην, ἀφ' οὗ πρῶτον ἐν τοῖς διωγμοῖς ὑπὲρ τοῦ
δόγματος ὡμολόγησε, μήτε ψεῦδος εἰπεῖν μήτε ἐπιθυμῆσαί
τινος τῶν ἐπὶ γῆς. Ἐπιτυχεῖν δὲ πάντων ὧνπερ τοῦ θεοῦ ἐδεήθη,
καὶ ὑπὸ θείῳ ἀγγέλῳ διδασκάλῳ πᾶσαν ἀρετὴν παιδευθῆναι.

Ἀλλὰ περὶ μὲν τῶν ἐν Αἰγύπτῳ μοναχῶν τοσάδε τέως ἡμῖν
εἰρήσθω. **21** Ἤδη δὲ καὶ Παλαιστίνη τὸν ἴσον τρόπον φιλο-
σοφεῖν ἤρχετο παρ' Αἰγυπτίων μαθοῦσα· διέπρεπε δὲ ἐνθάδε

---

1. Sur Apollonius, voir aussi *Histoire Lausiaque* 13. L'*Historia monachorum in Aegypto* 8 (éd. Festugière, p. 46-71) donne à ce moine le
nom d'Apollo.
2. Sur la haine du mensonge que professait ce moine abbé, voir *Historia monachorum in Aegypto* 11, 5-8 (éd. Festugière p. 91-92) et Rufin,
Historia monachorum chap. X, *PL* 21, 428 *De Syro abbate, Isaia, Paulo
et Anuph* avec lequel la correspondance est exacte (*hoc...custodiui ex
quo nomen Saluatoris nostri in persecutione confessus sum ne post confes-
sionem ueritatis mendacium de ore meo procederet...* : «J'ai observé cette

mère la communauté de Tabennèse et ils ont pour pères et maîtres les higoumènes de ce lieu.

18 Vers ce temps-là aussi Apollonius[1] brillait pour son genre de vie monastique. C'est à l'âge, dit-on, de quinze ans qu'il s'exerça à l'ascèse dans les déserts ; puis, parvenu à l'âge de quarante ans, sur un ordre divin, il se rendit aux lieux habités. Il avait lui aussi sa communauté en Thébaïde. **19** Il fut extrêmement cher à Dieu, opéra des guérisons miraculeuses et des prodiges, attentif à remplir ses devoirs et pour ceux qui venaient à la vie d'ascèse il fut un maître bon et aimable, et à ce point exaucé en ses prières que rien de ce qu'il avait demandé à Dieu ne fut jamais sans effet : car, totalement sage, c'est avec sagesse qu'il faisait ses demandes à Dieu ; or la divinité est naturellement disposée à exaucer de telles prières.

20 Je pense que c'est au temps de ces moines que vécut aussi le merveilleux Anouph[2]. J'ai appris sur lui que, depuis le premier moment où il eut dans les persécutions confessé la foi, ni il ne dit de mensonge ni il ne désira rien des choses terrestres. Il obtint de Dieu tout ce qu'il lui avait demandé et, ayant pour maître un saint ange, il fut formé en toute espèce de vertu.

Mais en voilà assez dit, pour l'instant, sur les moines d'Égypte. **21** Déjà la Palestine aussi commençait de mener la même vie d'ascèse, pour l'avoir apprise des Égyptiens. Celui qui brillait là, en ce temps, fut le merveilleux

loi à partir du moment où j'ai confessé dans la persécution le nom de notre Sauveur qu'un mensonge ne sortît pas de ma bouche après la confession de la vérité »).

τότε Ἱλαρίων ὁ θεσπέσιος. Τούτῳ δὲ πατρὶς μὲν ἦν Θαβαθᾶ κώμη πρὸς νότον Γάζης κειμένη παρὰ τὸν χειμάρρουν, ὃς ἐπὶ θάλασσαν τὰς ἐμβολὰς ἔχων ἐπιχωρίως ἀπ' αὐτῆς τῆς κώμης τὴν ἐπωνυμίαν ἔλαβε. 22 Γραμματικῷ δὲ φοιτῶν ἐν Ἀλεξανδρείᾳ κατὰ θέαν Ἀντωνίου τοῦ μεγάλου μοναχοῦ εἰς τὴν ἔρημον ἦλθε, καὶ συγγενόμενος αὐτῷ παραπλησίως φιλοσοφεῖν ἔγνω. Ὀλίγον δὲ χρόνον ἐνθάδε διατρίψας ἐπανῆλθεν εἰς τὴν πατρίδα· οὐ γὰρ ξυνεχωρεῖτο κατὰ γνώμην ἠρεμεῖν, πολλῶν ὄντων ἑκάστοτε τῶν ὡς Ἀντώνιον ἐρχομένων. 23 Καταλαβὼν δὲ τελευτήσαντας τοὺς πατέρας εἰς τοὺς 122 ἀδελφοὺς καὶ τοὺς δεομένους τὴν | οὐσίαν διένειμεν, οὐθέν τε παντάπασι καταλιπὼν ἑαυτῷ διέτριβεν ἐν ἐρήμῳ τόπῳ παρὰ θάλασσαν, ἀμφὶ τὰ εἴκοσι στάδια τῆς αὐτοῦ κώμης διεστῶτι.

24 Οἴκησις δὲ ἦν αὐτῷ δωμάτιον μικρὸν ἐκ πλίνθων καὶ φορυτοῦ καὶ κεράμων κατεαγότων κατεσκευασμένον, εὔρους τε καὶ μήκους καὶ ὕψους τοσούτου, ὅσον ἑστῶτα μὲν κεκυφέναι τὴν κεφαλήν, κείμενον δὲ τοὺς πόδας συλλέγειν ἐπάναγκες εἶναι. Διὰ πάντων γὰρ εἴθιζεν ἑαυτὸν ταλαιπωρεῖν καὶ ῥᾳστώνης κρατεῖν. 25 Ἀμέλει τοι ὧν ἴσμεν ἐγκρατείας ἀκόμπου καὶ δεδοκιμασμένης οὐδενὶ κατέλιπεν ὑπερβολήν, ἀγωνιζόμενος πρὸς ἀσιτίαν καὶ δίψος καὶ ῥῖγος καὶ πνῖγος καὶ 1077 πρὸς τἆλλα πάθη καὶ θωπείας τοῦ | σώματος καὶ τῆς ψυχῆς. 26 ᾽Ην δὲ τὸ μὲν ἦθος σπουδαῖος, σεμνὸς δὲ τὸν λόγον, καὶ μνήμων καὶ ἐπήβολος ἀκριβὴς τῶν ἱερῶν γραφῶν· ἐπὶ

---

1. Sur les moines de Palestine, en particulier Hilarion, le témoignage de Sozomène recoupe assez exactement la biographie que JÉRÔME a donnée, entre 386 et 391, du même saint personnage. Comparer la *Vita Hilarionis* (éd. C. Mohrmann dans *Vite dei Santi* IV, 1975) notamment sur les études d'Hilarion à Alexandrie (*Vita Hil.* 2), sur le lieu désert qu'il se choisit pour la vie d'ascèse (*Vita Hil.* 3), sur l'étroitesse de sa cellule (*Vita Hil.* 9).

Plus précise que l'éloge de Sozomène, la biographie de Jérôme permet de savoir qu'Hilarion avait 65 ans en 356, année de la mort d'Antoine, qu'il était donc né en 291/292. Son premier miracle eut lieu en 329, sa mort se produisit en 371. On admet que le récit de Sozomène procède directement de la *Vie* de Jérôme ou de sa traduction en grec

Hilarion[1]. Sa patrie était le village de Thabatha, situé au
sud de Gaza près du torrent qui, débouchant dans la
mer, a été dénommé par les gens du lieu d'après le
village même. **22** Alors qu'il suivait les leçons d'un gram-
mairien à Alexandrie, il se rendit au désert pour voir le
grand moine Antoine, et, quand il fut arrivé auprès de
lui, résolut de mener semblable vie d'ascèse. Cependant
il ne resta là que peu de temps et revint en sa patrie :
il ne lui était pas possible en effet de vivre en ermite à
son gré, à cause du grand nombre de gens qui sans
cesse venaient visiter Antoine. **23** Il trouva ses parents
morts, il distribua sa fortune à ses frères et aux indigents, et, sans garder absolument rien pour lui-même,
alla vivre en un lieu désert près de la mer, distant d'environ vingt stades de son village.

24 Son logement était une chambrette faite de briques,
de gravats et de tuiles brisées, et telle, quant à la largeur,
la longueur, la hauteur qu'il était forcé, debout, de baisser
la tête, étendu, de ramener ses pieds en arrière. En toutes
choses, il s'accoutumait à mener vie pénible et à maî-
triser la mollesse. **25** En tout cas, de tous ceux de ma
connaissance, il ne laissa à personne le moyen de le
dépasser en endurance discrète et éprouvée, affrontant le
manque de nourriture, la soif, le froid, la chaleur étouf-
fante, et, entre toutes les passions, celles qui flattent le
corps et l'âme. **26** De caractère il était grave, et pour la
parole, imposant; il avait bonne mémoire et possédait à
fond les saintes Écritures. Et il fut si cher à Dieu qu'au-

par Sophronius. Mais il repose aussi, comme Sozomène le fait entendre
en III, 14, 25-26, sur des connaissances personnelles et directes et des
traditions orales recueillies en Palestine, sans doute au temps de sa
jeunesse : voir l'introd. de B. Grillet, *SC* 306, p. 13. Pour une étude
très complète, A. DE VOGÜÉ, *Histoire littéraire du mouvement monastique dans l'Antiquité*, I-2, *Le monachisme latin de l'itinéraire d'Égérie
à l'éloge funèbre de Népotien (384-396)*, Paris 1993, p. 163-236.

128   HISTOIRE ECCLÉSIASTIQUE

τοσοῦτον δὲ θεοφιλὴς ἐγένετο, ὡς ἔτι καὶ νῦν ἐπὶ τῷ ἑαυτοῦ
τάφῳ πολλοὺς ἰᾶσθαι κάμνοντας καὶ δαιμονῶντας, καὶ – τό
γε παραδοξότατον – παρά τε Κυπρίοις, οὗ πρότερον ἐτάφη, καὶ
παρὰ Παλαιστίνοις, παρ' οἷς ἐστι νῦν. 27 Συμβὰν γὰρ αὐτὸν
ἐν Κύπρῳ διατρίβοντα τελευτῆσαι, πρὸς τῶν ἐπιχωρίων ἐκη–
δεύθη καὶ ἐν πολλῇ τιμῇ καὶ θεραπείᾳ παρ' αὐτοῖς ἦν. Μετὰ
δὲ ταῦτα Ἡσυχᾶς, ὃς εὐδοκιμώτατος ἐγένετο τῶν αὐτοῦ
μαθητῶν, κλέψας τὸ λείψανον διεκόμισεν εἰς Παλαιστίνην καὶ
ἐν τῷ ἰδίῳ μοναστηρίῳ ἔθαψε. Καὶ τὸ ἐξ ἐκείνου δημοτελῆ καὶ
μάλα λαμπρὰν ἐνθάδε ἐτήσιον ἑορτὴν ἄγουσιν οἱ ἐπιχώριοι.
28 Ὧδε γὰρ Παλαιστίνοις ἔθος γεραίρειν τοὺς παρ' αὐτοῖς
ἄνδρας ἀγαθοὺς γενομένους, ὥσπερ ἀμέλει καὶ Αὐρήλιον τὸν
Ἀνθηδόνιον καὶ Ἀλεξίωνα τὸν ἀπὸ Βηθαγάθωνος καὶ Ἀλα–
φίωνα τὸν ἀπὸ Ἀσαλέας, οἳ κατὰ τὸν αὐτὸν γενόμενοι χρόνον
ἐπὶ τῆς παρούσης βασιλείας εὐσεβῶς καὶ ἀνδρείως ἐν φιλο–
σοφίᾳ ἐπολιτεύσαντο καὶ ταῖς οἰκείαις ἀρεταῖς ἐν ἑλληνι–
ζούσαις ἄγαν ταῖς τῇδε πόλεσι καὶ κώμαις εἰς ἐπίδοσιν ἤγαγον
τὴν θρησκείαν.

1. JÉRÔME, Vita Hil. 29,7 (éd. Mohrmann..., p. 134) précise qu'Hilarion avait voulu fuir à Chypre la renommée encombrante que lui
valaient ses miracles et qu'il y vécut deux ans.
2. D'après JÉRÔME, Vita Hil. 1, 5, Épiphane, évêque de Salamine de
Chypre (de 367 à 403) «qui l'avait bien connu composa son éloge en
une brève lettre qu'on lit partout» (Epiphanius, Salaminae Cypri epi-
scopus, qui cum Hilarione plurimum uersatus est, laudem eius breui
epistula scripserit quae uulgo legitur).
3. Selon JÉRÔME qui le nomme régulièrement Hésychius (Vita Hil.
18,3,5,6; 19,4; 23, 6; 27, 1; 28, 1; 31,1,5,6; 32, 1,6), ce disciple d'Hilarion, dix mois après la mort de son maître, enleva le corps pour le
transférer à Maiouma et l'ensevelir dans son ancien monastère. La forme
Ἡσυχᾶς employée ici par Sozomène était courante en Palestine autour
de lui. Plus loin (H.E. V, 15), Sozomène rapporte que son propre grand-
père se convertit, en même temps que la famille d'un certain Alaphion,

jourd'hui encore, à sa tombe, beaucoup de malades et de démoniaques sont guéris et, chose tout à fait incroyable, non seulement à Chypre, où il fut d'abord enterré, mais aussi en Palestine, où il repose maintenant. **27** Il advint en effet qu'Hilarion mourut alors qu'il séjournait à Chypre[1]. Les gens du lieu l'enterrèrent et il était là en grand honneur et l'objet d'un culte[2]. Mais après cela Hésychas[3], qui fut le plus réputé de ses disciples, vola la relique, l'apporta en Palestine et l'enterra en son propre monastère. Depuis lors les gens du lieu célèbrent là annuellement une très brillante fête publique. **28** C'est ainsi en effet que les Palestiniens ont coutume d'honorer les hommes vertueux qu'ils ont eux chez eux, comme par exemple Aurélius d'Anthédon, Alexion de Béthagathon, Alaphion d'Asaléa[4], qui, ayant vécu vers le même temps sous ce règne, menèrent dans l'ascèse une vie pieuse et virile, et, par leurs vertus, firent progresser la religion dans les villes et les bourgades de là-bas, qui étaient très païennes.

à Bethelia, sous l'influence d'un miracle opéré par Hilarion qui avait délivré Alaphion d'un démon.

4. Anthédon est une ville de Judée (mentionnée par Pline, *H. N.* 5, 68; Ptolémée, 5, 16, 2; Flavius Josèphe, *Ant. Jud.* 13, 357. 395), fondée par les Grecs, située au bord de la mer, à 20 stades de Gaza (voir *PW* I,2, 1894, c. 2360, Benzinger). Bethagathon (*PW* III, 1, 1897, c. 362, Benzinger) et Asaléa sont des bourgades de Palestine par ailleurs inconnues. Le règne que mentionne Sozomène sans autre précision peut être celui de Valens (364-378) pendant lequel Hilarion opéra ses miracles les plus admirables et mourut en 371 ou plutôt celui de Constance (337-361) dont Sozomène rapportait les affaires ecclésiastiques avant de s'interrompre pour faire l'éloge des moines.

29 Κατ' ἐκεῖνο καιροῦ Ἰουλιανὸς ἀμφὶ τὴν Ἔδεσσαν ἐφιλοσόφει, ἀκριβεστάτῃ καὶ οἷα ἀσωμάτῳ ἀγωγῇ καὶ πολιτείᾳ
ἐπιχειρήσας, ὡς ἐκτὸς σαρκῶν ὀστέοις καὶ δέρματι δοκεῖν
123 συνεστάναι καὶ Ἐφραὶμ τῷ Σύρῳ συγγραφει | πρόφασις
γενέσθαι πραγματείας τῆς κατὰ τὸν αὐτοῦ βίον ἀφηγήσεως.
Ἐπεψηφίζετο δὲ καὶ θεὸς αὐτὸς οἷς ἄνθρωποι περὶ αὐτοῦ
ἐδόξαζον, δαίμονας ἀπελαύνειν καὶ παντοδαπῶν νόσων ἰάσεις
αὐτῷ δωρησάμενος οὐ φαρμάκοις τισὶν ἀλλ' εὐχῇ κατορθου-
μένας.

30 Ἐπὶ τούτῳ δὲ καὶ ἄλλοις πολλοῖς ἐκκλησιαστικοῖς φιλοσόφοις τὸ τῇδε ὑπήκοον τηνικαῦτα διέπρεπε, κατά τε τὸν
Ἐδεσσηνῶν νομὸν ὑπό τε τὴν Ἀμιδηνῶν πόλιν, ἀμφὶ τὸ Γαυ-
γάλιον καλούμενον ὄρος, ὧν ἤστην Δανιὴλ καὶ Συμεών.

Ἀλλὰ περὶ μὲν τῶν ἐν Συρίᾳ μοναχῶν τάδε εἰρήσθω νῦν ·
τελεώτερον δέ, εἰ ὁ θεὸς ἐθελήσειεν, ἐν τοῖς ἑξῆς εἰρήσεται

---

1. Sur Julien d'Édesse, voir aussi *Histoire Lausiaque* 42. Le traité que
lui a consacré Ephraïm/Éphrem figure dans Assemani, *S. Ephraemi Syri
opera*, t. III, p. 254. C'est surtout par THÉODORET, *Histoire des moines
de Syrie* (=Histoire Philothée) que nous sommes renseignés sur les
moines de Syrie (éd. P. Canivet, A. Leroy-Molinghen, t. I, *SC* 234, Paris
1977, voir chap. II, p. 194-245) : «Julien, que les gens du pays sur-
nommaient pour l'honorer Saba, mot qui veut dire en grec vieillard,
construisit sa cabane d'ascète dans l'ancien pays des Parthes qu'on
appelle aujourd'hui l'Osrhoène». Julien Saba est mort en 367, d'après
P. Canivet, A. Leroy-Molinghen, p. 245, note 2. Selon JÉRÔME, *Vita
Hil.* 29, 7, sa mort fut suivie d'un tremblement de terre. Une information approfondie est fournie par P. CANIVET, *Le monachisme syrien
d'après Théodoret de Cyr*, Paris 1977 (*Théologie historique* 42), notamment
dans le chap. VI sur «Les moines thaumaturges», p. 117-145.

Sur Éphrem de Nisibe, voir THÉODORET, *H.E.* IV, 29 et ici, III, 16, 1,
note *ad loc.*

2. Amida, aujourd'hui Diyarbékir, place forte de Haute Mésopotamie,
au bord du Tigre, fut prise et détruite par les Perses en 359, puis
reconstruite par les Romains, notamment sous Valens. La localisation
de la montagne dite ici Gaugalion nous est inconnue : on ne trouve
rien à ce nom dans L. DILLEMANN, *Haute Mésopotamie et pays adja-
cents*, dans *Bibl. arch. et hist. de l'Instit. fr. d'arch. de Beyrouth* 72,
1962. D'après P. COUSIN, *Précis d'histoire monastique*, Paris, 1956, p. 77,

29 Vers cette époque, Julien[1] menait la vie d'ascèse près d'Édesse, adonné à une règle et un genre de vie très rigoureux et comme incorporels, au point qu'il ne semblait subsister que par les os et la peau, sans chair, et qu'il fut cause que l'écrivain Éphrem de Syrie composa un traité où il raconte sa vie. Dieu lui-même sanctionna l'opinion qu'avaient de lui les hommes, lui ayant accordé le don de chasser les démons et d'opérer des guérisons de toutes sortes de maladies, réalisées non à l'aide de remèdes, mais par la prière.

30 C'est par lui et par beaucoup d'autres ascètes dans l'Église que cette partie-là de l'Empire brillait alors, et dans le nome d'Édesse et aux environs de la ville d'Amida[2], auprès de la montagne dite Gaugalion : de ce nombre furent Daniel et Syméon[3].

Mais en voilà assez dit pour l'instant sur les moines de Syrie : j'en traiterai plus complètement dans la suite[4],

qui n'indique pas sa source (peut-être s'agit-il précisément de Sozomène!) «Amida...devenue capitale de la Mésopotamie romaine depuis la cession de Nisibe à Sapor II (363) était un foyer monastique important. Le moine Jean y avait établi, dès 390, le monastère de Zuknin (Mar Iohanan) et le mont *Gogal*, avoisinant la ville, abritait déjà des groupes de moines». Амм., 18, 10, 4 indique que Sapor, progressant en 359 en direction d'Amida, découvrit près de Charcha un couvent «de vierges consacrées selon le rite chrétien au culte divin». Le christianisme avait été introduit à Amida par des missionnaires venus, selon toute probabilité, d'Édesse, ville toute proche qui était, dès le début du IIIᵉ siècle, un centre d'apostolat pour les contrées de langue syriaque.

3. Il s'agit de Syméon l'Ancien, mort vers 375-380 (cf. THÉODORET, *Histoire des moines de Syrie*, 6, éd. P. Canivet-A. Leroy-Molinghen, *SC* 234, p. 346-36). D'après le *DGHE* t. 2, 1914, c. 1238, un auteur très postérieur, Ebedjésus Bar Berika, métropolitain de Nisibe, mort en 1318, rapporte qu'un Siméon évêque d'Amid(a) aurait pris part au concile de Nicée (325)... Quant à Daniel, il ne peut pas être identifié à Daniel le Stylite puisque ce dernier vécut de 409 à 493 : cf. *LTK* 3, 1959, c. 155 (B. KOETTING).

4. Au livre VI, 30 s.

περὶ αὐτῶν. 31 Ἀρμενίοις δὲ καὶ Παφλαγόσι καὶ τοῖς πρὸς τῷ Πόντῳ οἰκοῦσι λέγεται Εὐστάθιος ὁ τὴν ἐν Σεβαστείᾳ τῆς 1080 Ἀρμενίας ἐκκλη|σίαν ἐπιτροπεύσας μοναχικῆς φιλοσοφίας ἄρξαι, καὶ τῆς ἐν ταύτῃ σπουδαίας ἀγωγῆς, ἐδεσμάτων τε, ὧν χρὴ μετέχειν καὶ ἀπέχεσθαι, καὶ ἐσθῆτος, ᾗ δεῖ κεχρῆσθαι, καὶ ἠθῶν καὶ πολιτείας ἀκριβοῦς εἰσηγητὴν γενόμενον, ὡς καὶ τὴν ἐπιγεγραμμένην Βασιλείου τοῦ Καππαδόκου Ἀσκητικὴν βίβλον ἰσχυρίζεσθαί τινας αὐτοῦ γραφὴν εἶναι. 32 Λέγεται δὲ ὑπὸ πολλῆς ἀκριβείας εἰς παραλόγους ἐπιτηρήσεις ἐκπεσεῖν παντελῶς ἀπᾳδούσας τῶν ἐκκλησιαστικῶν νόμων. 33 Οἱ δὲ αὐτὸν μὲν τοῦ ἐγκλήματος ἐξαιροῦνται, ἐπαιτιῶνται δέ τινας τῶν αὐτοῦ μαθητῶν ὡς γάμῳ καταμεμφομένους καὶ ἐν οἴκοις γεγαμηκότων εὔχεσθαι παραιτουμένους καὶ τοὺς γεγαμηκότας πρεσβυτέρους ὑπερφρονοῦντας καὶ ἐν κυριακαῖς ἡμέραις νησ- τεύοντας καὶ ἐν οἰκίαις ἐκκλησιάζοντας καὶ τοὺς πλουσίους καθάπαξ ἀμοίρους τῆς βασιλείας τοῦ θεοῦ ἀποφαινομένους καὶ τοὺς κρέα ἐσθίοντας βδελυττομένους καὶ χιτῶνας μὲν συνήθεις καὶ στολὰς μὴ ἀνεχομένους ἀμφιέννυσθαι, ξένῃ δὲ καὶ ἀήθει ἐσθῆτι χρωμένους καὶ ἄλλα πλεῖστα νεωτερίζοντας. 34 Ἐκ τούτου δὲ πολλὰς γυναῖκας ἀπατηθείσας καταλιπεῖν τοὺς ἄνδρας · εἶτ᾽ ἐγκρατεύεσθαι μὴ δυνηθείσας μοιχείαν 124 ἁμαρτεῖν · τὰς δὲ προ|φάσει θεοσεβείας τὴν κεφαλὴν ἀποκεί- ρασθαι καὶ ἀλλοίως ἢ γυναικὶ πρέπει, ἀνδράσι δὲ σύνηθες ἀμ- φιέννυσθαι. 35 Διὰ δὴ ταῦτα τοὺς πλησιοχώρους ἐπισκόπους

---

1. Selon Basile de Césarée (*Ep*. 130, 1), que Sozomène appelle Basile de Cappadoce, Eustathe de Sébaste avait étudié à Alexandrie auprès d'Arius. Cela n'empêche pas Basile d'admirer sa vie d'ascèse. De fait, Eustathe paraît avoir été un homme d'ascèse plus que de spéculation. C'est à cause de la rigueur de sa vie qu'on lui a prêté la paternité de l'*Asceticon* ou *Règles* sur laquelle Sozomène se montre à bon droit scep- tique : leur attribution à Basile ne fait aucun doute (cf. *DHGE* t. 16,

s'il plaît à Dieu. **31** Chez les Arméniens, les Paphlagoniens et les riverains du Pont-Euxin, Eustathe[1], qui gouverna l'église de Sébaste d'Arménie fut, dit-on, le fondateur de la vie monastique, et le mode d'existence
vertueux qu'elle requiert – les aliments dont il faut user
et ceux dont il faut s'abstenir, le vêtement qu'on doit
porter, la rigueur des mœurs et du genre de vie – c'est
lui qui l'introduisit au point que d'aucuns soutiennent
qu'il est l'auteur du *Livre sur l'ascèse* attribué à Basile de
Cappadoce. **32** On dit que par sa grande rigueur il tomba
en des observances déraisonnables totalement étrangères
aux lois ecclésiastiques. **33** D'autres cependant le
déchargent de cette accusation, mais incriminent certains
de ses disciples comme blâmant le mariage, refusant de
prier dans les maisons de gens mariés, méprisant les
prêtres mariés, jeûnant le dimanche, célébrant le culte
dans des maisons, déclarant les riches exclus une fois
pour toutes du Royaume de Dieu, abominant ceux qui
mangent de la viande, ne supportant pas de revêtir des
tuniques et robes normales, mais usant d'un vêtement
étrange et inhabituel et innovant en bien d'autres choses.
34 En conséquence beaucoup de femmes, abusées, avaient
quitté leurs maris; puis incapables de vivre dans la conti-
nence, elles avaient commis le péché d'adultère; d'autres,
sous prétexte de piété se faisaient raser la tête et s'ha-
billaient autrement qu'il ne sied à une femme, à la manière
des hommes. **35** Pour ces raisons donc les évêques des

---

c. 32, J. Gribomont). Avec Basile d'Ancyre, il s'opposa à l'arianisme
extrémiste. Son refus de l'*homoousios* était d'ordre terminologique plus
que dogmatique : voir *LTK* 3, 1959, c. 1203-1204, Eustathios v. Sebaste
(W. Hefner) et *DECA* p. 925-926 (J. Gribomont).

134   HISTOIRE ECCLÉSIASTIQUE

συνελθεῖν ἐν Γάγγραις τῇ μητροπόλει Παφλαγόνων καὶ ἀλλοτρίους αὐτοὺς ψηφίσασθαι τῆς καθόλου ἐκκλησίας, εἰ μὴ κατὰ
τοὺς ὅρους τῆς συνόδου ἕκαστον τῶν εἰρημένων ἀποκη-
ρύξωσιν. 36 Ἐντεῦθεν δὲ λόγος Εὐστάθιον ἐπιδεικνύμενον, ὡς
οὐκ αὐθαδείας ἕνεκεν, ἀλλὰ τῆς κατὰ θεὸν ἀσκήσεως εἰσηγοῖτο ταῦτα καὶ ἐπιτηδεύοι, ἀμεῖψαι τὴν στολὴν καὶ παραπλησίως τοῖς ἄλλοις ἱερεῦσι τὰς προόδους ποιήσασθαι.
Τοιοῦτος δὲ τὰ περὶ τὸν βίον ὑπάρχων καὶ ἐπὶ λόγοις ἐθαυμάζετο · τὸ δὲ ἀληθὲς εἰπεῖν, ἐγένετο λέγειν μὲν οὐ δεινός (οὐδὲ
γὰρ τὴν περὶ τούτου ἐπιστήμην ἐξήσκητο), τὸ δὲ ἦθος θαυ-
μάσιος καὶ πείθειν ἱκανώτατος, ὡς καὶ πολλοὺς τῶν ἐκπορ-
νευομένων ἀνδρῶν καὶ γυναικῶν μεταπεῖσαι σώφρονα καὶ
σπουδαῖον βίον ἀναλαβεῖν. 37 Φασὶ γοῦν αὐτὸν ἄνδρα τινὰ
καὶ γυναῖκα κατὰ θεσμὸν ἐκκλησίας παρθενίαν προσποιου-
μένους καὶ εἰς ταὐτὸν συνιέναι διαβαλλομένους σπουδάσαι
τῆς πρὸς ἀλλήλους ὁμιλίας παῦσαι · ἀποτυχόντα δὲ μέγα
1081 ἀνοιμῶξαι καὶ εἰπεῖν, ὡς κατὰ νόμον ἀνδρὶ | συνοικοῦσα γυνὴ
τοὺς περὶ σωφροσύνης λόγους ἀκούσασα αὐτοῦ συνουσίας
ἀπέσχετο, ἧς γαμεταῖς θέμις πρὸς ἰδίους ἄνδρας κοινωνεῖν,
τοὺς δὲ παρανόμως συνουσιάζοντας ἀλλήλοις ἀσθενῆ ἀπο-
φῆναι τὴν αὐτοῦ πειθώ. Τὸν δὴ τοιοῦτον τῆς κατὰ τόδε τὸ
κλίμα ἀκριβοῦς μοναστικῆς ἀγωγῆς ἀρχηγὸν γενέσθαι λόγος.
38 Θρᾷκες δὲ καὶ Ἰλλυριοὶ καὶ ὅσοι τὴν καλουμένην
Εὐρώπην οἰκοῦσιν, εἰ καὶ ἀπείρατοι ἔτι μοναχικῶν συνοικιῶν

1. Sur ce synode tenu dans la ville métropole de Paphlagonie en
Asie Mineure (aujourd'hui Cankiri, en Turquie), voir, outre Mansi, *Collectio conciliorum*, II, p. 1095-1122 et HEFELE-LECLERCQ, I, 2, p. 1029-
1045, J. GRIBOMONT, «Le monachisme au IVe siècle en Asie Mineure :
de Gangres au Messalianisme», dans *Studia Patristica* II, *TU* 64, Berlin
1957, p. 400-415 (repris dans *Saint Basile, Évangile et Église*, Bellefontaine 1984, p. 26-41, avec p. 21-25 la traduction des documents transmis).
Ce synode nous a laissé 20 canons et une lettre synodale adressée aux
évêques d'Arménie. Sa date est controversée : 340, 341, ou 343 (voir
HEFELE-LECLERCQ I, 2, p. 1029, note 1, soulignant que Sozomène s'écarte
ici, à juste titre, de SOCRATE, *H.E.* II, 43, qui date par erreur de 360 ce

régions voisines se réunirent à Gangres[1], métropole de Paphlagonie et les déclarèrent étrangers à l'Église catholique à moins que, selon les définitions du concile, ils n'excommuniassent chacun de ceux que j'ai dits plus haut.

36 Après quoi, dit-on, Eustathe, pour démontrer que ce n'était pas par esprit d'effronterie qu'il mettait en exercice ces pratiques, mais par souci de l'ascèse selon Dieu, avait changé de robe et s'était produit en public sous le même costume que les autres évêques.

Tel en son genre de vie, on l'admirait aussi pour ses sermons. À vrai dire, il ne fut pas éloquent – de fait il ne s'était même pas exercé à l'art oratoire –, mais il était admirable pour son caractère et très capable de persuader, au point même qu'il avait convaincu beaucoup de débauchés, hommes et femmes, à reprendre une vie chaste et vertueuse. **37** On raconte en tout cas ceci : comme un homme et une femme, qui feignaient de pratiquer la virginité selon les lois de l'Église, étaient accusés d'avoir commerce sexuel ensemble, il s'était efforcé de mettre fin à ce commerce entre eux; comme il avait échoué, il avait poussé un grand gémissement et dit : «Une femme qui vivait légitimement avec son mari, après avoir entendu mon sermon sur la chasteté, s'est abstenue d'avoir avec son mari les rapports qu'il est permis aux épouses d'avoir avec leurs époux, mais ceux-ci, qui ont entre eux un commerce illégitime, ont démontré la faiblesse de mon don de persuasion.» C'est donc, dit-on, cet homme-là qui fut le fondateur de la rigoureuse discipline monastique en cette région.

38 Les Thraces, les Illyriens et tous ceux qui habitent ce qu'on appelle l'Europe, bien qu'ils fussent encore igno-

synode, présidé par l'évêque de Gangres Hypatios). Ce même synode sera mentionné en IV, 24, 9.

ἦσαν, ἀλλ᾽ οὐ παντελῶς φιλοσόφων ἀνδρῶν ἠτύχουν. Ἐγ–
νωρίζετο δὲ τότε παρ᾽ αὐτοῖς Μαρτῖνος, ὃς ἀπὸ Σαβαρείας τῆς
Παννονίας ἐπίσημος ἦν τὸ γένος, ἐν ὅπλοις δὲ λαμπρῶς στρα–
τευσάμενος καὶ συνταγματάρχης ἐγένετο. Προτιμήσας δὲ τὸ
θεῖον τὸν φιλόσοφον μετήει βίον. **39** Διέτριβε δὲ τὰ πρῶτα παρ᾽
125 Ἰλλυριοῖς · ἐπεὶ δὲ προθύμως | ὑπὲρ τοῦ δόγματος ἀγωνιζόμενός
τινας τῶν ἐνθάδε ἐπισκόπων ἐφώρασε τὰ Ἀρείου φρονοῦντας,
ἐπιβουλευθεὶς καὶ πολλάκις δημοσίᾳ τυπτηθεὶς ἐξηλάθη, καὶ
εἰς Μεδιόλανον ἐλθὼν καθ᾽ ἑαυτὸν διέτριβεν. Ὑπεχώρησε δὲ
ἔνθεν ἐπιβουλευόμενος παρὰ Αὐξεντίου τοῦ τῇδε ἐπισκόπου,
οὐδὲ αὐτοῦ ὑγιῶς ἔχοντος περὶ τὴν πίστιν τῶν ἐν Νικαίᾳ
συνελθόντων. **40** Καὶ ἐπί τινα χρόνον ῥίζαις βοτανῶν ἀρ–
κούμενος νῆσον ᾤκησεν ἣν Γαλληναρίαν καλοῦσι · μικρὰ δὲ
αὕτη καὶ ἀοίκητος, ἐν τῷ Τυρρηνικῷ πελάγει κειμένη. Χρόνῳ

1. Les premières communautés monastiques en Occident ne furent
pas antérieures à 360 : voir Daniélou-Marrou, p. 319. Vers 360, saint
Martin s'établit à Ligugé, près de Poitiers. Le monastère de Lérins fut
fondé par Honorat vers 400. Toutefois, l'Occident a connu assez tôt
une forme de monachisme originale : les monastères épiscopaux
regroupant autour de l'évêque les membres de son clergé en vue de
mener une vie ascétique. Le précurseur fut Eusèbe de Verceil, au retour
de son exil en Orient (355), suivi de près par Martin, évêque de Tours
(370/371), créant un monastère à Marmoutier.

2. Sulpice Sévère, *Vita Martini* 2, 1, éd. J. Fontaine, *SC* 133 et, pour
le commentaire, *SC* 134, p. 431. Sabaria /Sauaria en Pannonie, place
importante à l'arrière du *limes* danubien, choisie comme lieu d'hivernage
par Valentinien lors de sa dernière campagne en 375 (cf. Amm. 30, 5,
14), était un centre administratif et religieux (aujourd'hui Szombathely
en Hongrie, à une centaine de km au S-SE de Vienne) : voir *PW* II A
1, 1921, c. 249-250, art. Sauaria (Vulic) et Suppl. 9 (1962) c. 750-758,
art. Pannonia (A. Moczy).

3. Sulpice Sévère, *Vita Martini* 2, 2 n'emploie malheureusement aucun
terme spécialisé qui permette de préciser le sens de syntagma. Il dit
seulement que Martin servit *inter scholares alas sub rege Constantio,
deinde sub Iuliano Caesare*, c'est à dire dans « la cavalerie de la garde »
(trad. J. Fontaine). Plus tard (*H.E.* VI,6,3), Sozomène emploie le composé
συνταγματάρχης pour Valentinien qui fut, lui, à coup sûr, *tribunus
militum*. Sozomène, qui n'a pas les préoccupations techniques d'un spé-

rants des communautés monastiques[1], n'étaient pas
cependant totalement dépourvus d'ascètes. Chez eux se
faisait alors connaître Martin[2], qui, né d'une famille distinguée de Sabaria en Pannonie, avait d'abord servi
brillamment dans l'armée et était devenu commandant
d'un syntagma[3]. Puis, mettant au-dessus de tout le service
de Dieu, il avait poursuivi la vie d'ascèse. **39** Il avait
vécu d'abord en Illyrie. Comme, luttant vigoureusement
pour le dogme, il avait surpris certains des évêques du
lieu en flagrant délit d'arianisme, il avait été victime de
complots, souvent frappé en public, et il avait été chassé.
Arrivé à Milan il y avait vécu à part. Mais il avait dû
s'en retirer, victime d'un complot de la part d'Auxence[4],
évêque du lieu, qui lui non plus ne pensait pas juste
touchant la foi des pères réunis à Nicée. **40** Pendant
quelque temps il avait habité une île, nommé Gallinaria[5],
se contentant de racines de plantes : c'est une île petite
et inhabitée, située dans la mer Tyrrhénienne. Plus tard,

cialiste, se réfère sans doute ici assez vaguement à ce que représentait
un syntagma de son temps (entre 440 et 450).

4. Voir *H.E.* III, 13, 3 et *LTK* 1, 1957, c. 1138 (Ueding). Sur les
démêlés de Martin avec Auxence, voir Sulpice Sévère, *Vita Martini* 6,
éd. J. Fontaine, p. 264-267 et, pour le commentaire, *SC* 134, p. 570-
607. Contre la perspective toujours favorable à Martin, Meslin, *Les ariens
d'Occident*, p. 41-44, considère qu'Auxence ne faisait qu'appliquer la
politique de Constance, en maintenant avec rigueur la paix religieuse
voulue par celui-ci.

5. Face à la côte ligure, à la hauteur d'Albenga, à 50 milles environ
au S.O. de Gênes : voir *Vita Martini*, 6, 5. Pour J. Fontaine, *SC* 134,
p. 600-601, le séjour de Martin à Gallinaria «est la première tentative
d'érémitisme insulaire dont nous ayons connaissance en Occident. Elle
se place ainsi, entre 358 et 360, seize années environ avant que Bonose,
l'ami de Jérôme, tente de son plein gré une expérience analogue dans
une île de l'Adriatique». Il paraît difficile d'affirmer, en sens contraire,
comme le fait Meslin, *Les ariens d'Occident*, p. 42, qu'Auxence fit
«reléguer» Martin dans l'île de Gallinaria, et *ibid.*, note 42, que cette
relégation est «avouée» par Sulpice Sévère. Les termes employés par ce
dernier en 6, 4-5 ne suffisent pas pour étayer une telle interprétation.

δὲ ὕστερον καὶ ἐπισκοπεῖν ἐπετράπη τὴν ἐν Ταρρακίναις
ἐκκλησίαν. Ἐπὶ τοσοῦτον δὲ θαυματουργίας προελθεῖν παρα–
δέδοται, ὡς καὶ νεκρὸν ἐγεῖραι πιστεύεσθαι ἄλλα τε σημεῖα
ἐπιτελέσαι ἀποστολικῶν οὐ λειπόμενα.

41 Κατὰ τόδε τὸ ὑπήκοον ἐν τῷ τότε καὶ Ἱλάριον γενέσθαι
παρειλήφαμεν, ἄνδρα βίῳ καὶ λόγῳ θεσπέσιον, ὃς Μαρτίνῳ τῆς
φυγῆς ἐκοινώνησε διὰ τὴν περὶ τὸ δόγμα σπουδήν. Ἀνδρῶν
μὲν οὖν πέρι, οἳ τότε ἐν εὐσεβείᾳ καὶ ἐκκλησιαστικῷ θεσμῷ
ἐφιλοσόφουν, τάδε ἔγνων ὡς συνέγραψα. **42** Ὑπερφυῶς δὲ
πολλοὶ καὶ μάλα ἐλλόγιμοι κατὰ τὸν αὐτὸν χρόνον ἐν ταῖς
ἐκκλησίαις διέπρεπον. Ἐπισημότατοι δὲ ἐν τούτοις ἐγένοντο
Εὐσέβιος ὁ τὴν Ἐμέσης ἱερωσύνην ἐπιτροπεύσας καὶ Τίτος ὁ
Βόστρης καὶ Σαραπίων ὁ Θμούεως, Βασίλειός τε ὁ Ἀγκύρας

1. Sozomène résume en une phrase la vie du moine de Marmoutier
et de l'évêque de Tours qui constitue la partie essentielle (chap. 7-27)
de la *Vita Martini*. Et il ne retient qu'un seul miracle particulier : défaut
d'information ? Non, car il connaît certains détails (Martin s'est exclusivement nourri de racines). Indice de scepticisme ou plutôt, tendance,
chez un Oriental très fier des « exploits » des moines d'Égypte et de
Syrie, à modérer l'enthousiasme d'un hagiographe occidental ? Cependant
la comparaison finale avec les miracles des Apôtres constitue une com-
pensation de taille à la concision de ce résumé.
2. Bien qu'il n'ait pas été moine lui-même, Hilaire a sa place dans
ce palmarès des « athlètes » de la vie parfaite. C'est lui qui, le premier,
s'efforça d'acclimater en Occident le monachisme oriental avec lequel
il avait pris directement contact lors de son exil en Phrygie (357-360).
Si l'on en croit la *Vita Martini* 7, c'est lui qui inspira à Martin l'idée
d'installer un ermitage près de Poitiers : voir J. Fontaine, « Hilaire et
Martin », dans *Hilaire de Poitiers, évêque et docteur (368-1968)*, Paris
1968, p. 59-86, notamment p. 75-77 (Hilaire pourrait avoir connu Eustathe de Sébaste et Basile de Césarée aux conciles de Séleucie en
359 et de Jérusalem en 360).
3. Sur l'éloquence de ce personnage (né vers 295 à Édesse, mort en
359), qui fut évêque d'Émèse de 340 environ à 359, disciple de Patrophile de Scythopolis et d'Eusèbe de Césarée, protégé par Eusèbe de
Nicomédie, arianisant précurseur des homéousiens, nous possédons le
témoignage de Jérôme, *De viris ill.* 91. Ce témoignage a été confirmé
par la découverte de 17 sermons d'Eusèbe, en trad. latine, par Dom
Wilmart. Une autre collection de 13 opuscules, en trad. latine elle aussi,

il se vit confier l'évêché de l'Église de Tours. Il atteignit à de tels pouvoirs thaumaturgiques, dit la tradition, qu'il ressuscita un mort, croit-on, et opéra d'autres miracles qui ne le cèdent pas à ceux des Apôtres[1].

41 Dans cette partie de l'Empire, au temps d'alors, nous avons appris qu'il y eut aussi Hilaire[2], homme admirable par la vie et la doctrine, qui fut, comme Martin, condamné à l'exil à cause de son zèle pour le dogme. Sur des hommes, donc, qui menaient alors la vie d'ascèse dans la piété et le respect des lois ecclésiastiques, voilà ce que j'ai appris, tel que je l'ai écrit. **42** Mais il y avait aussi un nombre extraordinaire d'hommes très doctes qui brillaient au même temps dans les Églises. Les plus distingués d'entre eux furent Eusèbe[3] qui gouverna le clergé d'Émèse, Titus de Bosra[4], Sarapion de Thmuis[5], Basile

---

lui a été restituée par le P. Buytaert, alors qu'ils étaient attribués à Eusèbe de Césarée : voir P. SMULDERS, «Eusèbe d'Émèse source d'Hilaire», dans *Hilaire et son temps*, Paris 1969, p. 175-212, notamment 176-178. Le jugement flatteur que porte Sozomène sur cet évêque et sur ceux qui suivent montre la valeur qu'il reconnaît à la culture classique (cf. P. ALLEN, «Hellenism in the early Greek Church historians», *Traditio*, 43, 1987, p. 368-381).

4. Bosra, en Syrie, est une ville des Nabatéens, fondée à nouveau en 106 par Trajan qui lui donna le nom de Nova Traiana Bostra. Au point de vue ecclésiastique, cette métropole dépendait du patriarcat de Jérusalem. Titus, évêque de Bosra/Bostra, mort avant 378, dut être chassé de Bosra sur ordre de l'empereur Julien (*H.E.* V, 15); il participa en 363 à un synode d'Antioche, sous Jovien, où il souscrivit à l'*homoousios* nicéen (peut-être dans le sens homéousien : *H.E.* VI, 4). JÉRÔME, *De uiris ill.* 102 atteste qu'il avait composé un ouvrage intitulé *Contre les Manichéens* et un *Commentaire de Luc* en forme d'homélies. On n'a conservé de lui que des fragments d'un sermon sur l'Épiphanie : voir *LTK* t. 10, 1965, c. 212 (A. VAN ROEY); QUASTEN, t. 3, p. 505-509; *DECA*, t. 2, p. 2458-2459 (E. CAVALCANTI).

5. Sarapion (plutôt Sérapion) de Thmuis, saint, mort après 362. Disciple préféré du grand Antoine, il dirigea lui-même une communauté monastique. Évêque de Thmuis en Basse-Égypte avant 339, il fut le destinataire de plusieurs lettres d'Athanase (*PG* 25, 685-689 et *PG* 26,

καὶ Εὐδόξιος ὁ Γερμανικείας καὶ Ἀκάκιος ὁ Καισαρείας καὶ Κύριλλος, ὃς τὸν Ἱεροσολύμων θρόνον ἐπετρόπευσε. Σύμβολα δὲ τῆς αὐτῶν παιδείας συνεγράψαντο καὶ καταλελοίπασι πολλά τε καὶ λόγου ἄξια.

15

1084 | **1** Ὑπὸ δὲ τοῦτον τὸν χρόνον καὶ Δίδυμος ὁ ἐκκλησιαστικὸς συγγραφεὺς διέπρεπε, προϊστάμενος ἐν Ἀλεξανδρείᾳ τοῦ διδασκαλείου τῶν ἱερῶν μαθημάτων. Ἐν τούτῳ δὲ καὶ παν– τοδαπὴ σοφία ᾤκει, ποιηταί τε καὶ ῥήτορες, ἀστρονομία τε καὶ γεωμετρία καὶ ἀριθμοὶ καὶ δόξαι φιλοσόφων. **2** Πάντων δὲ νῷ

529-676). Il participa au concile de Sardique (342/343) et y défendit Athanase (cf. ATHANASE *Apol. contra Arianos* 50). En 356, il fut à la tête d'une délégation de quatre évêques envoyée par Athanase à Constance pour se disculper (*H.E.* IV, 9). Sérapion fut chassé de son siège, en 359, par l'arien Ptolemaios, ce qui lui fait donner par Jérôme le titre de confesseur. Dans le *De uiris ill.* 99, JÉRÔME lui attribue un traité remarquable *Contre les Manichéens* (entièrement conservé), un ouvrage sur les titres des Psaumes, et des lettres. Plus intéressante encore, l'*Euchologia Serapionis sancti*, recueil de 30 prières. À cause de sa culture théologique fondée sur Clément, Origène, Antoine, Sérapion mérita d'après Jérôme le surnom de *scholasticus* : voir B. ALTANER, *Précis de Patrologie* (adaptation franç. de H. Chirat), Mulhouse 1961, p. 401 ; QUASTEN, t. 3, p. 127-132 ; *LTK*, t. 9, 1964, c. 682-683 (A. HAMMAN) et *DECA* p. 2265-2266 (A. HAMMAN).

1. D'abord médecin, il devint le chef de file des semi-ariens ou homéousiens. D'après JÉRÔME, *De viris ill.* 89, il avait écrit un *Contre Marcel*, un traité sur la virginité et d'autres ouvrages. Voir *LTK*, t. 2, 1958, c. 31-32 (O. PERLER) ; QUASTEN, t. 3, p. 291-294 et *DECA*, p. 348-349 (M. SIMONETTI).

2. Voir *H.E.* III, 5, 10 et la note, et III, 11, 2. Théologien disciple de Lucien d'Antioche, il fut attaqué avec Arius par THÉODORET DE CYR dans son *Haereticarum fabularum compendium* 4, 1-2 (*PG* 83, 412-417).

3. Voir *H.E.* III, 2, 9 avec la note correspondante, et III, 5, 10. Il avait été l'élève du savant Eusèbe de Césarée.

4. Né vers 313, mort en 387, Cyrille succéda à Maxime de Jérusalem

d'Ancyre[1], Eudoxe de Germanicie[2], Acace de Césarée[3] et Cyrille[4], qui gouverna le siège de Jérusalem. Ils composèrent des écrits qui témoignent de leur culture et ils nous ont laissé beaucoup d'ouvrages dignes d'estime.

Chapitre 15

Didyme l'aveugle et Aèce l'hérétique.

1 Vers ce temps-là brillait aussi Didyme[5], l'écrivain ecclésiastique qui présidait à Alexandrie à l'école des sciences sacrées. En lui habitait aussi toute espèce de science, poètes, rhéteurs, astronomie, géométrie, arithmétique et doctrines des philosophes. **2** De tout cela, il avait

en 348 ou 350 et fut trois fois chassé de son siège par les ariens. Il avait laissé de nombreux écrits, parmi lesquels 24 conférences catéchétiques conservées, 5 homélies dont une seule est conservée, et une lettre à l'empereur Constance : voir *LTK*, t. 6, 1961, c. 709-710 (O. PERLER); QUASTEN, t. 3, p. 510-531 et *DECA*, p. 612-613 (M. SIMONETTI).

5. Sur la personnalité et l'œuvre exceptionnelles de Didyme, le maître de l'école d'Alexandrie (313?-398), qui compta parmi ses disciples Palladius, Jérôme et Rufin, Sozomène fait écho à ses sources, PHILIPPE DE SIDÉ (*PG* 39, 229), RUFIN, *H.E.* XI, 7 et SOCRATE, *H.E.* IV, 25. Pour une vue sommaire, voir B. ALTANER, *Précis de Patrologie*, adapt. H. Chirat, Mulhouse 1961, p. 401-403; QUASTEN, t. 3, p. 132-152; *LTK*, t. 3, 1959, c. 373-374 (VAN ROEY) et *DECA*, p. 682-683 (P. NAUTIN). Didyme eut pour maître Origène dont il adopta la méthode d'exégèse allégorique et dont il partagea certaines erreurs. Plusieurs de ses œuvres sont regroupées en *PG* 39.

Pour une information plus substantielle, voir l'introd. de L. Doutreleau à DIDYME L'AVEUGLE, *Sur Zacharie*, *SC* 83 à 85, Paris 1962, notamment p. 13-22 et ID., «Vie et survie de Didyme l'Aveugle du IVᵉ siècle à nos jours», dans *Les Mardis de Dar El-Salam*, 1959, p. 33-92. Aux œuvres connues de DIDYME (des commentaires sur plusieurs parties de l'*AT* et du *NT*, un *Traité contre les Manichéens*, un *Contre Eunome*, un *Traité du Saint-Esprit*), les papyrus découverts à Toura en 1941 ont permis d'ajouter des *Commentaires : Sur la Genèse* (éd. P. Nautin et L. Doutreleau, *SC* 233 et 244), *Sur Zacharie* (*SC* 83), *Sur Job*.

142   HISTOIRE ECCLÉSIASTIQUE

μόνῳ καὶ ἀκοῇ τὴν εἴδησιν ἐκτήσατο. Νέος γὰρ ἔτι τυφλὸς
126 ἐγένετο | ἐν τῇ πρώτῃ πείρᾳ τῆς μαθήσεως τῶν στοιχείων. "Ηδη
δὲ εἰς ἐφήβους τελῶν ἐπεθύμησε λόγων καὶ παιδείας · καὶ τοῖς
ταῦτα διδάσκουσι φοιτῶν ἠκροᾶτο μόνον · καὶ ἐπὶ τοσοῦτον
ἦλθε σοφίας, ὡς καὶ τῶν ἐν τοῖς μαθήμασι σκολιῶν θεωρη-
μάτων ἐφικέσθαι. Λέγεται δὲ τοὺς χαρακτῆρας τῶν γραμμάτων
σανίδι καταχαραγέντας εἰς βάθος ἐκμαθεῖν τοῖς δακτύλοις
ἐφαπτόμενος, συλλαβὰς δὲ καὶ ὀνόματα καὶ τὰ ἄλλα ἐφεξῆς
καταλήψει νοῦ καὶ συνεχεῖ ἀκροάσει καὶ ἀναμνήσει τῶν ἀκοῇ
θηρωμένων. 3 ῏Ην δὲ οὐ τὸ τυχὸν θαῦμα · καὶ πολλοὶ κατὰ
κλέος τοῦ ἀνδρὸς εἰς ᾽Αλεξάνδρειαν παρεγένοντο, οἱ μὲν αὐτοῦ
ἀκουσόμενοι, οἱ δὲ ἱστορήσοντες μόνον. 4 ᾽Ελύπει δὲ οὐ
μετρίως τοὺς ᾽Αρείου τῷ δόγματι τῆς ἐν Νικαίᾳ συνόδου
συνιστάμενος. ῎Επειθε γὰρ ῥᾳδίως, οὐ βίᾳ λόγου τοῦτο ποιεῖν
δοκῶν, ἀλλ᾽ ὑπὸ τῆς ἄγαν πειθοῦς ἕκαστον αὐτῶν ἑαυτοῦ
οἱονεὶ κριτὴν καθίστη τῶν ἀμφιβόλων. Τοῖς δὲ ἀπὸ τῆς
καθόλου ἐκκλησίας περισπούδαστος ἦν · ἐπῄνει δὲ αὐτὸν καὶ
τὰ τάγματα τῶν ἐν Αἰγύπτῳ μοναχῶν καὶ ᾽Αντώνιος ὁ μέγας.
5 ῝Ον φασι τότε ἐπὶ μαρτυρίᾳ τῆς ᾽Αθανασίου πίστεως ἐκ τῆς
ἐρήμου παραγενόμενον εἰς ᾽Αλεξάνδρειαν, τάδε πρὸς αὐτὸν εἰπεῖν · «οὐ χαλεπὸν οὐδὲ λύπης ἄξιον, ὦ Δίδυμε, ὀφθαλμῶν
ἀπορεῖν σε, ὧν μέτεστι σαύραις καὶ μυσὶ καὶ τοῖς εὐτελέσι
ζῴοις · μακάριον δὲ καὶ χάριεν, ὅτι παραπλησίως ἀγγέλοις
τοὺς ὀφθαλμοὺς ἔχεις, δι᾽ ὧν τὸ θεῖον τρανῶς κατανοεῖς καὶ
τὴν ἀληθῆ γνῶσιν ἀκριβῶς ὁρᾷς.»
6 Οὐ μὴν ἀλλὰ καὶ παρὰ ᾽Ιταλοῖς καὶ τοῖς ἀνὰ τόδε τὸ
ὑπήκοον οἰκοῦσιν ἐπὶ ἀρετῇ πατρίων λόγων διέπρεπον Εὐσέβιος καὶ ᾽Ιλάριος ὁ δηλωθείς, οὗ περὶ πίστεως καὶ πρὸς τοὺς

1. Il s'agit ici naturellement d'Eusèbe de Verceil (dont on a des *Lettres*
adressées à l'empereur Constance, aux habitants de Verceil, à Grégoire
d'Elvire (voir *Nouvelle Histoire de la Littérature latine*, t. V, éd. R. Herzog,
trad. franç., 1993, p. 541-543).
En ce qui concerne Hilaire, sans dissimuler qu'il ne connaît ces
œuvres que par ouï-dire, Sozomène fait allusion au *De Trinitate* (= *De
fide aduersus Arianos*), au *De synodis* (*seu de fide Orientalium*), au

acquis le savoir par la seule intelligence et l'audition. En effet, tout jeune encore il était devenu aveugle, alors qu'il commençait seulement d'apprendre ses lettres. Une fois arrivé à l'âge d'éphèbe, il fut pris du désir des belles-lettres et de la culture. Fréquentant les maîtres en ces disciplines, il les écoutait seulement ; et il en était venu à un si haut degré de science qu'il était monté jusqu'aux théorèmes compliqués des mathématiques. On dit qu'il avait appris les caractères des lettres en en touchant du doigt les empreintes creusées en profondeur sur une tablette, et ensuite les syllabes, mots et toute la suite par la saisie de l'esprit, la continuelle audition et le souvenir de ce qu'il avait capturé par l'ouïe. **3** C'était un prodige peu banal : et beaucoup venaient à Alexandrie sur la réputation de l'homme, les uns pour l'entendre, d'autres seulement pour le voir. **4** Il ne chagrinait pas médiocrement les ariens du fait qu'il prenait la défense du dogme du concile de Nicée. Car il persuadait aisément, non qu'il semblât le faire par la force de la parole, mais, en raison de son très grand don de persuasion, il faisait de chacun de ses auditeurs comme l'arbitre de ses doutes. Il était l'enfant chéri de ceux de l'Église catholique, et le louaient aussi les sections des moines d'Égypte et le grand Antoine. **5** Celui-ci, dit-on, étant alors venu du désert à Alexandrie pour témoigner en faveur de la foi d'Athanase, dit ceci à Didyme : « Il n'y a rien de pénible, Didyme, rien qui mérite du chagrin, dans le fait que tu sois privé de la vue, dont jouissent les lézards, les mouches et les vils animaux ; mais c'est félicité et grâce que, comme les anges, tu aies les yeux par lesquels tu saisis clairement la Divinité et vois exactement la connaissance vraie. »

6 Au surplus, chez les Italiens aussi et ceux qui habitent cette partie-là de l'Empire, brillaient pour la valeur de leurs ouvrages écrits en leur langue Eusèbe, Hilaire dont on a parlé[1], de qui circulent, dit-on, des ouvrages de

1085 ἑτεροδόξους φασὶν εὐδοκίμους φέρεσθαι λόγους, | καὶ Λουκίφερ, ὃν εὑρετὴν γενέσθαι λέγουσι τῆς ὁμωνύμου αἱρέσεως.

7 Ἐν τούτῳ δὲ καὶ Ἀέτιος πρὸς τῶν ἑτεροδόξων ἐθαυμάζετο, διαλεκτικός τις ὢν καὶ συλλογίζεσθαι ἱκανὸς καὶ περὶ τὰς ἔριδας τῶν λόγων ἐσχολακὼς καὶ ἀτεχνῶς ταῦτα σπουδάζων. Ἀμέλει τοι ὡς ῥαδίως περὶ θεοῦ διαλεγόμενος ἄθεος παρὰ τῶν πολλῶν ὠνομάζετο. 8 Φασὶ δὲ αὐτὸν ἰατρὸν ὄντα τὰ πρῶτα 127 ἐν Ἀντιοχείᾳ τῇ Σύρων, σπουδαίως δὲ ταῖς ἐκκλη|σίαις φοιτῶντα καὶ περὶ τῶν ἱερῶν γραφῶν διαλεγόμενον γνώριμον

Liber ad Constantium (pour réfuter Saturnin), au Contra Constantium imperatorem, au Contra Arianos uel Auxentium Mediolanensem: voir B. ALTANER, Précis de Patrologie, p. 517 et QUASTEN, t. 4, p. 74-102 (A. DI BERARDINO), ainsi que DECA, p. 1154-1158 (M. SIMONETTI). Pour une étude plus précise, voir H.C. BRENNECKE, Hilarius von Poitiers und die Bischofsopposition gegen Konstantius II, Berlin 1984 (PTS 26).

1. Lucifer, évêque de Cagliari, mort en 371, refusa, comme Eusèbe de Verceil, de condamner Athanase au concile de Milan (355); comme lui, il fut aussi exilé, successivement en Syrie, Palestine et Thébaïde. Après son rappel, il rompit l'union réalisée au synode d'Alexandrie (362) entre nicéens et homéousiens, en sacrant, lors de son passage à Antioche, le prêtre Paulin évêque d'Antioche, pérennisant le «schisme d'Antioche» né à la déposition d'Eustathe (330 ou 327). Ses ouvrages sont des pamphlets très violents adressés à Constance II, De non conue-niendo cum haereticis, De regibus apostaticis, De s. Athanasio, De non parcendo in Deum delinquentibus, Moriendum esse pro Dei filio, réunis en PL 13 et édités dans le CSEL 14, 1886, par W. Hartel et dans le CCSL 8, 1978, par G. F. Diercks.

La «secte» des lucifériens n'est pas à proprement parler une hérésie, Lucifer ayant été un adversaire véhément de l'arianisme. Mais elle est constituée par ceux qui, à Antioche, prirent le parti du prêtre Paulin. Après la mort de leur chef, les lucifériens furent conduits par Grégoire d'Elvire, Héraklidas d'Oxyrhynchos (en Basse-Égypte) et Éphésius à Rome: voir LTK, t.6, 1961, c. 1173-1174 (K. BAUS) et QUASTEN, t. 4

bonne réputation sur la foi et contre les hétérodoxes, et
Lucifer[1], qui fut, dit-on, le fondateur de la secte qui porte
son nom.

7 En ce temps-là était aussi admiré des hétérodoxes
Aèce[2], un homme expert en la dialectique, très fort dans
l'art d'argumenter, qui était rompu dans la science de la
controverse et s'y adonnait complètement[3]. Au surplus,
comme il traitait de Dieu à la légère, la plupart le dénom-
maient le «sans Dieu». 8 Il avait été d'abord, dit-on,
médecin à Antioche de Syrie; et, comme il fréquentait
assidûment les Églises et qu'il traitait des saintes Écri-

(A. Di Berardino), p. 106-111 ainsi que *DECA*, p. 1498-1499 (M. Simonetti).

2. Aèce (300-366) avait été d'abord diacre de l'évêque arien Léonce
à Antioche, en 350. Théologien trop hardi (d'où le jeu de mots
Aetios/atheos), il poussa l'arianisme à ses dernières conséquences en
opposant l'Engendré à l'Inengendré et en déclarant qu'il n'y avait aucune
ressemblance entre le Fils et le Père, d'où le nom d'anoméens donné
aux membres de la secte qu'il fonda. Il ne reste de lui qu'un court
traité, le *Syntagmation*, qui défend en 47 thèses le mot d'ordre des
ariens *anomoios* : cf. *LTK*, t. 1, 1957, c. 165 (A. Kreuz); Quasten, t. 3,
p. 434 et *DECA*, p. 38 (M. Simonetti).

3. Sur la forme des écrits d'Aèce, voir A. Puech, *Histoire de la littérature grecque chrétienne*, t. 3, Paris 1930, p.624-625 : «Ses écrits
étaient sans doute assez courts et avaient habituellement la forme de
lettres. Ce qui nous permet de nous faire une idée de sa manière, c'est
le petit traité (συνταγμάτιον) que nous a conservé intégralement Épiphane (*Panarion*, Haer. 76, IV) : Aèce y expose ses vues en 47 articles,
sous la forme très condensée d'un raisonnement toujours construit au
moyen d'une proposition hypothétique, suivie d'une conclusion.»
L'édition a été donnée par K. Holler et L.R. Wickham dans *JThS* 19,
1968, p. 532-569. Une telle forme confirme ce que dit Sozomène au
§8 sur sa pratique de la philosophie aristotélicienne à l'école
d'Alexandrie.

γενέσθαι Γάλλῳ, Καίσαρι ὄντι τότε, πολὺν ποιουμένῳ λόγον
τῆς θρησκείας καὶ τοῖς εὐσεβείας ἐπιμελουμένοις εἰσάγαν χαί–
ροντι · ὡς δὲ εἰκὸς προφάσει τοιούτων διαλέξεων φίλον αὐτῷ
γενόμενον ἀσκηθῆναι τοῦτο τὸ εἶδος τῶν λόγων, ἵνα μᾶλλον
ἀρέσκοι. Ἐλέγετο γὰρ καὶ διὰ τῶν Ἀριστοτέλους μαθημάτων
ἐλθεῖν καὶ ἐν Ἀλεξανδρείᾳ φοιτῆσαι τοῖς τούτων διδασκάλοις.
9 Καὶ ἕτεροι δὲ παρὰ τούτους πλῆθος ἐν ταῖς ἐκκλησίαις
ἦσαν, ἱκανοὶ διδάσκειν καὶ διαλέγεσθαι περὶ τῶν ἱερῶν
γραφῶν · ἀπαριθμήσασθαι δὲ πάντας ἔργον. **10** Μή τῳ δὲ
χαλεπὸν εἶναι δόξῃ, ὅτι τινὰς τῶν εἰρημένων αἱρέσεων ἢ
ἀρχηγοὺς ἢ σπουδαστὰς γενομένους ἐπαινέσας ἔχω · εὐ–
γλωττίας γὰρ ἕνεκεν καὶ τῆς ἐν τοῖς λόγοις δεινότητος θαυ–
μασίους εἶναι σύμφημι, δογμάτων δὲ πέρι κρινέτωσαν οἷς τοῦτο
ποιεῖν θέμις · οὐ γὰρ τάδε συγγράφειν προὐθέμην οὔτε ἱστορίᾳ
πρέπον, ᾗ ἔργον μόνα τὰ ὄντα ἀφηγεῖσθαι μηδὲν οἰκεῖον ἐπει–
σαγούσῃ. Ὅσοι μὲν δὴ τότε ὧν παρειλήφαμεν τῇ Ἑλλήνων
καὶ Ῥωμαίων φωνῇ κεχρημένοι ἐπὶ παιδεύσει καὶ λόγοις ἐν–
δοξότατοι ἐγένοντο, ἐν τοῖς εἰρημένοις τετάχθων.

16

1 Ἐῴκει δὲ πάντας παρευδοκιμεῖν καὶ ἐς τὰ μάλιστα τὴν
καθόλου ἐκκλησίαν σεμνύνειν Ἐφραὶμ ὁ Σύρος · ὃς ἐκ

1. Sur les relations d'Aèce et de Gallus, nommé César par Constance II
en 351, l'historien arien Philostorge donne des informations plus détaillées
(III, 27, éd. J. Bidez revue par F. Winkelmann, *GCS*, 1981, p. 52-53) :
Aèce avait été calomnié par Basile d'Ancyre et par Eustathe auprès de
Gallus. L'évêque d'Antioche Léonce le disculpa et le présenta à Gallus
qui se prit de sympathie pour lui et le choisit pour guide en matière
religieuse.
Sur Gallus, dont le règne est rapporté en détail, pour les années
353-354, au livre 14 d'Ammien Marcellin, voir les notices générales de
PW IV, 1 (1900), c. 1094-1099, notamment c. 1097 pour ses relations
avec Aèce (O. SEECK) et de la *P.L.R.E.*, t. 1, p. 224-225 Fl. Claudius
Constantius Gallus, ainsi que STEIN-PALANQUE, t. 1, p.140-142 et PIGANIOL,

tures, il était devenu le familier de Gallus, alors César[1],
qui faisait grand cas de la religion et se plaisait extrêmement à la compagnie des hommes soucieux de piété.
Comme il est naturel, une fois devenu l'ami de Gallus à
cause de ces sortes d'entretiens, il s'était exercé à ce
genre de disciplines, pour plaire davantage au César. On
disait, de fait, qu'il avait pratiqué aussi les enseignements
d'Aristote et qu'il avait fréquenté à Alexandrie les maîtres
qui les dispensaient.

9 Il y avait d'ailleurs dans les Églises, outre ceux-là,
une foule d'autres hommes capables d'enseigner les saintes
Écritures et de disputer à leur sujet : les dénombrer tous
serait une affaire. **10** Qu'on ne prenne pas à mal, d'autre
part, que j'aie loué certains hommes qui furent ou fondateurs ou partisans des hérésies susdites. Pour leur facilité
de parole et leur habileté dans le discours je m'accorde
à dire qu'ils furent dignes d'admiration; quant à leurs
dogmes, qu'en décident ceux qui ont le droit de le faire.
Car ce n'est pas ce que je me suis proposé d'écrire et
cela ne convient pas à l'histoire, dont la tâche est de
raconter seulement les faits sans y introduire aucun
élément personnel. Tous ceux donc qui, à notre connaissance, se rendirent à cette époque, en la langue grecque
et latine, très renommés pour leur enseignement et leurs
œuvres, les voilà classés dans la liste susdite.

Chapitre 16

Saint Éphrem.

1 Mais, à ce qu'il semble, Éphrem le Syrien les sur-
passait tous en réputation et faisait au plus haut point

p. 96 et p. 102-103, pour la piété de Gallus et de son épouse Constantia
et leurs relations avec Théophile l'Indien et Aèce.

1088 Νισίβεως ἢ τῶν τῇδε χωρίων | τὸ γένος εἶχεν, ἐν φιλοσοφίᾳ δὲ μοναστικῇ τὸν βίον ἐξασκήσας, οὔτε μαθὼν οὔτε προσδοκηθεὶς τοιοῦτος εἶναι, ἐξαπίνης ἐπὶ τοσοῦτον παιδείας κατὰ τὴν Σύρων φωνὴν ἐπέδωκεν, ὡς φιλοσοφίας μὲν τῶν ἄκρων ἐφικέσθαι θεωρημάτων, εὐκολίᾳ δὲ καὶ λαμπρότητι λόγου καὶ τῷ πυκνῷ καὶ σώφρονι τῶν νοημάτων ὑπερβαλέσθαι τοὺς παρ' Ἕλλησιν εὐδοκιμωτάτους συγγραφέας.

2 Οὕτω γοῦν τῶν μὲν εἴ τις πρὸς τὴν Σύρων ἢ ἑτέραν γλῶσσαν μεταβάλλοι τὰ γράμματα καὶ τὴν καρυκείαν, ὡς εἰπεῖν, ἀφέλοιτο τῶν Ἑλληνικῶν γλωττισμάτων, αὐτίκα φωρᾶται καὶ τῆς προτέρας ἀπορρεῖ χάριτος · ἐπὶ δὲ τῶν Ἐφραὶμ λόγων 128 οὐχ οὕτως. Περιόντος τε γὰρ αὐτοῦ καὶ εἰσέτι νῦν ἃ συνε| γράψατο πρὸς Ἑλληνίδα φωνὴν ἑρμηνεύουσι, καὶ οὐ πολὺ ἀποδεῖ τῆς ἐν ᾧ πέφυκεν ἀρετῆς · ἀλλὰ καὶ Ἕλλην ἀναγινωσκόμενος ἐπίσης τῷ Σύρος εἶναι θαυμάζεται. 3 Ἀμέλει τοι καὶ Βασίλειος ὁ τὴν Καππαδοκῶν μητρόπολιν μετὰ ταῦτα ἐπισκοπήσας ἠγάσθη τὸν ἄνδρα καὶ τῆς παιδεύσεως ἐθαύμασεν · ὥστε μοι δικαίως καταφαίνεται κοινῇ παρὰ τῶν τότε παρ' Ἕλλησιν ἐπὶ λόγοις θαυμαζομένων ταύτην τὴν μαρτυρίαν ἀπενέγκασθαι

---

1. À l'éloge de Sozomène, comparer la notice de JÉRÔME, De viris ill. 115 et l'Hist. Laus. 40. Né en 306, mort en 373, Éphrem est le «grand classique de l'Église syrienne» (B. ALTANER, Précis de Patrologie, p. 492-498). Disciple de Jacques, évêque de Nisibe, il fut diacre en 338 et le demeura toute sa vie. Quand Nisibe fut livrée aux Perses (363), il s'établit à Édesse (Osrhoène), en territoire romain. Il y fut probablement l'un des professeurs les plus actifs de ce qu'on a appelé l'École des Perses. Il fut à la fois exégète, polémiste, prédicateur et poète, auteur de multiples discours métriques (mimré) et hymnes (madrasché). Voir les notices de LTK, t. 3, 1959, c. 926-929 (E. BECK); RAC, t. 5, 1962, p. 520-531 et DECA, p. 824-827 (F. RILLIET), ainsi que E. BECK, Ephräms des Syrers Psychologie und Erkenntnislehre, dans CSCO 419, Subsidia 58, Louvain 1980.
2. Ce qu'on appelle l'Éphrem grec a fait l'objet d'une édition, celle de Th. LAMY, S. Ephremi hymni et sermones, Malines 1882-1902, 4 vol.

honneur à l'Église catholique[1]. Il était issu de Nisibe ou du pays avoisinant, et il pratiqua l'ascétisme dans la vie monastique. Sans avoir fait d'études et sans qu'on s'attendît à ce qu'il devînt tel qu'il fut, il avait soudainement progressé à un tel degré de culture dans la langue syriaque que d'une part il était arrivé aux plus hauts problèmes de la philosophie et d'autre part il avait surpassé les écrivains grecs les plus réputés par le coulant et le brillant du style et le serré et la sagesse des concepts.

2 Ceci en tout cas est sûr : si l'on traduit en langue syriaque ou en une autre les écrits des Grecs et leur retire pour ainsi dire l'assaisonnement des délicatesses de style, la chose est immédiatement visible, la grâce première s'en va. Avec les œuvres d'Éphrem il n'en est pas de même ; car, de son vivant et aujourd'hui encore, on traduit en grec ce qu'il a écrit[2], et ses traductions ne perdent pas beaucoup de la qualité de l'original : bien plutôt, si on le lit en grec, on l'admire tout autant que si on le lit en syriaque. **3** Au surplus Basile, qui fut après cela évêque de la métropole de Cappadoce, fut charmé de l'homme[3] et l'admira pour sa culture : aussi est-il juste de dire, me semble-t-il, qu'Éphrem a obtenu de l'ensemble des Grecs admirés alors pour leurs œuvres ce

Mais les critères d'authenticité ayant présidé au choix des textes sont contestables. B. ALTANER, *Précis de Patrologie*, p. 495, tout en reconnaissant qu'«il est assuré... que des œuvres d'Éphrem furent traduites en grec, tout de même qu'en arménien et en géorgien», observe que «ce qu'on appelle l'Éphrem grec n'a pas beaucoup de textes qui soient attestés en syriaque. Les plus anciens manuscrits qui le concernent ne remontent pas plus haut que le Xe siècle».

3. Bien que Basile (c. 330-379) et Éphrem (306-373) aient été d'assez exacts contemporains, leur prétendue rencontre doit faire partie des enjolivements d'une légende tardive selon laquelle Éphrem aurait aussi, dès 325, accompagné l'évêque de Nisibe au concile de Nicée et rendu visite aux moines d'Égypte : voir B. ALTANER, *Précis de Patrologie*, p. 492-498.

τὸν Ἐφραὶμ διὰ τῆς Βασιλείου φωνῆς ἐξενεχθεῖσαν, ὃς τῶν κατ' αὐτὸν πάντων ἐλλογιμώτερος γεγενῆσθαι συνωμολόγηται.

4 Λέγεται δὲ τὰς πάσας ἀμφὶ τὰς τριακοσίας μυριάδας ἐπῶν συγγράψαι, καὶ μαθητὰς ἐσχηκέναι πολλοὺς σπουδῇ τὴν αὐτοῦ παίδευσιν ζηλώσαντας, ἐπισημοτάτους δὲ Ἀββᾶν καὶ Ζηνόβιον, Ἀβραάμ τε καὶ Μαρᾶν καὶ Συμεῶνα, ἐφ' οἷς μεγα-
1089 λαυχοῦσιν οἱ Σύρων παῖδες καὶ ὅσοι τὴν παρ' | αὐτοῖς παιδείαν ἠκρίβωσαν. Ἐπίσης δὲ Παυλωνᾶν καὶ Ἀρανὰδ ἐπαινοῦσιν ἐπὶ εὐγλωττίᾳ · φασὶ δὲ τῶν ὑγιῶν δογμάτων διαμαρτεῖν αὐτούς.

5 Οὐκ ἀγνοῶ δὲ ὡς καὶ πάλαι ἐλλογιμώτατοι τοῦτον τὸν τρόπον παρὰ Ὀσροηνοῖς ἐγένοντο Βαρδησάνης τε, ὃς τὴν ἀπ' αὐτοῦ καλουμένην αἵρεσιν συνεστήσατο, καὶ Ἁρμόνιος ὁ

1. L'édition des *Opera Omnia*, par J. Assemani, Rome 1732-1743 comporte six très forts volumes in fol. L'édition de l'énorme corpus d'Éphrem le Syrien (56 *Madrasché* contre les Hérésies, 87 *Hymnes* sur la foi, 15 *Hymnes* sur le Paradis, 52 *Hymnes* sur l'Église, 52 *Hymnes* sur la virginité, 77 *carmina Nisibena*) est en cours dans le *CSCO* (plus de 30 vol. parus). Deux de ses ouvrages sont publiés en trad. franç. : L. Leloir, ÉPHREM DE NISIBE, *Commentaire sur l'Évangile concordant ou Diatessaron*, SC 121, Paris 1966 ; et R. Lavenant et F. Graffin, ÉPHREM DE NISIBE, *Hymnes sur le Paradis*, SC 137, Paris 1968.
2. Sozomène fait ici allusion à l' «École des Perses» qui fleurit à Édesse à l'époque où Éphrem y professa. Elle attirait des étudiants venus de Mésopotamie et des provinces chrétiennes de la Perse où sévissait la persécution de Sapor (cf. *H.E.* II, 8-15, *SC* 306, p. 266-293 et les notes). Les noms des principaux disciples d'Éphrem que mentionne Sozomène figurent aussi dans le *Testament de saint Éphrem* (cf. *Ephrem Opera graeca*, Assemani II, p. 240-242) qui cite Abha (ou Abba), auteur d'un commentaire sur les Évangiles et d'un discours sur Job, Zenobios de Gozarte, diacre d'Édesse, auteur de traités contre Marcion et Pamphile, Abraham, Mara d'Aghel, Syméon. Pour une vue générale encore utile : R. DUVAL, *Histoire politique, religieuse et littéraire d'Édesse jusqu'à la première Croisade*, Paris, 1912 (1re éd. 1892), notamment aux p. 152-155 et 160. Sur l'histoire de l'École des Perses, attachée depuis Éphrem à l'orthodoxie, puis passée au nestorianisme au ve s., fermée pour cette raison, exilée à Nisibe et devenue un centre

témoignage émis par la bouche de Basile, puisque, de
l'aveu de tous, Basile fut alors le plus docte de tous ses
contemporains.

4 On dit qu'il écrivit en tout environ trois cents myriades
de vers[1] et qu'il eut beaucoup de disciples qui recher-
chèrent avidement son enseignement[2] ; les plus distingués
furent Abbas, Zénobios, Abraham, Maras et Syméon, toutes
gens dont sont très fiers les Syriens et tous ceux qui ont
une connaissance approfondie de leur culture. Ils louent
également pour leur facilité de langage Paulônas et
Aranad : mais ceux-ci, dit-on, s'éloignèrent de l'orthodoxie.

5 Je n'ignore pas qu'autrefois aussi ont été pareillement
doctes chez les Osrhoéniens Bardesane[3], qui fonda l'hérésie dénommée d'après lui et Harmonios, fils de Bar-

très actif du monophysisme, voir *DECA* p. 751-752 (R. Lavenant), renvoyant à J. B. Segal, *Edessa « The blessed City »*, Oxford, 1970 et à H.
J. W. Drijvers, *Cults and Beliefs at Edessa*, Leiden, 1980. Mise au point
récente dans J. Texidor, *Bardesane d'Édesse. La première philosophie
syriaque*, Paris, 1992, p. 119 s. (L'École des Perses d'Édesse).

3. La célébrité de Bardesane d'Édesse (155-222) est attestée par Jérôme,
De viris ill. 33 et *Comm. in Osee* II, 10 et par Eusèbe, *H.E.*, IV, 30.
Selon ce dernier, après avoir été membre de la secte de Valentin, il
la condamna, composa des *Dialogues* contre Marcion, mais ne put pas
se purifier complètement de son ancienne hérésie. Aidé par son fils
Harmonios, il avait présenté une doctrine, tenue pour hérétique et gnos-
tique, en 150 hymnes, partiellement connus grâce à Éphrem qui s'employa à les réfuter (Assemani, *E. Opera Syr.* II, 1740, p. 554).
Sur le personnage, voir *PW* III, (1897), c. 8-9, art. Bardesanes (Jue-
licher) et *LTK*, t. 1, 1957, c. 1242-1243 (J. Quasten). Sur la doctrine
et l'œuvre, voir B. Altaner, *Précis de Patrologie*, p. 199 ; Quasten, t. 1,
p. 300-302 ; R. Duval, *Histoire politique, religieuse et littéraire
d'Édesse*, p. 114-118. Un dialogue reflétant fidèlement sa doctrine, le
Livre des lois des pays, a été conservé dans l'original syriaque (éd., avec
trad. franç., de F. Nau dans *Patrologia Syriaca*, I, 2, 1907, p. 490-658 et
également sous le titre *Bardesane l'astrologue, Le livre des lois des pays*,
Paris, 2e éd., 1931). La philosophie de Bardesane est réévaluée positi-
vement par J. Texidor, *Bardesane d'Édesse. La première philosophie
syriaque*, Paris 1992 (*Patrimoines*).

Βαρδησάνου παῖς, ὅν φασι διὰ τῶν παρ᾽ Ἕλλησι λόγων ἀχ-
θέντα πρῶτον μέτροις καὶ νόμοις μουσικοῖς τὴν πάτριον φωνὴν
ὑπαγαγεῖν καὶ χοροῖς παραδοῦναι, καθάπερ καὶ νῦν πολλάκις
οἱ Σύροι ψάλλουσιν, οὐ τοῖς Ἁρμονίου συγγράμμασιν ἀλλὰ
τοῖς μέλεσι χρώμενοι. 6 Ἐπεὶ γὰρ οὐ παντάπασιν ἐκτὸς ἦν
τῆς πατρῴας αἱρέσεως καὶ ὧν περὶ ψυχῆς, γενέσεώς τε καὶ
φθορᾶς σώματος καὶ παλιγγενεσίας οἱ παρ᾽ Ἕλλησι φιλοσο-
φοῦντες δοξάζουσιν, οἷά γε ὑπὸ λύραν ἃ συνεγράψατο συνθεὶς
129 ταυτασὶ | τὰς δόξας τοῖς οἰκείοις προσέμιξε συγγράμμασιν.
7 Ἰδὼν δὲ Ἐφραὶμ κηλουμένους τοὺς Σύρους τῷ κάλλει τῶν
ὀνομάτων καὶ τῷ ῥυθμῷ τῆς μελῳδίας, καὶ κατὰ τοῦτο προ-
σεθιζομένους ὁμοίως αὐτῷ δοξάζειν, καίπερ Ἑλληνικῆς παιδείας ἄμοιρος, ἐπέστη τῇ καταλήψει τῶν Ἁρμονίου μέτρων·
καὶ πρὸς τὰ μέλη τῶν ἐκείνου γραμμάτων ἑτέρας γραφὰς
συναδούσας τοῖς ἐκκλησιαστικοῖς δόγμασι συνέθηκεν, ὁποῖα
αὐτῷ πεπόνηται ἐν θείοις ὕμνοις καὶ ἐγκωμίοις ἀγαθῶν ἀνδρῶν. Ἐξ ἐκείνου τε Σύροι κατὰ τὸν νόμον τῆς Ἁρμονίου ᾠδῆς
τὰ τοῦ Ἐφραὶμ ψάλλουσιν.
8 Ἡλίκος μὲν οὖν τὴν φύσιν ἐγεγόνει, καὶ ἐκ τούτου τεκ-
μαίρεσθαι χρεών· ἦν δὲ καὶ τὸν βίον ἐξ ἀγαθῶν ἔργων καὶ
ἀκριβοῦς πολιτείας ἐπιφανὴς καὶ ἡσυχίας εἰσάγαν ἐραστής,
σεμνὸς δὲ καὶ τὰς διαβολὰς ἐπὶ τοσοῦτον εὐλαβούμενος, ὡς
πάσης γυναικὸς καὶ αὐτὴν τὴν θέαν φυλάττεσθαι. 9 Λόγος
γοῦν ποτε γυναῖκά τινα ἀμελῆ τὸν βίον, ἀναιδῆ δὲ ἴσως τὸν
τρόπον, ἢ αὐτὴν τὸν ἄνδρα πειρῶσαν ἢ ἐπὶ μισθῷ τοῦτο ἄλλοις
σπουδάζουσαν, ἐπίτηδες ἐν στενωπῷ ἀντιπρόσωπον ὑπαντῆσαι
ἀσκαρδαμυκτὶ ἐς αὐτὸν βλέπουσαν· τὸν δὲ ἐπιτιμῆσαι αὐτῇ
καὶ εἰς γῆν ὁρᾶν παρακελεύσασθαι· «καὶ πῶς», ἔφη ἡ γυνή,
«ἥτις οὐκ ἀπὸ γῆς, ἀλλ᾽ ἐκ σοῦ ἐγενόμην; δικαιότερον γὰρ

desane. Celui-ci, dit-on, élevé dans les disciplines grecques, amena pour la première fois sous le joug des mètres et modes musicaux la langue de ses pères et la livra à des chœurs ; et c'est ainsi qu'aujourd'hui encore les Syriens chantent souvent leurs cantiques, usant non des écrits d'Harmonios, mais de ses mélodies. **6** Car Harmonios n'avait pas été entièrement à l'abri de l'hérésie de son père ni des doctrines des philosophes grecs sur l'âme, la génération et la corruption du corps et la réincarnation, attendu que, ayant mis ses écrits en musique, il avait mêlé ces doctrines à ses propres écrits. **7** Éphrem donc, ayant vu les Syriens séduits par la beauté des paroles et le rythme de la mélodie, et de ce fait s'accoutumant à penser comme Harmonios, bien qu'il n'eût pas connu la culture grecque, s'appliqua à l'appréhension des mètres d'Harmonios ; et, sur la musique des écrits d'Harmonios, il composa d'autres textes qui étaient conformes aux dogmes de l'Église ; tels ceux qu'il élabora dans de saints hymnes et dans des éloges de saints. Depuis ce temps les Syriens chantent sur la musique d'Harmonios, mais sur les paroles d'Éphrem.

8 Ce que furent ses dons naturels, on doit le conjecturer par cela même. Quant à son genre de vie d'autre part, Éphrem était illustre du fait de ses actions vertueuses et de l'austérité de son ascèse, extrêmement épris de silence, grave et en telle crainte de donner prise aux calomnies qu'il se gardait même de la seule vue de toute femme. **9** On raconte en tout cas ceci : une femme de vie insouciante, peut-être impudique de mœurs, soit qu'elle eût voulu le tenter elle-même soit que, pour un salaire elle cherchât à le faire pour d'autres, le rencontra un jour à dessein dans une ruelle étroite, face à face et le regardant sans cligner des yeux. Il la rabroua et lui commanda de regarder vers la terre. «Et comment, dit la femme, puisque je ne suis pas née de la terre, mais

εἶναι σὲ μὲν εἰς γῆν ὁρᾶν, ἀφ' ἧς ἔχεις τὴν γένεσιν, ἐμὲ δὲ εἰς σέ, ὅθεν εἰμί.» Θαυμάσας δὲ τὸ γύναιον Ἐφραὶμ εἰς σύγγραμμα τὸ συμβὰν ἐσχημάτισεν, ὅπερ Σύρων λόγιοι ἐν τοῖς σπουδαίοις τῶν αὐτοῦ λόγων τετάχασι.

10 Λέγεται δὲ τὸ πρὶν ἀκρατῶς ὀργῆς ἔχων, ἀφ' οὗ τὴν
1092 μοναστικὴν ἀγωγὴν | μετῆλθε, μηδεπώποτε θεαθῆναι παρά τινος ὀργιζόμενος. Οὕτω γοῦν ἐπὶ πολλαῖς ἡμέραις ὥσπερ εἰώθει νηστεύοντι προσφέρων αὐτῷ τὸ ὄψον ὁ διακονούμενος τὴν χύτραν ἔκλασεν · αἰδοῖ δὲ καὶ δέει κεκρατημένον ἰδών «ἀλλὰ θάρρει, καὶ ἡμεῖς», ἔφη, «πρὸς τὸ ὄψον ἴωμεν, ἐπειδὴ πρὸς ἡμᾶς οὐκ ἦλθε.» καὶ καθεσθεὶς παρὰ τὰ κλάσματα τῆς χύτρας ἐδείπνησεν.

11 Ὅσον δὲ κενῆς ἐκράτει δόξης, ἐντεῦθεν ἰστέον. Ποτὲ ψῆφον ἐπισκοπῆς ἐνενόχασιν ἐπ' αὐτόν τινες καὶ συλλαβεῖν ἐπειρῶντο ὡς ἐπὶ τὴν χειροτονίαν ἄξοντες · αὐτίκα δὲ αἰσ-
130 θόμενος εἰς τὴν ἀγορὰν ἐνέβαλε καὶ οἷα παραπαίων | ἐδείκνυ ἑαυτόν, ἀτάκτως βαδίζων καὶ τὴν ἐσθῆτα ἐπισύρων καὶ δημοσίᾳ ἐσθίων · ἐπεὶ δὲ ἔξω φρενῶν εἶναι νομίσαντες οἱ συλλ-ηψόμενοι τῆς ἐπ' αὐτὸν ὁρμῆς ἀνεκόπησαν, καιρὸν εὑρὼν ἀπέ-δρασε, καὶ μέχρι ἕτερος ἐχειροτονήθη διέλαθεν.

12 Ἀλλὰ τούτοις μὲν ἐγὼ περὶ τοῦ Ἐφραὶμ ἀρκεσθήσομαι. Τὰ δὲ πλείω ἴσασι καὶ λέγουσιν οἱ ἐπιχώριοι. Οἷον δὲ αὐτῷ εἴργασται οὐ πρὸ πολλοῦ τῆς τελευτῆς, ἐπεὶ ἀξιομνημόνευτον

1. Nous n'avons pas conservé cet ouvrage et peut-être n'a-t-il pas existé. Mais l'anecdote figure dans l'Encomium S. Ephraemi Syri de GRÉ-GOIRE DE NYSSE (Assemani E. Op. Graeca, t. 1, IX C-E), dans la Vita S. Ephraem Syri ex Metaphraste (Assemani, E. Op. Graeca, I XXI C-F) et dans la Vita S. Ephraem Syri ex incerto auctore (Assemani, t. 1 XXX F-XXXI). Des deux histoires édifiantes rapportées dans ces textes, Sozomène ne retient que la première, omettant celle de la meretrix. Encore l'a-t-il tronquée, la privant ainsi de son vrai sens : avant d'entrer à Édesse, Éphrem avait prié Dieu de lui faire rencontrer un homme sage avec lequel il pût s'entretenir pour son instruction personnelle et pour le profit d'autrui.

2. Sur la ruse qu'Éphrem employa, avec succès, pour échapper à l'ordination que Basile avait décidé de lui faire donner par ses envoyés à Édesse, voir aussi E. Op. Syriaca, III, LIV-LX. On pense aux efforts

de toi? Il est bien plus juste que tu regardes, toi, vers
la terre d'où tu es sorti, et moi vers toi, d'où je suis. »
Pris d'admiration pour la femme, Éphrem donna forme
à cet incident dans un écrit[1], que de doctes Syriens ont
rangé au nombre des meilleurs d'entre ses ouvrages.

10 On dit qu'incapable auparavant de contenir sa colère,
du moment où il poursuivit la vie monastique, il ne fut
jamais vu de qui que ce soit en colère. En tout cas une
fois, comme il jeûnait à son habitude depuis plusieurs
jours, son serviteur, qui lui apportait sa pitance, brisa la
marmite. Éphrem le vit saisi de honte et de crainte et il
lui dit : « N'aie pas peur. Allons nous-mêmes à l'aliment,
puisqu'il n'est pas venu jusqu'à nous. » Et, s'étant assis
par terre près des débris de la marmite, il prit son repas.

11 Combien il était maître de la vaine gloire, qu'on le
connaisse par ceci. Un jour certains avaient porté sur lui
leur vote pour qu'il fût évêque et essayaient de le saisir
pour le conduire à l'ordination[2]. Aussitôt, s'en étant rendu
compte, Éphrem se précipita sur l'agora et il s'y montrait avec les gestes d'un fou, marchant en désordre,
déchirant ses vêtements en mangeant en public. Quand,
ayant cru qu'il était hors de sens, ceux qui voulaient le
saisir eurent renoncé à l'attaquer, il trouva l'occasion de
s'enfuir et, jusqu'à ce qu'un autre eût été ordonné, se
tint caché.

12 Mais, quant à moi, je me contenterai de ces détails
sur Éphrem. Les gens du pays en savent et en disent
plus. Cependant, ce qu'il a fait avant sa mort, comme

---

d'Ambroise pour se soustraire à la volonté du peuple chrétien à Milan
et, plus généralement, au thème du « refus du pouvoir », fréquent dans
la littérature historique et politique du IVe siècle : les empereurs méritant
le plus d'être choisis, un Julien, un Valentinien Ier, un Théodose, sont
représentés longuement récalcitrants par leurs laudateurs, Ammien, Symmaque, Pacatus, soucieux de les mettre à l'abri de tout soupçon d'ambition illégitime.

εἶναί μοι δοκεῖ, ἐνθάδε ἀναγράψομαι. 13 Λιμοῦ γὰρ καταλαβόντος τὴν Ἐδεσσηνῶν πόλιν, διὰ πολλοῦ χρόνου προελθὼν
τοῦ οἰκήματος, ἐν ᾧ ἐφιλοσόφει, κατεμέμφετο τοὺς τὰς οὐσίας
ἔχοντας ὡς οὐ δέον ὑπερορῶντας τὸ ὁμόφυλον ἀπορίᾳ ἐπιτηδείων φθειρόμενον, τὸν δὲ οἰκεῖον πλοῦτον ἐπιμελῶς φυλάτ-
τοντας ἐπὶ βλάβῃ σφῶν καὶ τιμωρίᾳ τῆς ἰδίας ψυχῆς, ἣν τιμιω-
τέραν παντοδαποῦ πλούτου καὶ αὐτοῦ τοῦ σώματος καὶ τῶν
ἄλλων φιλοσοφῶν ἐδείκνυ · παρ᾽ οὐδὲν δὲ ταύτην ποιουμένους
διὰ τῶν ἔργων ἀπήλεγχεν. 14 Οἱ δὲ αἰδεσθέντες τὸν ἄνδρα καὶ
τοὺς αὐτοῦ λόγους «ἀλλ᾽ οὐδὲν ἡμῖν μέλει οὐσίας», ἔφασαν,
«ᾧ δὲ τὰ τοιαῦτα ἐπιτρέψομεν διακονῆσαι ἀποροῦμεν, σχεδὸν
πάντων πρὸς κέρδος κεχηνότων καὶ καπηλείαν τὸ πρᾶγμα
ποιουμένων.» Ὑπολαβὼν δέ «οἷος ὑμῖν δοκῶ;» ἤρετο · τῶν δὲ
ἀξιόχρεῶν τε καὶ μάλα καλὸν καὶ ἀγαθὸν εἶναι καὶ τοιοῦτον,
οἷον ἡ περὶ αὐτοῦ δόξα ἐκράτει, συνομολογούντων «οὐκοῦν
ἑκοντής», ἔφη, «δι᾽ ὑμᾶς ἐμαυτὸν ἐπὶ τούτῳ χειροτονήσω.»
15 Καὶ λαβὼν ἀργύριον παρ᾽ αὐτῶν ἀμφὶ τὰς τριακοσίας
κλίνας ἐν τοῖς δημοσίοις ἐμβόλοις εἶχε, καὶ τῶν ἀπὸ τοῦ λιμοῦ
νοσούντων ἐπεμελεῖτο καὶ ξένους καὶ τοὺς κατὰ σπάνιν ἀναγ-
καίων ἐκ τῶν ἀγρῶν παραγενομένους ἐδεξιοῦτο. Ἐπεὶ δὲ ὁ
λιμὸς ἐπαύσατο, ἐπανῆλθεν εἰς τὸ οἴκημα ἔνθα καὶ πρὸ τοῦ
διέτριβε. Καὶ ὀλίγων ἡμερῶν ἐπιβιώσας ἐτελεύτησε, διακονίας
μὲν ἄχρι κληρικοῦ τάγματος ἐπιβάς, περιβόητος δὲ ἐπὶ ἀρετῇ
γεγονὼς οὐχ ἧττον τῶν ἐν ἱερωσύνῃ καὶ πολιτείᾳ ἀγαθοῦ βίου
καὶ παιδεύσει θαυμαζομένων.

Ταῦτα τῆς Ἐφραὶμ ἀρετῆς τὰ μηνύματα. 16 Ἐπαξίως δὲ εἰ-
131 πεῖν καὶ περὶ πάντων διεξελθεῖν ὧν ἐκεῖνος καὶ | ἕκαστος τῶν

1. Sozomène dépend ici étroitement de Palladius, His. Laus. 40 (éd.
C. Mohrmann, G. J. M. Bartelink, M. Barchiesi, Palladio, La Storia Lausiaca, dans Vite di Santi II, 1974, p. 206-209).

cela me paraît digne de mémoire, je l'inscrirai[1]. **13** Comme une famine avait saisi Édesse, il sortit après un long temps du logement où il pratiquait l'ascèse, et il faisait des reproches aux riches, comme quoi, contrairement au devoir, ils méprisaient leurs frères de race en train de périr par le manque des choses nécessaires et gardaient avec soin leurs richesses personnelles pour leur propre dommage et le châtiment de leur âme, dont il montrait, par son ascèse, qu'elle avait plus de prix que toute espèce de richesse et que le corps même et le reste; et cette âme, il leur démontrait par leur conduite qu'ils n'en faisaient aucun cas. **14** Eux alors, par révérence pour l'homme et ses paroles, de dire : «Eh bien, nous nous moquons de notre fortune, mais nous n'avons personne à qui en confier l'administration : presque tous ouvrent grand la bouche pour profiter et font de cette activité un trafic.» Prenant la parole : «Vous semblé-je tel?» demanda-t-il? Tous l'assurèrent, d'une même voix, qu'il était digne de confiance et tout à fait homme de mérite, et tel que s'était répandue sa réputation. «Eh bien, dit-il, je m'investirai volontairement, à cause de vous, pour cet office.» **15** Et, ayant reçu d'eux de l'argent, il avait continuellement environ trois cents lits sous les portiques publics, il prenait soin de ceux que la famine avait rendus malades, il accueillait les étrangers et ceux qui venaient des champs par manque des choses nécessaires. Quand la famine eut pris fin, il retourna au logement où il vivait auparavant. Il survécut peu de jours et mourut. Il n'était arrivé, dans la hiérarchie, qu'au rang de diacre, mais il n'avait pas été moins célèbre par sa vertu que ceux qu'on admirait dans le sacerdoce pour leur conduite méritante et pour leur enseignement.

Telles sont mes indications sur la vertu d'Éphrem. **16** Quant à m'exprimer dignement et à m'étendre sur tous les détails de sa manière de vivre et de sa conduite

τότε φιλοσοφησάντων ἐβίω καὶ ἐπολιτεύσατο καὶ παρὰ τίσι, δεήσει συγγραφέως οἷος αὐτός· ἐμοὶ δὲ ἄπορον·εἶναι τοῦτο καθορῶ ὑπό τε ἀσθενείας λόγου καὶ ἀγνοίας αὐτῶν τε τῶν ἀνδρῶν καὶ ὧν κατώρθωσαν. 17 Οἱ μὲν γὰρ ἀνὰ τὰς ἐρήμους ἐλάνθανον, οἱ δὲ καὶ ἐν ὁμίλῳ πόλεων διατρίβοντες εὐτελεῖς σφᾶς παρεῖχον φαίνεσθαι καὶ τῶν πολλῶν μηδὲν διαφέροντας,
1093 ἀρετὴν μὲν ἐργαζόμενοι, κλέ|πτοντες δὲ τὴν ἀληθῆ περὶ αὐτῶν δόκησιν, ὥστε μὴ ἐπαινεῖσθαι παρὰ τῶν ἄλλων· πρὸς γὰρ τὰς ἀμοιβὰς τῶν ἐσομένων ἀγαθῶν τὸν νοῦν τείνοντες, μάρτυρα ὧν ἐπόνουν μόνον τὸν θεὸν ἐποιοῦντο, τῆς δὲ ἔξωθεν δόξης οὐδεὶς αὐτοῖς λόγος ἦν.

17

1 Ὡς ἐπίπαν δὲ καὶ οἱ προεστῶτες τότε τῶν ἐκκλησιῶν τὸν βίον ἠκρίβωντο. Εἰκότως τε ὑπὸ τοιούτοις ἐναγόμενα τὰ πλήθη σπουδαίως συντέτατο περὶ τὸ τοῦ Χριστοῦ σέβας, καὶ ἡ θρησκεία ὁσημέραι ἐπεδίδου, ζήλῳ τε καὶ ἀρετῇ καὶ παραδόξοις πράξεσιν ἱερέων καὶ ἐκκλησιαστικῶν φιλοσόφων ἐθήρα καὶ πρὸς ἑαυτὴν μετῆγε τῆς Ἑλληνικῆς τερθρείας τοὺς Ἑλληνιστάς. 2 Συνελαμβάνοντο δὲ εἰς ἐπίδοσιν τούτων καὶ οἱ βασιλεῖς, οὐχ ἧττον ἢ ὁ πατὴρ περὶ τὰς ἐκκλησίας σπουδάζοντες καὶ κληρικοὺς καὶ παῖδας αὐτῶν καὶ οἰκείους ἐξαιρέτοις τιμαῖς καὶ ἀτελείαις γεραίροντες καὶ τοῖς πατρῴοις

et celle des ascètes de ce temps-là, et à dire chez qui ils ont ainsi vécu, il faudrait pour cela un écrivain tel qu'il le fut lui-même. Pour moi, je crois que c'est chose impossible du fait et de mon peu d'éloquence et de l'ignorance où je suis de ces hommes eux-mêmes et de ce qu'ils ont accompli. **17** Les uns en effet se cachaient dans les déserts, les autres vivaient sans doute au contact des villes, mais se faisaient passer pour des hommes de rien et qui ne diffèrent en rien du commun des mortels ; ils pratiquaient sans doute la vertu, mais dissimulaient leur véritable aspect, en sorte qu'ils ne fussent pas loués par autrui : tendant leur esprit vers la récompense des biens futurs, ils ne prenaient pour témoin de leurs efforts que Dieu seul, et ne tenaient aucun compte de leur réputation au dehors.

Chapitre 17

La situation à l'époque ;
grâce au concours des empereurs et des évêques
l'enseignement sur le Christ s'accroissait.

1 D'une façon générale, les chefs des Églises à cette époque menaient aussi une vie austère. Comme il est naturel, sous la conduite de tels chefs, les populations tendaient de toutes leurs forces à l'adoration du Christ, la religion progressait chaque jour et, par le zèle, la vertu, les miracles des prêtres et des ascètes de l'Église, elle capturait et amenait à elle les païens en les détachant de l'imposture païenne. **2** Les empereurs aussi contribuaient à ce progrès, car, non moins que leur père, ils prenaient soin des Églises, favorisaient les clercs, leurs enfants, leurs proches, d'honneurs insignes et d'exemptions d'impôts, confirmaient les lois de leur père et en

νόμοις ἐπιψηφιζόμενοι καὶ οἰκείους τιθέντες κατὰ τῶν θύειν
ἢ ξόανα θεραπεύειν ἢ ἄλλως Ἑλληνικῶς θρησκεύειν ἐπιχει-
ροῦντων. 3 Ναοὺς δὲ τοὺς πανταχῇ κειμένους ἐν πόλεσι καὶ
ἀγροῖς κεκλεῖσθαι προσέταξαν, τοὺς δὲ ταῖς ἐκκλησίαις προσ-
ένειμαν ἢ τόπων ἢ ὑλῶν προσδεομέναις · μάλιστα γὰρ πολλὴν
ἐπιμέλειαν ἐποιοῦντο τοὺς μὲν ὑπὸ χρόνου κάμνοντας τῶν εὐκ-
τηρίων οἴκων ἀνανεοῦν, τοὺς δὲ μεγαλοπρεπῶς ἐκ θεμελίων
ἐγείρειν. Ὧν ἐστι καὶ ἡ ἀξιοθέατος καὶ κάλλει ἀοίδιμος
Ἐμέσης ἐκκλησία. 4 Ἰουδαίων δὲ ἐνομοθέτησαν μηδένα
δοῦλον ὠνεῖσθαι τῶν ἐξ ἑτέρας αἱρέσεως · εἰ δὲ παρὰ τοῦτο
ποιήσει, δημόσιον τὸν οἰκέτην εἶναι · εἰ δὲ καὶ περιτεμεῖ, καθὰ
132 Ἰουδαίοις θέμις, εἰς κε|φαλὴν εἶναι τὸν κίνδυνον καὶ ἀφαί-
ρεσιν τῶν ὄντων. 5 Ἐπεὶ γὰρ τὴν θρησκείαν πάντοθεν αὔξειν
ἐβεβούλευντο, καὶ τούτου πρόνοιαν ἐποιήσαντο, ὥστε μὴ
1096 |ἀδεῶς εἰς Ἰουδαϊσμὸν ὑποσύρεσθαι τοὺς μὴ τοιούτους ἐκ

---

1. Voir Code Théodosien, XVI, 10, 2, 4 (346, éd. Mommsen, I, 2, p.
898) et 6 (ibid.); cf. STEIN-PALANQUE, p. 132 : «dès 341, Constant a
prescrit l'interdiction de tous les sacrifices et la fermeture des temples;
dès 346 peut-être, une loi menaça de mort ceux qui célébraient des
sacrifices païens». Sur l'utilisation par Sozomène du Code Théodosien
et la place qu'elle tient dans son projet de redéfinir l'histoire ecclésiastique, genre trop exclusivement dominé par Eusèbe, voir J. HARRIES,
Sozomen and Eusebius. The lawyer as Church historian in the fifth
century, dans The inheritance of historiography 350-900, Exeter,
1986 (Exeter Studies in History XX), p. 45-52.
2. Émèse (aujourd'hui Homs) était un évêché de la province de Phénicie II. Célèbre, au temps du paganisme, par son temple de Baal,
dont Héliogabale fut prêtre, la ville posséda une communauté chrétienne à une date assez haute, impossible à préciser. Malgré les efforts
soulignés ici des empereurs chrétiens, le paganisme se maintint longtemps vivace dans la région : d'après THÉOPHANE, Chronographia I,
48 (éd. de Boor), l'empereur Julien, marchant contre les Perses, en 363,
put, sans rencontrer de résistance, détruire la «vieille église» et trans-
former la «grande église» en temple païen dans lequel fut installée
une statue de Bacchus, d'après le Chronicon Paschale (PG 92, 741 B) :
cf. PW V, 2, 1905, c. 2496-2497 (BENZINGER); DHGE. 15, 1963, c. 397-
399 (R. JANIN) et DECA, p. 807 (A. DI BERARDINO).

édictaient de propres contre ceux qui tentaient de sacrifier ou de vénérer des idoles de bois ou, de quelque autre façon, de célébrer le culte païen[1]. **3** Parmi les temples, ils ordonnèrent que fussent fermés ceux qui se trouvaient un peu partout dans les villes et à la campagne, et ils attribuèrent les autres aux Églises qui avaient besoin ou de lieux de culte ou de ressources : particulièrement en effet, ils apportaient grand soin à restaurer celles des maisons de culte qui étaient usées par le temps et à en bâtir d'autres magnifiquement depuis les fondements ; de ce nombre est l'église d'Émèse, qui vaut d'être célébrée pour sa beauté[2]. **4** Ils édictèrent en loi qu'aucun Juif ne pût acheter un esclave appartenant à une autre secte[3] ; s'il désobéissait, l'esclave deviendrait bien de l'État ; si en outre on le circoncisait à la façon qui est d'usage chez les Juifs, ce serait au péril de la tête et de la confiscation des biens. **5** Comme en effet les empereurs avaient délibéré de faire accroître par tous moyens la religion, ils avaient pourvu aussi à cette mesure, pour qu'il ne fût pas sans danger d'attirer au judaïsme ceux qui n'étaient

---

3. Voir *Code Théodosien* XVI, 9, 2 (13 août 339, éd. Mommsen, I, 2, p. 896) : *Si aliquis Iudaeorum mancipium sectae alterius seu nationis crediderit conparandum, mancipium fisco protinus uindicetur : si uero emptum circumciderit, non solum mancipii damno multetur, uerum etiam capitali sententia puniatur. Quod si uenerandae fidei conscia mancipia Iudaeus mercari non dubitet, omnia, quae aput eum repperiuntur, protinus auferantur nec interponatur quicquam morae, quin eorum hominum qui christiani sunt possessione careat* (si quelque Juif a cru devoir acheter un esclave d'une autre religion ou nation, que l'esclave soit immédiatement revendiqué par le fisc : si, l'ayant acheté, il l'a circoncis, qu'il ne soit pas seulement puni par la perte de l'esclave, mais encore par la sentence capitale. Que s'il arrivait qu'un Juif n'hésite pas à acheter des esclaves initiés à notre religion vénérable, que tout ce qui se trouve chez lui lui soit immédiatement enlevé et qu'aucun délai ne s'interpose avant qu'il ne soit privé de la propriété de ces êtres qui sont des chrétiens).

162   HISTOIRE ECCLÉSIASTIQUE

γένους ὄντας, φυλάττεσθαι δὲ τῇ ἐκκλησίᾳ καὶ τοὺς ἐλπίδα
Χριστιανισμοῦ ἔχοντας · μάλιστα γὰρ ἐκ τοῦ Ἑλληνικοῦ
πλήθους ἐπεδίδου ἡ θρησκεία.

18

1 Οὐ μὴν ἀλλὰ καὶ περὶ αὐτὸ τὸ δόγμα τὰ πρῶτα τὴν
πατρῴαν ἐφύλαττον δόξαν · ἄμφω γὰρ ἐπαινέται τῆς ἐν Νικαίᾳ
πίστεως ἤστην. Καὶ Κώνστας μὲν οὕτω διαμείνας ἐτελεύτησε ·
Κωνστάντιος δὲ μέχρι μέν τινος ὁμοίως εἶχε, **2** μετὰ ταῦτα δὲ
διαβληθείσης τῆς τοῦ ὁμοουσίου λέξεως τῆς προτέρας παρε-
κινήθη γνώμης · οὐ μὴν παντελῶς ἀπέσχετο τοῦ κατ' οὐσίαν
ὅμοιον εἶναι τῷ πατρὶ τὸν υἱὸν συνομολογεῖν. Οἱ γὰρ ἀμφὶ τὸν
Εὐσέβιον καὶ ἄλλοι τινὲς τῶν τότε ἀνὰ τὴν ἕω ἐπὶ λόγῳ καὶ
βίῳ θαυμαζομένων ἐπισκόπων διαφοράν, ὡς ἔγνωμεν, εἰση-
γοῦντο τοῦ ὁμοούσιον λέγειν καὶ κατ' οὐσίαν ὅμοιον, ὅπερ
ὁμοιούσιον ὠνόμαζον. **3** Τὸ μὲν γὰρ ὁμοούσιον ἐπὶ σωμάτων
κυρίως νοεῖσθαι, οἷον ἀνθρώπου καὶ τῶν ἄλλων ζῴων καὶ
δένδρων καὶ φυτῶν, οἷς ἐξ ὁμοίου ἡ μετουσία καὶ ἡ γένεσίς
ἐστι, τὸ δὲ ὁμοιούσιον ἐπὶ ἀσωμάτων, οἷον ἐπὶ θεοῦ καὶ ἀγγέλων, ἑκατέρου πρὸς ἑαυτὸν νοουμένου κατ' ἰδίαν οὐσίαν.

1. En fait, il semble bien que, dès le début de son règne (337),
Constance ait eu un «penchant personnel pour l'arianisme» (STEIN-
PALANQUE, p. 134), penchant qu'il fut dans l'obligation de réfréner jusqu'à
la mort, en 350, de son frère Constant qui exerçait une prépondérance
de fait en raison de sa victoire sur Constantin II (*ibid.*, p. 135).
2. On trouve une distinction exactement semblable formulée par
EUTHERIUS DE TYANE (mort après 434) dans ses *Confutationes* (*PG* 28,
1336 C). Cf. G. W.H. LAMPE, *A Patristic Greek Lexikon*, p. 958-960 art.
ὁμοιούσιος.

pas Juifs de naissance et pour que fussent conservés pour
l'Église ceux aussi qui comportaient une espérance de
christianisation : c'était particulièrement en effet de la
masse païenne que la religion tirait son accroissement.

Chapitre 18

*L'opinion des enfants de Constantin ;
la distinction entre* homoousios *et* homoiousios *;
pourquoi Constance s'écarte de l'orthodoxie.*

1 Quoi qu'il en soit, pour ce qui regarde le dogme
même, les empereurs gardèrent d'abord l'opinion de leur
père : tous deux en effet approuvaient la foi de Nicée.
Constant persévéra ainsi jusqu'à la mort. Constance, lui,
jusqu'à une certaine date, pensa de même[1] ; **2** puis,
comme on avait attaqué le terme *homoousios,* il quitta
son propre sentiment ; cependant il ne refusa pas entièrement de convenir que le Fils est semblable en sub
stance au Père. Les partisans d'Eusèbe en effet et d'autres
parmi les évêques qu'on admirait alors en Orient pour
leur éloquence et leur vie introduisaient, comme nous
l'avons appris, une différence entre dire le Fils *homoousios*
et le dire semblable quant à l'*ousia,* ce qu'ils nommaient
homoiousios. **3** Selon eux, *homoousios* ne se conçoit proprement que dans le cas des corps, par exemple l'homme
et les autres animaux, les arbres et les plantes, qui par-
ticipent de la même essence et ont même origine ;
homoiousios en revanche se conçoit dans le cas d'incorporels[2], par exemple Dieu et les anges, chacun des deux
étant conçu eu égard à lui-même et selon une *ousia*

4 Ὑπὸ δὴ τῶν τοιούτων καὶ Κωνστάντιος ὁ βασιλεὺς μετε-
πείσθη. Καὶ κατὰ μὲν διάνοιαν, ὡς εἰκάζω, ὅμοια τῷ πατρὶ
καὶ τῷ ἀδελφῷ ἐφρόνει, ῥητὸν δὲ ῥητοῦ ἀμείψας ἀντὶ ὁμοουσίου ὁμοιούσιον ἔλεγε. Τοῦτο γὰρ ἐδόκει τοῖς τούτων εἰ-
σηγηταῖς ἀκριβέστερον ὧδε ὀνομάζειν ἰσχυριζομένοις, ὡς εἴ
τις μὴ τοῦτο λέγοι, κινδυνεύοι σῶμα τὸ ἀσώματον νοεῖν. Ὅπερ
εὔηθες εἶναι πολλοῖς ἐδόκει · ἐκ γὰρ τῶν φαινομένων ἔφασκον
χρῆναι καὶ περὶ τῶν νοητῶν τὰ ὀνόματα μεταλαμβάνειν,
λέξεώς τε κίνδυνον μηδένα εἶναι, ἢν μὴ περὶ ἔννοιαν ἡ ἁμαρτία
γένηται.

19

1 Οὐ θαυμαστὸν δέ, εἰ ὁ βασιλεὺς αὐτὸ τοῦτο πεπόνθει,
ἐπεὶ καὶ τῶν ἱερέων πολλοὶ ἀφιλονίκως τὸ ὄνομα τοῦτο προσίεντο, τῇ διανοίᾳ συνάδοντες τοῖς ἐν Νικαίᾳ συνεληλυθόσιν,
133 οἱ δὲ ἑκατέρᾳ λέξει μηδὲν διαφερόμενοι | ἐχρῶντο ἐπὶ τῆς αὐτῆς
σημασίας. Ὥστε μοι δοκεῖ παρὰ πολὺ τῆς ἀληθείας κεκο-
μψεῦσθαι ἐκεῖνον τὸν λόγον τοῖς τὰ Ἀρείου φρονοῦσι. 2 Λέγουσι γὰρ ὡς μετὰ τὴν ἐν Νικαίᾳ σύνοδον πολλοὶ τῶν ἱερέων,

---

1. DANIÉLOU-MARROU, p. 301-302, résument les positions doctrinales
sur la substance du Christ et ses rapports avec celle du Père et l'évolution qui donna la prédominance, dans l'Église et aux yeux de l'autorité impériale, successivement à l'une puis à l'autre de ces positions :
homoousienne, anoméenne, homéousienne, homéenne. Le chef de file
de cette dernière tendance était Acace, disciple et successeur d'Eusèbe
de Césarée. C'est à l'homéisme d'Acace que Constance finit par se
rallier : le concile de Constantinople en 360 définit l'arianisme historique. Pour une révision actuelle des positions, distinguant les homéens
des ariens véritables, voir l'art. « Homéens » dans *DHGE* 24, 1993, c. 932-
960 (H.C. BRENNECKE).
    Sozomène considère donc ici la période antérieure à 360, celle des
hésitations doctrinales de Constance, puisqu'il présente celui-ci comme
partisan d'un arianisme modéré, celui de l'*homoiousios*. Ou bien il

propre. **4** C'est sous l'influence donc de tels hommes que l'empereur Constance lui aussi changea d'opinion[1]. Pour le sens, à ce que je conjecture, il pensait comme son père et son frère, mais il échangea un terme pour l'autre et au lieu d'*homoousios* disait *homoiousios*. Il paraissait en effet aux introducteurs de cette nouveauté que cette dénomination était plus exacte, car ils soutenaient que, si l'on ne parlait pas ainsi, on courait le risque de concevoir l'incorporel comme un corps. Ce qui pourtant semblait stupide à beaucoup : c'est aux choses visibles, disaient-ils, qu'il fallait emprunter les vocables, même pour désigner les choses intelligibles, et il n'y avait nul danger dans le terme *homoousios,* pourvu qu'il n'y eût pas d'erreur sur le sens qu'on lui donnait.

Chapitre 19

*Encore l'*homoousios;
le concile de Rimini,
comment, pourquoi et dans quel but il est réuni.

1 Il n'est pas étonnant d'ailleurs que l'empereur éprouvât cela même, puisque bien des évêques aussi accueillaient ce mot sans discuter, tout en étant d'accord en pensée avec les pères réunis à Nicée. D'autres se servaient indifféremment de l'un et l'autre termes, en lui donnant la même signification. Aussi est-ce, me semble-t-il, très contrairement à la vérité que les partisans d'Arius ont inventé l'ingénieux récit que voici[2]. **2** Ils disent qu'après le concile de Nicée un grand nombre d'évêques, parmi

cherche à atténuer, dans une intention pacificatrice, l'hétérodoxie du fils de Constantin.
    2. Le début de cette version des ariens est peut-être représenté par Philostorge, *H.E.* II, 1b, éd. J. Bidez, p. 12.

1097 ὧν ἦσαν Εὐσέβιος καὶ Θεόγνιος, οὐκέτι λέγειν | ἠνείχοντο
ὁμοούσιον εἶναι τῷ πατρὶ τὸν υἱόν, καὶ χαλεπήνας Κωνσταντῖνος ὑπερορίαν αὐτοὺς οἰκεῖν κατεδίκασεν. 3 Ὄναρ δὲ ἢ ὕπαρ
θεόθεν προεφάνη τῇ ἀδελφῇ τοῦ βασιλέως, ὡς ὀρθῶς δοξάζουσι καὶ ἀδίκως τάδε πεπόνθασιν. Ἐκ τούτου δὲ τὸν βασιλέα
μετακαλέσασθαι αὐτοὺς καὶ πυθέσθαι τί δή ποτε παρὰ τὰ ἐν
Νικαίᾳ δόξαντα φρονοῦσι, καὶ ταῦτα κοινωνοὶ γενόμενοι τῆς
ἐκτεθείσης ἐνθάδε ἐπὶ τῇ πίστει γραφῆς. 4 Τοὺς δὲ φάναι οὐκ
ἀπὸ γνώμης συναινέσαι, δεδιότας δέ, μὴ ὡς εἰκὸς ἔριδος ἐπὶ
τούτῳ γενομένης καταγνῷ ὡς ἀμφιβόλου τοῦ δόγματος καὶ
πρὸς Ἑλληνισμὸν τραπείη καὶ διώξοι τὴν ἐκκλησίαν, ἔναγχος
χριστιανίζειν ἀρξάμενος καὶ ἔτι ἀβάπτιστος ὤν. Ἐπὶ ταύτῃ δὲ
τῇ ἀπολογίᾳ φασὶ Κωνσταντῖνον συγγνώμην αὐτοῖς νεῖμαι,
προνοῆσαι δὲ πάλιν ἑτέραν ἀθροῖσαι σύνοδον. 5 Ἐν δὲ τῷ
ταῦτα βουλεύεσθαι φθασάσης τῆς αὐτοῦ τελευτῆς οἷα πρεσβυτέρῳ παιδὶ ἐντείλασθαι Κωνσταντίῳ τοῦτο ἐπιτελέσαι, ὡς
οὐδὲν ὄφελος ὂν αὐτῷ βασιλείας, εἰ μὴ συμφώνως πρὸς πάντων
τὸ θεῖον θρησκεύοιτο. Τὸν δὲ τῷ πατρὶ πειθόμενον τὴν ἐν
Ἀριμήνῳ συγκροτῆσαι σύνοδον.

6 Ἡ μάλιστα τὸ ψεῦδος φωρᾶται. Συνεληλύθασι γὰρ Ὑπατίου καὶ Εὐσεβίου ὑπατευόντων, ἡνίκα ἀμφὶ τὸ δεύτερον καὶ
εἰκοστὸν ἔτος ἐν τῇ ἡγεμονίᾳ διήνυε Κωνστάντιος μετὰ τὴν
τοῦ πατρὸς τελευτήν, πολλῶν ἐν τῷ μεταξὺ συνόδων γενομένων, ἐν αἷς περὶ ὁμοουσίου καὶ ὁμοιουσίου ζήτησις ἦν. 7 Τὸ

---

1. En 359 (les deux consuls, voir *P.L.R.E.*, t. 1, p. 448 Fl. Hypatius
4 et p. 308 Fl. Eusebius 40, étaient les frères de l'impératrice Eusébie).
SEECK, *Regesten*, p. 206, précise la date de l'édit adressé par Constance
aux pères de Rimini : 28 mai 359.

2. Pour ne citer que les conciles convoqués par l'empereur, celui
d'Antioche «les Encaénies» (341), celui de Sardique (342/343), celui de
Sirmium (351), celui de Milan (355), le synode de Béziers (356), les
conciles de Sirmium (357, puis 358) sont antérieurs à celui de Rimini
(359).

lesquels étaient Eusèbe et Théognios, ne supportaient plus de dire que le Fils était consubstantiel au Père, et que Constantin, s'en étant fâché, les condamna à l'exil. **3** Mais, en songe ou en veille, la sœur de l'empereur eut une révélation divine que ces évêques étaient orthodoxes et qu'ils avaient été injustement punis. Après quoi l'empereur les avait rappelés et leur avait demandé pourquoi donc ils s'opposaient au dogme de Nicée, et cela après s'être associés au texte de l'exposition de foi établi à Nicée. **4** Eux répondirent qu'ils l'avaient approuvé non par conviction mais parce qu'ils craignaient qu'une querelle, comme il est naturel, ne s'élevât sur ce point, et que Constantin ne condamnât le dogme comme équivoque, ne se tournât vers le paganisme et ne persecutât l'Église, attendu qu'il avait commencé tout fraîchement de devenir chrétien et qu'il n'était pas encore baptisé. Sur cette excuse, Constantin, dit-on, leur avait pardonné et il avait eu en tête de réunir à nouveau un second concile. **5** Mais tandis qu'il en délibérait, la mort l'ayant prévenu, il avait commandé à Constance, en tant que son fils aîné, de mettre à exécution la chose, déclarant que le pouvoir impérial ne lui servirait de rien si la Divinité n'était pas adorée par tous de la même manière. Constance donc, par obéissance à son père, avait convoqué le concile de Rimini.

6 Or c'est par là surtout que ce récit est pris en flagrant délit de mensonge. Car les pères de Rimini se sont réunis sous les consulats d'Hypatius et d'Eusèbe[1], lorsque Constance en était à environ la vingt-deuxième année de son règne après la mort de son père, et qu'il y avait eu dans l'intervalle beaucoup de conciles[2] où l'on avait disputé sur *homoousios* et *homoiousios*. **7** Quant à tenir

δὲ κατ' οὐσίαν ‹ἀν›όμοιον τῷ πατρὶ τὸν υἱὸν δοξάζειν παντελῶς οὐδεὶς ἠθέλησεν, εἰσότε περὶ τούτου Ἀετίῳ χαλεπῶς ἤνεγκε καὶ ἐπὶ ἀναιρέσει τοῦ τοιούτου δόγματος ἐν Ἀριμήνῳ καὶ Σελευκείᾳ προσέταξε κατὰ τὸν αὐτὸν χρόνον τοὺς ἱερέας συνελθεῖν, ὥστε τὴν ἀληθῆ αἰτίαν ταυτησὶ τῆς συνόδου γενέσθαι οὐ τὴν Κωνσταντίνου κέλευσιν, ἀλλὰ τὴν κατ' Ἀέτιον ζήτησιν. Ὅτι μὲν οὖν τάδε ὧδε ἔχει, καὶ τὰ ἑξῆς ἐπιδείξει.

20

1100 | **1** Ὁ δὲ Κώνστας τὰ ἐν Σαρδικῇ γεγενημένα μαθὼν ἔγραψε τῷ ἀδελφῷ ἀποδοῦναι τοῖς ἀμφὶ τὸν Ἀθανάσιον καὶ Παῦλον
134 τὰς ἑαυτῶν ἐκκλησίας. | Ὡς δὲ ἀνεβάλλετο, πάλιν ἔγραψεν ἢ δέχεσθαι τοὺς ἄνδρας ἢ πρὸς πόλεμον παρασκευάσασθαι. **2** Κοινωσάμενος δὲ περὶ τούτου Κωνστάντιος τοῖς ἀνὰ τὴν ἕω ἐπισκόποις εὔηθες ἐνόμισε τούτου χάριν ἐμφύλιον αἱρεῖσθαι μάχην, μετακαλεῖται δὲ Ἀθανάσιον ἐκ τῆς Ἰταλίας, δημόσια ὀχήματα δοὺς αὐτῷ πρὸς τὴν ἐπάνοδον καὶ γράμμασι πολ—

1. A quoi faut-il rattacher παντελῶς? Soit à οὐδεὶς : absolument personne (Valois *PG* 67, 1098); soit à ἀνόμοιον : «tenir le Fils pour totalement dissemblable au Père»; soit à ἠθέλησεν : «n'avait entièrement accepté» sans doute si l'on se réfère à la formule voisine utilisée en 18, 2 : οὐ παντελῶς ἀπέσχετο.

2. C'est Basile d'Ancyre qui fut à l'origine de cette enquête. Il réunit un synode à Ancyre en 358 et composa une longue lettre dénonçant l'anoméisme et professant l'*homoiousios*. Cette lettre provoqua le revirement de Constance : il abandonna les anoméens, fit exiler ou interner Aèce lui-même, Théophile l'Indien, Eunome, Eudoxe d'Antioche. S'imaginant qu'il pourrait ainsi sceller définitivement le triomphe de sa formule, Basile tenta vainement de la faire sanctionner par deux conciles simultanés qui se tinrent pour les Occidentaux à Rimini (été 359), pour les Orientaux à Séleucie d'Isaurie (à partir du 27 septembre 359).

3. Après le long *egressus* consacré aux moines illustres et aux grands auteurs qui ont marqué une période correspondant à peu près au règne de Constance (337-361), Sozomène reprend ici le récit interrompu au chap. XIII, revenant ainsi à l'année 343 (concile de Sardique) après

le Fils pour dissemblable en substance au Père, personne ne l'avait entièrement accepté[1], jusqu'au moment où Constance, irrité contre Aèce pour être de cette opinion, avait ordonné, en vue de supprimer une telle doctrine, que dans le même temps les évêques se réunissent à Rimini et à Séleucie : si bien que la vraie cause de ce concile ne fut pas l'ordre de Constantin, mais l'enquête contre Aèce[2]. Qu'il en soit bien ainsi, la suite le montrera.

Chapitre 20

Par une lettre de Constance
Athanase est à nouveau rappelé
et reprend son siège ;
les évêques d'Antioche ;
les questions que Constance pose à Athanase ;
La doxologie des hymnes.

1 Constant, apprenant ce qui s'était passé à Sardique[3], écrivit à son frère de rendre leurs églises à Athanase et à Paul. Comme Constance différait, il lui écrivit de nouveau ou de recevoir ces évêques ou de se préparer à la guerre. **2** Constance, étant entré en rapport à ce sujet avec les évêques d'Orient, jugea stupide de prendre le parti d'un combat fratricide pour une telle cause ; il rappelle Athanase de l'Italie, lui offrant des voitures publiques pour son retour[4] et l'engageant souvent par des lettres à hâter son

avoir évoqué des événements de l'histoire ecclésiastique postérieurs de plus de quinze ans (conciles de Rimini – Séleucie en 359).

4. C'est le privilège de l'*euectio* (cf. *Code Théodosien*, VIII, 5, 32, 33, 40, 43, 44... et A.H.M. JONES, *The later Roman Empire*, p. 830-831) dont l'usage immodéré, à l'occasion des controverses ecclésiastiques, est vivement critiqué par AMM. (21,16, 18).

λάκις προτρέψας θᾶττον ἐπανελθεῖν. **3** Ἀθανάσιος δὲ ἐν Ἀκυλίᾳ τότε διάγων δεξάμενος τὰ Κωνσταντίου γράμματα ἧκεν εἰς Ῥώμην τοῖς ἀμφὶ τὸν Ἰούλιον συνταξόμενος. Ὁ δὲ μάλα φιλοφρόνως ἀπέπεμψεν αὐτὸν ἐπιστολὴν δοὺς πρὸς τὸν Ἀλεξανδρέων κλῆρον καὶ λαόν, ὡς εἰκὸς τὸν ἄνδρα θαυμά– ζουσαν ἐπιδοξότατον τοῖς πολλοῖς κινδύνοις γεγενημένον καὶ συνηδομένην τῇ Ἀλεξανδρέων ἐκκλησίᾳ ἐπὶ τοσούτου ἱερέως ἐπανόδῳ καὶ τὰ αὐτοῦ φρονεῖν παρακελευομένην.

4 Ἐντεῦθέν τε ἧκεν εἰς Ἀντιόχειαν τῆς Συρίας, ἔνθα τότε διέτριβεν ὁ βασιλεύς, τὰς δὲ ἐκκλησίας κατεῖχε Λεόντιος · μετὰ γὰρ τὴν Εὐσταθίου φυγὴν οἱ ἐκ τῆς ἐναντίας αἱρέσεως τὸν Ἀντιοχείας ἐπετρόπευον θρόνον, πρῶτος μὲν Εὐφρόνιος, μετὰ δὲ τοῦτον Πλάκητος καὶ ἐφεξῆς Στέφανος. Ὡς ἀναξίου δὲ αὐτοῦ ἀποχειροτονηθέντος Λεόντιος τότε τὴν ἐπισκοπὴν

---

1. Voir ATHANASE, *Apol. contra Arianos* 51-53 et SOCRATE, *H.E.* II, 22, 3 – 23, 32 qui donne le texte de trois lettres adressées par Constance à Athanase (*PG* 67, 248-249), ainsi que celui de la lettre adressée par l'évêque Jules aux Alexandrins, (*ibid.*, 252-256), que Sozomène préfère résumer au § 3, selon une option de sa méthode qu'il a explicitement justifiée dans sa préface (I, 1, 14 : «J'ai souvent eu en pensée d'introduire le texte même de ces documents dans mon ouvrage, mais j'ai jugé meilleur, pour ne pas alourdir l'exposé, d'en rapporter brièvement le sens…»). Il ne précise pas que Constance annonça aussi aux Alexandrins, par une lettre, le retour de leur évêque ni qu'aux environs de Pâques de l'année 344 arrivèrent à Antioche deux évêques d'Occident, symboliquement escortés d'un *magister militum*, porteurs d'une lettre de Constant «demandant» à son frère d'accorder à Athanase l'autorisation de rentrer à Alexandrie (cf. BARDY, p. 133 se fondant sur ATHANASE, *Hist. Arian.* 21).

2. Pour le séjour d'Athanase dans cette cité prospère d'Italie du Nord, carrefour commercial, siège d'un évêché et importante position stratégique (cf. Y. M. DUVAL, *Aquilée sur la route des invasions 350-452*, dans *Aquileia e l'arco alpino orientale. Antichità Altoadriatiche* IX, 1976, p. 237-298), voir ATHANASE, *Apol. ad Constantium* 4. La comparaison permet de constater que Sozomène omet de préciser qu'Athanase, quittant Aquilée qui était devenue sa résidence après Naïssus, s'était d'abord rendu en Gaule pour s'entretenir avec son protecteur Constant avant de prendre la direction de l'Orient.

retour[1]. **3** Athanase séjournait alors à Aquilée[2]. Au reçu
de la lettre de Constance, il vint à Rome pour dire adieu
à Jules. Celui-ci lui donna très gracieusement son congé,
et lui remit une lettre pour le clergé et le peuple
d'Alexandrie où, comme il est naturel, il exprimait son
admiration pour un homme qu'avaient tant illustré ses
nombreux dangers, où il se réjouissait avec l'Église
d'Alexandrie du retour d'un si grand évêque et où il les
engageait à penser comme Athanase[3].

4 De là, Athanase se rendit à Antioche de Syrie, où
l'empereur résidait alors[4]; c'est Léonce qui détenait les
églises[5] : après le bannissement d'Eustathe en effet, ceux
du parti adverse avaient dirigé le siège d'Antioche, d'abord
Euphronios, puis Plakètos et ensuite Stéphanos. Celui-ci
ayant été déposé comme indigne[6], Léonce alors gouvernait l'évêché. Athanase refusait de le voir comme

---

3. S'il s'agit bien de la lettre de Jules aux évêques et au peuple
d'Alexandrie, ajouter au texte de SOCRATE, *H.E.* II, 23, le témoignage
direct d'ATHANASE, *Apol. contra Arianos* 51-53, qui en est vraisemblablement la source.

4. Constance se trouvait alors au plus fort de ses démêlés militaires
avec les Perses en Mésopotamie (opérations autour de Nisibe et de
Singare) et Antioche était la base habituelle de ses opérations. L'entrevue de Constance et d'Athanase a dû avoir lieu entre la fin de l'été
(retour de la campagne de Mésopotamie) et le 21 octobre 346 (jour
du retour d'Athanase à Alexandrie) : cf. SEECK, *Regesten*, p. 194.

5. Léonce était un disciple de Lucien d'Antioche dont la doctrine
avait été condamnée. L'orthodoxe Eustathe avait refusé de l'admettre
dans son clergé à cause de ses opinions hérétiques. D'après BARDY,
p. 133, «ses mœurs ne valaient pas mieux». Mais il était diplomate et
modéré, comme l'indique Sozomène en III, 20, 9.

6. ATHANASE, *Hist. Arian.* 20 (repris par THÉODORET, *H.E.* II, 7-8)
précise que Stéphanos avait tendu un piège aux envoyés de Constant,
Vincent de Capoue et Euphratas de Cologne (cf. III, 20, 4), en introduisant une fille de joie dans la maison où ils logeaient : cf. BARDY,
p. 132-133. Le synode qui le déposa le remplaça par un Phrygien
nommé Léontios.

διεῖπεν. Ὃν ὡς ἑτερόδοξον παρῃτεῖτο Ἀθανάσιος, τοῖς δὲ καλουμένοις Εὐσταθιανοῖς ἐκοινώνει ἐν ἰδιωτῶν οἰκίαις ἐκκλησιάζων. 5 Ἐπεὶ δὲ εὔνου καὶ ἐπιεικοῦς ἐπειράθη Κωνσταντίου καὶ ἐδόκει τὴν ἰδίαν αὐτοῦ ἀπολαβεῖν ἐκκλησίαν, ὑποθεμένων τῶν προεστώτων τῆς ἐναντίας αἱρέσεως «ἀλλ᾿ ἐγὼ μέν», ἔφη ὁ βασιλεύς, «ἕτοιμός εἰμι περᾶναι τὰς ὑποσχέσεις, ἐφ᾿ αἷς σε μετεκαλεσάμην· ἐν δίκῃ δὲ καὶ αὐτός, ἣν ἂν αἰτήσαιμι χάριν, προθύμως συγχωρήσεις· ἡ δέ ἐστιν, ὥστε ἐκ πολλῶν τῶν ὑπὸ σὲ ἐκκλησιῶν μίαν ἔχειν τοὺς κοινωνεῖν σοι παραιτουμένους.» 6 Ὑπολαβὼν δὲ Ἀθανάσιος «καὶ μάλα, βασιλεῦ», εἶπε, «δίκαιον καὶ ἀναγκαῖον τοῖς σοῖς προστάγμασι πείθεσθαι, καὶ οὐκ ἀντερῶ· ἐπεὶ δὲ καὶ ἀνὰ τήνδε τὴν Ἀντιόχειαν πόλιν εἰσὶν οἱ τὴν κοινωνίαν τῶν ἑτεροδόξων ἡμῖν ἀποφεύγοντες, παραπλησίαν αἰτῶ χάριν, ὥστε καὶ αὐτοὺς μίαν ἔχειν ἐκκλησίαν καὶ ἀδεῶς ἐν ταύτῃ συνιέναι.» 7 Δίκαια δὲ λέγειν Ἀθανάσιον τοῦ βασιλέως δοκιμάσαντος ἄμεινον ἐφάνη τοῖς ἀπὸ τῆς ἑτέρας αἱρέσεως | ἡσυχίαν ἄγειν, λογιζο|μένοις ὡς οὐ πάντως τὰ τῆς οἰκείας δόξης ἐπίδοσιν ἕξει παρὰ Ἀλεξανδρεῦσι δι᾿ αὐτὸν Ἀθανάσιον ἱκανὸν ὄντα τοὺς ὁμοφρονοῦντας ἀσφαλῶς ἔχειν καὶ τοὺς ἐναντίους ἐπάγεσθαι· παρὰ δὲ Ἀντιοχεῦσιν εἰ τοῦτο γένοιτο, πρῶτον μὲν συγκροτηθήσεσθαι τοὺς Εὐσταθίου ἐπαινέτας πολλοὺς ὄντας, 8 ἔπειτα δὲ ὡς εἰκὸς νεωτέρων αὐτοὺς πειραθήσεσθαι πραγμάτων, ἐξὸν ἀκινδύνως ἔχειν οὓς ἔχουσιν. Ἐπεὶ καὶ κρατούντων αὐτῶν τῶν τῇδε ἐκκλησιῶν οὐ παντελῶς οἷς ἐδόξαζον ὁ πᾶς κλῆρος καὶ ὁ λαὸς ἐπείθοντο, ἀλλὰ κατὰ χορούς, ὡς ἔθος ἐν τῷ ὑμνεῖν τὸν θεόν, συνιστάμενοι, πρὸς τῷ τέλει τῶν ᾠδῶν τὴν οἰκείαν προαίρεσιν ἐπεδείκνυον. Καὶ οἱ μὲν πατέρα καὶ υἱὸν ὡς ὁμότιμον ἐδόξαζον,

1. Sur cette entrevue et le marchandage que l'empereur entreprit de mener avec l'évêque, rapprocher SOCRATE, *H.E.* II, 23, et RUFIN, *H.E.* X, 20 (éd. Mommsen, *GCS*, p. 986), ainsi que la *Vita Athanasii* 18 (*PG* 25, CCI).

pensant autrement que lui, et il était en communion avec ceux qu'on nommait eustathiens, célébrant le culte dans des maisons privées. **5** Comme il avait eu affaire à un Constance bienveillant et aimable[1] et qu'il lui semblait avoir repris son Église, l'empereur, conseillé par les chefs du parti adverse, lui dit : «Eh bien moi, je suis prêt à remplir les promesses sur la foi desquelles je t'ai rappelé. Mais il est juste que toi aussi, tu m'accordes de bon cœur la faveur que je t'aurai demandée : c'est que, des nombreuses églises sous ta coupe, ceux qui refusent ta communion en possèdent une.» «Il est bien juste et nécessaire, prince, rétorqua Athanase, d'obéir à tes ordres, et je n'y ferai pas opposition. Mais puisqu'il y a aussi dans cette ville-ci d'Antioche des gens qui évitent la communion de ceux qui pensent autrement que nous, je te demande la même grâce : qu'ils possèdent eux aussi une église et s'y réunissent librement.» **7** Bien que l'empereur eût jugé que cette demande d'Athanase était juste, ceux de l'autre parti estimèrent préférable de ne rien faire. Ils faisaient la réflexion que voici : il n'y avait absolument aucune chance que leur doctrine s'accrût à Alexandrie à cause d'Athanase lui-même, qui était capable de tenir solidement ceux qui pensaient comme lui et d'amener à lui les opposants ; à Antioche au contraire, si cela se produisait, tout d'abord les partisans d'Eustathe qui étaient nombreux feraient bloc ensemble, **8** mais ensuite, comme il est naturel, ils seraient en butte à des innovations, alors qu'il leur était possible de garder tranquillement ceux de leur camp. En effet, bien qu'ils fussent maîtres de toutes les églises d'Antioche, l'ensemble du clergé et du peuple ne suivait pas entièrement leur opinion, mais dans les chœurs où ils se groupent, selon leur coutume de chanter Dieu, à la fin des cantiques ils manifestaient leur choix personnel : les uns louaient le Père et le Fils de même honneur, les autres louaient le Père dans le Fils, mar-

οἱ δὲ πατέρα ἐν υἱῷ, τῇ παρενθέσει τῆς προθέσεως δευτερεύειν τὸν υἱὸν ἀποφαίνοντες.

9 Ἀμέλει τοι τούτων ὧδε γινομένων ἀπορῶν ὅ τι ποιήσειε Λεόντιος, ὃς κατὰ τόνδε τὸν χρόνον ἐκ τῆς ἐναντίας αἱρέσεως τὸν Ἀντιοχέων διεῖπε θρόνον, κωλύειν μὲν οὐκ ἐπεχείρησε τοὺς κατὰ τὴν παράδοσιν τῆς ἐν Νικαίᾳ συνόδου τὸν θεὸν ὑμνοῦντας · ἐδεδίει γὰρ μὴ στασιάσῃ τὸ πλῆθος · λέγεται δὲ τῆς κεφαλῆς ἐφαψάμενος ὑπὸ πολιᾶς λευκῆς οὔσης εἰπεῖν ὡς «ταυτησὶ τῆς χιόνος λυθείσης πολὺς ἔσται πηλός», ὑποδηλῶν ὡς αὐτοῦ τελευτήσαντος εἰς στάσιν τῷ λαῷ καταλήξει ἡ ἐν τοῖς ὕμνοις διαφωνία, μὴ ἀνεχομένων τῶν μετ᾽ αὐτὸν ὁμοίως συμπεριφέρεσθαι τῷ πλήθει.

21

1 Ὁ δὲ βασιλεὺς ἀποπέμπει Ἀθανάσιον εἰς Αἴγυπτον · ἔγραψε δὲ περὶ αὐτοῦ τοῖς κατὰ πόλιν ἐπισκόποις καὶ πρεσ–βυτέροις καὶ τῷ λαῷ τῆς Ἀλεξανδρέων ἐκκλησίας, ὀρθότητά τε βίου μαρτυρῶν αὐτῷ καὶ τρόπων ἀρετήν, παρακελευόμενος ὁμονοεῖν καὶ ὑπὸ πρωτοστάτῃ αὐτῷ εὐχαῖς καὶ ἱκεσίαις τὸ θεῖον θεραπεύειν · εἰ δέ τινες ἐθελοκακοῦντες στασιώδεις ἀναφανεῖεν, τιμωρίαν διδόναι κατὰ τοὺς περὶ τούτων κειμένους νόμους. 2 Προσέταξε δὲ καὶ τὰ πρότερον παρ᾽ αὐτοῦ γραφέντα

---

1. En elle-même, la doxologie du Père dans le Fils n'est pas héré-tique; c'est l'interprétation qu'on en donnait à Antioche qui l'était. Voir CAVALLERA, p. 52.

2. L'entrée d'Athanase à Alexandrie eut lieu le 21 octobre 346 (SEECK, *Regesten*, p. 194, renvoyant à Larsow, p. 32 et *Hist. aceph.* 2; BARDY, p. 136). A. Martin, dans son éd. de l'*Histoire « acéphale»*, *SC* 317, Paris 1985, p. 138-139, donne un commentaire détaillé de l'épisode.

3. Constance remit trois lettres à Athanase: la *Lettre aux évêques et aux prêtres d'Alexandrie* (cf. ATHANASE, *Apol. contra Arianos* 54), la *Lettre au peuple de l'Église d'Alexandrie* (cf. *ibid.*, 55), une *Lettre au préfet d'Égypte Nestorius*, sans doute relative au maintien de l'ordre, que Sozomène ne mentionne pas comme telle mais dont il résume la teneur: «que les clercs d'Athanase fussent exemptés, comme auparavant, des services publics» (cf. ATHANASE, *Apol.*

quant par l'insertion de la préposition que le Fils avait
second rang[1].

9 Quoi qu'il en soit, telles étant les circonstances, ne
sachant ce qu'il devait faire, Léonce, qui en ce temps,
appartenant à la secte adverse, gouvernait le siège d'Antioche, ne tenta pas d'empêcher ceux qui louaient Dieu
conformément à la tradition du concile de Nicée; il crai-
gnait en effet que le peuple ne fît une sédition. Mais l'on
raconte que, s'étant touché la tête qui était couverte de
cheveux blancs, il dit : « Quand cette neige aura fondu, il
y aura beaucoup de boue », suggérant à mots couverts
qu'après sa mort le désaccord dans les hymnes tournerait
à la sédition pour le peuple, car ses successeurs n'accep-
teraient pas de s'accommoder, comme lui, à la populace.

Chapitre 21

Ce que Constance écrit en faveur d'Athanase
aux Égyptiens ;
le synode de Jérusalem.

1 L'empereur renvoya Athanase en Égypte[2]. Il écrivit
à son sujet des lettres aux évêques et prêtres de chaque
ville et au peuple de l'église d'Alexandrie[3], où il portait
témoignage à la correction de vie d'Athanase et à la vertu
de ses mœurs, et recommandait de vivre en bon accord
et de servir la Divinité par des prières et des supplications sous sa direction. Si des gens de mauvais vouloir
se montraient séditieux, ils seraient punis conformément
aux lois établies à ce sujet. **2** Il ordonna en outre que
fussent effacées des archives publiques les lettres qu'il

contra Arianos 56, 2, Opitz II, p. 136, 16-17). Il s'agit de la confirmation de
l'exemption des charges curiales. Pour y voir plus clair, se reporter à l'éd.
de A. Martin, *Histoire acéphale...*, SC 317, p. 171, note 2.

κατὰ Ἀθανασίου καὶ τῶν αὐτῷ κοινωνούντων ἀπὸ τῶν δημοσίων ὑπομνημάτων ἀπαλιφῆναι, καὶ ὡς τὸ πρὶν ἀτέλειαν ἔχειν
λειτουργημάτων τοὺς αὐτοῦ κληρικούς. Καὶ περὶ τούτου πρὸς
136 | τοὺς ἀνὰ τὴν Αἴγυπτον καὶ Λιβύην ἄρχοντας ἔγραψε. **3** Παρα-
1104 γενόμενος δὲ Ἀθανάσιος εἰς Αἴγυπτον, οὓς μὲν | ἔγνω τὰ
Ἀρείου φρονοῦντας, καθεῖλεν, οἷς δὲ αὐτοὶ καθεῖλον, τὰς
ἐκκλησίας ἐπέτρεψε κατὰ τὴν πίστιν τῆς ἐν Νικαίᾳ συνόδου,
καὶ σπουδῇ ταύτης ἔχεσθαι ἐνετέλλετο. **4** Λέγεται δὲ τότε καὶ
διὰ τῶν ἄλλων ἐθνῶν τὴν ὁδοιπορίαν ποιούμενος ὅμοια πρᾶξαι,
εἰ συνέβαινε ταῖς ἐκκλησίαις ὑπὸ τῶν Ἀρείου κατέχεσθαι.
Ἀμέλει τοι καὶ τοῦτο ἔγκλημα αὐτῷ ἐπῆγον, ὡς ἐν πόλεσι
μηδὲν αὐτῷ προσηκούσαις χειροτονεῖν ἐτόλμησεν. **5** Οἷα δὲ
καὶ ἀκόντων τῶν ἐναντίων κατωρθωκὼς τὴν ἐπάνοδον καὶ διὰ
τὴν φιλίαν Κώνσταντος τοῦ βασιλέως οὐ δοκῶν εὐκατα-
φρόνητος εἶναι, μᾶλλον ἢ πρότερον ἐν τιμῇ ἦν. Πολλοὶ δὲ καὶ
τῶν ἐπισκόπων τῆς πρὸς αὐτὸν ἀπεχθείας μετέθεντο καὶ
κοινωνίας μετέδοσαν, ὡς Παλαιστῖνοι · παριόντα γὰρ αὐτὸν
τότε δι' αὐτῶν εὐμενῶς προσεδέξαντο · καὶ σύνοδον ἐν Ἱεροσολύμοις ἐπιτελέσαντες Μάξιμός τε καὶ ἕτεροι ἔγραψαν περὶ
αὐτοῦ τάδε ·

---

1. L'adresse de la *Lettre au préfet d'Égypte Nestorius* (ATHANASE, *Apol. sec.*, 56, Opitz, p. 136, 13), permet de préciser que ces gouverneurs étaient ceux de l'*Augustamnica* (province fondée tout récemment, en 341), de la Thébaïde (l'une des 3 anciennes provinces d'Égypte, avec l'*Aegyptus Iouia* et l'*Aegyptus Herculia*) et de la Libye. Ces gouverneurs, aux attributions exclusivement civiles, étaient subordonnés au préfet d'Égypte, tandis qu'un *dux* était investi des pouvoirs militaires. Les *praesides* tenaient le moins haut rang parmi les gouverneurs, après les *correctores* et les *consulares*. Au début du vᵉ siècle, la *Notitia Dignitatum* dénombre en Égypte, sous l'autorité du Préfet, cinq *praesides* et un *corrector*, celui de l'*Augustamnica*.

2. Par admiration pour Athanase (ou par fidélité à sa source, qui est précisément ATHANASE, *Apol. contra Arianos* 57, 1 et 2-6 pour la lettre), Sozomène présente comme général le ralliement des évêques de Palestine. En fait, le métropolitain de Palestine, Acace de Césarée, restait

avait antérieurement écrites contre Athanase et ceux de sa communion, et que les clercs d'Athanase fussent exemptés, comme auparavant, des services publics. Et il écrivit à ce sujet aux gouverneurs d'Égypte et de Libye[1]. **3** Quand Athanase fut arrivé en Égypte, il déposa ceux qu'il savait du parti d'Arius, et, à ceux que les ariens avaient déposés, il confia les Églises pour être gouvernées selon la foi du concile de Nicée, à laquelle il leur ordonnait de rester fermement attachés. **4** On dit que lors de son voyage aussi à travers les autres provinces il avait agi de même, s'il arrivait que les Églises fussent sous la main des ariens. Au surplus on portait contre lui cette accusation que, dans des villes où il n'avait aucun droit, il avait osé faire des ordinations. **5** Du fait que, malgré ses ennemis, il avait réussi son retour et que, à cause de l'amitié de l'empereur Constant, il ne semblait pas homme qu'on pût facilement mépriser, il était plus honoré qu'auparavant. Beaucoup d'évêques même renoncèrent à leur haine contre lui et lui donnèrent part à leur communion, comme les Palestiniens[2] : quand, en effet, il passa alors par chez eux, ils l'accueillirent avec bienveillance ; et, ayant réuni un synode à Jérusalem, Maxime et d'autres évêques écrivirent sur lui une lettre dont voici les termes[3] :

l'un de ses adversaires les plus résolus et il ne devait pas manquer de partisans, car l'évêque de Jérusalem, Maxime, n'avait pu réunir qu'un concile de 16 évêques pour saluer Athanase au passage et lui remettre des lettres destinées à l'épiscopat égyptien et aux fidèles d'Alexandrie (BARDY, p. 136). Noter que Sozomène, comme Athanase, parle d'une seule lettre adressée à la fois aux évêques, prêtres et diacres *et* au peuple fidèle d'Alexandrie (*H.E.* III, 22, 1).

3. Le texte de la lettre que cite Sozomène est chez ATHANASE, *Apol. contra Arianos* 57, avec les noms des 16 signataires (Opitz II, p. 136-137) : voir HEFELE-LECLERCQ I 2, p. 836.

22

1 « Ἡ ἁγία σύνοδος ἡ ἐν Ἱεροσολύμοις συναχθεῖσα τοῖς ἐν Αἰγύπτῳ καὶ Λιβύῃ καὶ τοῖς ἐν Ἀλεξανδρείᾳ πρεσβυτέροις καὶ διακόνοις καὶ λαῷ, ἀγαπητοῖς καὶ ποθεινοτάτοις ἀδελφοῖς ἐν κυρίῳ χαίρειν.

2 Κατ' ἀξίαν τῷ τῶν ὅλων θεῷ εὐχαριστεῖν οὐκ ἀρκοῦμεν, ἀγαπητοί, ἐφ' οἷς θαυμασίοις ἐποίησε πάντοτε, ἐποίησε δὲ καὶ νῦν μετὰ τῆς ὑμετέρας ἐκκλησίας, τὸν ποιμένα ὑμῶν καὶ κύριον καὶ συλλειτουργὸν ἡμῶν Ἀθανάσιον ἀποδοὺς ὑμῖν. Τίς γὰρ ἤλπισέ ποτε ταῦτα ὀφθαλμοῖς ἰδεῖν, ἃ νῦν ὑμεῖς ἔργῳ ἀπολαμβάνετε; ἀλλ' ἀληθῶς αἱ προσευχαὶ ὑμῶν εἰσηκούσθησαν παρὰ τῷ τῶν ὅλων θεῷ τῷ κηδομένῳ τῆς ἐκκλησίας τῆς ἑαυτοῦ καὶ ἐπιδόντι ὑμῶν τὰ δάκρυα καὶ τοὺς ὀδυρμοὺς καὶ διὰ τοῦτο
137 τῶν δεήσεων | ὑμῶν ἐπακούσαντι. **3** Ἦτε γὰρ «ὡς πρόβατα ἐρριμμένα καὶ ἐσκυλμένα μὴ ἔχοντα ποιμένα». Διὰ τοῦτο ἐπεσκέψατο ὑμᾶς ὁ ἀληθινὸς ποιμὴν οὐρανόθεν, ὁ τῶν ἰδίων προβάτων κηδόμενος, ἀποδοὺς ὑμῖν ὃν ἐποθεῖτε. **4** Ἰδοὺ γὰρ καὶ ἡμεῖς πάντα ὑπὲρ τῆς ἐκκλησιαστικῆς εἰρήνης πράττοντες καὶ τῇ ὑμετέρᾳ συμπνέοντες ἀγάπῃ προλαβόντες αὐτὸν ἠσπασάμεθα · καὶ κοινωνήσαντες δι' αὐτοῦ ὑμῖν ταύτας τὰς προσρήσεις διαπεμπόμεθα καὶ τὰς εὐχαριστηρίους ἡμῶν εὐχάς, ἵν' εἰδῆτε τῷ συνδέσμῳ τῆς ἀγάπης πρὸς αὐτὸν καὶ ἡμῶν ἡνῶσθαι. **5** Ὀφείλετε δὲ καὶ ὑπὲρ τῆς εὐσεβείας τῶν θεοφιλεστάτων βασιλέων εὔχεσθαι, οἵτινες καὶ αὐτοὶ γνόντες τὸν πόθον ὑμῶν
1105 τὸν περὶ αὐτὸν καὶ τὴν | αὐτοῦ καθαρότητα ἀποκαταστῆσαι ὑμῖν αὐτὸν μετὰ πάσης τιμῆς κατηξίωσαν. **6** Ὑπτίαις οὖν ὑπο—

---

1. Faut-il lire ὑμῶν ou ἡμῶν? Voir à ce sujet l'apparat critique de Bidez qui opte, avec bT pour ὑμῶν, et Opitz, dans son édition d'ATHANASE (*Apol. contra Arianos* 57, 4), pour ἡμῶν : c'est le choix du P. Festugière. La confusion est banale, cf. plus bas XXIII, 2 : τὰς ἀκοὰς ἡμῶν C τὰς ἀκοὰς ὑμῶν B. Ici, les deux leçons font difficulté : ἡμῶν employé comme réfléchi direct (au lieu de τὰς ἡμετέρας ou ἡμῶν αὐτῶν) est peu correct. Quant au génitif ὑμῶν, il est inexplicable : τὰς... ὑμῶν εὐχάς est

Chapitre 22

Lettre du synode de Jérusalem en faveur d'Athanase.

1 «Le saint synode réuni à Jérusalem aux évêques d'Égypte et de Libye et aux prêtres, aux diacres, au peuple d'Alexandrie, frères très chers et très aimés, salut dans le Seigneur.

2 Nous ne suffisons pas à remercier dignement le Dieu de l'univers, chers frères, pour toutes les merveilles qu'il a accomplies en tout temps, mais tout particulièrement en ce temps-ci à l'égard de votre Église, en vous rendant votre pasteur et maître, notre confrère dans le ministère, Athanase. Qui jamais eût espéré voir de ses yeux ce que vous recouvrez en fait aujourd'hui? Mais en vérité vos prières ont été entendues du Dieu de l'univers qui prend soin de son Église, qui a jeté les yeux sur vos larmes et vos gémissements et pour cela a exaucé vos demandes. **3** Car vous étiez "comme des brebis gisantes et lasses qui n'ont pas de berger" (*Matth.* 9, 36). Aussi le vrai pasteur vous a-t-il vus du ciel, lui qui prend soin de ses brebis, et il vous a rendu celui que vous désiriez. **4** Voici, en effet, que nous aussi, agissant en tout pour la paix de l'Église et en union avec Votre Charité, nous l'avons d'avance embrassé; et en communion, par lui, avec vous, nous vous envoyons ces salutations et nos[1] prières d'actions de grâces, pour que vous sachiez que nous lui sommes nous aussi unis par le lien de la charité. **5** Vous devez aussi prier pour la Piété des empereurs très aimés de Dieu qui, connaissant eux aussi le désir que vous aviez d'Athanase et de sa pureté, ont daigné le rétablir chez vous en tout honneur. **6** L'ayant donc accueilli les

---

impossible, et εὐχαριστηρίους ὑμῶν est insolite (on attendrait εἰς ὑμᾶς, cf. PHILON, *de Vita contem.* 87).

δεξάμενοι αὐτὸν χερσὶ καὶ τὰς ὀφειλομένας ὑπὲρ αὐτοῦ εὐχαριστηρίους εὐχὰς ἀναπέμψαι τῷ ταῦτα ὑμῖν χαρισαμένῳ
θεῷ σπουδάσατε, ὑπὲρ τοῦ διὰ παντὸς ὑμᾶς χαίρειν σὺν θεῷ
καὶ δοξάζειν τὸν κύριον ἐν Χριστῷ Ἰησοῦ τῷ κυρίῳ ἡμῶν, δι'
οὗ τῷ πατρὶ ἡ δόξα εἰς τοὺς αἰῶνας. ἀμήν.»

23

1 Καὶ τὰ μὲν ὧδε ἔγραψεν ἡ ἐκ Παλαιστίνης σύνοδος. Μέγιστον δὲ ἐπὶ τούτοις Ἀθανασίῳ συνεκύρησε περιφανῶς
ἔλεγχον ἀδίκως αὐτοῦ καταδικάσαι τοὺς ἐν Τύρῳ συνεληλυ-
θότας. Οὐάλης γὰρ καὶ Οὐρσάκιος, οἳ σὺν τοῖς ἀμφὶ Θεόγνιον,
ὡς πρόσθεν εἴρηται, εἰς τὸν Μαρεώτην παρεγένοντο ἐρευνῆσαι,
εἰ κατὰ τὴν Ἰσχυρίωνος γραφὴν ποτήριον ἱερὸν συνέτριψε,
μεταμεληθέντες τάδε ἔγραψαν Ἰουλίῳ τῷ Ῥωμαίων ἐπισκόπῳ·
2 «Κυρίῳ μακαριωτάτῳ πάπᾳ Ἰουλίῳ Οὐρσάκιος καὶ
Οὐάλης. Ἐπειδὴ συνέστηκεν ἡμᾶς πρὸ τούτου πολλά τε καὶ
δεινὰ περὶ Ἀθανασίου τοῦ ἐπισκόπου διὰ γραμμάτων ἡμῶν
ὑποβεβληκέναι, γράμμασί ‹τε› | τῆς σῆς χρηστότητος μεθοδευ-
θέντες τοῦ πράγματος χάριν περὶ οὗ ἐδηλώσαμεν οὐκ ἠδυνή-
θημεν λόγον ἀποδοῦναι, ὁμολογοῦμεν παρὰ τῇ σῇ χρηστότητι
παρόντων τῶν ἀδελφῶν ἡμῶν πάντων τῶν πρεσβυτέρων, ὅτι
πάντα τὰ πρὸ τούτου ἐλθόντα εἰς τὰς ἀκοὰς ἡμῶν περὶ τοῦ
ὀνόματος τοῦ προειρημένου Ἀθανασίου ψευδῆ καὶ πλαστά

---

1. Ce geste symbolique des mains présentées la paume au-dessus est
en général approprié quand il s'agit de recevoir quelque chose; mais
il s'agit plutôt ici d'un geste de prière.
2. Voir *H.E.* II, 25, 3 et 19, *SC* 306, p. 344-345. Par cette lettre,
Ursace et Valens se rétractent donc et abandonnent les accusations
qu'ils avaient fait valoir au concile de Tyr en 335.
3. Sozomène a emprunté le texte grec de la lettre à ATHANASE, *Apol.
contra Arianos* 58 (SOCRATE, *H.E.* II, 23 résume seulement les deux
lettres de Valens et Ursace adressées à Jules et à Athanase). Le texte
latin original est conservé dans HILAIRE DE POITIERS, *Collect. Antiar.*

mains renversées[1], empressez-vous aussi d'adresser les
prières d'actions de grâces qui sont de mise pour lui à
Dieu qui vous a accordé ces faveurs, pour que vous vous
réjouissiez en tout temps avec Dieu et louiez le Seigneur
dans le Christ Jésus Notre Seigneur, par qui gloire soit
au Père pour tous les siècles. Amen.»

Chapitre 23

Profession de foi de Valens et d'Ursace, ariens,
à l'adresse de l'évêque de Rome,
disant qu'ils avaient calomnié Athanase.

1 Voilà ce qu'écrivit le synode de Palestine. Après cela,
il échut à Athanase, de façon éclatante, une preuve capitale
que les évêques réunis à Tyr l'avaient condamné injustement. Valens en effet et Ursace, qui, avec Théognios,
comme je l'ai dit plus haut, étaient allés enquêter en
Maréotide, pour savoir si Athanase, comme l'en accusait
Ischyrion, avait brisé un calice, se repentirent[2] et écrivirent à Jules l'évêque des Romains la lettre qui suit[3] :
2 «Au très bienheureux seigneur le pape Jules, Ursace
et Valens. Puisqu'il est établi qu'avant ce jour nous avons
suggéré par nos lettres beaucoup d'accusations graves
touchant l'évêque Athanase et que, après avoir été atteints
par la lettre de Ta Bégninité, relative à l'affaire sur laquelle
nous avions fait une déclaration, nous n'avons pu donner
de justification, nous professons devant Ta Bégninité, en
présence de nos frères tous les prêtres, que tout ce qui
est venu à nos oreilles avant ce jour sur la personne du
dit Athanase est mensonger et controuvé, et lui est abso-

Paris. Ser. B II, 6, Feder, p. 143-144 (= *Fragm. hist.* II, 20, *PL* 10, 647-
648) : cf. BARDY, p. 136.

1108 ἐστι, πάσῃ τε δυνά|μει ἀλλότρια αὐτοῦ τυγχάνει · διά τοι
τοῦτο ἡδέως ἀντιποιούμεθα τῆς κοινωνίας τοῦ προειρημένου
Ἀθανασίου, μάλιστα ὅτι ἡ θεοσέβειά σου κατὰ τὴν ἔμφυτον
αὐτῆς καλοκάγαθίαν τῇ πλάνῃ ἡμῶν συγγνώμην κατηξίωσε
δοῦναι. 3 Ὁμολογοῦμεν καὶ τοῦτο, ὅτι ἐάν ποτε ἡμᾶς οἱ ἀνα-
τολικοὶ θελήσωσιν ἢ καὶ αὐτὸς Ἀθανάσιος κακοτρόπως περὶ
τούτου εἰς κρίσιν καλέσαι, μὴ ἀπέρχεσθαι παρὰ γνώμην τῆς
σῆς διαθέσεως.

4 Τὸν δὲ αἱρετικὸν Ἄρειον καὶ τοὺς ὑπερασπίζοντας αὐτοῦ
τοὺς λέγοντας «ἦν ποτε ὅτε οὐκ ἦν ὁ υἱὸς» καὶ ὅτι ἐκ τοῦ μὴ
ὄντος Χριστός ἐστι, καὶ τοὺς ἀρνουμένους τὸν Χριστὸν θεὸν
εἶναι καὶ υἱὸν θεοῦ πρὸ αἰώνων, καθὼς καὶ ἐν τῷ προτέρῳ
λιβέλλῳ ἑαυτῶν ἐν τῇ Μεδιολάνων ἐπιδεδώκαμεν, καὶ νῦν καὶ
ἀεὶ ἀναθεματίζομεν · ταῦτα δὲ τῇ χειρὶ ἑαυτῶν γράψαντες ὁμολογοῦμεν πάλιν ὅτι τὴν Ἀρειανικὴν αἵρεσιν, καθὰ προείπωμεν,
καὶ τοὺς ταύτης αὐθέντας κατεκρίναμεν εἰς τὸν αἰῶνα.

5 Ἐγὼ Οὐρσάκιος τῇ ὁμολογίᾳ μου ταύτῃ παρὼν ὑπέγραψα.
Ὡσαύτως δὲ καὶ Οὐάλης.»

6 Καὶ ἃ μὲν πρὸς Ἰούλιον ὡμολόγησαν, ταῦτά ἐστιν. Ἃ δὲ
καὶ πρὸς Ἀθανάσιον ἔγραψαν, ἀναγκαίως παραθήσομαι · ἔχει
δὲ ὧδε ·

24

1 «Κυρίῳ ἀδελφῷ Ἀθανασίῳ ἐπισκόπῳ Οὐρσάκιος καὶ
Οὐάλης ἐπίσκοποι.

---

1. Il s'agit du deuxième synode de Milan (347) dont Sozomène n'a
pas parlé (cf. BARDY, p. 135 et note 2). Voir HILAIRE, *Coll. Antiar. Paris*.
Ser. B II, 8, Feder, p. 142 (= *Fragm. hist.* II, 19, *PL* 10, 645-646).

lument étranger. Pour cela donc nous faisons effort de tout cœur pour obtenir la communion du dit Athanase, d'autant plus que Ta Piété, suivant sa bonté naturelle, a daigné pardonner à notre erreur. **3** Nous professons aussi que, si jamais les évêques orientaux veulent nous appeler malignement en jugement sur cette affaire, ou encore Athanase lui-même, nous ne partirons pas sans le consentement de Ta Dilection.

4 Quant à l'hérétique Arius et à ceux qui prennent sa défense et qui disent "Il fut un temps où le Fils n'existait pas" et que le Christ a été tiré du néant, et à ceux qui nient que le Christ soit Dieu et Fils de Dieu de toute éternité, conformément au libelle remis déjà au synode de Milan[1], aujourd'hui et toujours nous les anathématisons. Ayant écrit cette lettre de notre main, nous professons de nouveau que, comme nous l'avons dit plus haut, nous condamnons l'hérésie arienne et ceux qui en sont les fauteurs pour l'éternité.

5 Moi Ursace j'ai soussigné en personne cette mienne profession. Moi, Valens, j'ai fait de même.»

6 Telle est donc la profession qu'ils envoyèrent à Jules. Quant à leur lettre à Athanase, il est nécessaire que je la présente sous les yeux. En voici le texte :

Chapitre 24

Lettre de paix des mêmes au grand Athanase;
les autres évêques d'Orient
recouvrent aussi leurs sièges;
Macédonius de nouveau chassé (de Constantinople),
Paul occupe le siège à sa place.

1 «Au seigneur notre frère l'évêque Athanase, Ursace et Valens, évêques.

Ἀφορμὴν εὑρόντες διὰ τοῦ ἀδελφοῦ καὶ συμπρεσβυτέρου ἡμῶν Μουσαίου ἐρχομένου πρὸς τὴν σὴν ἀγάπην, ἀδελφὲ ἀγαπητέ, διὰ τούτου σε καὶ πάνυ προσαγορεύομεν ἀπὸ τῆς Ἀκυλίας καὶ εὐχόμεθά σε ὑγιαίνοντα τὰ γράμματα τὰ ἡμέτερα ἀναγνῶναι. 2 Δώσεις γὰρ ἡμῖν θαρρεῖν, ἐὰν καὶ σὺ ἐν τῷ
1109 γράφειν | ἀποδῷς ἡμῖν τὴν ἀμοιβήν. Γίνωσκε γὰρ ἡμᾶς εἰρήνην ἔχειν μετὰ σοῦ καὶ κοινωνίαν ἐκκλησιαστικήν. Καὶ τούτων γνώρισμα ἡ διὰ τούτων τῶν γραμμάτων προσηγορία.»
3 Ἀθανάσιος μὲν οὖν οὕτως ἐκ τῆς πρὸς δύσιν ἀρχομένης ἐπανῆλθεν εἰς Αἴγυπτον. Καὶ Παῦλος δὲ καὶ Μάρκελλος,
139 Ἀσκληπᾶς τε καὶ Λούκιος τοὺς | ἰδίους ἀπέλαβον θρόνους · καὶ γὰρ δὴ τούτοις γράμματα βασιλέως ἐπέτρεπε τὴν ἐπάνοδον.
4 Καὶ ἐν μὲν τῇ Κωνσταντινουπόλει Παύλου εἰσελθόντος ὑπεχώρησε Μακεδόνιος καὶ καθ' ἑαυτὸν ἐκκλησίαζεν. Ἐν Ἀγκύρᾳ δὲ μέγιστος συνέβη θόρυβος ἀφαιρουμένου Βασιλείου τῆς ἐνθάδε ἐκκλησίας, ἡνίκα Μάρκελλος εἰσῄει. Τοῖς δὲ ἄλλοις οὐ χαλεπὴ ἡ εἴσοδος ἐγένετο.

1. Le texte de ce billet laconique se trouve dans ATHANASE, *Apol. contra Arianos* 58 et dans HILAIRE, *Coll. Antiar. Paris.*, Ser. B II, 8, Feder, p. 145 (*Fragm. hist.* II, 20, *PL* 10, 649-650) : cf. BARDY, p. 137. Noter qu'à la place de «Mousaios», désignant le prêtre chargé d'apporter ce billet, le texte d'Hilaire porte «Moyses» (*fratris et conpresbiteri nostri Moysetis*).
2. Ces évêques avaient été déposés officiellement par les Orientaux au concile de Philippopolis/Sardique (342/343) – voir *H.E.* III, 11, 7 – qui sanctionnait des décisions antérieures, prises notamment à Tyr et à Antioche. Marcel avait déjà été excommunié au synode de Constantinople en 336 (*H.E.* II, 33, 1, *SC* 306, p. 376 et note 1). Pour Asclépas de Gaza, voir *H.E.* III, 8, 1 : accusé par les hétérodoxes d'avoir renversé un autel, il avait été déposé, avant 340, et remplacé par Quin-

Ayant pris l'occasion de ce que notre frère et collègue dans le sacerdoce Musée se rend chez Ta Charité, frère très cher, nous t'adressons un grand salut depuis Aquilée et nous demandons à Dieu que ce soit en bonne santé que tu lises cette lettre. **2** Tu nous donneras courage si tu veux bien de ton côté nous écrire pour nous donner réponse. Sache en effet que nous sommes en paix et en communion ecclésiastique avec toi. Preuve en est dans la salutation que nous t'adressons par cette lettre[1]. »

3 C'est donc dans ces conditions qu'Athanase revint de l'Empire d'Occident en Égypte. De leur côté Paul, Marcel Asclépas et Lucius reprirent leurs sièges : des lettres impériales en effet leur avaient permis le retour[2]. **4** Quand Paul fut rentré à Constantinople, Macédonius lui céda la place et il célébrait le culte à part. À Ancyre en revanche, il y eut de très grands désordres quand Basile fut dépossédé de l'église du lieu, lors de l'entrée de Marcel. Pour les autres évêques, l'entrée se fit sans difficulté.

tianus. Pour Lucius d'Andrinople, qui avait trouvé refuge à Rome, comme Marcel et Asclépas, voir *H.E.* III, 8, 1, et III, 12, 2, qui précise qu'il avait été réhabilité par les Occidentaux à Sardique parce que ses accusateurs avaient fui. Par la suite, mais toujours sous le règne de Constance, cet évêque voulut, à la faveur d'une émeute, rentrer à Andrinople ; mais il fut pris et envoyé en exil où il mourut (cf. A. MARTIN, *Athanase d'Alexandrie...*, p. 437 se fondant sur *Hist. Arian.* 19, 1 et *Apol. de fuga* 3, 3).

Α΄. Περὶ τῆς ἀναιρέσεως Κώνσταντος τοῦ Καίσαρος, καὶ τῶν ἐν Ῥώμῃ συμβάντων.

Β΄. Ὡς πάλιν Κωνστάντιος ἀπελαύνει τὸν Ἀθανάσιον καὶ ὑπερορίζει τοὺς τὸ ὁμοούσιον πρεσβεύοντας. Καὶ περὶ τοῦ θανάτου Παύλου Κωνσταντινουπόλεως καὶ ὡς κατέστη πάλιν ἐπὶ τοῦ θρόνου ὁ Μακεδόνιος, κάκιστα ἐργαζόμενος.

Γ΄. Περὶ τοῦ μαρτυρίου τῶν ἁγίων νοταρίων.

Δ΄. Περὶ τῆς εἰς Σίρμιον ἐκστρατείας Κωνσταντίου καὶ περὶ Βρετανίωνος καὶ Μαγνεντίου· καὶ ὡς Γάλλον Καίσαρα χειροτονήσας, εἰς Ἕω ἐξαποστέλλει.

Ε΄. Ὡς Κυρίλλου μετὰ Μάξιμον τὴν Ἱεροσολύμων ἰθύνοντος πάλιν σταυροῦ τύπος μέγιστος ἐν οὐρανῷ ἐπὶ πολλαῖς ἡμέραις ἐφάνη, ὑπερλάμπων καὶ ἥλιον.

ϛ΄. Περὶ Φωτεινοῦ τοῦ Σιρμίου καὶ τῆς αἱρέσεως αὐτοῦ, καὶ τῆς κατ᾽ αὐτοῦ ἐν Σιρμίῳ συνόδου· καὶ περὶ τῶν τριῶν τῆς πίστεως ἐκθέσεων· καὶ ὡς μετὰ τὴν καθαίρεσιν Φωτεινὸς καλούμενος ἀπεῖπε· καὶ ὡς παρὰ Βασιλᾶ τοῦ Ἀγκύρας ἀπηλέγχθη κενὰ φρυαττόμενος.

Ζ΄. Περὶ τοῦ θανάτου Μαγνεντίου καὶ Σιλβανοῦ τοῦ ἀποστάτου· ἔτι δὲ καὶ περὶ τῆς ἐν Παλαιστίνῃ στάσεως τῶν Ἰουδαίων· καὶ ὡς ἀνηρέθη Γάλλος ὁ Καῖσαρ, νεωτερίζειν ὑποπτευθείς.

Η΄. Περὶ τῆς εἰς Ῥώμην ἀφίξεως Κωνσταντίου· καὶ περὶ τῆς ἐν Ἰταλίᾳ συνόδου καὶ περὶ τῶν συμβάντων τῷ μεγάλῳ Ἀθανασίῳ ἐξ ἐπιβουλῆς τῶν Ἀρειανῶν.

Θ΄. Περὶ τῆς ἐν Μεδιολάνῳ συνόδου καὶ τῆς φυγῆς Ἀθανασίου.

Ι΄. Ὡς διαφόρως ἐπιβουλευθεὶς Ἀθανάσιος παρὰ τῶν Ἀρειανῶν, θεόθεν ὡς θεῖος ἀνὴρ προμηνυομένους διαφόρους κινδύνους

διέδρασε· καὶ οἷα κακὰ ὑπὸ Γεωργίου οἱ ἐν Αἰγύπτῳ ἔπαθον, Ἀθανασίου ὑποχωρήσαντος.

ΙΑʹ. Περὶ Λιβερίου τοῦ ἐπισκόπου Ῥώμης δι᾽ ἃς αἰτίας ἐξόριστος ὑπὸ Κωνσταντίου ἐγένετο· καὶ περὶ τοῦ μετ᾽ αὐτὸν γεγονότος Φίληκος.

ΙΒʹ. Περὶ Ἀετίου τοῦ Σύρου καὶ Εὐδοξίου τοῦ μετὰ Λέοντος Ἀντιοχείας γεγονότος, καὶ περὶ τοῦ ὁμοουσίου.

ΙΓʹ. Ὅτι νεωτερίζοντι τῷ Εὐδοξίῳ γράμματα ἔπεμψε Γεώργιος ὁ Λαοδικείας ἀναστέλλων αὐτόν· καὶ περὶ τῶν ἐξ Ἀγκύρας πρέσβεων εἰς Κωνστάντιον.

ΙΔʹ. Ἐπιστολὴ Κωνσταντίου βασιλέως ἀποβαλλομένη Εὐδόξιον καὶ τοὺς περὶ αὐτόν.

ΙΕʹ. Ὡς ἐν Σιρμίῳ γενόμενος ὁ Κωνστάντιος πάλιν μετακαλεῖται Λιβέριον, καὶ τῇ Ῥώμῃ ἀποκαθίστησι· συνιερατεύειν δὲ καὶ Φίληκα ἐπιτρέπει.

ΙϚʹ. Ὅτι διὰ τὴν Ἀετίου αἵρεσιν καὶ τῶν ἐν Ἀντιοχείᾳ ὥρισεν ὁ βασιλεὺς σύνοδον ἐν Νικομηδείᾳ γενέσθαι· σεισμοῦ δὲ γενομένου καὶ πολλῶν ἐν τῷ μεταξὺ εἰσπεσόντων, πρότερον μὲν ἐν Νικαίᾳ, ὕστερον δὲ ἐν Ἀριμήνῳ καὶ Σελευκείᾳ ἡ σύνοδος ἤθροισται· ἐν ᾧ καὶ περὶ Ἀρσακίου τοῦ ὁμο‑λογητοῦ.

ΙΖʹ. Περὶ τῶν πραχθέντων τῇ ἐν Ἀριμήνῳ συνόδῳ.

ΙΗʹ. Ἐπιστολὴ τῆς ἐν Ἀριμήνῳ συνόδου πρὸς τὴν βασιλέα Κων‑στάντιον.

ΙΘʹ. Περὶ τῶν πρέσβεων τῆς συνόδου καὶ τῆς τοῦ βασιλέως ἐπιστολῆς καὶ ὅπως οἱ περὶ Οὐρσάκιον καὶ Οὐάλεντα ὕστερον συνήνεσαν τῇ προκομισθείσῃ ἐπιστολῇ καὶ περὶ τῆς ἀρχιερέων ἐξορίας· καὶ περὶ τῆς ἐν Νίκῃ συνόδου· καὶ δι᾽ ἣν αἰτίαν ἡ ἐν Ἀριμήνῳ συνεσχέθη σύνοδος.

Κʹ. Περὶ τῶν ἐν ταῖς ἑῴαις Ἐκκλησίαις συμβάντων, καὶ ὡς ὁ Μαραθώνιος, καὶ Ἐλεύσιος ὁ Κυζίκου καὶ Μακεδόνιος, ἐξή‑λαυνον τοὺς τὸ ὁμοούσιον δοξάζοντας. Καὶ περὶ τῆς ἐκκλησίας τῶν Ναυατιανῶν, ὡς μετέθη· καὶ ὡς μετὰ τῶν Ὀρθοδόξων ἐκοινώνουν.

ΚΑʹ. Περὶ τῶν ἐν Μαντινείᾳ ὑπὸ Μακεδονίου πραχθέντων· καὶ ὡς

ἐξηλάθη τοῦ θρόνου, μεταθέμενος τὴν θήκην τοῦ μεγάλου Κωνσταντίνου· καὶ ὡς ὁ Ἰουλιανὸς προεβλήθη Καῖσαρ.

ΚΒ΄. Περὶ τῆς ἐν Σελευκείᾳ συνόδου.

ΚΓ΄. Περὶ Ἀκακίου καὶ Ἀετίου· καὶ ὡς ὁ βασιλεὺς μετεχειρίζετο τοὺς πρέσβεις τῶν δύο συνόδων, τῆς ἐν Ἀριμήνῳ καὶ Σελεύκου, τὸ ἴσον φρονῆσαι.

ΚΔ΄. Ὅτι οἱ περὶ Ἀκάκιον τὴν ἐν Ἀριμήνῳ ἐβεβαίωσαν σύνοδον· καὶ κατάλογος τῶν καθαιρεθέντων ἀρχιερέων, καὶ ἐπὶ ποίοις ἐγκλήμασιν.

ΚΕ΄. Αἰτίαι τῶν καθαιρέσεων Κυρίλλου τοῦ Ἱεροσολύμων ἐπισκόπου, καὶ διαφοραὶ τῶν ἀντικαθισταμένων τῶν τότε ἐπισκόπων ἀλλήλοις· καὶ ὡς Μελέτιος ὑπὸ Ἀρειανῶν χειροτονηθείς, ἀντὶ Εὐσταθίου Σεβαστίας προεβιβάσθη.

ΚϚ΄. Τελευτὴ Μακεδονίου Κωνσταντίνου πόλεως· καὶ τί διδάσκων εἴρηκεν ὁ Εὐδόξιος· καὶ ὡς Εὐδόξιος καὶ Ἀκάκιος πλεῖστα ἔσπευσαν, τήν τε ἐν Νικαίᾳ πίστιν, καὶ τὴν ἐν Ἀριμήνῳ ἐκ τοῦ μέσου θεῖναι· καὶ ὅσος τάραχος ἐντεῦθεν ταῖς Ἐκκλησίαις ἐπισυνέβη.

ΚΖ΄. Ὡς μετὰ τὸ ἐκστῆναι τοῦ θρόνου, Μακεδόνιος κατὰ τοῦ ἁγίου ἐβλασφήμησε Πνεύματος· καὶ ὅτι Μαραθώνιος σὺν ἄλλοις τὴν ἐκείνου αἵρεσιν ηὔξησαν.

ΚΗ΄. Ὅτι οἱ Ἀρειανοὶ ὡς ὁμόφρονα λογιζόμενοι τὸν θεῖον Μελέτιον, ἐκ Σεβαστείας εἰς Ἀντιόχειαν προεβίβασαν· τὸ δὲ ὀρθόδοξον ἐκείνου παρρησίᾳ ὁμολογήσαντος κατησχύνθησαν, καὶ καθελόντες αὐτόν, Εὐζώιον ἐγκαθιστῶσι τῷ θρόνῳ. Μελέτιος δὲ ἰδίᾳ ἐκκλησίαζεν· οἱ γὰρ τὸ ὁμοούσιον φρονοῦντες αὐτὸν ἐξετρέποντο, ὡς ὑπὸ Ἀρειανῶν χειροτονηθέντα.

ΚΘ΄. Ὅτι οἱ περὶ Ἀκάκιον πάλιν οὐκ ἠρέμουν, ἀλλὰ τὸ ὁμοούσιον ἐξελεῖν ἐπειρῶντο, καὶ τὴν Ἀρείου αἵρεσιν συνιστᾶν.

Λ΄. Περὶ Γεωργίου τοῦ Ἀντιοχείας, καὶ περὶ τῶν ἐν Ἱεροσολύμοις ἀρχιερατευσάντων· καὶ ὅτι μετὰ Κύριλλον τριῶν ἀρχιερέων προβάντων, πάλιν ὁ Κύριλλος ἐπέβη τοῦ θρόνου τῆς Ἱερουσαλημ.

chassé de son siège pour avoir fait transférer le cercueil du grand Constantin; Julien est promu César.

XXII.   Le concile de Séleucie.

XXIII. Acace et Aèce; l'empereur met tout en œuvre pour
que les ambassadeurs des deux conciles, celui de
Rimini et celui de Séleucie, aient les mêmes opinions.

XXIV.   Les acaciens confirment le concile de Rimini; liste des
évêques déposés, avec les motifs de leur déposition.

XXV.   Raisons des dépositions de Cyrille, évêque de Jérusalem; dissensions entre les évêques qui se remplacent
alors les uns les autres; Mélèce, ordonné par les ariens,
est promu à la place d'Eustathe à Sébaste.

XXVI.   Mort de Macédonius, évêque de Constantinople;
propos tenus dans un sermon par Eudoxe; Eudoxe
et Acace font tous leurs efforts pour éliminer la formule
de foi de Nicée et de Rimini; troubles qui en résultent
dans les Églises.

XXVII. Après avoir été chassé de son siège, Macédonius parle
en termes impies contre le Saint-Esprit; Marathonius,
avec d'autres, développe l'hérésie de Macédonius.

XXVIII. Les ariens considérant que le divin Mélèce partage
leur opinion le transfèrent de Sébaste à Antioche;
Mélèce confesse franchement son orthodoxie et les
ariens couverts de honte le déposent et établissent
Euzoïos sur le siège (d'Antioche); Mélèce tient les
assemblées de culte en privé, car les «homoousiens»
se détournent de lui, comme ayant été ordonné par
des ariens.

XXIX.   Les acaciens à nouveau ne se tiennent pas tranquilles;
ils essaient de supprimer le terme *homoousios* et de
raffermir l'hérésie arienne.

XXX.   Georges évêque d'Antioche; les évêques de Jérusalem;
après Cyrille trois évêques se succèdent, puis à
nouveau Cyrille recouvre le trône de Jérusalem.

ΤΟΥ ΑΥΤΟΥ
ΕΚΚΛΗΣΙΑΣΤΙΚΗΣ ΙΣΤΟΡΙΑΣ
ΤΟΜΟΣ ΤΕΤΑΡΤΟΣ

1

1112 **140** **1** Καὶ τὰ μὲν ὧδε συνέβη. Τετάρτῳ δὲ ἔτει τῆς ἐν Σαρδοῖ συνόδου κτίννυται Κώνστας περὶ τοὺς πρὸς δύσιν Γαλάτας. Μαγνέντιος δέ, ὃς αὐτῷ τὸν φόνον ἐπεβούλευσε, πᾶσαν τὴν ὑπὸ Κώνσταντος ἀρχομένην ὑφ' ἑαυτὸν ἐποίησε. Βρετανίων δέ τις ὑπὸ τῶν Ἰλλυριῶν στρατιωτῶν ἐν τῷ Σιρμίῳ βασιλεὺς ἀνη– γορεύθη. **2** Πλεῖστον δὲ τούτων τῶν κακῶν μέρος καὶ ἡ πρεσ– βυτέρα Ῥώμη μετεῖχε, Νεποτιανοῦ, ὃς ἀδελφιδοῦς ἦν [καὶ] Κωνσταντίνου τοῦ βασιλεύσαντος, τοὺς μονομάχους περὶ ἑαυτὸν ποιησαμένου καὶ τῆς βασιλείας ἀμφισβητοῦντος. Ἀλλ' ὁ μὲν ὑπὸ τῶν Μαγνεντίου στρατηγῶν ἀνηρέθη, Κωνστάντιος δέ, ὡς εἰς μόνον αὐτὸν τῆς πάσης ἀρχῆς περιελθούσης, αὐτο–

1. C'est-à-dire en 350, puisque Sozomène date par erreur le concile de Sardique de 347, alors qu'il eut lieu en 342/343 (cf. III, 11, 3 et la note ainsi que III, 12, 5).

2. L'empereur Constant fut tué à Helena (Elne, dans les Pyrénées), par Gaiso, au début de l'année 350, dans des circonstances auxquelles Amm. fait allusion en 15, 5, 16, au terme de sa fuite devant Magnence, officier d'origine à demi-barbare, qui avait usurpé la pourpre à Autun le 18 janvier 350 : cf. Piganiol, p. 94-95, renvoyant à Zosime II, 42, *Epit. de Caes.* 41, 23, Eutrope X, 9, 4, Jean d'Antioche, *FHG* IV 604, Zonaras XIII, 6 ; ainsi que Stein-Palanque, p. 138.

3. Ce vieux général de Constance prit la pourpre à Mursa le 1er mars 350, peut-être à l'instigation de la princesse Constantia, fille de Constantin et veuve d'Hannibalien, agissant en faveur de son frère Constance, pour empêcher les troupes d'Illyrie de passer du côté de Magnence : cf. Piganiol, p. 94-95, se fondant sur Zosime II, 43, 1 ; *Epit. de Caes.* 41, 25, Eutrope X, 10, 2, Philostorge III, 22 ; et Stein-Palanque, p. 139.

DU MÊME
HISTOIRE ECCLÉSIASTIQUE

LIVRE IV
(Règne de Constance 350-360)

Chapitre 1

*Le meurtre du César Constant
et les événements de Rome.*

1 Tels furent, jusqu'ici, les événements. Mais, la quatrième année après le concile de Sardique[1], Constant est
tué dans la Gaule de l'Ouest[2]. Magnence, qui avait
machiné son assassinat, se rendit maître de toute la partie
de l'Empire dépendant de Constant. D'autre part, un
certain Vétranion fut acclamé empereur[3] à Sirmium par
les troupes d'Illyrie. **2** La vieille Rome aussi eut à souffrir
très grandement de ces maux, car Népotianus[4], qui était
un neveu de l'ancien empereur Constantin, avait gagné
à sa cause les gladiateurs et revendiquait le pouvoir. Mais
Népotianus fut mis à mort par les généraux de Magnence,
et Constance, du fait que tout l'Empire était passé entre

4. Flauius Popilius Nepotianus, fils d'Eutropia, fille de Constance
Chlore et de Theodora, donc demi-sœur de Constantin, vainquit sous
les murs de la Ville les plébéiens armés contre lui par le préfet du
prétoire Anicetus et fut proclamé empereur à Rome le 3 juin 350. AMM.,
en 28, 1, 1, évoque brièvement la période tragique des troubles qui
s'ensuivirent et se terminèrent par la défaite et l'exécution de Népotianus (et de sa mère) par le comte Marcellinus, d'abord *comes rei
priuatae* de Constant, puis principal responsable de la conspiration de
Magnence dont il devint le maître des offices : cf. PIGANIOL, p. 95, se
fondant sur ZOSIME II, 43, 2, *Epit. de Caes.* V, 42, 6, EUTROPE, X, 11,
2 ; et STEIN-PALANQUE, p. 139.

κράτωρ ἀναγορευθεὶς τοὺς τυράννους καθελεῖν ἐσπούδαζεν.
3 Ἐν τούτῳ δὲ Ἀθανάσιος παρεγένετο εἰς Ἀλεξάνδρειαν καὶ
σύνοδον γενέσθαι παρεσκεύασε τῶν ἐξ Αἰγύπτου ἐπισκόπων
καὶ ἐπιψηφίσασθαι τοῖς ἐν Σαρδοῖ καὶ Παλαιστίνῃ περὶ αὐτοῦ
δεδογμένοις.

2

1113 |1 Ὁ δὲ βασιλεὺς ταῖς διαβολαῖς πεισθεὶς τῶν ἀπὸ τῆς
ἐναντίας αἱρέσεως ἐπὶ τῆς αὐτῆς οὐκ ἔμεινε γνώμης, ἀλλ' ἀπελαύνεσθαι προσέταξε παρὰ τὰ πρότερον δεδογμένα τῇ ἐν
Σαρδοῖ συνόδῳ ‹τοὺς› τῆς καθόδου τυχόντας · ἡνίκα δὴ Μαρκέλλου πάλιν ἐκβληθέντος τὴν ἐν Ἀγκύρᾳ ἐκκλησίαν κατέσχε
Βασίλειος, Λούκιος δὲ δεσμωτηρίῳ ἐμβληθεὶς ἀπώλετο.
2 Παῦλος δὲ ἀιδίῳ φυγῇ καταδικασθεὶς εἰς Κουκουσὸν τῆς
Ἀρμενίας ἀπηνέχθη · ἔνθα δὴ καὶ τετελεύτηκε, πότερον δὲ
141 νόσῳ ἢ βίᾳ, ἐγὼ μὲν οὐκ ἀκριβῶ, φήμη δὲ | εἰσέτι νῦν κρατεῖ
βρόχῳ αὐτὸν ἀναιρεθῆναι παρὰ τῶν τὰ Μακεδονίου φρονούντων. 3 Ἐπεὶ δὲ εἰς τὴν ὑπερορίαν ἀπηνέχθη καὶ τὴν
ἐκκλησίαν κατέσχε Μακεδόνιος, μοναστηρίοις πολλοῖς ἃ
συνεστήσατο κατὰ τὴν Κωνσταντινούπολιν περιφράξας ἑαυτὸν

1. L'entrée d'Athanase à Alexandrie (*H.E.* III, 21, 1), le 21 octobre
346, et le ralliement, présenté comme général, des évêques de Palestine
(III, 21, 5) qui dut la suivre d'assez près, sont, en fait, bien antérieurs
aux événements politiques et militaires impliquant Constant, Constance,
Vétranion, Magnence et Népotianus (350).
2. Marcel d'Ancyre, excommunié par les Orientaux d'abord à Tyr
(335), puis par le concile séparé qu'ils tinrent à Philippopolis (*H.E.* III,
11, 7-8), avait été réhabilité par les Occidentaux à Sardique en 342-
343 (*H.E.* III, 12, 1) et son adversaire Basile avait été chassé (*H.E.* III,
24, 4). Lucius, évêque d'Andrinople, après avoir été expulsé, avait trouvé
refuge à Rome auprès de l'évêque Jules (*H.E.* III, 8, 1), avant d'être
réhabilité à Sardique avec Paul, Marcel et Asclépas (*H.E.* III, 24, 3).
3. Après avoir été chassé par Constance (338/339) et exilé à Thessalonique, Paul était lui aussi passé en Occident. Mais il n'avait pas,
comme le prétend Sozomène, trouvé refuge à Rome auprès de Jules,

ses seules mains, fut proclamé autocratôr et il s'employait
à abattre les usurpateurs. **3** À ce moment, Athanase, qui
était arrivé à Alexandrie, fit se réunir un synode des
évêques d'Égypte et sanctionner les mesures qui avaient
été prises à son sujet à Sardique et en Palestine[1].

Chapitre 2

*À nouveau Constance chasse Athanase et fait exiler
ceux qui approuvent le terme* homoousios ;
*la mort de Paul, évêque de Constantinople ;
Macédonius occupe à nouveau le siège
(de Constantinople) en commettant les pires méfaits.*

1 Cependant l'empereur, persuadé par les calomnies
des gens de la secte adverse, ne s'en tint pas à son
premier jugement ; il ordonna, contrairement à ce qui
avait été antérieurement décidé au concile de Sardique,
que fussent chassés ceux qui avaient obtenu leur retour ;
alors donc, Marcel[2] ayant été de nouveau expulsé, Basile
occupa l'église d'Ancyre, et Lucius, jeté dans un cachot,
y mourut. **2** Paul, condamné à un bannissement per-
pétuel, fut conduit à Cucuse d'Arménie[3] ; c'est là qu'il
mourut aussi, fut-ce par maladie ou violence, je ne le
sais pas exactement, mais le bruit court jusqu'aujourd'hui
encore qu'il fut étranglé par les partisans de Macédonius.
3 Après qu'il eut été conduit en exil et que Macédonius
eut pris l'église[4], celui-ci, s'étant fortifié de tout côté par
les nombreux monastères qu'il avait fondés à Constanti-

mais auprès de Constantin II à Trèves (DAGRON, p. 430), avant d'être
réhabilité à Sardique (en 342/343). Sur les tribulations de sa vie et sa
carrière épiscopale, voir déjà *H.E.* III, 3, 1 et la note.
   4. Il s'agit du siège très envié de Constantinople. Sur Macédonius,
l'adversaire irréductible de Paul, voir *H.E.* III, 3, 1 et la note.

καὶ ταῖς πρὸς τοὺς πέριξ ἐπισκόπους σπονδαῖς, λέγεται διαφόρως κακῶσαι τοὺς τὰ Παύλου φρονοῦντας, τὰ μὲν πρῶτα
τῶν ἐκκλησιῶν αὐτοὺς ἐξελαύνων, 4 μετὰ δὲ ταῦτα καὶ συγ-
κοινωνεῖν αὐτῷ βιαζόμενος, ὡς πολλοὺς ὑπὸ πληγῶν διαφθα-
ρῆναι, τοὺς δὲ οὐσίας, ἄλλους δὲ πολιτείας ἀφαιρεθῆναι, τοὺς
δὲ ἐπὶ τοῦ μετώπου στιγματίας γενέσθαι, ἵν' ἐπίσημοι εἶεν
τοιοῦτοι ὄντες · βασιλέα δὲ μαθόντα καταγνῶναι καὶ τοὺς ἀμφὶ
τὸν Εὐδόξιον ἐν αἰτίᾳ ποιήσασθαι καὶ ταῦτα τῆς αὐτοῦ Μακεδονίου καθαιρέσεως, ἡνίκα τοῦτον ἀφείλοντο τὴν Κωνσταντινουπόλεως ἐκκλησίαν.

<h1 style="text-align:center">3</h1>

1 Προῆλθε γὰρ τὸ κακὸν καὶ μέχρι φόνων · καὶ γὰρ δὴ ἄλλοι
τινὲς ἀνῃρέθησαν καὶ Μαρτύριος καὶ Μαρκιανός, οὓς
συνοίκους ὄντας Παύλου λόγος ἀνδρείως ἀποθανεῖν παραδο-
θέντας ὑπὸ Μακεδονίου τῷ ὑπάρχῳ ὡς αἰτίους γενομένους τῆς
Ἑρμογένους κακῆς ἀναιρέσεως καὶ τῆς κατ' αὐτοῦ στάσεως.
⁵ Ἦν δὲ ὁ μὲν ὑποδιάκονος, ὁ δὲ Μαρκιανὸς ψάλτης καὶ ἀνα-
1116 γνώστης τῶν ἱερῶν γραφῶν · ὁ δὲ τάφος αὐτοῖς | ἐστιν ἐπίσημος
πρὸ τοῦ τείχους Κωνσταντινουπόλεως, οἷά γε μαρτύρων μνῆμα
εὐκτήριον οἶκον περικείμενος · 2 ὃν οἰκοδομεῖν ἤρξατο

1. Sur cet arien influent, formé à l'École d'Antioche, longtemps évêque
de Germanicie, membre du parti eusébien aux synodes d'Antioche (341),
Sardique (342/343), Sirmium (351), Milan (355), principal auteur de
l'«ekthèse macrostique», voir *H.E.* III, 14, 42 et la note. En 360, il
réussit à expulser Macédonius du siège de Constantinople qu'il conserva
jusqu'à sa mort, en 370.
2. Sur la sédition de Constantinople en 342, voir *H.E.* III, 7, 3 et la
note. Sur l'assassinat du *magister equitum* Hermogène, *H.E.* III, 7, 6.
Le préfet en cause est Flavius Philippus (*H.E.* III, 7, 3 et la note).
3. Les noms du sous-diacre Martyrios et du chantre et lecteur Marcien
n'apparaissent qu'ici. Toutefois DAGRON, p. 433-434, rapproche de notre
texte «le récit de leur martyre, que nous donnent deux recensions,»
datables des années 400 : ce récit contient, dans une présentation

nople et par ses traités avec les évêques des environs, mit à mal, dit-on, de différentes manières les partisans de Paul, d'abord en les chassant des églises, **4** ensuite en usant de violence pour les faire entrer dans sa communion, en sorte que beaucoup périrent par les coups, que d'autres furent privés de leurs biens, d'autres du droit de cité, et que d'autres encore furent marqués au front, pour qu'on sût bien qu'ils étaient du parti de Paul. Quand l'empereur apprit ces choses, il les condamna, et les partisans d'Eudoxe[1] considérèrent cela aussi comme un motif de déposer Macédonius lui-même quand ils lui enlevèrent l'église de Constantinople.

Chapitre 3

Le martyre des saints notaires.

1 Le mal en effet s'était avancé même jusqu'aux meurtres. De fait, entre autres gens qui furent mis à mort, il y eut Martyrios et Marcien, dont on dit que, faisant partie des proches de Paul, ils moururent courageusement, après avoir été livrés au préfet par Macédonius comme ayant été les auteurs du meurtre odieux d'Hermogène et de la sédition populaire[2] contre lui. Le premier était sous-diacre, Marcien chantre et lecteur des saintes Écritures. Leur tombe, devant le rempart de Constantinople[3], attire les regards, entourée d'un oratoire comme un monument de martyrs : **2** sa construction fut commencée par Jean,

---

déformée qui fausse les dates (350-351 au lieu de 342), les brèves indications de Sozomène et les insère «dans un roman au centre duquel se trouve Paul». Le chapitre de DAGRON (p. 388-409), consacré exclusivement «aux églises et *martyria* des premiers temps», ne peut donc pas faire état de ce *martyrion*, dont la construction se prolongea depuis l'épiscopat de Jean Chysostome (398-404) jusqu'à celui de Sisinnios (426-427).

Ἰωάννης, ἐτελεσιούργησε δὲ Σισίννιος, οἱ μετὰ ταῦτα προσ-
τάντες τῆς Κωνσταντινουπόλεως ἐκκλησίας. Οὐ γὰρ ἄξιον
νενομίκασι μαρτυρίας γερῶν ἀμοιρεῖν αὐτοὺς ὑπὸ θεοῦ τιμω-
μένους, καθότι καὶ ὁ τῇδε τόπος, τῶν ἐπὶ θανάτῳ ἀγομένων
ἐνθάδε τὰς κεφαλὰς ἀποτεμνομένων, τὸ πρὶν ἄβατος ὢν ὑπὸ
φασμάτων ἐκαθάρθη · καὶ δαιμονῶντες τῆς νόσου ἀπηλ-
λάγησαν καὶ πολλὰ ἄλλα παράδοξα ἐπὶ τῷ τάφῳ αὐτῶν
142 συνέβη. 3 Τάδε μὲν ἡμῖν περὶ | Μαρτυρίου καὶ Μαρκιανοῦ εἰ-
ρήσθω. Εἰ δέ τῳ οὐ πιθανὰ εἶναι δοκεῖ, πόνος οὐδεὶς ἀκριβέστερον παρὰ τῶν εἰδότων μαθεῖν · ἴσως γὰρ καὶ τούτων θαυ-
μαστότερα ἀφηγήσονται.

4

1 Ὑπὸ δὲ τοῦτον τὸν χρόνον Ἀθανασίου φυγόντος Γεώργιος
κακῶς ἐποίει τοὺς ἀνὰ τὴν Αἴγυπτον ὁμοίως αὐτῷ φρονεῖν
παραιτουμένους. 2 Ὁ δὲ βασιλεὺς ἐπὶ Ἰλλυριοὺς στρατεύσας
ἧκεν εἰς Σίρμιον, καὶ ἐπὶ ῥηταῖς συνθήκαις εἰς ταὐτὸν ἐνθάδε
Βρετανίων ἦλθε. μεταθεμένων δὲ τῶν ἀναγορευσάντων αὐτὸν
στρατιωτῶν καὶ μόνον Κωνστάντιον αὐτοκράτορα καὶ
Σεβαστὸν ἀναβοώντων (ὧδε γὰρ τάδε γενέσθαι αὐτῷ τε τῷ
βασιλεῖ καὶ τοῖς τὰ αὐτοῦ φρονοῦσιν ἐσπουδάζετο) συνῆκε
Βρετανίων τὴν προδοσίαν · πρηνής τε παρὰ τοὺς πόδας
κείμενος Κωνσταντίου ἱκέτης ἐγίνετο. 3 Περιελὼν δὲ αὐτοῦ
Κωνστάντιος τὸν βασιλικὸν κόσμον καὶ τὴν ἁλουργίδα ἠλέησε

1 Sozomène ne peut faire ici allusion qu'à la fuite d'Athanase datée
précisément du 9 février 356 (SEECK, *Regesten*, a. 356) et aux méfaits
de Georges qui fit son entrée à Alexandrie le 24 février 357 (BARDY,
p. 142-150). C'est par erreur qu'il établit un synchronisme entre ces
événements ecclésiastiques de 356-357 et des événements politiques qui
leur sont nettement antérieurs : Vétranion abdique le 25 décembre 350 à
Naïssus. Gallus est nommé César le 15 mars 351 et envoyé à Antioche,
en Syrie. AMM. donne un récit détaillé de la fin de son règne (14, 1;
14, 7 et 14, 11).

et achevée par Sisinnios, qui furent plus tard chefs de
l'Église de Constantinople. Ils jugèrent en effet qu'il n'était
pas juste qu'ils fussent privés des marques d'honneur du
martyre alors qu'ils étaient honorés de Dieu, attendu que
ce lieu-là, où l'on amenait les condamnés à mort pour
leur trancher la tête, tenu auparavant pour un lieu interdit
en raison des fantômes, avait été purifié, que des démoniaques y furent délivrés de la maladie et que beaucoup
d'autres miracles furent accomplis sur leur tombe. **3** En
voilà assez dit sur Martyrios et Marcien. S'il en est qui
trouvent ces choses peu croyables, il leur est facile de
s'en instruire plus exactement auprès des gens au courant :
et ceux-là peut-être raconteront des prodiges plus éton-
nants encore.

Chapitre 4

L'expédition de Constance à Sirmium ;
Vétranion et Magnence ;
Constance fait élire Gallus César et l'envoie en Orient.

1 Vers ce temps-là, Athanase ayant pris la fuite[1],
Georges mettait à mal ceux de l'Égypte qui refusaient de
partager ses opinions. **2** L'empereur, après une expédition
contre les Illyriens, vint à Sirmium, et Vétranion l'y rejoignit
à des conditions convenues d'avance. Comme les soldats
qui l'avaient proclamé empereur avaient changé de camp
et acclamaient Constance comme seul autocratôr et
Auguste – et l'empereur lui-même et ses partisans s'employaient à ce qu'il en fût ainsi –, Vétranion comprit qu'il
était trahi : face contre terre aux pieds de Constance, il
fut là couché en suppliant. **3** Constance lui enleva les
insignes impériaux et la pourpre, mais il eut pitié de lui,

καὶ ἰδιωτεύειν εἴασε καὶ τὰ ἐπιτήδεια ἀφθόνως ἔχειν ἀπὸ τοῦ
δημοσίου προσέταξεν, οἷά γε λοιπὸν πρεσβύτην πρεπωδέστερον
εἶναι φήσας βασιλικῶν ἀπηλλάχθαι φροντίδων καὶ ἐν ἡσυχίᾳ
1117 εἶναι. **4** | Ἐπεὶ δὲ τὰ κατὰ Βρετανίωνα ὧδε αὐτῷ ἀπέβη,
πλείστην κατὰ Μαγνεντίου στρατιὰν ἐξέπεμψεν εἰς Ἰταλίαν ·
Γάλλον δὲ τὸν αὐτοῦ ἀνεψιὸν Καίσαρα καταστήσας εἰς Συρίαν
ἀπέστειλεν ἐπὶ φυλακῇ τοῦ κατὰ τὴν ἕω κλίματος.

5

1 Ἐν δὲ τῷ τότε Κυρίλλου μετὰ Μάξιμον τὴν Ἱεροσολύμων
ἐκκλησίαν ἐπιτροπεύοντος σταυροῦ σημεῖον ἐν τῷ οὐρανῷ
ἀνεφάνη καταυγάζον λαμπρῶς, οὐχ οἷον κομήτης ταῖς ἐκλάμ–
ψεσιν ἀπορρέον, ἀλλ' ἐν συστάσει πολλοῦ φωτὸς ἐπιεικῶς
πυκνὸν καὶ διαφανές, **2** μῆκος μὲν ὅσον ἐκ τοῦ Κρανίου μέχρι
τοῦ ὄρους τῶν Ἐλαιῶν, ἀμφὶ δὲ δέκα καὶ πέντε στάδια τὸν
ὑπὲρ τὸν χῶρον τοῦτον οὐρανὸν ἀπολαβόν, εὖρος δὲ τῷ μήκει
143 ἀνάλογον. **3** Ὡς ἐπὶ παρα| δόξῳ δὲ τῷ συμβεβηκότι θαύματι
καὶ δέος πάντας ἔσχεν. Οἰκίας δὲ καὶ ἀγορὰς καὶ ὅπερ ἔτυχεν
ἕκαστος ἐργαζόμενος καταλιπὼν ἅμα παισὶ καὶ γυναιξὶν εἰς
τὴν ἐκκλησίαν συνῆλθον καὶ κοινῇ τὸν Χριστὸν ὕμνουν καὶ
θεὸν προθύμως ὡμολόγουν. **4** Οὐ μετρίως δὲ καὶ πᾶν τὸ καθ'
ἡμᾶς οἰκούμενον ἡ περὶ τούτου ἀγγελία κατέπληξεν. Ἐγένετο
δὲ τοῦτο οὐκ εἰς μακράν. Ὡς γὰρ εἰώθει, ἐκ πάσης, ὡς εἰπεῖν,

---

1. Le synchronisme s'établit avec les événements politiques de 350-
351. Cyrille (313-387) a succédé à Maxime entre 348 et 350. La date
exacte de l'apparition de la Croix dans le ciel de Jérusalem (30 janvier
351) est donnée par Cyrille lui-même dans une lettre à Constance : cf.
LTK t. 6 (1961), c. 709-710 (O. PERLER) et, déjà, SEECK, *Regesten*,
a. 351.

lui permit de vivre en homme privé, et ordonna que le nécessaire lui fût fourni en abondance sur le trésor public : il lui dit que, désormais, il lui convenait mieux, comme vieillard, d'être débarrassé des soucis de l'Empire et de vivre en tranquillité. **4** Après qu'il eut ainsi réglé l'affaire de Vétranion, il fit passer la plus grande partie de l'armée en Italie contre Magnence ; et, après avoir établi César son cousin Gallus, il l'envoya en Syrie pour la garde de la région orientale.

Chapitre 5

Alors que Cyrille, après Maxime, dirige l'Église
de Jérusalem, à nouveau un très grand signe de croix
apparaît dans le ciel pendant plusieurs jours,
dépassant même l'éclat du soleil.

1 En ce temps-là, alors que Cyrille, après Maxime, gouvernait l'Église de Jérusalem, le signe d'une croix parut dans le ciel[1] ; il brillait avec éclat, et ne s'écoulait pas en laissant une traînée lumineuse comme une comète, mais se présentait avec la consistance d'une forte lumière passablement dense et transparente. **2** En longueur, il allait depuis le Calvaire jusqu'au Mont des Oliviers, occupant sur environ quinze stades la partie du ciel au-dessus de ce terrain ; sa largeur était analogue à la longueur. **3** En raison de l'étrangeté du prodige survenu, tout le monde avait été saisi d'étonnement et de crainte : ayant quitté maisons, marchés, et le travail qu'ils faisaient, tous s'étaient réunis avec enfants et femmes à l'église, et louaient en commun le Christ et faisaient avec ardeur des professions de foi à Dieu. **4** Considérable aussi fut dans l'empire romain tout entier la stupeur à la nouvelle de cet événement ; et cela se produisit en très peu de

γῆς κατ' εὐχὴν καὶ ἱστορίαν τῶν τῇδε τόπων Ἱεροσολύμων
ἐνδημοῦντες, ὧν ἐγένοντο θεαταί, τοῖς οἰκείοις ἐμήνυσαν.
Ἔγνω δὲ τοῦτο καὶ ὁ βασιλεὺς ἄλλων τε πολλῶν ἀναγγει-
λάντων καὶ Κυρίλλου τοῦ ἐπισκόπου γράψαντος. 5 Ἐλέγετο
δὲ παρὰ τῶν τὰ τοιάδε ἐπιστημόνων κατά τινα προφητείαν
θείαν πάλαι ταῦτα προμεμηνῦσθαι ἐν ταῖς ἱεραῖς βίβλοις. Καὶ
τὸ μὲν ὧδε συμβὰν πολλοὺς Ἑλλήνων καὶ Ἰουδαίων εἰς Χριστιανισμὸν ἐπηγάγετο.

6

1120   **1** Ἐν τούτῳ δὲ Φωτεινὸς τὴν ἐν Σιρμίῳ ἐκκλησίαν ἐπι-
τροπεύσαν, ἤδη πρότερον καινῆς αἱρέσεως εἰσηγητὴς γενόμενος,
ἔτι τοῦ βασιλέως ἐνδημοῦντος ἐνθάδε ἀναφανδὸν τῷ οἰκείῳ
συνίστατο δόγματι. Φύσεως δὲ ἔχων εὖ λέγειν, καὶ πείθειν
ἱκανὸς πολλοὺς εἰς τὴν ὁμοίαν ἑαυτῷ δόξαν ἐπηγάγετο.
2 Ἔλεγε δὲ ὡς θεὸς μέν ἐστι παντοκράτωρ εἷς, ὁ τῷ ἰδίῳ λόγῳ
πάντα δημιουργήσας· τὴν δὲ πρὸ αἰώνων γέννησίν τε καὶ
ὕπαρξιν τοῦ υἱοῦ οὐ προσίετο, ἀλλ' ἐκ Μαρίας γεγενῆσθαι τὸν
Χριστὸν εἰσηγεῖτο. **3** Περιπύστου δὲ πολλοῖς γενομένου τοῦ

1. Au moment du synode de Sirmium (automne 351), comme il sera
dit en IV, 6, 6 : l'année d'après le consulat de Sergius et de Nigrinianus, après la victoire de Constance sur Magnence à Mursa (28 septembre 351).

2. Compatriote de Marcel d'Ancyre et formé à son école, Photin est
condamné avec son maître au premier synode de Milan, en 345.
L'«ekthèse macrostique» rejetait leurs théories en les accusant de nier
la préexistence éternelle du Christ, ainsi que sa divinité et l'éternité de
son règne. La doctrine de Photin exagérait celle de Marcel et rejoignait
presque celle de Paul de Samosate (BARDY, p. 134). Photin fut encore
condamné au deuxième synode de Milan en 347, puis aux synodes de
Sirmium en 348 et 351; il s'agit ici du dernier synode. Il fut alors enfin
chassé de son siège, mais put revenir de son exil sous Julien : voir
LTK t. 8 (1963), c. 483 (B. KOTTER) et DECA, p. 2025-2026 (M. SIMO-
NETTI, qui renvoie à ses Studi sull'arianesimo, Roma, 1965, p. 135-159,

temps. Venus en effet comme d'habitude de la terre entière, si l'on peut dire, pour prier et visiter les Lieux saints de Jérusalem, des gens qui avaient été témoins de ce spectacle en firent part à leurs proches. L'empereur aussi apprit la chose, beaucoup la lui ayant rapportée et, entre autres, l'évêque Cyrille par une lettre. **5** Les gens compétents en ces matières disaient que cela avait été annoncé à l'avance en vertu d'une prophétie divine dans les saints Livres. Et l'événement survenu entraîna un grand nombre de païens et de Juifs vers la religion chrétienne.

Chapitre 6

Photin, évêque de Sirmium, et son hérésie;
le synode réuni contre lui à Sirmium;
les trois expositions de foi;
après sa déposition Photin, rappelé, refuse;
par Basile d'Ancyre
il est convaincu de vaine arrogance.

1 En ce temps-là[1], Photin, chef de l'Église de Sirmium[2], qui, auparavant déjà, avait introduit une hérésie nouvelle, alors que l'empereur se trouvait encore présent en ce lieu, soutenait ouvertement sa croyance personnelle. Naturellement disert et capable de persuader, il en entraînait beaucoup à partager sa doctrine. **2** Il disait que Dieu était l'unique Tout-Puissant, celui qui par sa Parole avait créé toutes choses; il n'admettait pas la génération et l'existence du Fils de toute éternité, mais opinait que le Christ était né de Marie. **3** Une telle croyance s'étant

et remarque que «les anciens liaient Photin à Paul de Samosate comme représentant de l'adoptianisme», mais qu'en fait, il affirmait un «monarchianisme rigide», dans la ligne de Marcel).

τοιούτου δόγματος χαλεπῶς ἔφερον οἵ τε ἐκ τῆς δύσεως καὶ τῆς ἔω ἐπίσκοποι, καὶ κοινῇ ταῦτα νεωτερίζεσθαι καθ' ὧν ἕκαστος ἐδόξαζεν ἡγοῦντο. Καθάπαξ γὰρ τὸ διαφωνοῦν ἐδείκνυτο τῆς Φωτεινοῦ πίστεως πρός τε τῶν ἐν Νικαίᾳ τὴν παράδοσιν θαυμαζόντων καὶ τῶν τὴν Ἀρείου δόξαν ἐπαινούντων. 4 Ἐπὶ τούτοις δὲ καὶ ὁ βασιλεὺς ἐχαλέπαινεν· ἐν δὲ τῷ τότε ἐν Σιρμίῳ διατρίβων σύνοδον συνεκάλεσε. Καὶ συνῆλθον ἐκ μὲν τῆς ἔω ἄλλοι τε καὶ Γεώργιος ὁ τὴν Ἀλεξαν-

144 δρέων ἐπιτραπεὶς ἐκκλησίαν καὶ Βασίλειος | ὁ Ἀγκύρας ἐπίσκοπος καὶ Μᾶρκος ὁ Ἀρεθούσης, ἐκ δὲ τῆς δύσεως Οὐάλης τε ὁ ἐκ Μουρσῶν καὶ Ὅσιος ὁ ὁμολογητής, ὃς καὶ τῆς ἐν Νικαίᾳ συνόδου κοινωνήσας ἄκων καὶ ταύτης μετέσχε. 5 Οὗτος γὰρ οὐ πολλῷ πρότερον ἐξ ἐπιβουλῆς τῶν τὰ Ἀρείου φρονούντων ὑπερορίαν οἰκεῖν καταδικασθείς, σπουδῇ τῶν ἐν Σιρμίῳ συνελθόντων μετεκλήθη παρὰ τοῦ βασιλέως. Ὤιοντο γὰρ ὡς, εἰ πειθοῖ τινι ἢ βίᾳ σύμψηφον σφίσι ποιήσουσιν ἐπισημότατον ὄντα καὶ πρὸς πάντων θαυμαζόμενον, ἀξιόχρεως αὐτοῖς ἔσται μάρτυς τοῦ οἰκείου δόγματος.

6 Ἐπεὶ οὖν ἐν Σιρμίῳ συνῆλθον (ἔτος δὲ τοῦτο ἦν μετὰ τὴν Σεργίου καὶ Νιγριανοῦ ὑπατείαν, ἡνίκα οὐδεὶς ὕπατος οὔτε ἐκ τῆς ἔω οὔτε ἐκ τῆς δύσεως ἀνεδείχθη διὰ τὴν συμβᾶσαν προφάσει τῶν τυράννων περὶ τὰ κοινὰ ταραχήν), τὸν μὲν Φωτεινὸν καθεῖλον ὡς τὰ Σαβελλίου καὶ Παύλου τοῦ Σαμοσατέως φρο-

---

1. C'est le deuxième synode de Sirmium, qui se réunit à la fin de l'année 351 (BARDY, p. 138-139). Photin exilé fut remplacé par Germinius de Cyzique (ATHANASE, *Hist. Arian.* 74).

2. En fait, Hosius de Cordoue, sur lequel il faut lire maintenant la mise au point de J. ULRICH, *Die Anfänge der abendländischen Rezeption des Nizänums*, Berlin 1994 (*PTS* 39), p. 111-135, n'a pas dû participer au synode de Sirmium en 351. Sozomène confond ce synode avec le second des deux synodes de 357, qui se tinrent aussi tous deux à Sirmium : c'est là seulement qu'Hosius, après avoir longtemps tenu tête à Constance, souscrivit, comme l'évêque de Rome Libère, au Credo

répandue chez beaucoup, on prenait mal la chose chez les évêques d'Occident et chez ceux d'Orient, et ils estimaient en commun que c'étaient là des innovations contraires à ce que chacun pensait en son particulier. Car il se manifestait une différence absolue entre la foi de Photin et d'une part ceux qui approuvaient la tradition des pères de Nicée, d'autre part ceux qui louaient la doctrine d'Arius. 4 De cela l'empereur aussi était irrité ; et comme il résidait alors à Sirmium, il convoqua un synode[1]. De l'Orient se rassemblèrent, entre autres, Georges qui avait reçu charge de l'Église d'Alexandrie, Basile évêque d'Ancyre, Marc d'Aréthuse ; de l'Occident, Valens de Mursa et le confesseur Hosius[2], qui, comme il avait participé au concile de Nicée, ne vint que malgré lui à ce synode-ci. 5 De fait, il avait été peu auparavant, par suite d'un complot des ariens, condamné à l'exil, mais sur le désir empressé des évêques réunis à Sirmium, il fut rappelé par l'empereur. Ils pensaient en effet que si, par quelque persuasion ou violence, ils le faisaient voter comme eux, alors qu'il était très en vue et admiré de tous, il serait pour eux un répondant sûr de leur propre croyance.

6 Quand donc ils se furent rassemblés à Sirmium – c'était l'année d'après le consulat de Sergius et Nigrinianus, quand ne fut nommé aucun consul ni de l'Orient ni de l'Occident à cause du trouble dans les affaires publiques en raison des usurpateurs –, ils déposèrent Photin comme partageant les erreurs de Sabellius et de

inspiré par les ariens : sur l'exil d'Hosius, évêque de Cordoue, à Sirmium en 356-357, voir BARDY, p. 146-147 ; sur la signature, par Hosius, de la formule arienne, *ibid.*, p. 153-154.

νοῦντα. **7** Μετὰ δὲ ταῦτα πάλιν παρὰ τὰ πρότερον δεδογμένα περὶ τῆς πίστεως τρεῖς ἐκθέσεις ἐξέδωκαν, ὧν τὴν μὲν τῇ Ἑλλήνων φωνῇ, τὰς δὲ τῇ Ῥωμαίων συνέταξαν, ἐν πολλοῖς περί τε ῥητὸν καὶ ἔννοιαν οὔτε ἑαυταῖς οὔτε ταῖς πρότερον δεδογμέναις συμφωνούσας. **8** Ἰστέον μέντοι ὡς ἡ Ἑλληνικὴ οὔτε ὁμοούσιον οὔτε ὁμοιούσιον τῷ πατρὶ τὸν υἱὸν εἶπε · τοὺς 1121 δὲ φάσκοντας αὐτὸν ἄναρχον | εἶναι, ἢ πλατυνομένην τὴν οὐσίαν τοῦ θεοῦ τὸν υἱὸν ποιεῖν, ἢ συντετάχθαι ἀλλὰ μὴ ὑποτετάχθαι τῷ πατρὶ δοξάζοντας ἀποκηρύττειν. **9** Θατέρα δὲ τῶν Ῥωμαϊκῶν περὶ μὲν οὐσίας, ἣν σουβστantίαν Ῥωμαῖοι ὀνομάζουσιν, εἴτε ὁμοούσιος εἴτε ὁμοιούσιός ἐστιν ὁ υἱὸς τῷ πατρί, παντελῶς ἀπαγορεύει λέγειν, ὡς οὔτε ταῖς ἱεραῖς εἰρημένα γραφαῖς οὔτε ἀνθρώπων ἐννοίαις ἢ γνώσει εὔληπτα. **10** Μείζονα δὲ χρῆναι συνομολογεῖν τὸν πατέρα παρακελεύεται τιμῇ καὶ ἀξίᾳ καὶ θειότητι καὶ αὐτῷ τῷ πατρικῷ ὀνόματι, καὶ ὑποτετάχθαι τῷ πατρὶ τὸν υἱὸν μετὰ πάντων ἀξιοῖ, καὶ τοῦ μὲν πατρὸς ἀρχὴν μὴ εἶναι, τοῦ δὲ υἱοῦ τὴν γένεσιν ἄγνωστον πᾶσι πλὴν τοῦ πατρός. **11** Λέγεται δὲ ἤδη ταύτην τὴν γραφὴν ἐκδοθεῖσαν ὡς μὴ δεόντως συγκειμένην σπουδάσαι 145 τοὺς ἐγκειμένους ἐπισκόπους ἐπὶ | διορθώσει ἀναλαβεῖν · καὶ

---

1. Près d'un siècle après la condamnation, en 268, de l'évêque d'Antioche Paul de Samosate, monarchien proche de l'adoptianisme (cf. Eusèbe, *H.E.* VII, 27-30 utilisant les Actes du concile d'Antioche), sa doctrine, qui partait de la théorie du Logos d'Origène, mais la radicalisait, avait survécu, surtout à Antioche, où Eustathe la représente sous une forme modérée. Sur la continuité de la tradition monarchienne à Antioche, voir *DECA*, p. 1949-1950 (M. Simonetti). Sur Sabellius et le sabellianisme, voir *H.E.* II, 18, 3, *SC* 306, p. 304-305 et note 1, et ici III, 6, 7 et la note.

2. La première exposition, en grec, est donnée par Athanase, *De syn.* 27 : elle reprend la quatrième formule d'Antioche, en y ajoutant vingt-sept anathématismes (Sozomène fait allusion au septième, donné par Athanase, *De syn.* 27, 3). La deuxième exposition, qui correspond à la première latine, est également donnée par Athanase, *De syn.* 28,

Paul de Samosate[1]. **7** Après quoi, de nouveau, ils publièrent trois expositions de foi contraires à ce qui avait été d'abord décidé[2]; il composèrent l'une en langue grecque, les deux autres en latin; sur beaucoup de points et quant à la lettre et quant à l'esprit, elles n'étaient d'accord ni entre elles ni avec les définitions antérieures. **8** Il faut savoir pourtant que l'exposition grecque ne disait le Fils ni *homoousios* ni *homoiousios* au Père; quant à ceux qui disent que le Fils est sans commencement, ou que l'*ousia* du Père produit le Fils en s'épandant, ou qui croient que le Fils est coordonné au Père, non subordonné, elle les excommuniait. **9** L'une des deux expositions latines, en ce qui regarde l'*ousia*, que les Latins nomment *substantia*, interdit absolument de dire que le Fils soit de même *ousia* que le Père ou d'une *ousia* semblable à celle du Père, ces termes *homoousios* et *homoiousios* n'étant ni dans les saintes Écritures ni d'intelligence facile pour l'entendement et la connaissance humaine. **10** Elle recommande qu'il faut convenir que le Père est plus grand par l'honneur, le rang, la déité et le nom même du Père, elle estime que le Fils est, comme toutes choses, subordonné au Père, que du Père il n'y a pas de commencement et que la génération du Fils est inconnaissable à tous sauf au Père. **11** On dit que, à peine ce document publié, les évêques présents là le jugèrent incorrect et cherchèrent à le reprendre pour le corriger, et que l'empereur ordonna qu'il en fût ainsi en

qui n'a pas la troisième. La première formule de Sirmium pouvait être « interprétée dans un sens orthodoxe et HILAIRE en parle en termes favorables (*De syn.* 28-42) » : voir BARDY, p. 139. Mais à partir de là, l'arianisme va se radicaliser.

τὸν βασιλέα τοῦτο προστάξαι τιμωρίαν ἀπειλήσαντα κατὰ τῶν ἀποκρυπτόντων · ἀλλ' ἡ μὲν ἅπαξ ἐκδοθεῖσα παντελῶς οὐκέτι ἔλαθεν. 12 Ἡ δὲ τρίτη γραφὴ τὰ μὲν ἄλλα συμφέρεται τῇ διανοίᾳ ταῖς ἄλλαις, τὸ δὲ τῆς οὐσίας ὄνομα περιεῖλε · καὶ αἰτίαν τήνδε αὐτοῖς ῥητοῖς ἔχει διὰ τῆς Ῥωμαίων φωνῆς ·

«Τὸ δὲ ὄνομα τῆς οὐσίας, ὅπερ ἁπλούστερον ἐτέθη ὑπὸ τῶν πατέρων, ἀγνοούμενον δὲ τοῖς πολλοῖς σκάνδαλον ἔφερε διὰ τὸ μηδὲ ἐν ταῖς γραφαῖς αὐτὸ ἐμφέρεσθαι, ἤρεσε περιαιρεθῆναι καὶ παντελῶς μηδεμίαν μνήμην οὐσίας ποιεῖσθαι, διὰ τὸ μάλιστα τὰς θείας γραφὰς μηδαμοῦ περὶ πατρὸς καὶ υἱοῦ καὶ ἁγίου πνεύματος μίαν εἶναι οὐσίαν (γράφεται δὲ καὶ ὑπόστασιν) ὀνομάζειν · ὅμοιον δὲ λέγομεν τῷ πατρὶ τὸν υἱὸν καθὼς αἱ θεῖαι γραφαὶ λέγουσι.»

Καὶ τὰ μὲν ὧδε περὶ τῆς πίστεως αὐτοῦ τοῦ βασιλέως παρόντος ἔδοξεν. 13 Ὅσιος δὲ τὴν ἀρχὴν μὲν παρῃτεῖτο τούτοις συναινεῖν, βιασθεὶς δὲ καὶ πληγάς, ὡς λέγεται, πρεσβύτης ὢν ὑπομείνας συνήνεσέ τε καὶ ὑπέγραψε. 14 Φωτεινοῦ δὲ πειραθῆναι μετὰ τὴν καθαίρεσιν, εἴ πως δύναιτο τῆς πρὸ τοῦ μεταθέσθαι γνώμης, ἐδόκει τῇδε τῇ συνόδῳ. Ὁ δὲ προτρεπόντων αὐτὸν τῶν ἐπισκόπων καὶ τὴν ἐπισκοπὴν ἀποδώσειν ὑπισχνουμένων, εἰ τὸ οἰκεῖον ἀποκηρύξει δόγμα καὶ ταῖς αὐτῶν γραφαῖς συμψηφίσαιτο, οὐκ ἠνέσχετο, ἀλλ' εἰς διάλεξιν αὐτοὺς προὐκαλεῖτο. 15 Εἰς ῥητὴν ἡμέραν δὲ συνελθόντων τῶν ἐπισκόπων, καὶ δικαστῶν ἐκ προστάγματος τοῦ βασιλέως προκαθεσθέντων, οἳ ἐπιστήμῃ λόγων καὶ ἀξιώματι τότε πρωτεύειν ἐν τοῖς βασιλείοις |ἐδόκουν, ἀναδέχεται τὴν πρὸς

146

1. Sozomène, suivant SOCRATE, H.E. II, 30 qu'il résume, confond sans doute, comme celui-ci, la deuxième ekthèsis (ATHAN., De syn. 28) et une troisième ekthèsis, bien postérieure, datée de 359 (cf. ATHAN., De syn. 29, 1). C'est de cette troisième ekthèsis que les évêques se repentirent, c'est elle qu'ils essayèrent de récupérer par l'entremise du notaire Martinianus, c'est contre elle qu'ils obtinrent un édit de Constance. Cette troisième formule a été probablement rédigée au concile de Séleucie, réuni à partir du 27 septembre 359 (BARDY, p. 165-167).
2. La confusion entre ce synode de Sirmium en 351 auquel Hosius

menaçant d'un châtiment ceux qui le cacheraient[1] ; mais
cette exposition, une fois publiée, ne put plus demeurer
entièrement cachée. **12** La troisième exposition s'accorde
dans l'ensemble, pour le sens, avec les autres, mais elle
a supprimé le terme de *ousia*, et elle en donne la cause
que voici, textuellement, dans la langue des Romains :

« Comme le terme de *ousia*, qui a été trop naïvement
créé par les pères bien qu'il fût ignoré de la plupart,
apportait du scandale du fait qu'on ne le trouve même
pas dans les Écritures, il a paru bon de le supprimer et
de ne faire absolument aucune mention de l'*ousia*, principalement parce que les saintes Écritures ne définissent
nulle part, touchant le Père, le Fils et le Saint-Esprit, qu'il
n'y ait qu'une seule *ousia* (on écrit aussi hypostase). Mais
nous disons le Fils semblable au Père comme le disent
les saintes Écritures. »

Telles furent les définitions de foi établies en la présence de l'empereur lui-même. **13** Hosius, au début, avait
refusé de les approuver, mais, violenté et même, dit-on,
frappé de coups, vieillard comme il était, il finit par y
consentir et soussigna[2]. **14** Quant à Photin, après sa déposition, il parut bon à ce synode d'essayer de voir s'il
pourrait renoncer à sa première façon de penser. Mais
lui, alors que les évêques l'y poussaient et lui promettaient de lui rendre son évêché s'il rejetait sa propre
croyance et s'associait à leurs votes, il le refusa et il les
invita à une discussion. **15** Les évêques s'étant donc réunis
à un jour fixé et des juges ayant été institués à l'avance
par ordre impérial, à savoir ceux qui passaient alors pour
tenir le premier rang au palais par leur science oratoire

n'assista pas et le second des deux synodes de Sirmium en 357 où,
presque centenaire, il souscrivit au Credo arien, tout en refusant de
condamner Athanase (cf. BARDY, p. 153-154), ne fait que prolonger
celle qui a déjà été relevée dans ce même chapitre, au § 5.

Φωτεινὸν διάλεξιν Βασίλειος ὁ Ἀγκύρας ἐπίσκοπος. Ἐπὶ
1124 πολλῶν δὲ πρὸς πεῦσιν καὶ ἀπόκρισιν ἀμ | φοτέροις προελ-
θόντος τοῦ ἀγῶνος, ταχυγράφων ἀναγραφομένων τοὺς ἑκατέρων λόγους, ἐκράτησε Βασίλειος. **16** Φωτεινὸς δὲ φεύγειν
καταδικασθεὶς οὐδὲ οὕτως ἐπαύσατο τὸ οἰκεῖον συγκροτῶν
δόγμα · λόγους τε τῇ Ῥωμαίων καὶ Ἑλλήνων φωνῇ συγγράφων
ἐξεδίδου, δι᾽ ὧν ἐπειρᾶτο πλὴν τῆς αὐτοῦ τὰς τῶν ἄλλων δόξας
ψευδεῖς ἀποφαίνειν. Φωτεινοῦ μὲν οὖν πέρι καὶ τῆς ἀπ᾽ αὐτοῦ
καλουμένης αἱρέσεως τάδε μοι εἰρήσθω.

7

1 Ἐν τούτῳ δὲ καταλαβὼν Μαγνέντιος τὴν πρεσβυτέραν
Ῥώμην πολλοὺς τῆς συγκλήτου καὶ τοῦ δημοτικοῦ ἀνεῖλε.
Μαθὼν δὲ πλησίον ἰέναι ἤδη κατ᾽ αὐτοῦ τοὺς Κωνσταντίου
στρατηγοὺς ὑπεχώρησεν εἰς τοὺς πρὸς δύσιν Γαλάτας. Ἔνθα
δὴ πολλάκις ἀλλήλοις προσβάλλοντες πῇ μὲν οὗτοι, πῇ δὲ
ἐκεῖνοι ἐκράτουν, εἰσότε δὴ τὸ τελευταῖον ἡττηθεὶς Μαγνέντιος
ἔφυγεν εἰς Μοῦρσαν (Γαλατῶν δὲ τοῦτο τὸ φρούριον). **2** Ἀδη-

1. Il faut sans doute entendre cette phrase dans un sens large, car
une véritable occupation de Rome par Magnence, «arrivé» en personne,
n'est pas attestée. Ce qu'on sait, c'est qu'il commença par être immédiatement reconnu à Rome, dès le 27 février 350, à l'initiative du préfet
Fabius Titianus, qui trahit Constant et reçut en échange sa deuxième Préfecture de la Ville (PIGANIOL, p. 94-95). Un parent de Symmaque, Aurelius
Celsinus, accepta le titre de Préfet de la Ville en 351 (PIGANIOL, p. 94,
note 4). Un grand aristocrate romain, Valerius Aradius Proculus, reçut
encore de lui la Préfecture de la Ville, en décembre 351. Cependant,
tout en flattant les sénateurs, Magnence ne trompait que les plus ambitieux et ses relations avec Rome avaient dû s'envenimer. SOCRATE, que
suit ici Sozomène, écrit (*H.E.* II, 32) que Magnence «fit périr beaucoup
de sénateurs et aussi de gens du peuple». Ce que confirme THÉMISTIUS,
Disc. III, 43 a : Magnence «a mutilé le Sénat» (cf. PIGANIOL, p. 98, note
1). Mais sans doute ces événements sont-ils postérieurs à la bataille de
Mursa (28 septembre 351) à la suite de laquelle Magnence occupa l'Italie,
fortifia les Alpes et fixa son quartier général à Aquilée (PIGANIOL, p. 97).

et leur dignité, Basile, évêque d'Ancyre, fut chargé du soin de discuter avec Photin. Le débat se prolongea long-temps entre les deux sous forme de question et réponse, et il y avait des tachygraphes qui inscrivaient les propos de l'un et de l'autre : Basile enfin l'emporta. **16** Photin, condamné à l'exil, ne cessa pas, même ainsi, d'étayer sa propre croyance. Il écrivait et publiait des textes en latin et en grec, où il essayait de montrer que toutes les opinions étaient fausses, sauf la sienne. Mais sur Photin et l'hérésie dénommée d'après lui en voilà assez dit.

Chapitre 7

La mort de Magnence et du traître Silvanus;
et encore la sédition des Juifs en Palestine;
le César Gallus est mis à mort,
soupçonné de préparer une révolution.

1 En ce temps là Magnence, étant arrivé à la vieille Rome, mit à mort beaucoup de membres du Sénat et de la plèbe[1]. Puis, ayant appris que les généraux de Constance s'approchaient dans leur marche contre lui, il se retira dans la Gaule occidentale. Là, dans des heurts fréquents entre eux, tantôt l'un tantôt l'autre l'emportait jusqu'à ce qu'enfin vaincu, Magnence s'enfuit à Mursa : c'est une forteresse en Gaule[2]. **2** Voyant que ses soldats

---

2. En fait, Mursa est en Pannonie (la Hongrie actuelle), sur la Drave. Sozomène se trompe à la fois sur la géographie, la chronologie et le sens des mouvements stratégiques. Avant Mursa, c'est Magnence qui, à partir de la Gaule, prend l'offensive, c'est lui qui surprend l'armée de Constance à Atrans, c'est lui qui fait se replier l'empereur sur Siscia. Sans doute Sozomène a-t-il mal interprété sa source : le repli et la fuite de Magnence vers l'Italie et la Gaule sont *postérieurs* à Mursa où l'élan de l'usurpateur fut brisé.

μονοῦντας δὲ τοὺς ἰδίους στρατιώτας ὡς ἡττηθέντας ὁρῶν, ἐφ'
ὑψηλοῦ στὰς ἐπειρᾶτο θαρραλεωτέρους ποιεῖν. Οἱ δέ, οἷά γε
εἰώθασιν ἐπευφημεῖν τοῖς βασιλεῦσι, καὶ ἐπὶ Μαγνεντίῳ
φανέντι εἰπεῖν προθυμηθέντες ἔλαθον οὐχ ἑκόντες Κωνστάντιον
ἀντὶ Μαγνεντίου Αὔγουστον ἀναβοήσαντες. Συμβαλὼν δὲ ἐκ
τούτου Μαγνέντιος ὡς οὐ δεδομένον αὐτῷ θεόθεν βασιλεύειν,
πειρᾶται καταλιπὼν τοῦτο τὸ φρούριον προσωτέρω χωρεῖν.
3 Διωκούσης δὲ τῆς Κωνσταντίου στρατιᾶς περὶ τὸ καλού–
μενον Μοντιοσέλευκον συμβαλών, μόνος φεύγων εἰς Λουγ-
δοῦνον διεσώθη. Ἀνελὼν δὲ ἐνθάδε τὴν αὐτοῦ μητέρα καὶ τὸν
ἀδελφόν, ὃν Καίσαρα κατέστησε, τελευταῖον ἑαυτὸν ἐπέσφαξε ·
μετ' οὐ πολὺ δὲ καὶ Δεκέννιος ἕτερος αὐτοῦ ἀδελφὸς ἀγχόνῃ
ἑαυτὸν διεχρήσατο.
4 Αἱ δὲ περὶ τὰ κοινὰ ταραχαὶ οὐδὲ οὕτως τέλος ἔσχον. Οὐκ
εἰς μακρὰν γὰρ παρὰ μὲν τοῖς πρὸς δύσιν Γαλάταις Σιλβανός
τις ἐτυράννησεν, ὃν αὐτίκα καθεῖλον οἱ Κωνσταντίου στρα-
τηγοί. 5 Οἱ δὲ ἐν Διοκαισαρείᾳ Ἰουδαῖοι τὴν Παλαιστήνην
καὶ τοὺς πέριξ ὄντας κατέτρεχον, ὅπλα τε ἀράμενοι πείθεσθαι
Ῥωμαίοις οὐκ ἠνείχοντο. Μαθὼν δὲ ταῦτα Γάλλος ὁ Καῖσαρ
ἐν Ἀντιοχείᾳ διατρίβων, πέμψας στρατιὰν αὐτούς τε

---

1. La bataille décisive eut lieu en juillet 353 à Mons Seleuci (= Mon-
saleon), dans les Alpes Cottiennes. Magnence s'enfuit à Lyon de crainte
d'être livré par ses soldats. Il se donna la mort le 10 août. Sa mère
fut tuée sur ses ordres. Mais Sozomène se trompe, à la suite de Socrate
II, 32, en disant que Magnence fit aussi tuer son César à Lyon. Il s'agit,
en fait, de son frère Desiderius, qui n'était pas César, et qui, du reste,
réchappa de sa blessure et fut gràcié par Constance (PIGANIOL, p. 98,
note 7, se fondant sur ZONARAS XIII, 3). Seul Decentius, dont le nom
est ici déformé en Décennius, nommé César par Magnence, se tua en
même temps que lui, plus vraisemblablement quelques jours après, le
18 août, à Sens (voir SEECK, Regesten a. 353 et P.L.R.E., t. 1, p. 244-
245, (Magnus) Decentius.
2. Sur l'usurpation du magister militum d'origine franque Silvanus
(P.L.R.E. t. 1, p. 840-841, Silvanus 2), qui ne dura que du 11 août au

étaient inquiets parce qu'ils avaient eu le dessous, il se tint sur un lieu élevé et il essayait de leur rendre courage. Eux alors, selon leur coutume d'acclamer les empereurs, tandis qu'ils avaient eu dessein de s'exprimer en faveur de Magnence présent à leur yeux, acclamèrent à leur insu involontairement Constance Auguste au lieu de Magnence. Celui-ci conclut de là qu'il ne lui avait pas été donné du ciel de prendre l'Empire, et, ayant laissé cette forteresse, il essaya d'aller plus loin. **3** L'armée de Constance le poursuivit et, comme ils en étaient venus aux mains à l'endroit appelé *Mons Seleuci*, il put seul s'échapper sain et sauf jusqu'à Lyon. Là, il fit mettre à mort sa mère et son frère qu'il avait établi César, et pour finir s'égorgea lui-même ; peu après, son autre frère, Décennius, se pendit[1].

4 Mais les troubles dans les affaires publiques n'en finirent pas pour autant. Car peu de temps après, un certain Silvanus usurpa le pouvoir dans la Gaule occidentale : il fut aussitôt abattu par les généraux de Constance[2]. **5** D'autre part les Juifs de Diocésarée faisaient des incursions en Palestine et dans les régions alentour, ils avaient pris les armes et ne supportaient plus d'obéir aux Romains. À cette nouvelle, le César Gallus qui résidait à Antioche envoya une armée, les dompta et

7 septembre 355, nous avons le récit détaillé d'AMM. (15, 5), membre de l'état-major d'Ursicinus, *magister equitum per Orientem*, qui étouffa l'usurpation en achetant certains soldats de Silvanus. On ne voit pas d'autre général, agissant à côté d'Ursicinus, qui puisse justifier le pluriel, employé sans doute d'une manière vague et approximative.

ἐχειρώσατο καὶ τὴν Διοκαισάρειαν ἀνάστατον ἐποίησε.
1125 | 6 Δόξας δὲ εὖ πράττειν τὴν εὐημερίαν οὐκ ἤνεγκεν, ἀλλὰ
147 τυραν|νεῖν ἐβούλετο. Καταμηνύσαντας δὲ τῷ βασιλεῖ τὸν
αὐτοῦ νεωτερισμὸν Μάγνον τε τὸν κοιαίστωρα καὶ τῆς ἕω τὸν
ὕπαρχον Δομετιανὸν ἀνεῖλεν. 7 Ἀγανακτήσας δὲ Κωνστάντιος
μετεκαλεῖτο αὐτόν. Ἀπειθεῖν δὲ οὐχ οἷός τε ὢν (ἐδεδίει γάρ)
εἴχετο τῆς ὁδοῦ. Ἔδη δὲ παρὰ Φλάβωνα τὴν νῆσον γενόμενος
ἀνῃρέθη τοῦ βασιλέως προστάξαντος, ἡνίκα δὴ αὐτὸς μὲν τὸ
τρίτον ὑπάτευεν, ἕβδομον δὲ Κωνστάντιος.

8

1 Ἐπεὶ δὲ καθῃρημένων τῶν τυράννων ἐδόκει τῶν συμβάντων κακῶν ἡσυχίαν ἔχειν Κωνστάντιος, καταλιπὼν τὸ
Σίρμιον ἐπὶ τὴν πρεσβυτέραν ᾔει Ῥώμην. Ἐνταῦθα γὰρ
ἐβούλετο τὴν κατὰ τῶν τυράννων ἐπινίκιον ἐπιτελεῖν πομπήν ·
κατὰ ταὐτὸν δὲ νομίσας δύνασθαι τοὺς ἑκατέρας ἀρχομένης

1. Gallus ayant été César de 351 à 354 et l'usurpation de Silvanus
étant d'août-septembre 355, le synchronisme s'établit plutôt avec la fin
de la guerre civile entre Constance et Magnence. L'insurrection des Juifs
de Diocésarée et des environs qui firent roi un certain Patricius eut
lieu en 352. En représailles, Gallus fit incendier Diocésarée et Tiberias,
raser Sepphoris : PIGANIOL, p. 103, citant JÉRÔME, Chron. an. 2368 ; THÉO-
PHANE, Chron. a. 5843 ; AURELIUS VICTOR, Caes. 42, 11, SOCRATE II, 33 qui
est sans doute la source de Sozomène ; également STEIN-PALANQUE,
p. 141, invoquant dans la note 61 un historien arien dans PHILOSTORGE,
éd. Bidez, p. 222.
2. La dernière année du règne de Gallus à Antioche (353/354) est
rapportée en détail par AMM. (14, 1 ; 14, 7 ; 14, 9 et 14, 11). Toutefois,
si l'historien condamne la cruauté et l'arbitraire de Gallus et lui impute
l'exécution du préfet Domitianus (P.L.R.E., t. 1, p. 262, Domitianus 3)
et le lynchage par les soldats du questeur Montius Magnus (P.L.R.E.,
t. 1, p. 535-536, Magnus 11), il ne lui prête pas expressément l'intention d'usurper le pouvoir en se dressant contre Constance, ce qu'indique le terme τυράννειν employé par Sozomène, à la suite de SOCRATE,
H.E. II, 34. Le résumé de Sozomène, faussé sur ce point essentiel,
donne pourtant un détail qu'Ammien ne fournit pas : le nom du lieu

détruisit Diocésarée de fond en comble[1]. **6** Ayant acquis la réputation de réussir, le succès lui monta à la tête et il voulait usurper le pouvoir[2]. Comme le questeur Magnus et le préfet du prétoire pour l'Orient Domitianus avaient révélé à l'empereur ses agissements révolutionnaires, il les mit à mort. **7** Constance en fut indigné et le rappela. Il ne lui était pas possible de désobéir – il était dans la crainte – et il se mit en route. Mais dès qu'il fut arrivé près de l'île de Phlabôn, il fut mis à mort par l'ordre du prince : il était consul pour la troisième fois et Constance pour la septième.

Chapitre 8

L'arrivée de Constance à Rome ;
le synode d'Italie ;
ce qui arrive au grand Athanase
à la suite d'un complot des ariens.

1 Comme Constance, une fois les usurpateurs abattus, semblait avoir fait cesser les malheurs qui s'étaient produits, il quitta Sirmium et vint à la vieille Rome. C'est là qu'il voulait célébrer son triomphe sur les usurpateurs[3]. Dans le même temps, ayant pensé qu'il pourrait ramener

exact, l'île de Phlabôn, c'est-à-dire Fianone en Istrie, où Gallus fut exécuté à la fin de 354. Sur la fin du règne de Gallus, voir PIGANIOL, p. 103 et STEIN-PALANQUE, p. 141-142.

3. La visite de Constance à Rome est d'avril-mai 357 (AMM., 16, 10, 20). Sozomène, pourtant favorable à l'empereur chrétien, est d'accord avec l'historiographe païen pour attribuer cette visite de Constance à la volonté de «célébrer son triomphe sur les usurpateurs». Mais alors qu'Ammien s'en indigne, Sozomène ne peut pas admettre, ni même concevoir, que cette visite ait eu pour but, comme on le pense aujourd'hui, d'amorcer un rapprochement avec l'aristocratie traditionaliste et païenne de Rome.

ἐπισκόπους ὁμόφρονας περὶ τὸ δόγμα καταστῆσαι σύνοδον
αὖθις ἐν Ἰταλίᾳ γενέσθαι προσέταξεν. 2 Ἐν τούτῳ δὲ Ἰούλιος
ἐτελεύτησεν ἐπὶ πεντεκαίδεκα ἐνιαυτοῖς τὴν Ῥωμαίων ἐκκλησίαν ἐπιτροπεύσας, διαδέχεται δὲ τοῦτον Λιβέριος. 3 Λογισάμενοι δὲ καιρὸν ἔχειν εἰς διαβολὴν τῶν ἐναντία φρονούντων
οἱ τὴν ἐν Νικαίᾳ πίστιν παραιτούμενοι, ἐπιμελῶς μάλα ἐν τοῖς
βασιλείοις ἐπόνουν ἐκβάλλειν τῶν ἐκκλησιῶν πάντας τοὺς
πρὸς αὐτῶν καθῃρημένους ὡς ἑτεροδόξους ὄντας καί, ἐν ᾧ
Κώνστας τῷ βίῳ περιῆν, συγκροῦσαι τὰς βασιλείας πρὸς
ἑαυτὰς σπουδάσαντας, καθότι τῷ ἀδελφῷ πόλεμον ἐπήγγελλεν,
εἰ μὴ προσδέξεται αὐτούς, ὡς ἐν τοῖς πρόσθεν εἴρηται · 4 μάλιστα δὲ ἐν αἰτίᾳ ἐποιοῦντο Ἀθανάσιον · οἵ γε ὑπερβολῇ τοῦ
περὶ αὐτὸν μίσους οὐδὲ Κώνσταντος περιόντος καὶ Κωνσταντίου φιλεῖν αὐτὸν προσποιουμένου τῆς ἀπεχθείας ἀπέσχοντο,
1128 ἀλλὰ συνελθόντες ἐν Ἀντιοχείᾳ Νάρκισσός τε ὁ Κίλιξ | καὶ
Θεόδωρος ὁ Θρᾷξ καὶ Εὐγένιος ὁ Νικαεὺς καὶ Πατρόφιλος ὁ
Σκυθοπολίτης καὶ Μηνόφαντος ὁ Ἐφέσιος καὶ ἄλλοι ἀμφὶ τριάκοντα οἱ πάντες ἔγραψαν τοῖς πανταχοῦ ἐπισκόποις, ὡς παρὰ
τοὺς νόμους τῆς ἐκκλησίας ἐπανῆλθεν εἰς Ἀλεξάνδρειαν, οὐκ
ἀναίτιος φανεὶς ἐπὶ συνόδου, ἀλλὰ φιλονικίᾳ τῶν τὰ αὐτὰ
148 φρονούντων · καὶ παρεκελεύοντο μήτε κοινωνεῖν | αὐτῷ μήτε
γράφειν, ἀλλὰ Γεωργίῳ τῷ πρὸς αὐτῶν κεχειροτονημένῳ.

1. C'est le synode de Milan (en 355), antérieur à la visite de Constance
à Rome. La chronologie relative des événements politiques et des affaires
ecclésiastiques est brouillée.
2. Nouvelle régression chronologique. Car Jules mourut le 12 avril
352 (SEECK, *Regesten*, a. 352). Sur son épiscopat de quinze années, voir
PIETRI, *Roma Christiana* I, p. 187-237. Libère, un de ses diacres, lui
succéda le 17 mai (BARDY p. 140; PIETRI, *Roma Christiana* I, p. 237-
268). Le regain d'activité des adversaires d'Athanase s'explique par la
disparition de Jules, l'un de ses plus fidèles soutiens, qui avait reçu
auprès de lui les Orientaux orthodoxes chassés de leurs sièges.
3. En III, 20, 1.
4. Ce petit synode d'Antioche a dû avoir lieu dès 352. Il devait être
manœuvré par des méléciens (BARDY, p. 140, note 3). Parmi ses chefs,

à l'unité de sentiment sur le dogme les évêques des deux parties de l'Empire, il ordonna que de nouveau un synode eût lieu en Italie[1]. **2** A ce moment mourut Jules, qui avait gouverné l'Église de Rome pendant quinze ans[2]; Libère lui succéda. **3** S'étant dit que c'était l'occasion d'accuser leurs adversaires, ceux qui refusaient la foi de Nicée travaillaient avec grand empressement au palais à chasser des Églises tous ceux qu'ils avaient déposés, alléguant leur hétérodoxie et leurs efforts, du vivant de Constant, pour heurter l'une contre l'autre les deux parties de l'Empire, attendu que Constant avait menacé son frère de guerre s'il n'accueillait pas les évêques déposés, comme il a été dit plus haut[3]. **4** C'est surtout Athanase qu'ils accusaient. Par leur excessive inimitié à son égard, même quand Constant vivait encore et que Constance feignait de l'amitié pour Athanase, ils n'avaient pas renoncé à le haïr, mais s'étant réunis à Antioche[4], Narcisse de Cilicie, Théodore de Thrace, Eugène de Nicée, Patrophile de Scythopolis, Ménophante d'Éphèse et d'autres, environ trente en tout, écrivirent aux évêques de tout lieu qu'Athanase était rentré à Alexandrie contrairement aux lois de l'Église, non pas qu'il eût été innocenté par un synode, mais par suite du désir de vaincre de ses partisans; ils les engageaient à ne pas entrer en communion ni en correspondance avec lui, mais avec Georges, qui avait

Patrophile de Scythopolis, à de nombreuses occasions, et Ménophante d'Éphèse (cf. III, 12, 3) s'étaient déjà signalés comme des ennemis jurés d'Athanase. Narcisse de Cilicie est Narcisse d'Eirénopolis (Neronias) en Cilicie (cf. III, 6, 7 et III, 9, 4), Théodore est l'évêque d'Héraclée en Thrace (cf. III, 9, 4 où son nom est déjà associé à celui de Narcisse). L'évêque Eugène de Nicée, moins connu, est le dernier des destinataires d'une lettre de Georges de Laodicée (*H.E.* IV, 13, 2), après Macédonius, Basile et Cécropius.

5 Ἀθανασίῳ δὲ τότε μὲν τούτων οὐδεὶς ὑπόλογος ἦν, ἔμελλε δὲ χαλεπωτέρων ἢ πρότερον πειραθῆναι πραγμάτων. Ἅμα γοῦν ἀπωλώλει Μαγνέντιος καὶ μόνος Κωνστάντιος τῆς Ῥωμαίων οἰκουμένης ἡγεῖτο, πᾶσαν ἐποιεῖτο σπουδὴν τοὺς ἀνὰ τὴν δύσιν ἐπισκόπους τοῖς ὁμοούσιον εἶναι τῷ πατρὶ τὸν υἱὸν ⟨μὴ⟩ δοξάζουσι συναινεῖν. 6 Ἐποίει δὲ τοῦτο οὐ φανερῶς οὕτως τὰ πρῶτα βιαζόμενος, πείθων δὲ ἐπιψηφίσασθαι τοῖς κατὰ Ἀθα-νασίου κεκριμένοις ὑπὸ τῶν ἀνὰ τὴν ἕω ἐπισκόπων. Ἐλογίζετο γὰρ ὡς, εἰ κοινῇ ψήφῳ ἐκποδὼν οὗτος γένοιτο, ῥᾳδίως ἂν καὶ τὰ περὶ τὴν θρησκείαν κατορθωθείη αὐτῷ.

9

1 Συνόδου δὲ τοῦ βασιλέως κατεπείγοντος ἐν Μεδιολάνῳ γενομένης ἐκ μὲν τῆς ἕω ὀλίγοι παρεγένοντο, τῶν ἄλλων ὡς εἰκὸς ἢ διὰ νόσον ἢ μακρὰν ὁδοιπορίαν παραιτησαμένων τὴν 1129 ἄφιξιν, τῶν δὲ πρὸς | δύσιν πλείους ἢ τριακόσιοι συνελέγησαν. 2 Ἀξιούντων δὲ τῶν [ἀνθρώπων] ἀπὸ τῆς ἕω καταδικάζειν Ἀθανασίου, ὡς ἂν παντελῶς ἀπελαθείη τῆς Ἀλεξανδρείας, οἱ μὲν ἄλλοι ἢ δέει ἢ ἀπάτῃ ἢ ἀγνοίᾳ τῶν ὄντων συνῄνουν, 3 μόνοι δὲ Διονύσιος ὁ Ἄλβας ἐπίσκοπος (Ἰταλίας δὲ ἥδε ἡ μητρόπολις) καὶ Εὐσέβιος ὁ Βερκέλλων τῆς Λιγυρίας, Παυ–

1. Cf. III, 7, 9. Georges de Cappadoce a été ordonné par les ariens dès 342, en remplacement de Grégoire, mais il n'a occupé «son» siège qu'en 357.

2. En 355 (voir déjà VIII, 1). Ce synode fut convoqué, semble-t-il, à la demande de Libère dont la lettre à l'empereur est conservée dans HILAIRE, *Coll. Antiar. Paris.* Ser. A VII, 6, Feder p. 89-93 (=*Fragm. hist.* V, 6, *PL* 10, 681-686). Mais il se déroula conformément aux désirs et aux prévisions de l'empereur, les séances prenant place au palais impérial et Constance s'autorisant à écrire au peuple de Milan, qui avait pris le parti de son évêque, pour le rappeler au calme (BARDY, p. 142-144).

3. Denys est présenté ici comme l'évêque d'Alba et enregistré comme tel dans l'index de l'éd. Bidez. Mais il est très probable que ce Denys d'Alba est en fait Denys de Milan, qui fut exilé à la suite du synode et immédiatement remplacé par Auxence I. Bien qu'Alba (évêché du

été ordonné par eux[1]. **5** Contre Athanase à vrai dire, à
ce moment, on ne retint aucun de ces griefs, mais il
devait bientôt subir de pires difficultés que précédemment.
En tout cas, dès que Magnence eut péri et que Constance
fut le seul maître de tout l'Empire romain, ce dernier fit
tous ses efforts pour que les évêques d'Occident approuvassent ceux qui ne tenaient pas le Fils pour consubstantiel au Père. **6** Il n'employait pas aussi ouvertement
la violence au début, pour y atteindre, mais cherchait à
persuader les évêques de sanctionner les décisions prises
contre Athanase par les évêques orientaux. Il se disait
en effet que, si on se débarrassait d'Athanase par un
vote commun, il assurerait aisément le bon ordre en ce
qui touche la religion.

Chapitre 9

Le synode de Milan ; la fuite d'Athanase.

1 L'empereur y poussant, un synode se réunit à Milan[2] :
d'Orient un petit nombre y assista, les autres ayant refusé
de venir, alléguant, comme il est naturel, soit la maladie,
soit la longue durée du voyage. Des évêques d'Occident
plus de trois cents se rassemblèrent. **2** Comme les
Orientaux réclamaient la condamnation d'Athanase, dans
la pensée qu'il serait définitivement chassé d'Alexandrie,
la plupart, soit par crainte, soit par ignorance des faits,
donnaient leur approbation. **3** Seuls, Denys, évêque
d'Albe[3] – c'est une métropole d'Italie –, Eusèbe de Verceil

Piémont, suffragant de Turin) fût une ville très ancienne et que la tradition fît remonter l'évangélisation de la région jusqu'à 250, le siège
d'Alba n'a été probablement fondé que vers 397, quand fut divisé le
diocèse de Milan, et le premier évêque d'Alba dont l'existence soit his-
toriquement attestée est Lampadius, présent à un synode à Rome en
499 : voir *DHGE* 1, 1912, p. 1358-1359 (J. FRAIKIN).

λῖνος ὁ Τριβέρεως καὶ Ῥοδανὸς καὶ Λουκίφερ ἀνέκραγον καὶ ἐμαρτύραντο μὴ χρῆναι ὧδὶ ῥᾳδίως καταδικάσαι Ἀθανασίου · μηδὲ γὰρ ἄχρι τούτου, εἰ γένοιτο, στήσεσθαι τὸ κακόν, χωρήσειν δὲ τὴν ἐπιβουλὴν καὶ κατ' αὐτῶν τῶν ὀρθῶς περὶ θεοῦ δεδογμένων · 4 ἐπὶ καθαιρέσει τε τῆς ἐν Νικαίᾳ πίστεως ταῦτα σπουδάζεσθαι παρὰ τοῦ βασιλέως καὶ τῶν τὰ Ἀρείου φρονούντων. Καὶ οἱ μὲν ὧδε παρρησιασάμενοι ὑπερορίῳ φυγῇ κατεδικάσθησαν, σὺν τούτοις δὲ καὶ Ἱλάριος. 5 Ἀληθῆ δὲ τοῦ ἐν Μεδιολάνῳ συλλόγου αἰτίαν εἶναι, ἣν ἔλεγον, ἐπισ-
149 τοῦτο ἡ ἀπόβασις. Οὐ | πολλῷ γὰρ ὕστερον ἡ ἐν Ἀριμήνῳ καὶ Σελευκείᾳ σύνοδος συνελέγη, καὶ ἑκατέρα κατὰ τῶν ἐν Νικαίᾳ δεδογμένων νεωτερίζειν ἐπεχείρησεν, ὡς αὐτίκα ἐπιδείξω.

6 Ἀθανάσιος δὲ πυθόμενος ἐπιβουλεύεσθαι ἐν τοῖς βασιλείοις, αὐτὸς μὲν πρὸς βασιλέα ἐλθεῖν οὔτε ἐθάρρησεν οὔτε λυσιτελεῖν ἐδοκίμασεν. Ἐπιλεξάμενος δὲ τῶν ἐν Αἰγύπτῳ ἐπισκόπων πέντε, ὧν ἦν Σεραπίων ὁ Θμουαῖος, ἀνὴρ ἐς τὰ μάλιστα τὸν βίον θεσπέσιος καὶ λέγειν δεινός, πέμπει ὡς βασιλέα

1. Parmi ces évêques résistants, fidèles à Athanase, Lucifer de Cagliari, déjà plusieurs fois nommé (voir notamment III, 15, 6 et la note), avait été désigné par Libère comme son représentant, avec le prêtre Pancrace et le diacre Hilaire : cf. LIBÈRE, *Ep. ad Constantium,* conservée dans HILAIRE, *Coll. Antiar. Paris.* Ser. A VII, 6, Feder, p. 92-93 (= *Fragm. hist.* V, 6, *PL* 10, 686) et citée par BARDY, p. 142. Rhodanos (ou Rhodanios), évêque de Toulouse, apparaît ici pour la première et dernière fois, de même que Paulin de Trèves.

En revanche, Eusèbe, évêque de Verceil depuis 345, nommé pour la première fois, jouera par la suite un rôle important : exilé à Scythopolis de 355 à 360, puis en Cappadoce, puis en Thébaïde, il participera au synode d'Alexandrie en 362, tentera d'apaiser le schisme d'Antioche, avant de retourner en Italie où il luttera, aux côtés d'Hilaire, contre les ariens (*DECA,* p. 923, M. SIMONETTI). Libère comptait sur lui pour encourager les défaillants. Mais il se fit prier, arriva quand le

en Ligurie, Paulin de Trèves, Rhodanos et Lucifer[1], poussèrent les hauts cris et prirent le ciel à témoin qu'il ne fallait pas condamner Athanase ainsi à la légère : car si cela arrivait, le mal ne s'arrêterait pas à lui, le complot s'étendrait aussi contre les dogmes orthodoxes eux-mêmes sur Dieu. **4** Ils disaient que tout cela était préparé par l'empereur et les ariens pour la démolition de la foi de Nicée. Ceux-là donc, pour la franchise qu'ils avaient ainsi montrée, furent condamnés à l'exil, et avec eux aussi Hilaire[2]. **5** Que la cause qu'ils alléguaient pour le synode de Milan fût la vraie, l'événement le démontra. Peu après en effet se rassemblèrent le concile de Rimini et celui de Séleucie[3], et l'un et l'autre tentèrent d'innover par rapport aux dogmes de Nicée, comme je le montrerai dans un moment.

6 Athanase, informé que l'on complotait contre lui au palais, n'eut pas lui-même le courage d'aller voir Constance et il jugea que cela ne servirait à rien. Mais ayant choisi cinq des évêques d'Égypte, dont Sérapion de Thmuis[4], homme au plus haut point admirable par sa vie et habile à parler, il les envoya à l'empereur qui séjournait alors

synode était bien entamé et que les évêques faiblissaient. Valens de Mursa l'empêcha de faire signer le symbole de Nicée à l'évêque de Milan Denys.

2. Hilaire de Poitiers, exilé après le synode de Béziers en 356, pour avoir tenté d'animer la résistance de certains évêques de Gaule aux décisions du synode de Milan et même d'amener au repentir ceux qui s'étaient soumis à Constance au synode d'Arles (automne 353) : Bardy, p. 144 (Rhodanius de Toulouse fut aussi exilé à ce moment).

3. Le premier se réunit pendant l'été de 359, le second s'ouvrit à l'automne de la même année. Sozomène anticipe par rapport à l'exposé détaillé qu'il donnera en IV, 17.

4. Cet évêque égyptien, fidèle à Athanase, a déjà été mentionné en III, 14, 41 (voir la note).

πρὸς δύσιν τότε τῆς ἀρχομένης διάγοντα. Συμπέμπει δὲ αὐτοῖς καὶ τῆς ὑπ' αὐτὸν ἐκκλησίας πρεσβυτέρους τρεῖς καταλ–λάξοντας αὐτῷ τὸν κρατοῦντα καί, ἢν δέοι, πρὸς τὰς διαβολὰς τῶν ἐναντίων ἀπολογησομένους καὶ τὰ ἄλλα πράξοντας, ὅπῃ ἂν τῇ ἐκκλησίᾳ καὶ αὐτῷ ἄριστα γιγνώσκωσιν. 7 Ἀποπλευ–σάντων δὲ αὐτῶν μετ' οὐ πολὺ γράμματα τοῦ βασιλέως ἐδέξατο καλοῦντα αὐτὸν εἰς τὰ βασίλεια. Ἐπὶ δὲ τούτῳ αὐτός τε Ἀθα–νάσιος καὶ ὁ λαὸς τῆς ἐκκλησίας ἐταράχθησαν καὶ ἐναγώνιοι ἦσαν, οὔτε πείθεσθαι τῷ βασιλεῖ ἑτεροδόξῳ ὄντι ἀσφαλὲς νομί–ζοντες οὔτε ἀπειθεῖν ἀκίνδυνον. Ἐκράτει δὲ ὅμως μένειν, καὶ ὁ τὰ γράμματα κομίσας ἄπρακτος ἀνέστρεφε.

8 Τῷ δὲ ἐπιγενομένῳ θέρει παραγενόμενος ἕτερος ἐκ βασιλέως σὺν τοῖς ἐν τῷ ἔθνει ἄρχουσι κατήπειγεν αὐτὸν 1132 |ἐξιέναι τῆς πόλεως καὶ τὸν κλῆρον χαλεπῶς ἐπολέμησεν· ἀναθαρρήσαντος δὲ τοῦ λαοῦ τῆς ἐκκλησίας συντεταγμένους πρὸς πόλεμον ἰδὼν καὶ οὗτος οὐδὲν ἀνύσας ἐξεδήμησεν ἐν–τεῦθεν. **9** Οὐ πολλοῦ δὲ διαγενομένου χρόνου μετακαλοῦνται ἐξ Αἰγύπτου καὶ Λιβύης στρατιαί, ἃς λεγεῶνας Ῥωμαῖοι καλοῦσι. Καὶ ἐπεὶ ἐμηνύθη κρύπτεσθαι Ἀθανάσιον κατὰ τὴν

1. Cette ambassade, présentée comme une réaction d'Athanase contre les intrigues dont il avait été victime au synode de Milan, en 355, est en fait antérieure de deux ans à ce synode. Dès la mort de Jules et l'accession de Libère se nouèrent contre Athanase les intrigues attestées par une lettre adressée à Libère par les évêques d'Orient et d'Égypte. Athanase répliqua immédiatement en envoyant, dès le 18 mai 353, une délégation chargée de remettre à l'empereur une protestation contre les manœuvres de ses ennemis : BARDY, p. 140, se fondant sur *Hist. Aceph.* 3.

2. Exactement le 23 mai 353 (SEECK, *Regesten,* p. 199 et BARDY, p. 140-141, se fondant sur ATHANASE, *Apol. ad Const.* 19-21). Le porteur de la lettre était un *notarius* nommé Montanus.

3. Donc en 354 ? En fait, Athanase obtint un répit de 26 mois entre la réception de la lettre apportée par Montanus le convoquant au Palais et l'arrivée d'un autre messager, le *notarius* Diogène, arrivé en juillet-août 355 pour soulever une émeute contre l'évêque et qui dut repartir,

dans la partie occidentale de l'Empire[1]. Il envoya aussi avec eux trois prêtres de son Église pour le réconcilier avec l'empereur, présenter, s'il le fallait, sa défense contre les accusations de ses ennemis, et pour le reste agir en la manière qu'ils jugeraient la meilleure pour son Église et pour lui. 7 Alors qu'ils avaient pris la mer, peu après, il reçut une lettre de l'empereur le convoquant au palais[2]. Sur ce, Athanase et le peuple de l'Église furent pris de trouble et d'anxiété, jugeant qu'il n'était ni sûr d'obéir à un empereur qui était hétérodoxe ni sans danger de lui désobéir. L'avis qui prévalut pourtant fut de rester sur place, et celui qui avait apporté la lettre s'en retourna sans avoir rien obtenu.

8 L'été suivant[3] arriva un autre messager de l'empereur, et, avec l'aide des magistrats dans la province, il pressait Athanase de sortir de la ville et fit une rude guerre au clergé. Mais comme le peuple de l'Église avait repris courage, quand il vit la foule rangée pour se battre, il s'en alla lui aussi sans avoir rien obtenu. 9 Peu de temps s'étant écoulé, on fit venir à Alexandrie d'Égypte et de Libye les corps de troupes que les Romains nomment légions. Et sur la dénonciation qu'Athanase était caché à

---

sans résultat, le 23 décembre 355, malgré le soutien des « magistrats de la province », avant tout du préfet d'Égypte Maximus (*P.L.R.E.*, t. 1, p. 582 Maximus 13) : voir BARDY se fondant sur *Hist. aceph.* 4. O. SEECK, *Regesten*, a. 355, signale les agissements de Diogène le 4 septembre et le 23 décembre 355. Sur les problèmes compliqués de datation liés à l'histoire mouvementée d'Athanase « exilé » cinq fois (335-337 ; 339-346 ; 356-362 ; 363-364 ; 365-366), voir la mise au point d'A. Martin dans l'éd. de « *Histoire acéphale...* », SC 317, Paris 1985, p. 89-90 et, maintenant, sa synthèse sur *Athanase d'Alexandrie et l'Église d'Égypte au IVᵉ siècle (328-373)*, Paris, 1996.

Θεωνᾶ καλουμένην ἐκκλησίαν, παραλαβὼν στρατιώτας ὁ τῶν τῇδε ταγμάτων ἡγεμὼν καὶ Ἱλάριον, ὃς ἐκ βασιλέως πάλιν ἀφῖκτο τάδε ἐπιταχύνων, ἀπροσδοκήτως ἀωρὶ κλάσας τὰς 150 θύρας εἰς τὴν ἐκκλησίαν εἰσῆλθε, | πανταχῇ τε ἐπιζητήσας οὐ κατέλαβεν ἔνδοθεν Ἀθανάσιον. 10 Λέγεται γάρ, ὡς πολλάκις ὑπὸ θείων μηνυμάτων πολλοὺς καὶ ἄλλους κινδύνους διέφυγε, καὶ τήνδε τὴν ἔφοδον θεὸν αὐτῷ προαναφῆναι · αὐτίκα τε ἐξῄει, καὶ τοὺς στρατιώτας τὰς θύρας καταλαβεῖν τῆς ἐκκλησίας, ἀκαριαίῳ τινὶ χρόνῳ τῆς αὐτοῦ συλλήψεως ὑστερήσαντας.

10

1 Ἔοικε δὲ μηδὲ προσήκειν ἀπιστεῖν, ὡς θεοφιλὴς ὅδε ἀνὴρ ὑπῆρχε καὶ τρανῶς προεώρα τὸ μέλλον. Θαυμαστότερα γὰρ ἢ κατὰ τὰ προειρημένα περὶ αὐτοῦ παρειλήφαμεν, ἀκριβεστάτην ἐπιμαρτυροῦντα αὐτῷ τῶν ἐσομένων εἴδησιν. 2 Οὕτω γοῦν ἡνίκα τὸ πρῶτον ἔτι Κώνσταντος περιόντος κακουργεῖν αὐτὸν ἐβεβούλευτο ὁ βασιλεύς, φυγὰς γενόμενος παρά τινι τῶν γνωρίμων ἐκρύπτετο · καὶ ἐπὶ πολλῷ χρόνῳ διέτριβεν ἐν μυχῷ 1133 γῆς καὶ ἀνηλίῳ οἰκήματι, ὃ τα| μιεῖον τὸ πρὶν ὑδάτων ἐτύγχανε. συνῄδει δὲ οὐδεὶς ἢ παρ' οἷς ἐλάνθανε καὶ θεράπαινα τούτων πιστὴ δοκοῦσα, ὡς ἂν αὐτῷ διακονοίη. 3 Πολλῆς δὲ οὔσης σπουδῆς τοῖς ἑτεροδόξοις ζωγρῆσαι τὸν ἄνδρα, οἷα εἰκὸς ἐπὶ

---

1. Le *dux* Syrianus (*P.L.R.E.*, t. 1, p. 872), assisté du notaire Hilarius, à la tête de détachements de toutes les légions cantonnées en Égypte et en Libye, arriva le 6 janvier 356. Après un mois de négociations, il promit de ne rien faire sans en référer d'abord à Constance. Mais il fit envahir par ses troupes l'église de Théonas, l'une des plus grandes d'Alexandrie, la nuit du 8 février 356 (BARDY, p. 148), ou plutôt du 8 au 9 février (A. Martin dans *Histoire « acéphale »*..., p. 90). Les événements de cette nuit dramatique sont rapportés en détail dans l'*Hist. aceph.* 5 et surtout par ATHANASE lui-même, *Apol. de fuga* 24.

l'église dite de Théonas, le duc des troupes d'Égypte[1],
ayant pris avec lui des soldats et Hilarius, qui, de nouveau,
était arrivé de la part de l'empereur pour hâter ces choses,
brisa inopinément à une heure indue les portes de l'église
et y entra; mais, bien qu'il eût cherché de tout côté, il
ne trouva pas Athanase à l'intérieur. **10** On dit en effet
que, de même qu'il avait souvent, sur des indications
divines, échappé à bien d'autre périls, Dieu lui avait
révélé aussi à l'avance cette attaque; il était à peine sorti
que les soldats occupèrent les portes de l'église, ayant
manqué de très peu de le prendre.

Chapitre 10

*Victime de différents complots de la part des ariens,
Athanase, averti divinement en homme de Dieu
qu'il est, échappe à différents périls;
les maux qu'endurent les Égyptiens du fait de Georges
après le départ d'Athanase.*

1 À ce qu'il semble, il ne convient même pas de mettre
en doute que cet homme ait été cher à Dieu et qu'il ait
prévu clairement l'avenir. Nous avons appris, de fait, à
son sujet des choses plus admirables que ce qui est dit
plus haut, et qui témoignent en faveur de sa connaissance très exacte de l'avenir. **2** Ainsi, en tout cas, la première fois que, du vivant encore de Constant, l'empereur
(Constance) avait délibéré de lui nuire, ayant pris la fuite,
il se cachait chez l'un de ses amis; il y resta longtemps
dans une cave sans soleil, qui avait servi auparavant de
citerne. Nul ne le savait, que les gens chez qui il était
caché et une de leurs servantes qui paraissait assez sûre
pour qu'elle fût à son service. **3** Comme les hétérodoxes
faisaient de grands efforts pour le capturer vivant, la ser-

δώροις ἢ ὑποσχέσεσιν ἔμελλεν αὐτὸν καταμηνύειν ἡ θερά–
παινα. Προαναφήναντος δὲ τοῦ θεοῦ τὴν ἐπιβουλὴν φθάσας
ἑτέρωθι μετῴκησε. Καὶ ἡ θεράπαινα τιμωρίαν ἔδωκεν ὡς ψευδῆ
μηνύσασα κατὰ τῶν δεσποτῶν, οἳ δὴ πεφεύγεσαν. Οὐ γὰρ τὸ
τυχὸν ἐποιοῦντο ἔγκλημα οἱ τῆς ἐναντίας αἱρέσεως κατὰ τῶν
ὑποδεχομένων ἢ κρυπτόντων Ἀθανάσιον, ἀλλ' ὡς ἀπειθεῖς
προστάξεσι βασιλέως καὶ περὶ πολιτείαν ἁμαρτάνοντας εἰς
δικαστήριον εἷλκον.
4 Καὶ παραπλησίου δ' αὖ καὶ ἄλλοτε ἐπὶ Ἀθανασίῳ συμ–
βάντος εἰς ἀκοὴν ἦλθον. Ἐπεὶ γὰρ κατὰ τοιαύτην αἰτίαν ὡς
ἐπὶ Αἴγυπτον φεύγων ἀνέπλεεν ἐπὶ τὸν Νεῖλον, μηνυσάντων
τοῦτό τινων ἐδίωκον αὐτὸν οἱ συλληψόμενοι. Προμαθὼν δὲ
θειόθεν τὴν δίωξιν ἐξήγγειλε τοῖς συμπλέουσι καὶ ἀναστρέφειν
151 ἐπὶ τὴν Ἀλεξάνδρειαν ἐκέλευσεν. Ἐν δὲ τῷ καταπλεῖν | ἀνα–
πλέοντας τοὺς ἐπιβούλους παραμείψας ἐπὶ τὴν πόλιν διεσώθη
καὶ ὡς ἐν ὁμίλῳ καὶ πλήθει οἰκημάτων ἀσφαλέστερον ἐλάν–
θανεν.
5 Ἐκ δὴ τῶν τοιούτων καὶ πολλῶν ἄλλων ὁμοίως προμη–
νυομένων παρ' αὐτοῦ διεβάλλετο παρὰ τῶν ἐναντίων Ἑλλήνων
τε καὶ ἑτεροδόξων ὡς γοητείαις ταῦτα κατορθῶν. 6 Λόγος οὖν
ποτε προϊόντος αὐτοῦ ἀνὰ τὴν πόλιν συμβὰν οὕτως ἐφιπτα–
μένην κορώνην κρᾶξαι · παρατυχὸν δὲ πλῆθος Ἑλλήνων οἷα
εἰς γόητα ἀποσκῶπτον ἐξαιτῆσαι εἰπεῖν αὐτοῖς, ὅ τι λέγοι ἡ

1. Le récit de cet épisode se trouve également chez Rufin, *H.E.* IX,
19 (éd. Mommsen, p. 985-986). La fuite d'Athanase dura six ans d'après
Rufin : c'est donc le deuxième exil de l'évêque d'Alexandrie, de 339 à
346. L'épisode de la fuite sur le Nil, qui suit au § 4, est difficile à
dater : il peut s'agir d'un exil postérieur, sous Julien, en 363. Le don
de divination, privilège divin d'après Sozomène, était, comme il est
reconnu au § 5, présenté par les ennemis d'Athanase comme une mani-
festation de sorcellerie (voir Amm. 15, 7, 8). Ainsi, Athanase pouvait

vante, tentée comme il est vraisemblable, par des dons ou des promesses, était sur le point de le dénoncer. Mais Dieu lui révéla à l'avance la machination et, prenant les devants, il passa ailleurs. La servante fut punie comme ayant fait une dénonciation mensongère contre ses maîtres : lesquels avaient pris la fuite[1]. Car ce n'est pas une accusation de peu d'importance que faisaient ceux de la secte adverse contre les gens qui accueillaient ou cachaient Athanase, mais ils les traînaient au tribunal comme désobéissant aux ordres de l'empereur et criminels à l'égard de l'État.

4 Je suis tombé aussi sur le bruit d'un événement analogue qui se produisit une autre fois à propos d'Athanase. Comme, pour la même raison, dans le dessein de fuir à l'intérieur de l'Égypte, il remontait le Nil, certains ayant dénoncé la chose, des soldats le poursuivaient pour le saisir. Mais, ayant appris d'avance cette poursuite par une révélation divine, il l'annonça à ceux qui naviguaient avec lui et leur commanda de rebrousser chemin vers Alexandrie. Tandis qu'il descendait le Nil, il croisa les comploteurs qui le remontaient et parvint sain et sauf à la ville, où, vu la foule et le grand nombre des logements, il pouvait plus sûrement échapper aux regards.

5 Du fait de ces prédictions et de bien d'autres analogues qu'il fit, il était accusé par ses adversaires, tant païens qu'hétérodoxes, de les accomplir par opérations magiques. **6** On raconte ainsi qu'un jour, comme il s'avançait par la ville, il arriva qu'une corneille vola vers lui en croassant. Un groupe de païens qui se trouvait là lui demanda par raillerie, comme à un sorcier, de leur

---

tomber sous le coup de la condamnation portée par l'empereur contre les devins et les sorciers (loi du 4 décembre 356) et contre toute divination (loi du 25 janvier 357) : PIGANIOL, p. 108.

κορώνη. Τὸν δὲ φάναι ἠρέμα ἐπιγελάσαντα · «κρᾶς ἐστιν
αὔριον τῇ Ῥωμαίων φωνῇ · τοῦτο τοίνυν κράζουσα ἀηδῆ τὴν
αὔριον ὑμῖν ἔσεσθαι ἀγγέλλει · σημαίνει γὰρ ἐκ προστάγματος
τοῦ Ῥωμαίων βασιλέως κωλυθήσεσθαι ὑμᾶς τὴν ἐξῆς ἑορτὴν
ἄγειν.» 7 Ἡ δὲ Ἀθανασίου πρόρρησις καίπερ γελοιώδης
δόξασα ἀληθὴς ἐφάνη · τῇ γὰρ ἐς αὔριον γράμματα τοῦ κρατοῦντος ἀπεδόθη τοῖς ἄρχουσι παρακελευόμενα μὴ συγχωρεῖν
τοὺς Ἕλληνας τοῖς ναοῖς προσβάλλειν μηδὲ τὰς συνήθεις
θρησκείας καὶ πανηγύρεις ἐπιτελεῖν · καὶ ἡ παρατυχοῦσα τότε
ἑορτὴ διελύθη, σεβάσμιός τε οὖσα καὶ πολυτελὴς Ἕλλησιν.
Ὡς μὲν οὖν προφητικὸς ὁ ἀνὴρ ἐγένετο, ἀπόχρη τάδε εἰπεῖν.

8 Ἐπεὶ δέ, ὡς εἴρηται, διέφυγε τοὺς ἐπὶ συλλήψει αὐτοῦ παραγενομένους, ἐπί τινι χρόνῳ διέμεινεν ὁ ὑπ' αὐτὸν κλῆρος καὶ
λαὸς τὰς ἐκκλησίας κατέχοντες, εἰσότε δὴ ὁ Αἰγύπτου ὕπαρχος
καὶ ὁ ἡγούμενος τῶν τῇδε ὑιρατιῶν ἐκβαλόντες τοὺς αὐτῷ
πειθομένους παρέδοσαν αὐτὰς τοῖς προσδοκῶσι Γεώργιον.
1136 9 Οὐκ εἰς μακρὰν δὲ αὐτὸς Γεώργιος ἀφίκετο| καὶ τὰς

1. Présenté comme un sorcier par ses ennemis, Athanase était censé
en tant que tel connaître le langage des oiseaux; cf. PHILOSTRATE, *Vie
d'Apollonios de Tyane* I, 10 et peut-être AMM. 15, 7, 8 : *Dicebatur enim,
fatidicarum sortium fidem quaeue augurales portenderent alites scien-
tissime callens, aliquotiens praedixisse futura,* «on disait en effet qu'extrêmement versé en l'interprétation fidèle des sorts prophétiques et en la
divination par les augures des oiseaux, il avait à plusieurs reprises
prédit l'avenir».

2. Cette lettre impériale est sans doute à mettre en rapport avec la
législation antipaïenne de Constance en 356, 19 février (*Code Théodosien* XVI, 10, 6, éd. Mommsen, I, 2, p. 898 : *Poena capitis subiugari
praecipimus eos, quos operam sacrificiis dare uel colere idola constiterit,*
«Nous décrétons la peine capitale contre ceux qui sont convaincus de
célébrer les sacrifices ou d'adorer les idoles»), et 1er décembre (*Code
Théodosien* XVI, 10, 4, éd. Mommsen, *ibid.* : *Placuit omnibus locis adque
urbibus uniuersis claudi protinus templa et accessu uetito omnibus
licentiam delinquendi perditis abnegari...,* «nous avons décidé qu'en
tous lieux et dans l'ensemble des villes, les temples soient immédiatement fermés, que l'accès en soit interdit afin que tous les hommes
perdus n'aient plus licence de pécher»).

3. Athanase ayant échappé à l'arrestation et ses partisans continuant

dire ce que disait la corneille[1]. Il sourit et dit : «Cras,
qui dans la langue des Romains signifie demain. En
croassant donc (Krazousa) la corneille indique que demain
ne vous sera pas plaisant. Elle annonce en effet que, par
ordre de l'empereur des Romains, vous serez empêchés
de célébrer la fête de demain.» 7 La prédiction d'Athanase,
bien qu'elle eût paru ridicule, se révéla vraie : le lendemain, en effet, une lettre du prince fut remise aux
gouverneurs, interdisant aux païens d'aller dans les temples
et de célébrer leurs cérémonies de culte et festivités habi-
tuelles[2]; et il fut mis fin à la fête qui avait lieu alors,
et qui était en grande révérence et magnificence chez les
païens.

Mais sur le don de prophétie d'Athanase, en voilà assez
dit. 8 Quand, comme il a été indiqué, Athanase eut
échappé à ceux qui étaient venus le saisir, pendant
quelque temps le clergé dépendant de lui et le peuple
se maintinrent en possession des églises, jusqu'à ce que
le préfet d'Égypte et le comte des troupes qui étaient
là[3], ayant chassé les fidèles d'Athanase, les eurent livrés
à ceux qui attendaient Georges. 9 Peu après Georges lui-
même arriva[4] et il détenait sous sa coupe les églises.

à occuper les églises, des sanctions furent prises contre les autorités
défaillantes : le préfet d'Égypte Maximus fut remplacé en juin 356 par
Cataphronius (*P.L.R.E.*, t. 1, p. 186 Cataphronius 1) et Sébastianus
(*P.L.R.E.*, t. 1, p. 812-813, Sebastianus 2) succéda à Syrianus comme
dux. De plus, Constance fut obligé d'envoyer, après Montanus, Diogène
et Hilarius, un quatrième délégué personnel, le comte Héraclius (*P.L.R.E.*,
t. 1, p. 418, Heraclius 3). La chronologie exacte des événements est
donnée par l'*Histoire «acéphale»* (éd. A. Martin, p. 94) : février-juin
356 : occupation des églises par les athanasiens; 10 juin : entrée de
Cataphronius et d'Héraclius dans Alexandrie; 14 juillet : les athanasiens
sont chassés des églises; 15 juillet : les églises sont livrées aux partisans de Georges.

4. Comparer *Histoire «acéphale»* 2, 2 (éd. A. Martin, p. 145) : Georges
fit son entrée le 24 février 357.

ἐκκλησίας ὑφ' ἑαυτὸν εἶχε. Βιαιότερον δὲ ἢ κατὰ πρόσχημα
152 καὶ ἦθος ἱερέως ἐπιτηδεύων κρατεῖν | καὶ πᾶσι μὲν φοβερὸς
εἶναι θέλων, πρὸς δὲ τοὺς Ἀθανάσιον ἐπαινοῦντας καὶ ἀπηνής,
ὡς δεσμὰ καὶ πληγὰς ἄνδρας τε καὶ γυναῖκας ὑπομεῖναι, οἷα
τύραννος ἐνομίζετο. 10 Ὑπὸ τοιαύτης δὲ αἰτίας εἰς κοινὸν
μῖσος ἐμπεσόντι κινηθεὶς εἰς ὀργὴν ὁ δῆμος ἐπέστη ἐν τῇ
ἐκκλησίᾳ διατρίβοντι, καὶ μικροῦ αὐτὸν διεχειρίσαντο. Καὶ ὁ
μὲν ὧδε κινδυνεύσας μόλις διεσώθη καὶ πρὸς βασιλέα φεύγει.
11 Οἱ δὲ τὰ Ἀθανασίου φρονοῦντες τὰς ἐκκλησίας κατέσχον.
Ἐγένετο δὲ τοῦτο οὐκ ἐπὶ πολλῷ χρόνῳ. Παραγενόμενος γὰρ
ὁ τῆς Αἰγύπτου στρατηγὸς πάλιν τοῖς Γεωργίου τὰς ἐκκλησίας
παρέδωκε. Μετὰ δὲ ταῦτα ταχυγράφος βασιλικὸς ἐκ τοῦ
τάγματος τῶν καλουμένων νοταρίων ἀποσταλεὶς τιμωρῆσαι
πολλοὺς Ἀλεξανδρέων ἐβασάνισε καὶ ᾐκίσατο. 12 Μετ' οὐ
πολὺ δὲ καὶ αὐτὸς Γεώργιος ἐπανῆλθε φοβερώτερος ἐκ τῶν εἰ–
ρημένων ὡς εἰκὸς γεγενημένος καὶ μᾶλλον ἢ πρότερον
μισούμενος, ὡς εἰς κάκωσιν πολλῶν βασιλέα κεκινηκὼς καὶ

1. D'après les données plus précises de l'*Histoire* « *acéphale* » 2, 3
(*SC* 317, p. 147), « Georges, après être entré à Alexandrie, dirigea les
églises dix-neuf mois entiers, et c'est alors que le peuple l'attaqua dans
l'église de Denys et il fut délivré de justesse, au prix de dangers
encourus au cours d'une rixe sérieuse, le 1er jour du mois de Toth
sous le consulat de Tatianus (=Datianus) et de Cerealis » (trad. A. Martin).
L'attaque de l'église de Denys par les athanasiens eut lieu le 29 août
358; mais Georges ne fut chassé d'Alexandrie que le 2 octobre et les
athanasiens n'occupèrent les églises que le 10 octobre 358.
2. Voir *Histoire* « *acéphale* » 2, 4, qui permet de dater du 24 décembre
358 l'arrivée du *dux* Sebastianus, l'expulsion des athanasiens et la récu-
pération des églises par les partisans de Georges.
3. Il s'agit du notaire Paul, surnommé « la Chaîne » (*Paulus Catena*,
chez Ammien Marcellin) : voir *Histoire* « *acéphale* » 2, 5 qui donne la
date exacte, le 23 juin 359, de son entrée à Alexandrie. Amm. dénonce
lui aussi sa monstrueuse cruauté en 14, 5, 6-9 (en Bretagne), en 15,
3, 4 (contre les complices de Gallus), 15, 6, 1 (contre les complices
de Silvanus), 19, 12 (au procès de Scythopolis en 359). Condamné sous
Julien, il fut brûlé vif (*P.L.R.E.*, t. 1, p. 683-684 Paulus 4).

S'appliquant à dominer d'une manière plus violente qu'il n'eût convenu à la dignité et au caractère d'un évêque, comme il voulait être généralement craint, et en particulier se montrer sans pitié pour les partisans d'Athanase, au point que, tant hommes que femmes, ils subirent emprisonnements et coups, il était regardé comme un tyran. **10** Comme pour cette raison il s'était exposé à une commune haine, le peuple, mû de colère, l'attaqua alors qu'il était dans l'église et faillit le massacrer[1]. Ainsi mis en péril, c'est à grand peine qu'il fut sauvé, et il s'enfuit chez l'empereur. **11** Les partisans d'Athanase occupèrent les églises. Mais cela ne dura pas longtemps. Car le duc d'Égypte, venu sur les lieux, remit de nouveau les églises à Georges[2]. Après cela un tachygraphe impérial, de la classe de ceux qu'on nomme notaires, envoyé pour châtier les Alexandrins, tortura et mutila nombre d'entre eux[3]. **12** Peu après, Georges revint lui aussi[4], devenu encore plus redoutable, comme il est naturel, en raison des événements susdits, et plus haï encore que précédemment, en tant qu'il avait incité l'empereur à user de mauvais traitements à l'égard d'un grand nombre et qu'il

Paul se rendit probablement à Alexandrie quand il fut envoyé en Orient pour examiner, avec le comte d'Orient Modestus, des crimes de haute trahison en Égypte, liés à la consultation illicite de l'oracle de Besa (=Bes) : AMM. (19, 12, 8) souligne que Scythopolis en Palestine fut choisie comme siège des procès parce que cette ville « se trouve à mi-chemin entre Antioche et Alexandrie, d'où l'on tirait généralement beaucoup de prévenus pour les mettre en accusation » (PIGANIOL, p. 116).

4. L'expression est inexacte : Georges, une fois chassé le 2 octobre 358, resta absent d'Alexandrie pendant plusieurs années, jusqu'à l'extrême fin du règne de Constance (ce qui ne l'empêcha pas de prendre part, en tant qu'évêque d'Alexandrie, mais dans les rangs du parti arien, à plusieurs conciles : Sirmium en 359, Séleucie en 359 et Constantinople en 360). Rentré à Alexandrie seulement le 26 novembre 361, quatre jours après l'annonce de la mort de Constance, il y fut lynché le 24 décembre (récit dans AMM., 22, 11) : voir *DECA*, p. 1033 (M. SIMONETTI).

ἐπὶ δυσπιστίᾳ καὶ τύφῳ διαβαλλόμενος παρὰ τῶν ἐν Αἰγύπτῳ
μοναχῶν, ὧν τῇ δόξῃ τὸ πλῆθος εἵπετο καὶ τὰς μαρτυρίας
ἀληθεῖς ἡγεῖτο, καθότι ἀρετὴν ἤσκουν καὶ ἐν φιλοσοφίᾳ ὁ βίος
αὐτοῖς ἦν.

11

1 Τάδε μὲν ὧδε ἐφεξῆς οὐ κατὰ τὸν αὐτὸν καιρὸν Ἀθα-
1137 νασίῳ τε καὶ τῇ Ἀλεξανδρέων ἐκκλησίᾳ συν | έβη μετὰ τὴν
Κώνσταντος τελευτήν. Σαφηνείας δὲ χάριν ταῦτα συλλήβδην
ἐνταῦθα διηγησάμην. **2** Ἀπράκτου δὲ διαλυθείσης τῆς ἐν
Μεδιολάνῳ συνόδου τοὺς μὲν ἀντειπόντας τοῖς κατὰ Ἀθανασίου σπουδάζουσιν ἐκποδὼν ἐποίησεν ὁ βασιλεὺς φυγὴν
αὐτῶν καταδικάσας · περὶ πολλοῦ δὲ ποιούμενος πανταχοῦ
τὴν ἐκκλησίαν συμφωνεῖν περὶ τὸ δόγμα καὶ τοὺς ἱερέας ὁμονοεῖν, ἐβουλεύετο πανταχόθεν ἐπισκόπους εἰς τὴν δύσιν
καλεῖν. Ἐννοούμενος δὲ ὡς ἐργῶδες τοῦτο διὰ τὸ μῆκος τῆς
ἐν μέσῳ γῆς καὶ θαλάσσης, ἠπόρει μὲν ὅ τι ποιήσει, παντελῶς
δὲ οὐ καθυφίει.

3 Μένων δὲ ἐπὶ τῆς αὐτῆς γνώμης, πρὶν εἰς Ῥώμην ἐλθεῖν
καὶ τὴν εἰωθυῖαν Ῥωμαίοις ἐπιτελεῖν πομπὴν κατὰ τῶν νενι-
153 κημένων, μετακαλεσάμενος | Λιβέριον τὸν Ῥώμης ἐπίσκοπον

1. Sozomène justifie ici le récit continu qu'il a donné des événements d'Alexandrie pour les années 356, 357, 358/359 et même jusqu'en 361, avant de revenir à ce qui suit immédiatement le synode de
Milan (355), en reprenant le fil du récit interrompu en IV, 9, 1-4. L'expression «ceux qui s'opposaient aux ennemis d'Athanase» reprend sous
une forme générale les noms propres de IV, 9, 3 Denys d'Albe (ou
de Milan?), Eusèbe de Verceil, Paulin de Trèves, Rhodanos (ou Rhodanios?), Lucifer.

2. Sozomène reprend ici, mais en modifiant profondément le sens
politique de la visite de Constance à Rome, ce qu'il écrivait en IV, 8,
1 : «Il voulait célébrer à Rome sa victoire sur les usurpateurs». En fait,
son opinion sur les intentions de Constance varie suivant les contextes.

3. À Sirmium et par l'entremise du préfet Léontios, à la fin de l'année
355. Cette date se déduit d'ATHANASE, *Hist. Arian.* 41 et *Apol. contra*

était accusé d'incrédulité et d'orgueil par les moines d'É-
gypte, dont la foule suivait l'opinion et dont elle tenait
les témoignages pour véridiques, attendu qu'ils s'exer-
çaient à la vertu et que leur vie se passait dans l'ascèse.

Chapitre 11

*Libère, évêque de Rome; les motifs de son exil par
Constance; son successeur Félix.*

1 Tout cela advint de la sorte à Athanase et à l'Église
d'Alexandrie successivement, non au même moment, après
la mort de Constant : c'est par souci de clarté que j'ai
relaté ici, en bref, ces événements[1]. **2** Le synode de Milan
s'étant dissous sans résultat, l'empereur se débarrassa de
ceux qui s'opposaient aux ennemis d'Athanase en les
condamnant à l'exil. Comme il attachait le plus grand
prix à ce qu'il y eût partout accord dans l'Église sur le
dogme et à ce que les évêques fussent de même opinion,
il délibérait de convoquer de tout côté les évêques en
Occident. Mais réfléchissant que ce serait difficile vu le
vaste espace de terre et de mer qui les séparait, il ne
savait trop que faire : cependant, il ne renonçait pas absolument à son projet.

3 Persévérant dans son dessein, avant de venir à Rome
et d'y célébrer le triomphe habituel chez les Romains
contre les ennemis vaincus[2], Constance fit venir Libère
évêque de Rome[3] et chercha à le persuader de s'accorder

Arianos 89 où il est dit que Libère succomba au bout de deux ans :
or cette «chute» est de 357. THÉODORET, *H.E.* II, 16 donne le compte
rendu de l'audience accordée par Constance à Libère qui aboutit à l'exil
de ce dernier à Bérée (ou Béroë) en Thrace, sous la surveillance de
l'évêque arien Démophile. Les demandes que Sozomène prête ici à
Libère – que les évêques souscrivent au Credo de Nicée, que les exilés
soient rappelés –, correspondent exactement à ce compte rendu : voir

ἔπειθεν ὁμόφρονα γενέσθαι τοῖς ἀμφ' αὐτὸν ἱερεῦσιν, ὧν ἦν καὶ Εὐδόξιος. Ἀνταίροντα δὲ καὶ ἰσχυριζόμενον μήποτε τοῦτο ποιήσειν προσέταξεν εἰς Βεροίην τῆς Θρᾴκης ἀπάγεσθαι.

4 Λέγεται δὲ σὺν ταύτῃ πρόφασις εἶναι τῆς Λιβερίου φυγῆς καὶ τὸ μὴ ἑλέσθαι τὴν πρὸς Ἀθανάσιον κοινωνίαν ἀρνή- σασθαι, ἀλλ' ἀνδρείως περὶ τούτου ἀντειπεῖν βασιλεῖ, ἐπαι- τιωμένῳ ὡς τὰς ἐκκλησίας ἠδίκησε καὶ τοῖν ἰδίοιν ἀδελφοῖν τὸν μὲν πρεσβύτερον ἀπώλεσε, Κώνσταντα δέ, ὅσον εἰς αὐτὸν ἧκεν, ἐχθρὸν αὐτῷ κατέστησε · προϊσχομένῳ τε τὴν κρίσιν τῶν πανταχοῦ καὶ μάλιστα ἐν Τύρῳ κατ' αὐτοῦ συνεληλυθότων, τούτοις μὲν ὡς κατὰ πάντα πρὸς ἀπέχθειαν καὶ χάριν ἢ δέος ψηφισαμένοις μὴ χρῆναι τίθεσθαι ἔλεγε Λιβέριος · 5 Ἐζήτει δὲ τὴν μὲν ἐν Νικαίᾳ παραδοθεῖσαν πίστιν ὑπογραφαῖς τῶν πανταχοῦ ἐπι– σκόπων κρατύνεσθαι καὶ τοὺς διὰ τοῦτο ἐν ὑπερορίαις διατρίβοντας μετακαλεῖσθαι. 6 Κατορθωθέντων δὲ τούτων, ὥστε μὴ ὀχληροὺς καὶ ἐπιζημίους δόξαι, δημοσίων ὀχημάτων ἢ χρημάτων μὴ μεταδοῦναί τινι, ἀλλ' ἰδίᾳ δαπάνῃ πάντας εἰς τὴν Ἀλεξάνδρειαν συνελθεῖν, ἔνθα ὁ ἠδικηκὼς καὶ οἱ ἠδικημένοι καὶ τῶν ἐγκλημάτων οἱ ἔλεγχοι καὶ ἀκριβὴς τῆς ἐπὶ τούτοις ἀληθείας βάσανος. 7 Ἐπιδεικνύς τε τὴν ἐπὶ Ἀθα– 1140 νασίῳ ἔγγραφον | μαρτυρίαν Οὐάλεντος καὶ Οὐρσακίου, ἣν ἐπιδεδώκασιν Ἰουλίῳ τῷ πρὸ αὐτοῦ τὸν τῶν Ῥωμαίων θρόνον

BARDY, p. 145-146. Noter qu'AMM. présente sans ménagement cette «invi- tation» de Libère à la Cour comme un véritable enlèvement opéré de nuit (15, 7, 10).

1. Accusation apparemment absurde, car Athanase devait de la recon- naissance à Constantin II qui l'avait délivré de l'exil en lui écrivant, dès le 17 juin 337, qu'il était libre : cf. III, 2 et PIGANIOL, p. 92. Mais elle figure également chez THÉODORET, H.E. II, 20. Constance veut sans doute dire qu'Athanase, exilé en Occident en 339, avait créé ou attisé la mésentente ou la rivalité entre ses deux frères, donnant lieu ainsi à

avec les évêques de sa suite, d'entre lesquels était Eudoxe. Comme Libère s'élevait contre cela et soutenait qu'il ne le ferait jamais, l'empereur ordonna qu'il fût emmené à Bérée de Thrace.

4 À ce qu'on dit, outre ce motif de l'exil de Libère, il y en avait un autre : Libère n'avait pas accepté de refuser sa communion à Athanase, mais avait répondu courageusement sur ce point à l'empereur, qui se plaignait qu'Athanase fît du tort aux Églises et que, de ses frères, il eût fait périr l'aîné[1] et poussé Constant, autant qu'il le pouvait, à le haïr lui-même. Et comme l'empereur mettait en avant le jugement des évêques de partout et principalement de ceux qui s'étaient réunis contre Athanase à Tyr, Libère répondait qu'il ne fallait pas donner approbation à ces évêques, car c'est la haine et la faveur ou la crainte qui, en tout, avaient motivé leur vote. **5** Libère cherchait en outre à obtenir que la foi transmise à Nicée fût sanctionnée par les signatures des évêques de partout et qu'on rappelât les évêques séjournant en exil pour ce motif. **6** Une fois cela réalisé, il fallait que tous les évêques – sans qu'on donnât à aucun l'usage de voitures publiques ni de sommes d'argent pour qu'ils ne parussent ni une charge ni un dommage pour l'État, mais à leurs propres frais – se réunissent à Alexandrie, où étaient l'accusé et les accusateurs, ainsi que les preuves des accusations et où l'on pouvait faire un examen scrupuleux de la vérité sur ce sujet. **7** Libère montrait le témoignage écrit en faveur d'Athanase par Valens et Ursace, qu'ils avaient remis à Jules son prédécesseur sur

---

la guerre civile qui se termina par la mort de l'aîné. Indirecte, la responsabilité d'Athanase ne serait pas moins considérée comme réelle par Constance, ennemi farouche d'Athanase. Cela ne signifie nullement que Sozomène prenne cette accusation à son compte !

ἐπιτροπεύσαντι συγγνώμην αἰτοῦντες καὶ τὰ πρὸς αὐτῶν ἐν
τῷ Μαρεώτῃ πεπραγμένα ψευδῆ καταμηνύοντες, ἠξίου μὴ
καταδικάζειν αὐτοῦ ἀπόντος τὸν βασιλέα μηδὲ τοῖς τότε ψηφι-
σαμένοις πείθεσθαι, ἅτε δήλης τῆς ἐπιβουλῆς οὔσης. 8 Ἕνεκα
δὲ τοῖν ἀδελφοῖν μὴ προσδοκᾶν αὐτὸν ἀμύνεσθαι διὰ ἱερατικῆς
χειρός, ἣν οὐχ ἕτοιμον εἰς τοῦτο, ἀλλ' εἰς ἁγιασμὸν καὶ πᾶσαν
δικαίαν τε καὶ ἀγαθὴν πρᾶξιν τὸ θεῖον ἐνομοθέτησεν.

9 Ἐπεὶ οὖν οὐ καθυφῆκεν οἷς ἐπέταττε, προσέταξεν αὐτῷ ὁ
βασιλεὺς εἰς τὴν Θρᾴκην ἀπάγεσθαι, εἰ μὴ μετάθοιτο τῆς
γνώμης ἐντὸς ἡμερῶν δύο. «ἀλλ' ἐμοί», ἔφη Λιβέριος, «ὦ
βασιλεῦ, οὐ βουλῆς δεῖ · πάλαι γὰρ ταῦτα εὖ μοι βεβούλευται
καὶ δέδοκται, καὶ τῆς ὁδοῦ ἐντεῦθεν ἤδη ἔχομαι.» 10 Λέγεται
δὲ ἀπαγομένῳ αὐτῷ πεντακοσίους χρυσοῦς ἀποστεῖλαι, τὸν δὲ
μὴ δεξάμενον εἰπεῖν τῷ κομίσαντι · «ἄπιθι καὶ ἄγγειλον τῷ
πεπομφότι τὸ χρυσίον τοῦτο δοῦναι τοῖς ἀμφ' αὐτὸν κύλαξι
154 καὶ ὑποκριταῖς, οὓς ὑπὸ ἀπληστίας | διηνεκὴς ἔνδεια ὁσημέραι
ὀχλοῦσα κολάζει ἀεὶ χρημάτων ἐπιθυμοῦντας, μηδέποτε δὲ

1. En 347, au synode de Milan, les évêques reçurent et acceptèrent
une lettre dans laquelle Ursace et Valens faisaient profession de foi
orthodoxe et sollicitaient la reprise des rapports de communion avec
l'Église de Rome : BARDY, p. 135. Après s'être adressés au synode, les
mêmes écrivirent à l'évêque de Rome pour lui exprimer leur soumission
et reconnaître les décisions prises à leur égard à Sardique (342/343) :
BARDY, p. 136 se fondant sur HILAIRE, Coll. Antiar. Paris. Ser. B II, 6,
Feder, p. 143-144 (= Fragm. hist. II, 19, PL 10, 647-648). Jules n'accepta qu'à condition qu'ils signent une pièce rétractant tout ce qu'ils
avaient dit ou fait contre Athanase : HIL., Coll. Antiar. Paris. Ser. B II,
5, p. 142 (= Fragm. hist. II, 19, PL 10, 646) et ATHANASE, Apol. contra
Arianos 58.

2. Cette position de principe, légaliste et dans l'esprit du droit romain
le plus classique, est exactement celle qu'AMM. prête à Libère en 15,
7, 9 : Liberius monitus perseueranter renitebatur nec uisum hominem
nec auditum damnare nefas ultimum saepe exclamans, « Libère, malgré
les avertissements, opposait une résistance farouche en ne cessant de
s'écrier que c'était le pire des sacrilèges que de condamner un homme
sans l'avoir vu ni entendu». Mais l'historien païen ignore la seconde
raison, de caractère religieux (la « main sacerdotale » est celle de Libère).

le trône de Rome[1], où ils demandaient pardon et révélaient la fausseté de leurs agissements dans la Maréotide ; il demandait que l'empereur ne condamnât pas Athanase en son absence[2] et ne se fiât pas aux évêques qui avaient alors voté, attendu que le complot était évident.
8 Pour ce qui regardait ses deux frères, l'empereur ne devait pas espérer se venger d'Athanase par le moyen d'une main sacerdotale, qui n'était pas destinée à cela, mais à la consécration et à toute action juste et bonne, comme la divinité l'avait institué dans sa loi.

9 Comme donc Libère ne cédait pas aux ordres de l'empereur, celui-ci commanda qu'il fût emmené en Thrace s'il ne changeait pas d'opinion d'ici deux jours. «Mais il n'est pas besoin de réflexion, prince», dit Libère, «il y a longtemps que j'ai bien délibéré et résolu tout cela, et désormais je prends la route et pars d'ici[3].» **10** On raconte que, tandis qu'on l'emmenait, l'empereur lui envoya cinq cents pièces d'or[4] ; mais il les refusa, disant au porteur «Va et dis à celui qui a envoyé cet or de le donner aux flatteurs hypocrites de sa cour ; par leur désir insatiable, le manque continuel de ressources les importune et les tourmente chaque jour, car ils désirent sans cesse

---

3. Cette fière réponse correspond exactement aux propos de Libère, tels qu'ils sont présentés par THÉODORET, *H.E.* II, 16 sous forme d'un compte rendu de l'audience impériale. Le texte original devait être en latin et avait pu être rédigé par un des témoins de la scène (BARDY, p. 146). On ne sait pas où Théodoret a pu en trouver la traduction grecque : BARDY, p. 145 note 3.
4. La somme est portée à 5000 sous d'or dans BARDY, p. 146, sans autre explication. Par erreur ? ou en supposant que le chiffre transmis par Sozomène est une altération, due à la tradition manuscrite, du chiffre réel ? On peut envisager d'autres explications, puisque Sozomène mentionne l'existence de trois sommes proposées respectivement par l'empereur, l'impératrice et le grand chambellan.

κορεννυμένους · ἡμῖν δὲ ὁ Χριστὸς ἐν ἅπασι τῷ πατρὶ ὅμοιος
τροφεὺς καὶ ταμίας ἐστὶ πάντων τῶν ἀγαθῶν.»

11 Ἐκ δὴ τοιαύτης αἰτίας καὶ Λιβέριος ἀφηρέθη τῆς
Ῥωμαίων ἐκκλησίας · ἐπιτρέπεται δὲ ταύτην Φίληξ διάκονος
τοῦ ἐνταῦθα κλήρου. Ὃν ὁμόφρονά φασι διαμεῖναι κατὰ τὴν
πίστιν τοῖς ἐν Νικαίᾳ συνεληλυθόσι καὶ παντελῶς θρησκείας
ἕνεκα ἀνέγκλητον. Τουτὶ δὲ μόνον ἐγκαλεῖσθαι, ὅτι γε πρὸ χει-
ροτονίας καὶ κοινωνίας ἑτεροδόξων ἀνδρῶν ἠνέσχετο. **12** Ὡς
δὲ εἰσήλαυνεν εἰς Ῥώμην ὁ βασιλεὺς καὶ πολὺς ἦν ὁ ἐνθάδε
δῆμος περὶ Λιβερίου ἐκβοῶν καὶ δεόμενος αὐτὸν ἀπολαβεῖν,
βουλευσάμενος μετὰ τῶν συνόντων αὐτῷ ἐπισκόπων ἀπε-
κρίνατο μετακαλεῖσθαι αὐτὸν καὶ τοῖς αἰτοῦσιν ἀποδώσειν,
εἰ πεισθείη τοῖς συνοῦσιν αὐτῷ ἱερεῦσιν ὁμοφρονεῖν.

12

1141 **1** Περὶ δὲ τοῦτον τὸν χρόνον εἰς τὸ φανερὸν ἐδίδασκεν
Ἀέτιος ἣν εἶχε περὶ θεοῦ δόξαν. Ἦν δὲ τότε διάκονος τῆς
Ἀντιοχέων ἐκκλησίας, παρὰ Λεοντίου γενόμενος. Τὰ αὐτὰ δὲ

1. Celui qu'on appelle quelquefois l'antipape Félix (355-358 ou 365)
fut sacré dans le palais impérial par trois évêques désignés d'office.
Malgré le caractère arbitraire de ce choix et l'irrégularité de cette ordination, il semble que Constance ait du moins cherché à ménager le
clergé romain en choisissant le successeur de Libère en son sein, ce
qui n'était pas une obligation canonique : voir PALANQUE, p. 232. Une
lettre envoyée de Milan par Constance est adressée à l'évêque Félix et
datée du 6 décembre 356 (SEECK, *Regesten*, p. 203).
2. Le 28 avril 357. L'empereur y prolongea son séjour jusqu'au 29 mai.
Dans cet intervalle, pressé par les matrones et, surtout, par le peuple
au Cirque, il promit de rappeler Libère. Mais il voulut sauver la face,
par une «stupéfiante solution» (MESLIN, *Les ariens d'Occident*, p. 40-
41) en organisant un co-épiscopat. Cela n'empêcha pas des manifestations bruyantes au retour de Libère : «Un seul Dieu, un seul Christ,
un seul évêque» cria-t-on d'après THÉODORET, *H.E.* II, 14 : voir PALANQUE,
p. 232. La visite solennelle de Constance à Rome, évoquée par Sym-

de l'argent et ne sont jamais rassasiés : quant à moi, le Christ en tout semblable au Père est mon nourricier et il me pourvoit de tous les biens.»

11 Telle est donc la cause pour laquelle Libère aussi fut dépossédé de l'Église de Rome : on la confia à Félix, diacre dans le clergé du lieu[1]. Il était resté, dit-on, de même sentiment que les pères de Nicée pour ce qui est de la foi et il était absolument irréprochable en ce qui regarde le culte. On ne lui reprochait que ceci, d'avoir accepté, avant son ordination, d'entrer en communion avec des hétérodoxes. **12** Quand pourtant l'empereur entra à Rome[2], comme le peuple qui était là en foule poussait des cris à propos de Libère et demandait de le reprendre, l'empereur, après délibération avec les évêques de sa suite, répondit qu'il le rappellerait et qu'il le rendrait à ceux qui le réclamaient, s'il se laissait persuader de s'unir de sentiment avec les prêtres de sa suite.

Chapitre 12

*Aèce de Syrie et Eudoxe, devenu évêque d'Antioche à la suite de Léonce; l'*homoousios.

1 Vers ce temps-là Aèce commença d'enseigner ouvertement sa doctrine théologique[3]. Il était alors diacre de l'Église d'Antioche, ayant été élevé au diaconat par

maque dans la *relatio* III en faveur du rétablissement de l'autel de la victoire (383), est rapportée en détail par Amm. (16, 10).

3. Voir déjà III, 15, 7 et les notes. Aèce professait un arianisme radical, l'anoméisme. Pour lui, «le Fils, dans la mesure où il est engendré, ne peut participer de la substance et donc de la divinité du Père», alors qu'Arius ne niait pas toute ressemblance entre le Père et le Fils : M. Simonetti, dans *DECA*, p. 38-39. Choix de textes et commentaire sur la question, dans B. Sesboüé-B. Meunier, *Dieu peut-il avoir un Fils? Le débat trinitaire au IVe siècle*, Paris, 1993.

Ἀρείῳ ἐδόξαζε, κτιστὸν καὶ ἐξ οὐκ ὄντων ἀνόμοιόν τε λέγων τῷ πατρὶ τὸν υἱόν. Ἐριστικὸς δέ τις εἰσάγαν ὢν καὶ τολμηρὸς ἐν τοῖς περὶ θεοῦ λόγοις, ἀσφαλῶς τε καὶ ποικίλως τοῖς συλλογισμοῖς χρώμενος, ἔδοξεν ἑτερόδοξος εἶναι οἷς ὁμοίως ἐφρόνει. 2 Ἐκβληθείς τε τῆς αὐτῶν ἐκκλησίας ἐσκήπτετο παραιτεῖσθαι τὴν πρὸς αὐτοὺς κοινωνίαν, ὡς Ἀρείῳ κεκοινωνηκότας μὴ δέον · «ὅτι», φησίν, «ἐπιώρκησεν, ἡνίκα μεταμεληθεὶς ὁμώμοκε Κωνσταντίνῳ τῷ βασιλεῖ συνῳδὰ φρονεῖν τοῖς ἐν Νικαίᾳ συνεληλυθόσι.» Καὶ τὰ μὲν ὧδε λέγεται. 3 Ἔτι δὲ τοῦ βασιλέως ἐν τῇ πρὸς δύσιν ἀρχομένῃ διάγοντος ἀγγέλλεται τετελευτηκέναι Λεόντιος ὁ Ἀντιοχείας ἐπίσκοπος. Ὡς φυλακῆς δὲ προσδεομένης τῆς ἐνθάδε ἐκκλησίας ἐδεήθη τοῦ βασιλέως Εὐδόξιος ἐπανελθεῖν εἰς Συρίαν. 4 Ἐπιτραπεὶς δὲ τοῦτο σπουδῇ καταλαμβάνει τὴν Ἀντιόχειαν καὶ περιποιεῖται ἑαυτῷ τὴν ἐνθάδε ἐπισκοπήν, μήτε Γεωργίου τοῦ Λαοδικείας ἐπισκόπου μήτε Μάρκου τοῦ Ἀρεθούσης, οἳ δὴ τότε τῶν ἐν Συρίᾳ ἐπισκόπων ἐπίσημοι ἦσαν, μήτε τῶν ἄλλων, οἷς ἡ χειροτονία διέφερε, συνθεμένων. Λόγος δὲ ταῦτα τὸν

1. Sur ce disciple de Lucien d'Antioche, voir III, 20, 4 et la note.

2. L'expression très générale peut, en fait, aussi bien désigner les sermons qu'Aèce, étant diacre, avait le droit de prononcer à l'Église et qui firent scandale au point qu'il dut se réfugier auprès de Georges d'Alexandrie (BARDY, p. 152) que les trois cents dissertations de caractère doctrinal qu'il avait écrites et dont le *Syntagmation* (conservé dans ÉPIPHANE, *Panar.* 76, 11), formé de syllogismes hypothétiques et de dilemmes, constitue un échantillon de dialectique serrée : *DECA*, p. 38-39 (M. SIMONETTI), renvoyant à G. BARDY, «L'héritage littéraire d'Aétius», dans *RHE* 24, 1928, p. 809-827.

3. Léonce est mort en 355 ou après, puisqu'il a ordonné Aèce comme diacre en 355 (*DECA* p. 1426, M. SIMONETTI). Eudoxe, évêque de Germanicie (III, 14, 42) avait pris part au synode des Encaénies à Antioche (III, 5, 10). Avec Martyrios et Macédonius, il avait été chargé d'apporter l'Exposition macrostique aux évêques d'Occident qui la rejetèrent (III, 11, 2). Il était de l'entourage de Constance à Sirmium (IV, 11, 3) : voir *DECA*, p. 903-904 (M. SIMONETTI). C'est sans doute en 357/358 qu'il fut élevé au trône d'Antioche.

Léonce[1]. Il était de même opinion qu'Arius, disant que le Fils est créé, tiré du néant et dissemblable au Père. Mais comme il était extrêmement disputeur et audacieux en ses sermons sur Dieu[2], s'appuyant solidement et avec habileté sur ses syllogismes, il parut hétérodoxe à ceux dont il partageait l'opinion. **2** Chassé de leurs églises, il feignait de refuser d'entrer en communion avec eux sous prétexte qu'ils avaient été en communion avec Arius contrairement à ce qu'ils eussent dû : «car Arius s'était parjuré», disait-il, «quand, s'étant repenti, il avait juré à l'empereur Constantin qu'il était d'accord avec les pères réunis à Nicée.» Voilà ce qu'on dit.

3 L'empereur séjournant encore dans l'Empire d'Occident, survient la nouvelle que l'évêque d'Antioche Léonce était mort. Sous prétexte que l'Église du lieu avait besoin de surveillance, Eudoxe demanda à l'empereur de rentrer en Syrie[3]. **4** Ayant reçu sa permission, il gagne Antioche en hâte et s'y approprie l'évêché, sans l'accord ni de Georges, évêque de Laodicée, ni de Marc d'Aréthuse[4], alors les plus distingués des évêques de Syrie, ni des autres, auxquels revenait le droit d'ordonner. On dit

---

4. Georges de Laodicée avait participé au synode des Encaénies (III, 5, 10 et la note). Sur ses écrits, qui expliquent l'appréciation flatteuse de Sozomène, voir III, 6, 6-7. Arien et grand ennemi d'Athanase, il aspirait lui-même au siège d'Antioche. Mais, supplanté par Eudoxe et effrayé par l'anoméisme radical d'Aèce et d'Eudoxe, il se rangea à la théologie homéousienne de Basile d'Ancyre et fut l'un des chefs de file des homéousiens au concile de Séleucie : *DECA*, p. 1034 (M. SIMONETTI).

Marc d'Aréthuse avait déjà fait partie, avec Narcisse d'Eirénopolis et Théodore d'Héraclée, de la délégation eusébienne envoyée à l'empereur Constant en 342 (III, 10, 4 avec la note et *DECA*, p. 1533 M. SIMONETTI). Il avait participé au synode de Sirmium de 351 (IV, 6, 4) et rédigea, par la suite, la quatrième formule de Sirmium (22 mai 359), qui définit le Christ comme «semblable en tout au Père, selon les Écritures». Adversaire des homéousiens, il était partisan d'une ligne théologique intermédiaire entre eux et les ariens radicaux.

αὐτὸν πραγματεύσασθαι κατὰ γνώμην τοῦ κρατοῦντος, τῶν ἐν τοῖς βασιλείοις εὐνούχων συμπραξάντων, οἳ ἅμα Εὐδοξίῳ τὸ
155 Ἀετίου | δόγμα ἐπήνουν καὶ ἀνόμοιον εἶναι τῷ πατρὶ τὸν υἱὸν ἐδόξαζον. 5 Ὡς οὖν ἐκράτησε τῆς Ἀντιοχέων ἐκκλησίας, παρρησίας λαβόμενος περιφανῶς ἤδη προΐστατο τῆς τοιαύτης αἱρέσεως. Καὶ συνελθὼν ἐν Ἀντιοχείᾳ ἅμα τοῖς τὰ τοιαῦτα φρονοῦσιν, ὧν ἦσαν καὶ Ἀκάκιος ὁ Καισαρείας τῆς Παλαιστίνης ἐπίσκοπος καὶ Οὐράνιος ὁ Τύρου, [ὃς] μετὰ τοῦ ὁμοουσίου καὶ
1144 τὸ ὁμοιούσιον ὄνομα ἠθέτει, | πρόφασιν ποιούμενος ὡς καὶ οἱ ἀνὰ τὴν δύσιν ἐπίσκοποι ταῦτα ἐψηφίσαντο. 6 Ὅσιος γὰρ ἅμα τισὶ τῶν ἐνθάδε ἱερέων ἐπὶ καταλύσει τῆς Οὐάλεντος καὶ Οὐρσακίου καὶ Γερμανίου φιλονικίας βιασθεὶς ἐν Σιρμίῳ, ὡς εἴρηται, συνεχώρησε μήτε ὁμοούσιον μήτε ὁμοιούσιον λέγειν, ὡς μηδὲ ταῖς ἱεραῖς γραφαῖς ἐγνωσμένων τῶν ὀνομάτων καὶ ὑπὲρ νοῦν ἀνθρώπων ὂν οὐσίαν θεοῦ πολυπραγμονεῖν. 7 Ὡς κατωρθωκόσι δὲ περὶ τούτου τὰ Ὁσίου γράμματα πρὸς αὐτοὺς ἐπιστολὴν διεπέμψαντο, Οὐάλεντι καὶ Οὐρσακίῳ καὶ Γερμανίῳ χάριν ὁμολογοῦντες καὶ τοῦ ὀρθῶς δοξάζειν τοὺς ἐν τῇ δύσει τὰς ἀφορμὰς αὐτοῖς ἀνατιθέντες.

1. L'intervention souterraine de Constance, présentée avec prudence, est admise aujourd'hui par les historiens pour lesquels « le récit de Sozomène qui dépend de Sabinos est particulièrement documenté et présente une autorité considérable » : BARDY, p. 156, note 1.

2. Il n'est pas sûr que ce « rassemblement » mérite d'être appelé concile ou même synode. Il doit être postérieur au deuxième synode de Sirmium (été 357), puisqu'Eudoxe y invoque l'approbation qui fut donnée par Hosius à la formule des ariens lors de ce synode (sur les conditions de cette approbation, BARDY, p. 152-154). Sozomène fait par erreur remonter cette approbation au premier synode de Sirmium (351), qu'il a rapporté en IV, 6, 13.

Sur Acace de Césarée, élève et successeur du grand Eusèbe en 340, arien et auteur notamment d'un *Commentaire sur l'Ecclésiaste*, voir déjà III, 2, 9. Au point de vue doctrinal, c'était un opportuniste, louvoyant de l'arianisme modéré d'Eusèbe à l'acceptation de l'*homoousios* à Antioche en 363 pour revenir à l'arianisme sous Valens (voir *DECA*, p. 14, M. SIMONETTI). Uranius de Tyr apparaît ici pour la première fois, en 358. Il participera au concile de Séleucie (IV, 22, 7), avant d'être

qu'il machina la chose de l'avis de l'empereur[1], avec le concours des eunuques du palais, qui, comme Eudoxe, approuvaient la doctrine d'Aèce et tenaient le Fils pour dissemblable au Père. **5** Quand donc Eudoxe se fut rendu maître de l'Église d'Antioche, il s'enhardit et se fit désormais ouvertement le chef de cette hérésie. S'étant réuni à Antioche avec ses coreligionnaires, dont étaient aussi Acace évêque de Césarée de Palestine et Uranius de Tyr[2], il rejeta le terme d'*homoiousios* aussi bien que celui d'*homoousios*, donnant pour prétexte que les évêques d'Occident aussi en avaient ainsi jugé. **6** Hosius en effet, avec certains des évêques locaux, pour mettre fin à la querelle de Valens, Ursace et Germanius, avait accepté sous la contrainte à Sirmium, comme il a été dit[3], de n'employer ni le terme d'*homoousios*, ni celui d'*homoiousios*, puisqu'ils n'étaient même pas connus des saintes Écritures et qu'il était au dessus de l'intelligence humaine d'enquêter indiscrètement sur l'*ousia* de Dieu. **7** Eudoxe et ses partisans envoyèrent donc une lettre aux pères de Sirmium, où ils remerciaient Valens, Ursace et Germanius d'avoir fini par obtenir à ce sujet l'écrit de Hosius, et leur attribuaient la cause de l'orthodoxie des évêques d'Occident.

chassé de son siège avec les ariens Georges d'Alexandrie, Acace de Césarée, Patrophile de Scythopolis et Eudoxe d'Antioche (IV, 22, 25).

3. La référence rétrospective est à IV, 6, 13 où il s'agissait du synode de Sirmium de 351, alors que le vieil évêque de Cordoue ne donna son assentiment au Credo arien qu'au synode de 357! Germinius (plutôt que Germanius) de Cyzique avait été appelé en 351 à remplacer Photin comme évêque de Sirmium. Le terme «litige» est-il un euphémisme pour désigner les manœuvres et les intrigues des trois évêques ariens? Sur le synode de Sirmium en 357, voir BARDY, p. 152-154. Le texte original, en latin, de la formule est donné par HILAIRE, *De syn.* 11, la traduction grecque par ATHANASE, *De syn.* 28.

13

1 Ἐπεὶ δὲ ὧδε ἐνεωτέριζεν Εὐδόξιος καὶ πολλοὶ τῆς Ἀντιοχέων ἐκκλησίας ἐναντιούμενοι αὐτῷ ἐξηλάθησαν, γράμματα
λαβόντες Γεωργίου τοῦ Λαοδικείας ἐπισκόπου παρεγένοντο εἰς
1145 Ἄγκυραν τῆς Γαλα|τίας. Ἔτυχε γὰρ Βασίλειος ἐπὶ καθιερώσει
ἧς ἐδείματο ἐκκλησίας συγκαλέσας πολλοὺς τῶν πλησιοχώρων
ἐπισκόπων, οἷς ἀπέδωκεν τὴν Γεωργίου ἐπιστολήν · ἔχει δὲ ὧδε ·
2 «Κυρίοις τιμιωτάτοις Μακεδονίῳ, Βασιλείῳ, Κεκροπίῳ,
Εὐγενίῳ Γεώργιος ἐν κυρίῳ χαίρειν.
Τὸ Ἀετίου ναυάγιον σχεδόν που πᾶσαν κατείληφε τὴν
Ἀντιοχέων. Τοὺς γὰρ παρ᾽ ὑμῖν ἀτιμαζομένους μαθητὰς τοῦ
δυσωνύμου Ἀετίου πάντας καταλαβὼν Εὐδόξιος εἰς κληρικοὺς
προβάλλεται, ἐν τοῖς μάλιστα τετιμημένοις ἔχων τὸν αἱρετικὸν
Ἀέτιον. Καταλάβετε οὖν τὴν τηλικαύτην πόλιν, μὴ τῷ ναυαγίῳ
αὐτῆς καὶ ἡ οἰκουμένη παρασυρῇ. **3** Καὶ εἰς ταὐτὸν γενόμενοι, ὅσους καὶ γενέσθαι ἐγχωρεῖ, παρὰ τῶν ἄλλων ἐπισκόπων ὑπογραφὰς ἀπαιτήσατε, ἵνα καὶ Ἀέτιον ἐκβάλῃ τῆς
156 Ἀντιοχέων ἐκκλησίας Εὐδόξιος |καὶ τοὺς αὐτοῦ μαθητὰς
ὄντας, προχειρισθέντας εἰς κανόνα, ἐκκόψῃ. Ἢ ἐὰν ἐπιμείνῃ
μετὰ Ἀετίου ἀνόμοιον καλῶν καὶ τοὺς τοῦτο τολμῶντας λέγειν
τῶν μὴ λεγόντων προτιμῶν, οἴχεται ἡμῖν, ὡς φθάσας ἔφην, τέως
ἡ Ἀντιοχέων.»
Τάδε μὲν περιεῖχεν ἡ Γεωργίου ἐπιστολή. **4** Οἱ δὲ ἐν Ἀγκύρᾳ

1. Ces évêques sont des modérés, arianisants plutôt qu'ariens (BARDY,
p. 156 : «les modérés d'Orient n'avaient jamais été des ariens à proprement parler»). Macédonius est l'évêque de Constantinople depuis
341-342. Basile est évêque d'Ancyre depuis la déposition de Marcel en
336. Cécropius est évêque de Nicomédie (on n'est pas sûr de la présence de cet homéousien au synode de Sirmium qui déposa Photin ;
il fut victime, le 24 août 358, du tremblement de terre qui détruisit
Nicomédie). Eugène, évêque de Nicée, était présent au petit synode

Chapitre 13

*À Eudoxe qui innove, Georges de Laodicée
envoie une lettre pour l'en détourner;
les ambassadeurs d'Ancyre auprès de Constance.*

1 Tandis qu'Eudoxe innovait de la sorte, et que
beaucoup de ses opposants avaient été chassés de l'É-
glise d'Antioche, au reçu d'une lettre de Georges évêque
de Laodicée, ils se rendirent à Ancyre de Galatie. Il se
trouvait en effet que, pour la consécration d'une église
qu'il avait construite, Basile avait convoqué beaucoup
d'évêques des environs. Il leur remit la lettre de Georges.
En voici les termes :
2 «À messeigneurs les très honorés Macédonius, Basile,
Cécropius, Eugène[1], Georges, salut dans le Seigneur.

L'entreprise de naufrage d'Aèce a embrassé presque
toute l'Église d'Antioche : les disciples de l'impie Aèce en
disgrâce chez vous, Eudoxe les a tous pris chez lui, il
les élève au rang de clercs et il couvre des plus grands
honneurs l'hérétique Aèce. Prenez donc en mains cette
si importante cité, de peur que la terre entière ne soit
entraînée dans son naufrage. **3** Et une fois réunis, dans
le plus grand nombre possible, réclamez des autres
évêques leurs signatures, pour qu'Eudoxe chasse Aèce de
l'Église d'Antioche et excommunie ceux qui étaient les
disciples d'Aèce et qu'il avait promus dans le clergé.
Autrement, s'il persiste avec Aèce à dire le Fils dissemblable et préfère ceux qui osent parler ainsi à ceux qui
refusent ce terme, c'en est fait pour nous, alors, comme
j'ai dit plus haut, de l'Église d'Antioche.»

Voilà ce que contenait la lettre de Georges. **4** Les

d'Antioche en 342 manœuvré par les mélitiens ennemis d'Athanase (IV,
8, 4).

ἐπίσκοποι, ἐπειδὴ ἀπεδείχθη ὁ Εὐδοξίου νεωτερισμὸς ἐξ ὧν
περὶ τοῦ δόγματος ἐγγράφως ἐψηφίσατο μεθ' ὧν ἐν Ἀντιοχείᾳ
συνῆλθε, δηλοῦσι ταῦτα τῷ βασιλεῖ · καὶ ἐξαιτοῦσι γενέσθαι
τινὰ πρόνοιαν, ὥστε κρατεῖν τὰ ἐν Σαρδικῇ καὶ ἐν Σιρμίῳ καὶ
ταῖς ἄλλαις συνόδοις κεκριμένα, ἐν αἷς συνεδόκει ὅμοιον εἶναι
κατ' οὐσίαν τῷ πατρὶ τὸν υἱόν. 5 Καὶ αἱροῦνται περὶ τούτου
πρεσβεύειν πρὸς βασιλέα αὐτός τε Βασίλειος ὁ Ἀγκύρας
ἐπίσκοπος καὶ Εὐστάθιος ὁ Σεβαστείας καὶ Ἐλεύσιος ὁ
Κυζίκου καὶ Λεόντιος πρεσβύτερος ἐκ θαλαμηπόλου βασι-
1148 λικοῦ. 6 Ὡς δὲ ἀφίκοντο εἰς τὰ βασίλεια, καταλαμ | βάνουσιν
Ἀσφάλιόν τινα πρεσβύτερον ἐξ Ἀντιοχείας, εἰσάγαν σπου-
δαστὴν τῆς Ἀετίου αἱρέσεως, ἤδη πράξαντα ἐφ' ᾧ παρεγένετο
καὶ γράμματα παρὰ βασιλέως κομισάμενον ἐκδημεῖν μέλλοντα.
Καταμηνυθείσης δὲ τῆς αἱρέσεως διὰ τῶν ἐξ Ἀγκύρας
πρέσβεων καταψηφίζεται Κωνστάντιος τῶν ἀμφὶ τὸν Εὐδόξιον

1. Ce synode s'ouvrit un peu avant les fêtes de Pâques 358 (BARDY,
p. 156). Il se termina par une longue lettre adressée par Basile à «tous
ses collègues de la chrétienté», complétée par un second document
signé par Basile et Georges de Laodicée. Les deux, très importants pour
l'histoire de la théologie, marquent un moment décisif dans la controverse arienne : les Orientaux découvrent qu'en face du sabellianisme,
leur adversaire de toujours, il existe un autre péril symétrique insoup-
çonné : l'anoméisme. Le synode provoque un pas décisif des Orientaux
en direction de l'orthodoxie nicéenne, le ralliement se faisant autour
de l'*homoiousios* (= semblable en substance).
2. Sur le concile de Sardique (342/343), voir BARDY, p. 123-130 (en
fait, une formule de foi trop polémique, rédigée par Hosius de Cordoue
et Protogène de Sardique, ne fut pas adoptée, grâce aux sages conseils
d'Athanase). Le synode de Sirmium de 357 (BARDY, p. 152-153) affirma
l'unité de Dieu, la supériorité du Père sur le Fils et défendit d'employer les termes de substance et de consubstantiel (ainsi que le mot
homoiousios!).
3. Comme il a été dit en III, 14, 31, Eustathe (300-380) fut l'initiateur
de la vie monastique en Arménie. Son ascétisme extrême fut condamné
au concile de Gangres à l'initiative d'Eusèbe de Nicomédie. Il fut élu
néanmoins évêque de Sébaste en Arménie avant 357 et se rallia à la

évêques rassemblés à Ancyre[1], quand leur eurent été
démontrées les innovations d'Eudoxe d'après les décisions
qu'il avait prises par écrit sur le dogme avec les évêques
qu'il avait réunis à Antioche, les font connaître à l'empereur; et ils lui demandent de pourvoir à ce que l'emportent les définitions de Sardique, de Sirmium et des
autres conciles[2], où l'on avait convenu en commun que
le Fils est, quant à la substance, semblable au Père. **5** Sont
choisis pour être ambassadeurs sur ce point auprès de
l'empereur Basile lui-même, l'évêque d'Ancyre, Eustathe
de Sébaste[3], Eleusios de Cyzique[4] et le prêtre Léonce,
ancien membre de la chambre impériale. **6** Arrivés au
palais, ils y trouvent un certain Asphalios, prêtre d'Antioche[5], partisan à l'extrême de l'hérésie d'Aèce; il avait
déjà réglé l'affaire pour laquelle il était venu et il était
sur le point de partir, porteur d'une lettre de l'empereur.
Quand l'hérésie lui eut été révélée par les ambassadeurs

foi de Nicée. Il fut le maître de Basile de Césarée avant de s'opposer
à lui en 373 : le livre de Basile *Du Saint-Esprit* retrace son dialogue
avec son ancien maître : *DECA*, p. 926 (J. GRIBOMONT).

4. Il venait d'être consacré (vers 358) par Macédonius de Constantinople. Après le synode d'Ancyre, il jouera aussi un rôle important au
concile de Séleucie (359). Il fut en conséquence déposé au concile de
Constantinople (360) qui sanctionna la défaite des homéousiens. Il
retrouva son siège en 362 après la mort de Constance, mais fut relégué
par Julien en raison de son action précédente contre les cultes et les
temples païens. Au moment de la controverse sur l'Esprit-Saint, il fut
l'un des chefs des macédoniens et participa encore au concile de
Constantinople en 381 : voir *DECA*, p. 799-800 (M. SIMONETTI). La présence du prêtre Léontios, d'un rang moins élevé dans la hiérarchie
ecclésiastique, peut s'expliquer par la volonté d'en appeler aux sentiments de Constance à l'égard d'un ancien serviteur.

5. Asphalios, prêtre d'Antioche et homme de confiance d'Eudoxe,
mentionné au § 6, n'est connu que par Sozomène. Celui-ci doit tirer
le détail de son information du *Synodikon*, collection d'actes conciliaires
publiée vers 375, due à l'évêque d'Héraclée d'Europe, le «macédonien»
Sabinos.

248 HISTOIRE ECCLÉSIASTIQUE

καὶ ἀνακομίζεται παρὰ ᾿Ασφαλίου τὴν ἰδίαν ἐπιστολήν·
γράφει δὲ τάδε·

14

1 «Νικητὴς Κωνστάντιος μέγιστος Σεβαστὸς τῇ κατὰ
᾿Αντιόχειαν ἁγίᾳ ἐκκλησίᾳ.
Εὐδόξιος οὐ παρ᾽ ἡμῶν ἧκε· μηδεὶς οὕτως οἰέσθω. Πόρρω
τοῦ προστίθεσθαι τοῖς τοιούτοις ἐσμέν. Εἰ δὲ μετὰ τῶν ἄλλων
καὶ τοῦτο σοφίζονται, εὔδηλοι δήπουθέν εἰσιν εἰς τὸ κρεῖττον
κομψευόμενοι. Τίνων γὰρ ἂν ἑκόντες ἀπόσχοιντο οἱ δυνασ-
τειῶν ἕνεκεν τὰς πόλεις ἐπιόντες, ἀπ᾽ ἄλλης εἰς ἄλλην μετα-
πηδῶντες ὥσπερ τινὲς μετανάσται, πάντα μυχὸν πολυπραγμο-
νοῦντες ἐπιθυμίᾳ τοῦ πλείονος; **2** Εἶναι δὲ λόγος περὶ αὐτοὺς
ἀγύρτας τινὰς καὶ σοφιστάς, οὓς οὐδὲ ὀνομάζειν θέμις, ἐρ-
γαστήριον πονηρόν τε καὶ δυσσεβέστατον. Πάντως που καὶ
157 αὐτοὶ συνίετε τὸ σύστημα. Πάντως ἐκ τῶν λόγων τὸν | αἴτιον
γνωρίζετε καὶ τοὺς περὶ τὴν αἵρεσιν ταύτην ἐσχολακότας, οἷς
ἓν τοῦτο μόνον ἔργον ἐστὶ τὸ διαφθείρειν τὰ πλήθη. **3** ᾿Αλλ᾽
οἱ κομψοὶ καὶ πρὸς πάντα εὔτολμοι ἤδη τι τοιοῦτον πρός
τινας ἐνεανιεύσαντο, ὅτι χαίροιμεν αὐτῶν τῇ χειροτονίᾳ, ἣν
ἑαυτοὺς ἐχειροτόνησαν. Ταῦτα παρ᾽ ἐκείνων μὲν ᾄδεται τῶν

---

1. Cette protestation d'innocence est trop indignée pour ne pas donner
consistance à ce qui a été présenté comme une rumeur en IV, 6, 4 (sur
ce «revirement de Constance», voir BARDY, p. 157-158). Sozomène est
seul à donner le texte de la lettre de l'empereur à l'Église d'Antioche :
on peut croire qu'il l'a trouvée dans le *Synodikon* de Sabinos. L'original était-il, comme souvent, en latin, langue officielle? Ou en grec,
langue des destinataires? Sozomène ne précisant pas, comme il le fait
d'habitude, qu'il donne la traduction grecque d'un original latin, on
peut croire que la lettre de Constance était déjà en grec (ou du moins
que le *Synodikon* de Sabinos la présentait en cette langue sans préciser qu'elle était traduite de l'autre).
2. L'allusion vise Eudoxe qui s'était de lui-même transféré, sans l'accord
de Georges de Laodicée et de Marc d'Aréthuse, de Germanicée au siège
prestigieux d'Antioche (voir IV, 12, 4). Le concile de Sardique (342/3),

d'Ancyre, Constance condamne Eudoxe et ses partisans, se fait restituer par Asphalios sa lettre, et écrit ceci :

Chapitre 14

*Lettre de l'empereur Constance
rejetant Eudoxe et ses partisans.*

1 « Constance, victorieux, très grand, Auguste, à la sainte Église d'Antioche.

Eudoxe n'est pas venu de notre part : que personne ne le croie[1]. Nous sommes bien loin de nous associer à de telles choses. Si, en plus du reste, ils inventent encore cela, c'est manifestement dérision à l'égard du Tout Puissant. De quoi en effet voudraient-ils bien s'abstenir ceux qui, par amour du pouvoir, assaillent les villes, bondissant de l'une à l'autre comme des vagabonds, explorant chaque recoin par désir de s'enrichir[2] ? On dit qu'il y a auprès d'eux des sortes de charlatans et de sophistes[3] qu'il n'est pas même licite de nommer, une officine criminelle et tout à fait impie. Certainement, vous connaissez, vous aussi, cette faction. Certainement, d'après leurs discours, vous reconnaissez l'auteur de cette hérésie et ceux qui s'y adonnent, eux dont le seul but est de corrompre les masses. **3** Eh bien, ces habiles, prêts à toutes les audaces, voilà déjà qu'ils se sont imprudemment vantés devant quelques-uns que nous approuvons l'ordination par laquelle ils se sont ordonnés eux-mêmes. Ces propos sont répétés par ces gens qui ont l'habitude de tels bavar-

---

dans ses deux premiers canons, avait sévèrement proscrit les translations épiscopales motivées par l'intérêt, l'ambition, la passion de dominer (BARDY, p. 128).

3. Le trait est dirigé contre l'inspirateur d'Eudoxe, Aèce, dont l'habileté dialectique a été soulignée plus haut (IV, 12, 1).

τὰ τοιαῦτα θρυλεῖν εἰωθότων, ἔστι δ' οὐδ' ὅλως ποθὲν οὐδ'
ἐγγύς.

4 Καί μοι τῶν πρώτων ἀναμνήσθητε λόγων, ὅτε περὶ τῆς
πίστεως ἐσκοποῦμεν, ἐν οἷς ὁ σωτὴρ ἡμῶν ἀπεδείκνυτο υἱὸς
τοῦ θεοῦ καὶ κατ' οὐσίαν ὅμοιος τῷ πατρί. 'Αλλ' οἱ γενναῖοι
καὶ περὶ τοῦ κρείττονος λέγοντες εὐχερῶς τὰ παριστάμενα εἰς
τοσοῦτον προῆλθον ἀθεΐας, ὥστε καινά τινα παρὰ τὰ ὄντα
νομίζειν καὶ τοὺς ἄλλους πειρᾶσθαι διδάσκειν. 5 Οἷς ὅτι μὲν
1149 εἰς κεφαλὴν τρέψεται, πάνυ πεπιστεύκαμεν, | ἀρκέσει δὲ τέως
εἴργεσθαι συνόδων αὐτοὺς καὶ συλλόγου κοινοῦ. Καὶ γὰρ δὴ
μὴ προαχθείην εἰπεῖν ἐν τῷ παρόντι, ὅσα μικρὸν ὕστερον
ἐκεῖνοι πείσονται, ἢν μὴ τῆς λύσσης ταύτης ἀπόσχοιντο. 6 Οἱ
δέ (καὶ τί γὰρ οὐκ ἐπεισάγουσι τῷ κακῷ;) τοὺς πονηροτάτους
ὥσπερ ἐξ ἐντολῆς ἀγείροντες τούτους δὴ τοὺς τῶν αἱρέσεων
ἀρχηγοὺς εἰς τὸν κλῆρον καταλέγουσι, σχῆμα σεμνὸν οὕτω
κιβδηλεύοντες, ὥσπερ ἐξὸν αὐτοὺς ἄγειν καὶ φέρειν ἅπαντα.
Καίτοι τίς ἂν εἰς ζῶντας τελῶν τούτων ἀνάσχοιτο, οἳ τὰς μὲν
πόλεις τοῦ δυσσεβεῖν ἐμπιπλῶσι, τὴν δὲ ὑπερορίαν μιάσμασιν
ἀποκρύπτουσιν, ἓν τοῦτο μόνον ἔργον ἀγαπῶντες τὸ τοῖς
καλοῖς ἀπεχθάνεσθαι διηνεκῶς. Ἔρρετ' ὦ πανούργων
σύστημα · τί θειοτέροις θώκοις ἐνίδρυσαν; 7 Νῦν ὥρα τοὺς
τῆς ἀληθείας τροφίμους εἰς φῶς ἥκειν καὶ μέσους, ὅσοι τῶν
ἠθῶν ἐκφοιτῶντες φόβῳ κατείχοντο πάλαι. Τὰ γὰρ δὴ σοφὰ
τούτων ἐξελήλεγκται · καὶ μηχανῆς οὐδεὶς ἔσται τρόπος
καινός, ὃς ἐξαιρήσεται τούτους τοῦ δυσσεβεῖν. 'Ανδρῶν
ἀγαθῶν ἔργον τῇ πίστει τῶν πατέρων συζῆν καὶ ταύτην

---

1. Constance se réfère sans doute aux définitions quasi orthodoxes
adoptées lors du synode des Encaénies en 341, puis de Sardique en
347.

dages, mais sont absolument sans aucun fondement, ni de loin ni de près.

4 Rappelez-vous les premières définitions[1], quand nous faisions l'examen de la foi, où il était montré que notre Sauveur le Fils de Dieu est aussi, quant à la substance, semblable au Père. Mais ces valeureux qui, même sur le Tout Puissant, disent avec insouciance tout ce qui leur vient à l'esprit, en sont arrivés à un tel point d'impiété qu'ils ont des opinions nouvelles contraires à celles qui existent et qu'ils cherchent à en instruire les autres. **5** Que cela retombera sur leur tête, nous en sommes tout à fait convaincus, mais il suffira pour l'instant qu'ils soient exclus des conciles et de la commune assemblée de l'Église. Oui assurément, mieux vaut que, pour le présent, je ne sois pas amené à dire ce qu'ils subiront un peu plus tard, s'ils ne renoncent pas à cette folie! **6** Mais eux – car quel élément nouveau n'ajoutent-ils pas au mal? – rassemblant, comme sur un ordre, les pires gens, inscrivent dans les rangs du clergé ces fauteurs mêmes des hérésies, altérant ainsi une classe révérée, comme s'il leur était permis de tout dévaster. Et pourtant quel être, au nombre des vivants, pourrait supporter ces hommes qui remplissent leurs propres villes d'impiété, et qui couvrent de souillures les régions hors de leur diocèse, n'ayant à cœur qu'une seule tâche, se rendre continuellement odieux aux gens de bien? Allez à votre perte, faction de misérables! Qu'ont-ils installé sur des trônes très saints? **7** Il est temps maintenant que les nourrissons de la vérité viennent à la lumière et au grand jour, tous ceux qui, chassés de leurs demeures paternelles, étaient depuis longtemps retenus par la crainte. Car les artifices de ces méchants ont été confondus. Et il n'y aura aucune espèce nouvelle de machination qui les exceptera du nom d'impies. Il appartient à des gens de bien de vivre avec la foi des pères et de l'accroître de jour en jour, mais

ἐπαύξειν ὁσημέραι, πέρα δὲ μὴ πολυπραγμονεῖν. Παραινέσαιμι
δ' ἂν καὶ τοὺς ἐκ τοῦ βαράθρου ὀψέ ποτε μεταθεμένους θέσθαι
ταύτῃ τῇ ψήφῳ, ἣν οἱ τὰ θεῖα σοφοὶ μετὰ τοῦ κρείττονος ἐψηφίσαντο δεόντως ἐπίσκοποι.»

Ἐξ ἐκείνου μὲν οὖν τοῦτον τὸν τρόπον παρ' ὀλίγον ἐκινδύ-
νευσε κρατεῖν ἡ τῶν Ἀνομοίων καλουμένη αἵρεσις.

15

158 ǀ **1** Οὐ πολλῷ δὲ ὕστερον ἐπανελθὼν ἐκ τῆς Ῥώμης εἰς
Σίρμιον ὁ βασιλεὺς πρεσβευσαμένων τῶν ἀπὸ τῆς δύσεως ἐπισκόπων μετακαλεῖται Λιβέριον ἐκ Βεροίας, παρόντων τε τῶν
ἀπὸ τῆς ἕω πρέσβεων, συναγαγὼν τοὺς παρατυχόντας ἐν τῷ
στρατοπέδῳ ἱερέας, ἐβιάζετο αὐτὸν ὁμολογεῖν μὴ εἶναι τῷ
πατρὶ τὸν υἱὸν ὁμοούσιον. Ἐνέκειντο δὲ καὶ τὸν κρατοῦντα
ἐπὶ τοῦτο ἐκίνουν πλείστην παρ' αὐτῷ παρρησίαν ἄγοντες
1152 Βασίλειος καὶ Εὐστάθιος καὶ Ἐλεύσιος. ǀ **2** Οἳ δὴ τότε εἰς μίαν
γραφὴν ἀθροίσαντες τὰ δεδογμένα ἐπὶ Παύλῳ τῷ ἐκ Σαμο-
σάτων καὶ Φωτεινῷ τῷ ἐκ Σιρμίου καὶ τὴν ἐκτεθεῖσαν πίστιν
ἐν τοῖς ἐγκαινίοις τῆς Ἀντιοχέων ἐκκλησίας, ὡς ἐπὶ προφάσει

---

1. En fait, le synode d'Ancyre qui s'ouvrit peu avant les fêtes de
Pâques 358 est postérieur au départ de Rome (27 mai 357) et au retour
de Constance à Sirmium (été 357). Une fois à Sirmium, l'empereur
rappela auprès de lui, en 357, Libère, exilé à Bérée, qui avait fait sa
soumission, comme en témoignent ses quatre lettres adressées respectivement aux Orientaux (*Studens paci* et *Pro deifico timore* : condamnation d'Athanase), à Ursace, Valens, Germinius (*Quia scire uos*) et à
Vincent de Capoue (*Non doceo*). C'est parce qu'il ne pouvait pas le
renvoyer à Rome, puisqu'il y avait imposé Félix, que Constance garda
quelque temps Libère auprès de lui à Sirmium (BARDY, p. 154-155).
    2. Cette information est difficile à admettre : cf. BARDY, p. 158, ren-
voyant, note 5, à P. BATIFFOL, *La paix constantinienne et le catholi-
cisme*, Paris 1929, p. 488. Mais il faut remarquer que le dix-neuvième
anathématisme d'Ancyre condamnait expressément le terme *homoousios*
auquel il prêtait un sens sabellien en le présentant comme synonyme
de *tautoousios*. Dans le *De synodis*, Hilaire ne commente que douze

sans se livrer à des recherches indiscrètes au-delà. Et je conseillerais aussi à ceux qui, tardivement, sont enfin revenus du barathre de s'associer à ce vote, que les évêques sages en les choses divines ont émis comme il fallait avec l'aide du Tout Puissant.»

Depuis ce moment donc, voilà comment il s'en fallut de peu que ne l'emportât l'hérésie qu'on nomme des anoméens.

Chapitre 15

*Venu à Sirmium, Constance rappelle Libère
et le rétablit à Rome;
il charge aussi Félix de partager avec lui le sacerdoce.*

1 Peu après, l'empereur retourne de Rome à Sirmium[1] et, les évêques d'Occident lui ayant envoyé une ambassade, il rappelle Libère de Bérée. Comme se trouvaient là les envoyés de l'Orient, ayant rassemblé les évêques qui, de rencontre, étaient à la Cour, il voulait forcer Libère à convenir que le Fils n'est pas consubstantiel au Père[2]. Basile, Eustathe et Eleusios, qui avaient très grande liberté de parole avec lui, pressaient vivement la chose et y poussaient le prince. **2** Ces évêques donc, ayant alors ramassé en un seul écrit[3] les décisions qu'on avait prises sur Paul de Samosate et Photin de Sirmium et l'exposition de foi des Encaénies de l'Église d'Antioche,

---

des dix-neuf anathèmes d'Ancyre : il est possible que Basile ait renoncé aux sept autres pour gagner l'assentiment de Libère.

3. Sozomène aborde ici le synode de Sirmium en 358. Échaudés par le peu de succès des précédentes formules, les évêques ne jugèrent pas utile de composer une formule qui leur fût propre, mais juxtaposèrent les décisions du synode de Sirmium (351) contre Photin et du synode des Encaénies (341) contre Paul de Samosate.

τοῦ ὁμοουσίου ἐπιχειρούντων τινῶν ἰδίᾳ συνιστᾶν τὴν αἵρεσιν, παρασκευάζουσι συναινέσαι ταύτῃ Λιβέριον, Ἀθανάσιόν τε καὶ Ἀλέξανδρον καὶ Σευηριανὸν καὶ Κρίσκεντα, οἳ ἐν Ἀφρικῇ ἱέρωντο. Ὁμοίως δὲ συνήνουν καὶ Οὐρσάκιος καὶ Γερμάνιος ὁ Σιρμίου καὶ Οὐάλης ὁ Μουρσῶν ἐπίσκοπος καὶ ὅσοι ἐκ τῆς ἕω παρῆσαν. 3 Ἐν μέρει δὲ καὶ ὁμολογίαν ἐκομίσαντο παρὰ Λιβερίου ἀποκηρύττουσαν τοὺς μὴ κατ' οὐσίαν καὶ κατὰ πάντα ὅμοιον τῷ πατρὶ τὸν υἱὸν ἀποφαίνοντας. Ἡνίκα γὰρ τὴν Ὁσίου ἐπιστολὴν ἐδέξαντο Εὐδόξιος καὶ οἱ σὺν αὐτῷ ἐν Ἀντιοχείᾳ τῇ Ἀετίου αἱρέσει σπουδάζοντες, ἐλογοποίουν ὡς καὶ Λιβέριος τὸ ὁμοούσιον ἀπεδοκίμασε καὶ ἀνόμοιον τῷ πατρὶ τὸν υἱὸν δοξάζει.

4 Ἐπεὶ δὲ ταῦτα ὧδε κατώρθωτο τοῖς ἐκ τῆς δύσεως πρέσβεσιν, ἀπέδωκεν ὁ βασιλεὺς Λιβερίῳ τὴν ἐπὶ Ῥώμην ἐπάνοδον · γράφουσί τε προσδέξασθαι αὐτὸν οἱ ἐν Σιρμίῳ ἐπίσκοποι Φίληκι τῷ ἡγουμένῳ τότε τῆς Ῥωμαίων ἐκκλησίας καὶ τῷ ἐνθάδε κλήρῳ, ἄμφω δὲ τὸν ἀποστολικὸν ἐπιτροπεύειν θρόνον καὶ κοινῇ ἱερᾶσθαι μεθ' ὁμονοίας, ἀμνηστίᾳ τε παραδοῦναι τὰ συμβάντα ἀνιαρὰ διὰ τὴν Φίληκος χειροτονίαν καὶ τὴν Λιβερίου ἀποδημίαν. 5 Οἷα γὰρ τὰ ἄλλα καλὸν καὶ ἀγαθὸν 1153 τὸν Λιβέριον καὶ ἀνδρείως | ὑπὲρ τοῦ δόγματος ἀντειπόντα τῷ

1. De quelle hérésie s'agit-il? De celle des anoméens, comme le suppose A.-J. Festugière dans une note autographe, parce qu'elle est la dernière que Sozomène ait nommée? Il faudrait comprendre alors que la position extrême, et même excessive, constituée par l'*homoousios* favoriserait, voire justifierait par réaction doctrinale un autre excès, celui de l'anoméisme (voir IV, 22, 15). Ces propos étant mis dans la bouche d'adversaires de l'*homoousios*, en tout cas de partisans de Basile, cette hérésie pourrait être aussi le sabellianisme, l'*homoousios* étant volontairement confondu par eux avec le *tautoousios* des sabelliens.

2. Sur ces quatre évêques d'Afrique, voir A. MANDOUZE, *Prosopographie chrétienne du Bas-Empire. I. Afrique (303-533)*, Paris 1982, p. 98-99 pour Athanase (siège non identifié), p. 51 pour Alexandre (siège non identifié), p. 222 pour Crescens (siège non identifié), p. 1068 pour Sévérien (identifié avec le 143e signataire de la synodale occidentale du concile de Sardique en 343 et rangé sous la rubrique «Afrique» dans la liste publiée par ATHANASE, *Apol. contra Arianos* 49, 2, Opitz II, p. 128).

alléguant que certains, sous le prétexte de l'*homoousios*, tentaient pour leur compte de constituer l'hérésie[1], font en sorte que Libère, Athanase, Alexandre, Sévérien et Crescens, qui étaient évêques en Afrique[2], donnent leur assentiment à cet écrit. Y donnèrent également leur assentiment Ursace, Germanius de Sirmium, Valens, évêque de Mursa et tous les Orientaux qui étaient là. **3** D'un autre côté, ils obtinrent aussi de Libère une profession de foi qui excommuniait ceux qui déclaraient que le Fils n'est pas, sous le rapport de la substance et sous tout rapport, semblable au Père[3]. Quand en effet Eudoxe et avec lui les sectateurs de l'hérésie d'Aèce à Antioche avaient reçu la lettre de Hosius, ils s'étaient mis à répandre la fable que Libère aussi avait condamné le terme de *homoousios* et qu'il tenait le Fils pour dissemblable au Père.

4 Après que tout eut réussi au gré des ambassadeurs de l'Occident[4], l'empereur permit à Libère de rentrer à Rome. Les évêques réunis à Sirmium écrivirent à Félix, alors chef de l'Église de Rome, et au clergé de la ville d'accueillir Libère : ils gouverneraient tous deux le siège apostolique et célébreraient communément le culte en concorde, et ils donneraient amnistie pour les événements fâcheux qui avaient résulté de l'ordination de Félix et de l'exil de Libère. **5** Mais attendu que Libère, par ailleurs homme de mérite, avait en particulier courageusement répondu à l'empereur pour la défense du dogme, il était

---

3. Les homéousiens conduits par Basile d'Ancyre avaient intérêt à obtenir de Libère une condamnation de l'anoméisme. Et Libère, de son côté, était dans l'obligation de condamner expressément cette doctrine puisqu'Eudoxe et ses amis, pratiquant un amalgame malhonnête, faisaient croire qu'il avait, comme Hosius (IV, 12, 6-7), souscrit au Credo arien de Sirmium en 357 : voir BARDY, p. 159.

4. Cf. IV, 15, 1 : il s'agit des évêques d'Occident qui ont demandé et obtenu le rappel de Libère de son exil de Bérée.

βασιλεῖ ἠγάπα ὁ τῶν Ῥωμαίων δῆμος, ὡς καὶ μεγίστην ἀνα-
κινηθῆναι στάσιν καὶ μέχρι φόνων χωρῆσαι. Ὀλίγον δὲ χρόνον
Φίληκος ἐπιβιώσαντος μόνος Λιβέριος τῆς ἐκκλησίας
προΐστατο, ταύτῃ πῃ τοῦ θεοῦ διοικήσαντος, 6 ὥστε τὸν Πέτρου
θρόνον μὴ ἀδοξεῖν ὑπὸ δύο ἡγεμόσιν ἰθυνόμενον, ὃ διχονοίας
σύμβολόν ἐστι καὶ ἐκκλησιαστικοῦ θεσμοῦ ἀλλότριον.

16

1 Ἐν μὲν οὖν τῷ Σιρμίῳ ταῦτα ἐγεγόνει, καὶ ἐδόκει τότε
διὰ τὸν τοῦ βασιλέως φόβον ἀνατολὴ καὶ δύσις ὁμοφρονεῖν
159 περὶ τὸ δόγμα. Περὶ δὲ τῶν | ἐν Ἀντιοχείᾳ νεωτερισθέντων καὶ
τῆς Ἀετίου αἱρέσεως ἔκρινεν ὁ βασιλεὺς ἐπιτελέσαι σύνοδον
ἐν Νικαίᾳ. **2** Παραιτησαμένων δὲ τῶν ἀμφὶ Βασίλειον διὰ τὸ
πάλαι ἐνθάδε τὴν περὶ τοῦ δόγματος συμβῆναι ζήτησιν, ἔδοξεν
ἐν Νικομηδείᾳ τῆς Βιθυνίας γενέσθαι · καὶ γράμμασι Κωνστάντιος κέχρηται εἰς ῥητὴν ἡμέραν μετὰ σπουδῆς φθάσαι τῶν
ἀν' ἕκαστον ἔθνος ἐπισκόπων, οἳ συνιέναι ἐπιτηδειότεροι
ἐδόκουν καὶ νοεῖν καὶ λέγειν ἱκανοί, ὥστε ἀντὶ πάντων τῶν
ἱερέων τοῦ ἔθνους μετασχεῖν αὐτοὺς τῆς συνόδου καὶ τῇ κρίσει
παρεῖναι. **3** Ἤδη δὲ καὶ τῶν πλειόνων κατὰ τὴν ὁδοιπορίαν

---

1. Comparer cette présentation des faits à celle de Théodoret, *H.E.*
II, 14. Les deux historiens sont d'accord pour indiquer que le retour
de Libère, assorti de la condition qu'il partagerait l'épiscopat avec Félix,
engendra des émeutes et des troubles : cf. aussi la *Collectio Avellana,
Epistulae imperatorum, pontificum, aliorum...* I, *CSEL* 35, 1, 1895,
Günther. Mais Sozomène ne mentionne pas la tentative que fit Félix,
d'abord forcé de quitter Rome (le 29 juillet 358 : Seeck, *Regesten,* p. 205),
pour occuper la basilique de Jules au Transtévère. Et il réduit à «peu
de temps» l'intervalle, en fait assez long, qui sépara le retour de Libère
le 2 août 358 (Seeck, *Regesten,* p. 205) de la mort de Félix, le
22 novembre 365. Son récit tend à minimiser les troubles de Rome
pour conserver au siège de Pierre, symbole de l'orthodoxie nicéenne,
son image la plus pure.

chéri du peuple romain, en sorte qu'une très grave sédition fut soulevée qui alla jusqu'à des meurtres. Félix ayant survécu peu de temps, Libère présida seul à l'Église, **6** Dieu ayant réglé ainsi la chose, en sorte que le siège de Pierre ne fût pas déshonoré par la direction de deux chefs, ce qui est signe de discorde et contraire aux lois de l'Église[1].

Chapitre 16

À cause de l'hérésie d'Aèce et de ceux d'Antioche,
l'empereur décrète qu'un concile se tienne à Nicomédie;
à la suite d'un tremblement de terre
et de nombreux événements survenus entre temps,
le concile est rassemblé d'abord à Nicée,
puis à Rimini et Séleucie;
il est question aussi d'Arsace le confesseur.

1 Voilà donc ce qui s'était passé à Sirmium et il semblait alors que, par crainte de l'empereur, l'Orient et l'Occident fussent d'accord sur le dogme. Sur les innovations qu'on avait introduites à Antioche et sur l'hérésie d'Aèce, l'empereur décida de réunir un concile à Nicée. **2** Comme pourtant Basile repoussait ce choix à cause de l'enquête sur le dogme qui avait eu lieu jadis en ce lieu, il parut bon de réunir le concile à Nicomédie de Bithynie; et Constance écrivit que vinssent là en hâte, à un jour fixé, ceux des évêques de chaque province qui paraissaient plus propres à comprendre ces problèmes et capables de concevoir et de parler, en sorte que, représentant tous les évêques de leur province, ils participassent au concile et fussent présents au jugement. **3** Déjà la plupart étaient en chemin quand survient la nouvelle de la catastrophe

ὄντων ἀγγέλλεται τὸ Νικομηδείας πάθος καὶ ὅτι πᾶσαν ὁ θεὸς
κατέσεισεν. Ὡς ἐπὶ ἀπολομένῃ δὲ ἄρδην τῇ πόλει πανταχοῦ
κρατοῦντος ἐπέσχον οἱ καθ' ὁδὸν ἐπίσκοποι · ὡς γὰρ φιλεῖ ἡ
φήμη ἐργάζεσθαι, οὐκ ἄχρι τῶν γεγονότων τὰ δεινὰ τοῖς
ἄπωθεν ἤγγελλεν. Ὑπεθρυλεῖτο δὲ Νίκαιάν τε καὶ Πέρινθον
καὶ τὰς πλησίον πόλεις κοινωνῆσαι τῆς συμφορᾶς, προσέτι δὲ
καὶ τὴν Κωνσταντινούπολιν. 4 Οὐ μετρίως δὲ τοὺς εὖ φρονοῦντας τῶν ἐπισκόπων ἐλύπει τὸ συμβάν, καθότι καὶ
ἐκκλησία μεγαλοπρεπῶς ᾠκοδομημένη κατεσείσθη, καὶ
πρόφασις ἐγένετο τοῖς ἀπεχθανομένοις πρὸς τὴν θρησκείαν
ἀναγγεῖλαι τῷ βασιλεῖ, ὡς ἐπισκόπων πλῆθος καὶ ἀνδρῶν καὶ
παίδων καὶ γυναικῶν ἀπώλετο, προσφυγόντων τῇ ἐκκλησίᾳ ἐπ'
1156 ἐλπίδι τοῦ ἐνθάδε σωθήσεσθαι. Οὐκ ἀληθῶς δὲ ταῦτα | εἶχε ·
δευτέρᾳ γὰρ ὥρᾳ οὐ συναξίμου ἡμέρας ὁ σεισμὸς ἐνέσκηψεν.
5 Ἐπισκόπων δὲ μόνος Κεκρόπιος ὁ Νικομηδείας αὐτῆς καὶ
ἄλλος ἀπὸ Βοσπόρου τῆς ἐκκλησίας ἔξωθεν κατελήφθησαν.
Ἐν ἀκαριαίῳ τε χρόνῳ κατασεισθείσης τῆς πόλεως οὐδὲ ἐνε-
δέχετο δύνασθαι τοὺς θέλοντας ἀλλαχῇ καταφυγεῖν, ἀλλ' ἐν
τῇ πρώτῃ πείρᾳ τοῦ κινδύνου ὡς ἐπίπαν ὅπῃ ἔτυχεν ἕκαστος
ἑστὼς ἢ ἐσώθη ἢ ἀπώλετο.
6 Λέγεται δὲ πρὶν γενέσθαι ταύτην τὴν συμφορὰν προϊδεῖν
Ἀρσάκιον, ὃς τὸ μὲν γένος Πέρσης ἦν, ἀπὸ στρατιώτου δὲ

1. Ce tremblement de terre, survenu le 24 août 358 (SEECK, *Regesten*,
p. 205), est rapporté en détail par AMM. 17, 7 qui, parmi les innombrables victimes, relève Aristénétus, vicaire du diocèse nouvellement
créé de *Pietas*. LIBANIOS, qui avait commencé sa carrière à Nicomédie,
avait déploré la ruine de l'«Athènes de la Bithynie» dans son *Discours*
61. Cette monodie étant fort célèbre, elle a pu inspirer Sozomène, qui
a longuement cité Libanios dans l'histoire de Julien.
2. On peut penser que cette église «magnifique» avait remplacé celle
qui avait été rasée en 303, sur l'ordre de Dioclétien. On sait, par LAC-
TANCE, *De la mort des persécuteurs*, 12 (éd. J. Moreau, *SC* 39, p. 91)
que cette cathédrale était construite sur une hauteur et entourée d'un
quartier plein de grands et beaux monuments (*DACL* XII, 1, 1935, c. 1238).
D'une manière générale, sur la beauté passée de Nicomédie, au moment
où Julien la découvre en ruines et en cendres en 362, voir AMM. 22, 9,
qui la compare à une «région», c'est-à-dire à l'un des quatorze quar-

de Nicomédie[1], que Dieu avait tout entière renversée.
Comme le bruit se répandait partout qu'il s'agissait d'une
destruction complète de la ville, les évêques en chemin
retinrent leur marche : car, comme elle fait d'habitude, la
renommée ne se bornait pas à la réalité en annonçant le
malheur aux gens éloignés. Et l'on murmurait que Nicée,
Périnthe et les villes voisines avaient eu part au désastre,
et en outre aussi Constantinople. **4** L'événement ne chagrinait pas médiocrement ceux qui étaient dans de bons
sentiments parmi les évêques du fait qu'une église magnifiquement construite avait été renversée[2], et c'était devenu
là un prétexte pour les gens hostiles à la religion d'annoncer à l'empereur qu'une foule d'évêques, d'hommes,
d'enfants, de femmes avait péri, car ils avaient fui à l'église
dans l'espoir d'y être sauvés. Or ce n'était pas vrai : car
le séisme avait fondu sur Nicomédie à la deuxième heure
d'un jour où il n'y avait pas assemblée religieuse.
5 D'évêques, seul celui de Nicomédie même, Cécropius,
et un autre, du Bosphore, avaient été saisis alors qu'ils se
trouvaient hors de l'église. Comme la ville avait été renversée en un temps très court, il n'avait pas été possible
à ceux qui le voulaient de fuir ailleurs, mais c'est en
général dès la première approche du danger que chacun,
là où il était par hasard, avait été ou sauvé ou perdu.
6 On dit que, avant qu'il n'eût eu lieu, ce désastre fut
prévu par Arsace. C'était un Perse, un ex-soldat chargé

---

tiers de la Ville éternelle : *urbem antehac inclytam, ita magnis retro*
principum amplificatam impensis, ut aedium multitudine priuatarum et
publicarum, recte noscentibus regio quaedam Vrbis aestimaretur aeternae,
« ville autrefois illustre, embellie à si grands frais par les empereurs d'autrefois que la multitude de ses édifices privés et publics faisait d'elle
aux yeux des connaisseurs une sorte de "région" de la Ville éternelle ».
En 358 précisément, Constance, confirmant la faveur de son père pour
cette ville très tôt christianisée, avait fait d'elle la capitale du diocèse
de *Pietas* créé en l'honneur de son épouse Eusébia.

θηροκόμου τῶν βασιλικῶν λεόντων, οὐκ ἄσημος τῶν ἐπὶ Λικι-
160 νίου ὁμολογη| τῆς ἐγένετο, καὶ τὴν στρατείαν καταλιπὼν ἐν
τῇ ἄκρᾳ Νικομηδείας ἐν πύργῳ τοῦ τείχους κατῴκει φιλοσόφων. 7 Ἔνθα δὴ προφανεῖσα αὐτῷ θεία ὄψις ἐκέλευσεν
ἐξιέναι τῆς πόλεως ὡς πεισομένης ἅπερ ὕστερον πέπονθεν. Ἐκ
τούτου τε σπουδῇ καταλαβὼν τὴν ἐκκλησίαν ἐνετείλατο τοῖς
κληρικοῖς ἐπιμελῶς ἱκετεῦσαι τὸν θεὸν καὶ ἱλαστηρίους ἐπιτελέσαι λιτὰς ἐπὶ λύσει τῆς ἀπειληθείσης ὀργῆς. 8 Ὡς δὲ οὐκ
ἔπεισε καὶ γελοῖος ἐδόκει ἀπροσδόκητα μηνύων πάθη, ἀνέστρεψεν ἐπὶ τὸν πύργον καὶ πρηνὴς καταπεσὼν ηὔχετο. Ἐν
τούτῳ δὲ τοῦ σεισμοῦ ἐπισκήψαντος οἱ μὲν πλείους ἀπώλοντο,
οἱ δὲ περιλειφθέντες εἰς τοὺς ἀγροὺς καὶ τὴν ἄκραν ἔφυγον.
9 Ὡς γὰρ ἐν εὐδαίμονι καὶ μεγάλῃ πόλει καθ' ἑκάστην οἰκίαν πῦρ ἡμμένον ἐτύγχανεν ἐν χυτροπόδοις καὶ πνιγεῦσι καὶ
καμίνοις βαλανείοις τε καὶ τῶν ὅσοι περὶ τὰς ἐμπύρους τέχνας
πονοῦσιν · ἐπιρριπτομένων τε τῶν ὀρόφων περικλεισθεῖσα ταῖς
ὕλαις ἡ φλόξ, ἀναμεμιγμένων ὡς εἰκὸς φρυγάνων καὶ τῶν ὅσα
ἐλαιώδη ἐστὶ καὶ πρὸς τὸ καίεσθαι ῥᾳδίαν ἔχει τὴν ἐπίδοσιν,
ἀφθόνως ἐτράφη, 10 πανταχοῦ τε ἕρπουσα καὶ πρὸς ἑαυτὴν
συναπτομένη μίαν ὡς εἰπεῖν πυρὰν τὴν πᾶσαν πόλιν ἐποίησε.
Καὶ κατὰ τοῦτο δὲ τῶν οἴκων ἀβάτων ὄντων οἱ περισωθέντες
ἐκ τοῦ σεισμοῦ ἐπὶ τὴν ἄκραν ἀνέδραμον. 11 Ἀρσάκιος δὲ
ἐν ἀσείστῳ τῷ πύργῳ εὑρέθη νεκρός, πρηνὴς κείμενος, οἷον

---

1. Le «temps de Licinius» fait remonter à une époque antérieure à
la défaite et à la mort de celui-ci en 324. La persécution menée par
Licinius en 320 ne s'était pas bornée à des tracasseries contre le clergé
et les fonctionnaires chrétiens. Elle avait pris aussi des formes plus bru-
tales, destructions d'églises, arrestations, confiscations, supplices, exécu-
tions. Il y eut de nouveaux martyrs, surtout en Asie Mineure orientale
(le principal document est la *Passion des quarante martyrs de Sébaste*,
dans *AA. SS.* VIII, t. 2 Martii, X Martii, 19-21). La mission et la conduite
d'Arsace, autrefois chargé du soin des lions impériaux (les princes entre-
tenaient des ménageries, à la fois pour les jeux et pour leurs plaisirs
personnels, notamment la chasse; les deux ourses de Valentinien Ier
sont célèbres), évoquent des exemples bibliques, comme celui de Jonas
chargé d'annoncer la ruine de Ninive (mais Jonas se dérobe).

du soin des lions impériaux, et il avait été un confesseur
en renom parmi ceux du temps de Licinius[1]. Puis il avait
quitté l'armée et il vivait en ascète sur l'acropole de
Nicomédie dans une tour du rempart. **7** Là donc une
vision divine lui apparut et lui ordonna de sortir de la
ville, parce qu'elle allait subir le sort qu'elle eut par la
suite. Alors il s'était porté en hâte à l'église et il avait
enjoint aux clercs de supplier Dieu avec ferveur et de
faire des processions de litanies pour qu'on fût libéré
de la colère dont on avait été menacé. **8** Comme il ne
persuada point et se faisait moquer en annonçant des
maux auxquels on ne s'attendait pas, il rentra dans sa
tour et, se jetant face contre terre, pria. A ce moment
se produisit l'attaque du séisme : la plupart périrent, ceux
qui restèrent s'enfuirent aux champs et sur l'acropole.
9 Comme il arrive en une ville prospère et importante,
dans chaque maison il y avait du feu allumé dans les
réchauds portatifs et les étouffoirs, et de même dans les
fours des bains et des ateliers de forgerons. Or, les toits
s'écroulant, comme la flamme était enveloppée de toute
part de matériaux auxquels se mêlaient, comme il est
naturel, du menu bois mort et toute sorte de matières
huileuses et qui contribuent à faire croître le feu, cette
flamme trouva un aliment surabondant ; **10** et, glissant
partout et se liant à elle-même, elle fit pour ainsi dire
de toute la ville un seul brasier[2]. C'est pour cette raison
que, les maisons étant inaccessibles, ceux qui avaient
échappé au séisme s'étaient réfugiés sur l'acropole.
11 Arsace fut découvert dans la tour non ébranlée, mort,

2. L'incendie dura cinq jours et cinq nuits et fit des ravages plus
effroyables que le tremblement de terre : voir AMM. 17, 7, 8. LIBANIOS,
Discours 61, 15 précise que l'incendie fut nourri par la violence du
vent.

ἑαυτὸν ἐτάνυσε τῆς εὐχῆς ἀρχόμενος. Λόγος δὲ περὶ τοῦ προ-
τελευτῆσαι τότε αὐτὸν τὸν θεὸν ἱκετεῦσαι καὶ ἀποθανεῖν
ἑλέσθαι μᾶλλον ἢ συμφορὰν θεάσασθαι πόλεως, ἐν ᾗ τὰ πρῶτα
τὸν Χριστὸν ἐπέγνω καὶ τῆς ἐκκλησιαστικῆς φιλοσοφίας
μετέσχεν.

12 Ἀλλ' ἐπεὶ φέρων ἡμᾶς ὁ λόγος εἰς τὸν ἄνδρα τοῦτον
ἤγαγεν, ἰστέον ὡς ὑπὸ θεοφιλείας ἱκανὸς ἦν δαίμονας ἀπελαύνειν καὶ τοὺς ὀχλουμένους ὑπ' αὐτῶν καθαίρειν. Οὕτω
γοῦν δαιμονῶν τις ξίφος σπασάμενος ἀνὰ τὴν ἀγορὰν ἔθεε·
φευγόντων δὲ πάντων καὶ θορύβου τὴν πόλιν ἔχοντος
ὑπαντώμενος αὐτῷ τὸν Χριστὸν ἐπωνόμασε καὶ τῷ λόγῳ
1157 κατέβαλε· καὶ αὐτίκα ἐκαθάρισεν καὶ | σωφρονεῖν ἐποίησε.
13 Πεπόνητο δὲ αὐτῷ καὶ πολλὰ ἄλλα ὑπὲρ ἀνθρωπείαν δύναμιν καὶ τέχνην καὶ μέντοι καὶ τόδε. Δράκων ἦν ἢ ἕτερον
161 ἑρπετοῦ | γένος πρὸ τῆς πόλεως, ὃ τοὺς παροδίτας τῷ φυσήματι
ἀπώλλυε· παρὰ γὰρ λεωφόρον ἐφώλευεν. Ἔνθα δὴ παραγενόμενος Ἀρσάκιος ηὔξατο, καὶ ὁ ὄφις αὐτομάτως τοῦ φωλεοῦ
ἐξῆλθε καὶ δὶς τῷ ἐδάφει τὴν κεφαλὴν προσρήξας ἑαυτὸν
ἀνεῖλε. Καὶ τὰ μὲν ὧδε ἀφηγήσαντο, οἳ παρὰ τῶν Ἀρσάκιον
αὐτὸν θεασαμένων ἀκηκοέναι ἔφασαν.

14 Οἱ δὲ ἐπίσκοποι ἀνακοπέντες τῆς ἐπὶ τὴν σύνοδον ὁρμῆς
διὰ τὸ Νικομηδείας πάθος, οἱ μὲν περιέμενον τὰ δόξοντα πάλιν
τῷ βασιλεῖ, οἱ δὲ ἣν ἔχουσι δόξαν περὶ τῆς πίστεως διὰ γραμμάτων ἐδήλωσαν. Ἀπορῶν δὲ περὶ τοῦ πρακτέου ὁ κρατῶν
γράφει Βασιλείῳ πυνθανόμενος ὅ τί ποτε χρὴ περὶ τῆς συνόδου
ποιεῖν. 15 Ὁ δὲ ὡς εἰκὸς ἐπὶ εὐσεβείᾳ δι' ἐπιστολῆς ἐπαινέσας
αὐτὸν καὶ ἐπὶ τῷ πάθει Νικομηδείας παραμυθησάμενος ἐξ ὑπο-

---

1. Les pouvoirs miraculeux d'exorciste prêtés à Arsace évoquent ceux
d'un Martin de Tours (SULPICE SÉVÈRE, *Vie de saint Martin*, 17-18, éd.
J. Fontaine, *SC* 133, p. 289-293) et reproduisent, à leur mesure, ceux du
Christ et de ses disciples. Le combat contre le dragon (la bête de l'Apocalypse) ou contre le serpent (la bête de la Genèse, symbole de la
luxure, de l'orgueil et du Mal) est un type de légende très connu dont
la plus célèbre est celle de saint Georges et du dragon : cf.
A.-J. FESTUGIÈRE, *Collections grecques de miracles,* Paris, 1971, p. 321-324.

face contre terre, tel qu'il s'était étendu au début de sa prière. On dit que s'il était mort avant ce séisme, c'est qu'il avait alors supplié Dieu et mieux aimé mourir que de voir le désastre d'une ville dans laquelle il avait pour la première fois reconnu le Christ et où il avait participé à la vie ascétique dans l'Église.

12 Mais puisque, dans son progrès, le discours m'a conduit à cet homme, il faut savoir que, en raison de ce qu'il était cher à Dieu, il était capable de chasser les démons et de purifier ceux qui en étaient possédés[1]. Un jour, en tout cas, un démoniaque courait dans l'agora l'épée hors du fourreau. Comme tous fuyaient et que le tumulte envahissait la ville, il alla à la rencontre de l'homme, prononça le nom du Christ et par sa parole le renversa : aussitôt il le purifia du démon et lui fit reprendre ses sens. **13** Il opéra bien d'autres miracles surpassant le pouvoir et l'art humains, et en particulier celui-ci : il y avait devant la ville un dragon ou quelque autre sorte de reptile, qui tuait les passants par son souffle ; il était tapi dans un trou près d'une grand-route. Arsace vint sur le lieu, pria, le serpent de lui-même sortit de son trou et, s'étant brisé deux fois la tête contre le sol, se tua. Voilà ce qu'ont rapporté des gens qui disaient l'avoir entendu de la bouche de gens qui ont vu Arsace lui-même.

14 Arrêtés soudainement dans leur voyage vers le concile par la catastrophe de Nicomédie, certains des évêques attendaient de nouveaux ordres de l'empereur, d'autres firent connaître par lettres ce qu'ils opinaient sur la foi. Incertain de ce qu'il fallait faire, l'empereur écrivit à Basile, lui demandant comment enfin il devait agir au sujet du concile. **15** Celui-ci, par une lettre, après l'avoir loué, comme il est naturel, pour sa piété et l'avoir consolé sur le malheur de Nicomédie d'après des exemples de

δειγμάτων ἱερῶν ἱστοριῶν παροτρύνει ἐπιταχῦναι τὴν σύνοδον καὶ μὴ καθυφεῖναι, ὡς ὑπὲρ εὐσεβείας τῆς σπουδῆς οὔσης, μηδὲ ἀπράκτους ἀποπέμψαι τοὺς ἐπὶ τούτῳ συλλεγομένους ἱερέας, ἅπαξ ἐξεληλυθότας καὶ κατὰ τὴν ὁδοιπορίαν ὄντας. Ὥρισε δὲ τῇ συνόδῳ τόπον ἀντὶ Νικομηδείας τὴν Νίκαιαν, ὥστε ἐκεῖ τὰ περὶ τῆς πίστεως διορθωθῆναι, ἔνθα καὶ ζητεῖσθαι ἤρξατο. 16 Καὶ ὁ Βασίλειος τοιαῦτα ἀντέγραψε τεκμηράμενος ὧδέ πη κεχαρισμένα βασιλεῖ δηλώσειν, καθότι καὶ αὐτὸς τὴν ἀρχὴν ἐν Νικαίᾳ ἐδοκίμασε γενέσθαι τὴν σύνοδον. Δεξάμενος δὲ τὴν Βασιλείου ἐπιστολὴν τὰ μὲν πρῶτα προσέταξεν ἀρχομένου τοῦ θέρους συνελθεῖν αὐτοὺς εἰς Νίκαιαν, πλὴν εἰ μή τινες εἶεν τοῖς σώμασιν ἀσθενεῖς · ἐκπέμψαι δὲ τούτους ἀντὶ αὐτῶν, οὓς ἂν ἕλωνται πρεσβυτέρους ἢ διακόνους, ὥστε τὴν αὐτῶν γνώμην δηλῶσαι καὶ περὶ τῶν ἀμφιβόλων βουλεύσασθαι καὶ κοινῇ περὶ πάντων ὁμοφρονῆσαι. 17 Δέκα δὲ ἀπὸ τῶν ἑσπερίων μερῶν καὶ τοσούτους ἀπὸ τῆς ἕω, οὓς ἂν κοινῇ γνώμῃ ἐπιλέξωνται οἱ συνιόντες, ἀφικέσθαι εἰς τὰ βασίλεια καὶ τὰ δόξαντα ἀφηγήσασθαι, ὥστε καὶ αὐτὸν συνιδεῖν, εἰ κατὰ τὰς ἱερὰς γραφὰς συνέβησαν ἀλλήλοις, καὶ περὶ τῶν πρακτέων ὅπη ἂν ἄριστα δοκῇ ἐπιτελέσαι.

18 Μετὰ δὲ ταῦτα βουλευσάμενος προσέταξε πάντας ἔνθα ἂν διάγωσιν ἢ ἐν ταῖς ἰδίαις ἐκκλησίαις ἐπιμεῖναι, μέχρις ἂν 1160 ὁρισθείη τῇ συνόδῳ τόπος καὶ σημανθείη εἰς τοῦτον | ἀφικέσθαι. Γράφει δὲ τῷ Βασιλείῳ δι᾽ ἐπιστολῶν πυθέσθαι πάντων τῶν ἀνὰ τὴν ἕω ἐπισκόπων ὅπη ἐπιτελεῖν τὴν σύνοδον προσῆκεν, ὥστε ἔαρος ἀρχομένου τοῦτο πᾶσι γενέσθαι δῆλον · ἐν

1. Il s'agit de l'été 359, ce qui suppose que les évêques qui s'étaient mis en marche vers Nicomédie bien avant l'été 358, devaient rester plus d'un an éloignés de leur siège.
2. De l'année 359. Ces hésitations et ces atermoiements de l'empereur firent que les anoméens eurent tout loisir pour déconsidérer à ses yeux Basile d'Ancyre qu'ils présentaient comme «un esprit brouillon, un emporté, un tyran» (BARDY, p. 161).

l'Histoire Sainte, l'excite à hâter le concile et à ne pas
y renoncer, puisque la peine qu'on se donnait là était
pour la défense de la piété, et à ne pas renvoyer chez
eux sans résultat les évêques qui se rassemblaient à cet
effet, qui étaient sortis une bonne fois de chez eux et
étaient déjà en route. Il fixa comme lieu du concile, à
la place de Nicomédie, Nicée, en sorte que fussent
redressées les formules de foi au lieu même où l'on avait
commencé d'enquêter à leur sujet. **16** Voilà ce que
répondit Basile, conjecturant que cette proposition serait
en quelque façon agréée de l'empereur puisqu'il avait
lui-même, dès le principe, décidé que le concile aurait
lieu à Nicée. Au reçu de la lettre de Basile, l'empereur
ordonna d'abord qu'au début de l'été[1] les évêques se
réuniraient à Nicée, sauf s'ils étaient en mauvaise santé :
en ce cas, ils enverraient à leur place ceux de leurs
prêtres ou diacres qu'ils auraient choisis, en sorte que
ceux-ci fissent connaître l'avis des évêques, délibérassent
sur les points incertains et fussent sur tous en commune
opinion avec les autres. **17** Dix de la partie d'Occident
et autant de la partie d'Orient, ceux que les évêques
réunis auraient choisis par un vote commun, viendraient
au palais et rapporteraient les décisions du concile, en
sorte que l'empereur aussi vît s'ils avaient abouti à un
accord entre eux conforme aux saintes Écritures et qu'il
agît, sur ce qu'il fallait faire, en la manière qui lui paraî-
trait la meilleure.

18 Après cela, ayant délibéré en lui-même, il ordonna
que tous les évêques demeurassent là où, le cas échéant,
ils se trouvaient ou dans leurs Églises propres, jusqu'à
ce qu'eût été fixé un lieu pour le concile et qu'il leur
eût été signifié de s'y rendre. Il écrit à Basile de demander
par lettres à tous les évêques d'Orient où il convenait
de réunir le concile, en sorte qu'au début du printemps[2]
la chose fût claire pour tous : il estimait en effet que ce

Νικαία γὰρ ὡς κεκμηκότος τοῦ τῆδε ἔθνους ὑπὸ σεισμῶν οὐ
162 καλῶς ἔχειν ὑπέλαβε σύνοδον ποιεῖν. **19** Ὁ δὲ Βασί|λειος
ἰδίας ἐπιστολῆς προτάξας τὰ βασιλέως γράμματα τοῖς κατὰ
ἔθνος ἐπισκόποις ἐδήλωσε σπουδῇ διασκέψασθαι καὶ τὸν ἀρέ-
σοντα τόπον ἐν τάχει δηλῶσαι. Οἷα δὲ φιλεῖ ἐπὶ τοῖς τοιούτοις,
οὐ τὸν αὐτὸν τόπον ἐπιλεξαμένων πάντων παραγίνεται πρὸς
βασιλέα Βασίλειος · διέτριβε δὲ τότε ἐν Σιρμίῳ. Καὶ καταλαμβάνει ἐνθάδε ἄλλους τέ τινας ἐπισκόπους κατ' ἰδίας χρείας
καὶ Μᾶρκον τὸν Ἀρεθούσιον καὶ Γεώργιον τὸν ἐπιτραπέντα
προστατεῖν τῆς Ἀλεξανδρέων ἐκκλησίας. **20** Δόξαν δὲ ἤδη ἐν
Σελευκείᾳ τῆς Ἰσαυρίας γενέσθαι τὴν σύνοδον, οἱ ἀμφὶ Οὐάλεντα (καὶ γὰρ δὴ καὶ οὗτος τῷ Σιρμίῳ ἐνεδήμει) τῇ τῶν Ἀνομοίων αἱρέσει χαίροντες σπουδάζουσι τοὺς τῷ στρατοπέδῳ
παρόντας ἐπισκόπους εἰς ἕτοιμον γραφήν τινα πίστεως ὑπογράψαι, ἐν ᾗ τὸ τῆς οὐσίας οὐκ ἐνέκειτο ὄνομα.

21 Σπουδαζομένης δὲ τῆς συνόδου λογισάμενοι οἱ ἀμφὶ
Εὐδόξιον καὶ Ἀκάκιον, Οὐρσάκιόν τε καὶ Οὐάλεντα, ὡς τῶν
πανταχῇ ἐπισκόπων οἱ μὲν τὴν ἐν Νικαίᾳ πίστιν, οἱ δὲ τὴν
ἐπὶ τῇ ἀφιερώσει τῆς Ἀντιοχέων ἐκκλησίας ἐκτεθεῖσαν
ζηλοῦσιν, ἑκατέρα τε τὸ τῆς οὐσίας ὄνομα ἔχει καὶ κατὰ
πάντα ὅμοιον τῷ πατρὶ τὸν υἱὸν ἀποφαίνει, καὶ ὡς, εἰ πάντες
εἰς ταὐτὸν συνέλθωσιν, ἑτοίμως καταψηφίσονται τῆς Ἀετίου
δόξης, ἣν αὐτοὶ ἐπήνουν ἄντικρυς ἑκατέρας ἀπάδουσαν,
κατορθοῦσι τοὺς μὲν ἀπὸ τῆς δύσεως ἐν Ἀριμήνῳ συνελθεῖν, τοὺς δὲ ἀπὸ τῆς ἕω ἐν Σελευκείᾳ τῆς Ἰσαυρίας, **22** ἵνα
ῥᾳδίου ὄντος ὀλίγους ἢ πάντας πείθειν, εἰ μὲν δύναιντο, τῇδε

---

1. Cet évêque fut chargé de préparer la formule qui serait plus tard
présentée à l'approbation du concile (BARDY, p. 162). Le texte original
en était en latin. La traduction grecque est conservée par ATHANASE,
De syn. 8 et par SOCRATE, *H.E.* II, 34. La formule est souvent appelée
le «Credo daté» à cause de la date consulaire (le onze des calendes
de juin, sous le consulat d'Eusèbe et d'Hypatius = 22 mai 359) qui
figure dans le préambule. Cette formule : «Nous disons que le Fils est
semblable au Père en toutes choses, ainsi que les saintes Écritures le
disent et l'enseignent», exprime «l'homéisme le plus vague et le plus
inconsistant», pour lequel le Fils est simplement semblable au Père.

n'était pas bien de tenir un concile à Nicée, vu que la province de ce lieu avait souffert du fait du séisme. **19** Basile, mettant en tête de sa propre lettre l'écrit de l'empereur, fit savoir aux évêques de chaque province qu'ils eussent à examiner la chose en hâte et à faire savoir rapidement le lieu qui leur agréerait. Ainsi qu'il arrive en pareil cas, tous ne choisirent pas le même lieu. Basile se rendit chez l'empereur : celui-ci résidait alors à Sirmium. Basile y trouva entre autres évêques venus là pour leurs affaires, Marc d'Aréthuse[1] et Georges, chargé de gouverner l'Église d'Alexandrie. **20** Alors qu'il avait été déjà décidé que le concile aurait lieu à Séleucie d'Isaurie, Valens – car lui aussi se trouvait présent à Sirmium –, qui approuvait l'hérésie des anoméens, s'efforça d'obtenir que les évêques présents à la Cour se montrent disposés à souscrire à une formule de foi qui ne comportait pas le mot « substance ».

21 Tandis qu'on préparait avec soin le concile, Eudoxe, Acace, Ursace et Valens[2], s'étant rendu compte que, des évêques de partout, les uns approuvaient la foi de Nicée, les autres l'exposition de foi des Encaénies de l'Église d'Antioche, que l'une et l'autre contenaient le mot « substance » et déclaraient le Fils semblable en tout au Père, et que, si tous les évêques se réunissaient au même lieu, ils condamneraient promptement la doctrine d'Aèce qui avait leur faveur, puisqu'elle s'éloignait des deux formules précédentes, obtiennent que les évêques d'Occident se réunissent à Rimini, ceux d'Orient à Séleucie d'Isaurie, **22** afin que, comme il est plus facile de persuader un petit nombre que la totalité, s'ils le pouvaient, en se

2. On est surpris de ne pas voir mentionnés à côté de ces ariens et anoméens les deux vétérans de la controverse arienne, Narcisse de Néronias et Patrophile de Scythopolis, deux pères présents à Nicée, qui, d'après BARDY, p. 161, jouèrent un rôle décisif pour la division du concile en deux lieux séparés.

κἀκεῖσε μερισθέντες παρασκευάσωσι σφίσι συμψήφους
γενέσθαι ἑκατέραν σύνοδον· εἰ δὲ μή, θατέραν, ὥστε μὴ
πάσαις ψήφοις ἀποκηρυχθῆναι τὴν αἵρεσιν. Συνέπραττον δὲ
αὐτοῖς ταῦτα Εὐσέβιος ὁ τοῦ βασιλείου οἴκου προεστὼς εὐ-
νοῦχος, Εὐδοξίῳ ἐπιτήδειος ὢν καὶ ἄλλως ὁμόδοξος, καὶ
πολλοὶ τῶν ἐν δυνάμει χάριν αὐτῷ Εὐσεβίῳ φέροντες.

17

1161 **1** Πεισθεὶς δὲ ὁ βασιλεύς, ὡς οὔτε τῷ δημοσίῳ λυσιτελεῖ
διὰ τὴν δαπάνην οὔτε τοῖς ἐπισκόποις διὰ τὰς μακρὰς ὁδοὺς
εἰς ταὐτὸν πάντας συνελθεῖν, διεῖλε τὴν σύνοδον· καὶ γράφει
τοῖς τότε ἐν Ἀριμήνῳ καὶ Σελευκείᾳ τὰ περὶ τῆς πίστεως ἀμφίβολα προδιαθεῖναι, ἐν τέλει δὲ διαλαβεῖν κατὰ τὸν τῆς
ἐκκλησίας θεσμὸν καὶ περὶ τῶν ἀδίκως καθῃρῆσθαι ἢ ὑπερορίαν οἰκεῖν μεμφομένων ἐπισκόπων, ὧν εἷς ἦν Κύριλλος Ἱερο-
163 σολύμων, καὶ περὶ τῶν ἐπαγο|μένων ἐγκλημάτων τισὶ τῶν
ἐπισκόπων δικάσαι· κατηγόρουν γὰρ ἄλλοι ἄλλων, Γεωργίου
δὲ Αἰγύπτιοι ἁρπαγῶν καὶ ὕβρεων· ἐπὶ κεκριμένοις δὲ πᾶσι
δέκα ἑκατέρωθεν καταλαβεῖν τὰ βασίλεια ἐπὶ μηνύσει τῶν
γενομένων.

1. Eusèbe, déjà nommé en III, 1, 4, était tout puissant sur l'esprit
de Constance, d'après AMM. qui le détestait (18, 4, 3). Il fut jugé et
condamné au procès de Chalcédoine sur l'ordre de Julien (fin 361). Il
avait des vues sur la demeure que le *magister equitum per Orientem*
Ursicin possédait à Antioche.
2. Le concile de Rimini fut ouvert, par ordonnance impériale, le
28 mai 359 (SEECK, *Regesten*, p. 206). Le concile de Séleucie siégea à
partir du 27 septembre 359 en présence du *comes et praeses Isauriae*,
Bassidius Lauricius.
3. Cyrille fut déposé du siège de Jérusalem par les intrigues d'Acace
et rétabli par décision du concile de Séleucie (BARDY, p. 167).
4. À partir du moment où il occupa «son» siège, le 24 février 357,
Georges fit régner pendant dix-huit mois la terreur en Égypte, exilant

répartissant ici et là, ils fassent en sorte que chacun des deux conciles soit en accord avec eux, et s'ils ne le pouvaient, qu'il y en ait au moins un, de manière que l'hérésie ne soit pas unanimement anathématisée. Ils avaient pour auxiliaires sur ce point l'eunuque Eusèbe, le grand chambellan[1], qui était l'ami d'Eudoxe et par ailleurs de même opinion, et beaucoup des hauts dignitaires qui devaient de la reconnaissance à Eusèbe.

Chapitre 17

Les actes du concile de Rimini.

1 Persuadé qu'une réunion de tous les évêques au même lieu n'était avantageuse ni pour le trésor à cause de la dépense, ni pour les évêques à cause de la longueur des voyages, l'empereur divisa le concile[2]. Et il écrit aux évêques qui étaient alors à Rimini et à Séleucie d'établir à l'avance les points en litige sur la foi et, au terme, d'en décider conformément aux lois de l'Église; de plus, touchant les évêques qui se plaignaient d'avoir été injustement déposés ou condamnés à l'exil, parmi lesquels il y avait Cyrille de Jérusalem[3], et touchant les accusations introduites contre certains des évêques, on porterait un jugement – de fait, ils s'accusaient les uns les autres, et les Égyptiens accusaient Georges de rapines et de violences[4] –; sur tout ce qui aurait été décidé, dix évêques de chacun des deux conciles se rendraient au palais pour indiquer ce qu'on avait fait.

seize évêques, forçant d'autres à s'enfuir ou à se taire, persécutant les prêtres attachés à Athanase, maltraitant, brûlant, exilant, égorgeant des fidèles. Les Alexandrins se soulevèrent et le chassèrent à la fin d'août 358 (BARDY, p. 149).

2 Κατὰ ταῦτα ἕκαστοι συνελέγησαν ἔνθα συνελθεῖν προ–
σετάγησαν. Καὶ φθάνει ἡ ἐν Ἀριμήνῳ συστᾶσα σύνοδος·
ἐτέλουν δὲ εἰς αὐτὴν πλείους ἢ τετρακόσιοι. Καὶ περὶ μὲν
Ἀθανασίου μηδὲν ἀνακινεῖν ἄμεινον ἐδοκίμασαν οἳ πρὸς
αὐτὸν ἀπεχθῶς εἶχον. 3 Ζητήσεως δὲ οὔσης, εἰς ὃν χρὴ τρόπον
πιστεύειν, παρελθόντες εἰς μέσον Οὐάλης τε καὶ Οὐρσάκιος,
οἷς συνελαμβάνοντο Γερμήνιός τε καὶ Αὐξέντιος καὶ Γάιος καὶ
Δημόφιλος, τὰς μὲν ἤδη πρότερον περὶ πίστεως γενομένας
γραφὰς ἀργεῖν ἠξίουν, κρατεῖν δὲ ἦν οὐ πρὸ πολλοῦ ἐν Σιρμίῳ
συνέταξαν διὰ τῆς Ῥωμαίων φωνῆς, ὅμοιον μὲν εἶναι τῷ πατρὶ
τὸν υἱὸν κατὰ τὰς γραφὰς εἰσηγουμένην, οὐσίας δὲ παντελῶς
ἐπὶ θεοῦ μὴ ποιεῖσθαι μνήμην. 4 Ἔλεγον δὲ ταύτην καὶ
βασιλέα ἐπαινέσαι, χρῆναι δὲ καὶ τὴν σύνοδον ἀναγκαίως
προσίεσθαι μηδὲν τοῦ λοιποῦ πολυπραγμονοῦσαν τῆς ἑκάστου
ἐννοίας, ἵνα μὴ διχόνοιαι καὶ στάσεις γίνωνται διαλέξει καὶ
ἀκριβεῖ βασάνῳ παραδιδομένων τῶν ὀνομάτων· ἄμεινον γὰρ
εἶναι ἀμαθέστερον διαλεγομένους ὀρθῶς περὶ θεοῦ δοξάζειν ἢ
καινότητας ὀνομάτων ἐπεισάγειν διαλεκτικῆς τερθρείας συγ–
γενεῖς. 5 Ὑπηνίττοντο δέ, μᾶλλον ‹δὲ› καὶ προφανῶς διέβαλλον
τὸ ὁμοούσιον ὄνομα ὡς ἄγνωστον ταῖς ἱεραῖς γραφαῖς καὶ τοῖς

---

1. Sur l'histoire du concile de Rimini, voir BARDY, p. 163-165. Elle
est connue par SULPICE SÉVÈRE, *Chron.* II, 41-45, alors que le *De synodis*
d'ATHANASE a été rédigé à l'automne de 359, au moment où le concile
ne faisait que commencer. Plusieurs documents importants de ce concile
sont conservés par HILAIRE, *Coll. Antiar. Paris.* Ser. A, VIII et IX, Feder,
p. 93-97 (= *Fragm. hist.* VII-IX, *PL* 10, 695-705).

2. Germinius est l'évêque de Sirmium, successeur de Photin en 351,
et l'un des interlocuteurs de l'*Altercatio Heracliani* (MESLIN, *Les ariens
d'Occident*, p. 67-71). Le cappadocien Auxence I, ordonné prêtre par
Grégoire d'Alexandrie, est l'évêque de Milan, successeur de Denys, exilé
en 355 (MESLIN, *Les ariens d'Occident*, p. 41-44). Sur Gaïus, évêque en
Pannonie, voir aussi IV, 17, 7 et 18, 8 (MESLIN, *Les ariens d'Occident*,
p. 64-66). Démophile, évêque de Bérée en Thrace, avait été préposé
à la surveillance de Libère et l'avait amené à se renier (il sera évêque
de Constantinople, en succédant à Eudoxe en 370, par la faveur de
Valens). M. SIMONETTI, dans *DECA*, p. 650, met en doute sa présence
au concile de Sirmium, sans indiquer de raison.

2 Conformément à cela, les évêques, chacun de son côté, se rassemblèrent là où ils avaient reçu l'ordre de se réunir. C'est le concile de Rimini qui se forma le premier : il y avait là plus de quatre cents évêques[1]. Touchant Athanase, ceux qui le haïssaient jugèrent qu'il valait mieux ne soulever aucun remous. **3** Comme on enquêtait sur la manière dont il fallait croire, s'avancèrent au milieu de l'assemblée Valens et Ursace, auxquels s'étaient joints Germinius, Auxence, Gaïus et Démophile[2] ; ils demandèrent qu'on laissât en repos les formules antérieurement produites sur la foi et que l'emportât celle qu'ils avaient peu avant composée en latin à Sirmium[3], qui posait que, selon les Écritures, le Fils était sans doute semblable au Père, mais qu'il ne fallait absolument pas mentionner le nom de substance dans le cas de Dieu. **4** L'empereur aussi, disaient-ils, avait approuvé cette formule, et le concile devait nécessairement l'accepter sans plus s'occuper indiscrètement désormais de la façon de penser d'un chacun, pour qu'il n'y eût plus de discordes et de divisions du fait qu'on livrait ces termes à la discussion et à un examen minutieux ; mieux valait garder sur Dieu l'orthodoxie en discutant moins subtilement que d'introduire des innovations verbales proches des jongleries de la dialectique. **5** Ils faisaient allusion au terme de *homoousios*, ou plutôt l'attaquaient même ouvertement comme étant inconnu des saintes Écritures et inintelli-

---

3. Allusion sans doute au « groupe de travail » restreint qui avait préparé, au printemps de 359, la formule à soumettre un peu plus tard au concile de Rimini. Noter qu'en IV, 16, 19-20, quand il évoque ce moment, Sozomène n'a pas nommé Germinius, Auxence, Gaïus et Démophile, mais Marc d'Aréthuse, Georges d'Alexandrie, Eudoxe, Acace, Ursace et Valens. Il n'y pas en fait de contradiction : la phrase laisse bien entendre que les auteurs de la formule sont Ursace et Valens et que les autres se sont joints à eux, non pas à Sirmium pour rédiger le symbole, mais à Rimini pour le faire prévaloir.

272 HISTOIRE ECCLÉSIASTIQUE

πολλοῖς ἀσαφές · ἀντὶ δὲ τούτου ὅμοιον κατὰ πάντα τῷ γεννή-
σαντι λέγειν τὸν υἱὸν κατὰ τὰς θείας γραφάς.

6 Ἐπεὶ δὲ ταῦτα περιέχουσαν [καὶ] τὴν προκομισθεῖσαν παρ'
αὐτῶν γραφὴν ἀνέγνωσαν, οἱ μὲν πλείους μηδὲν δεῖσθαι νεω-
τέρας πίστεως ἰσχυρίζοντο, ἀλλ' ἀρκεῖσθαι τοῖς ἤδη δόξασι
πρὸ αὐτῶν, συνεληλυθέναι δὲ νῦν ἵνα, εἴ τι καινοτομοῖτο κατὰ
τούτων, κωλύσωσιν · εἰ δὲ μηδὲν παρὰ ταῦτα καινοτομεῖ τὰ
ἀνεγνωσμένα, λέγειν ἐζήτουν τοὺς εἰσηγητὰς ταύτης τῆς
γραφῆς καὶ φανερῶς ἀποκηρύττειν τὸ Ἀρείου δόγμα ὡς
164 θορύβων αἴτιον εἰσέτι | νῦν ἐξ ἐκείνου γενόμενον ταῖς πανταχῇ
1164 ἐκκλησίαις. 7 Ἀποφυγόντων δὲ τὴν πρότα |σιν Οὐρσακίου
καὶ Οὐάλεντος, Γερμηνίου τε καὶ Αὐξεντίου καὶ Δημοφίλου
καὶ Γαΐου ἐκέλευσεν ἡ σύνοδος ἀναγνωσθῆναι τὴν ἔκθεσιν
τῶν ἄλλων αἱρέσεων καὶ τῶν ἐν Νικαίᾳ συνεληλυθότων, ὥστε
τὰς μὲν ἄλλας ἀποκηρύξαι αἱρέσεις, ἐπιψηφίσασθαι δὲ τοῖς ἐν
Νικαίᾳ δεδογμένοις καὶ περὶ τῶν αὐτῶν τοῦ λοιποῦ μηδένα
ἐγκαλεῖν ἢ σύνοδον αἰτεῖν, ἀλλ' ἀρκεῖσθαι τοῖς φθάσασιν.
8 Ἄτοπον γὰρ εἶναι ὡς νῦν ἀρχομένους πιστεύειν τοιαῦτα
ξυγγράφειν καὶ τοῦ προλαβόντος χρόνου τὴν παράδοσιν δια-
βάλλειν, ᾗ κεχρημένοι αὐτοί τε καὶ οἱ πρὸ αὐτῶν τὰς
ἐκκλησίας ἐπετρόπευσαν, ὧν οἱ πλείους ἐν ὁμολογίαις καὶ
μαρτυρίοις τὸν βίον μετήλλαξαν.

9 Καὶ οἱ μὲν τάδε προϊσχόμενοι οὐδὲν ἠξίουν νεωτερίζειν,
μὴ πειθομένους δὲ τοὺς ἀμφὶ Οὐάλεντα καὶ Οὐρσάκιον, ἀλλ'
ἐνισταμένους κρατεῖν ἣν προίσχοντο πίστιν καθεῖλον, ἄκυρον

1. Sozomène résume assez exactement le «Credo daté», tel
qu'ATHANASE en donne la traduction grecque dans le *De syn.* 8 (traduction dans BARDY, p. 162).

2. Le 21 juillet 359, Ursace, Valens, Germinius et Gaïus furent déposés
(et peut-être aussi Auxence et Démophile d'après ATHANASE, *De syn.* 9).
HILAIRE, *Coll. Antiar. Paris.*, Ser. A V, Feder, p. 78-85 (= *Fragm. hist.*
VIII, 1-4, *PL* 10, 699-702), nous a conservé la lettre de condamnation
des hérétiques. Le texte condamné par les pères de Rimini est le «Credo
daté» dont il a été question plus haut.

gible à la plupart; au lieu d'employer ce terme, il fallait dire que le Fils est en tout semblable à Celui qui l'a engendré, conformément aux saintes Écritures[1].

6 Après qu'ils eurent lu la formule apportée par eux avec le contenu susdit, la plupart des pères soutinrent qu'il n'était pas besoin d'un nouveau credo, mais qu'il fallait se contenter des définitions déjà établies avant eux, et qu'ils étaient actuellement réunis pour empêcher toute innovation concernant ces définitions; si ce qu'on venait de lire ne présentait nulle innovation contraire aux anciennes formules, les pères demandaient que ceux qui avaient proposé ce texte fissent une déclaration, en portant formellement l'anathème contre la croyance d'Arius, comme ayant été depuis ce temps-là jusqu'à ce jour encore, cause de troubles pour les Églises de partout. **7** Comme Ursace, Valens, Germinius, Auxence, Démophile et Gaïus s'étaient soustraits à cette proposition, le concile ordonna que fussent lues les expositions de foi des hérésies antinicéennes et celles des pères réunis à Nicée, en sorte qu'on anathématisât les hérésies antinicéennes, qu'on approuvât en revanche les dogmes de Nicée, et que, sur ces mêmes dogmes, désormais nul ne portât une accusation ni ne réclamât un concile, mais qu'on se contentât de ce qui avait précédé. **8** Il était absurde en effet qu'on composât de pareils credo comme si l'on commençait seulement de croire et qu'on attaquât la tradition des âges précédents, tradition dont avaient usé, dans le gouvernement des Églises, eux-mêmes et leurs prédécesseurs, dont la plupart étaient morts dans des confessions de foi et des martyres.

9 Les pères donc qui proposaient ces mesures refusaient toute innovation. Et comme Valens, Ursace et leurs partisans ne se laissaient pas persuader, mais insistaient pour que l'emportât le credo qu'ils avaient mis en avant, les pères les déposèrent[2] et votèrent qu'était sans autorité

εἶναι ψηφισάμενοι ἣν ἀνέγνωσαν γραφήν. **10** Καὶ γὰρ δὴ καὶ ἄτοπον αὐτοῖς ἔδοξεν εἶναι προγεγράφθαι ταύτης, ὡς ἐν Σιρμίῳ ἐξετέθη παρόντος Κωνσταντίου τοῦ αἰωνίου Αὐγούστου ὑπα‐ τευόντων Εὐσεβίου καὶ Ὑπατίου, ὥς που καὶ Ἀθανάσιος πρὸς τοὺς ἐπιτηδείους γράφων φησὶ γελοῖον εἶναι βασιλέα αἰώνιον τὸν Κωνστάντιον ὀνομάζειν, ἀίδιον δὲ λέγειν τὸν υἱὸν τοῦ θεοῦ παραιτεῖσθαι, καὶ ῥητὸν χρόνον προτάττειν τῆς γραφῆς ταύτης ἐπὶ διαβολῇ τῆς πίστεως τῶν παλαιοτέρων καὶ τῶν πρὸ τούτου τοῦ χρόνου μυηθέντων.

11 Ἐπεὶ δὲ τάδε ἐν Ἀριμήνῳ ἐγένετο, οἱ μὲν ἀμφὶ Οὐάλεντα καὶ Οὐρσάκιον χαλεπῶς φέροντες ἐπὶ τῇ καθαιρέσει σπουδῇ πρὸς βασιλέα παρεγένοντο.

18

1 Ἡ δὲ σύνοδος εἴκοσιν ἐπισκόπους προβαλλομένη πρέσβεις ἀπέστειλεν · ἔγραψε δὲ δι᾽ αὐτῶν τάδε μεταφρασθέντα ἐκ τῆς Ῥωμαίων φωνῆς ·

2 «Τά τε ἐκ τῆς τοῦ θεοῦ κελεύσεως καὶ τοῦ τῆς σῆς εὐ‐
1165 σεβείας | προστάγματος δογματισθέντα γενέσθαι πιστεύομεν ·
εἰς γὰρ Ἀρίμηνον ἐκ πασῶν τῶν πρὸς δύσιν πόλεων ἐπὶ τὸ
165 αὐτὸ πάντες οἱ ἐπίσκοποι συνήλθομεν, ἵνα | καὶ ἡ πίστις τῆς
καθολικῆς ἐκκλησίας γνωρισθῇ καὶ οἱ τὰ ἐναντία φρονοῦντες

---

1. La référence est vague, mais il n'y a pas de raison pour mettre en doute l'existence et l'authenticité de cette lettre puisque l'un des reproches d'Athanase – il est ridicule d'assigner une date fixe à la pro‐ mulgation de la vraie foi et de la faire dépendre de magistrats civils – se trouve dans le *De syn.* 3.

2. Ils avaient été précédés par une lettre des évêques de leur parti qu'a conservée HILAIRE, *Coll. Antiar. Paris.* Ser. A VI, Feder, p. 87-88 : *Incipit exemplum fidei epistulae missae ad Constantium imperatorem a perfidis episcopis* (= *Fragm. hist.* IX, 1-3, *PL* 10, 703-705).

3. Cette lettre est conservée par HILAIRE, *Coll. Antiar. Paris.*, Ser. A V, Feder, p. 78-85 (= *Frag. hist.* VIII, 1-4, *PL* 10, 699-702) : *Iubente Deo et praecepto Pietatis tuae credimus fuisse dispositum ut ad Arimi‐*

le texte qu'ils avaient lu. **10** Et de fait, il leur parut absurde aussi qu'on eût inscrit en tête de ce credo qu'il avait été produit à Sirmium «en la présence de Constance, éternel, Auguste, sous le consulat d'Eusèbe et d'Hypatius» : ce qui faisait dire quelque part à Athanase, dans une lettre à ses amis[1], qu'il était ridicule de nommer Constance empereur éternel, alors qu'on refusait de dire éternel le Fils de Dieu, et de mettre en tête de ce texte une date fixe, calomniant ainsi la foi de ceux qui étaient plus anciens et qui avaient été baptisés avant cette date.

11 Après ces événements de Rimini, Valens et Ursace, furieux de leur déposition, se rendirent en hâte chez l'empereur[2].

Chapitre 18

Lettre du concile de Rimini à l'empereur Constance.

1 Quant au concile, il élut vingt évêques et les envoya en ambassade. Et, par ces ambassadeurs, il transmit une lettre, que voici traduite du latin[3] :

2 «Nous croyons qu'a été accompli ce qui avait été décidé et par le commandement divin et par le décret de Ta Piété. Nous nous sommes réunis en effet à Rimini, nous tous les évêques venus au même lieu de toutes les villes d'Occident, pour que d'une part devienne notoire la foi de l'Église catholique, d'autre part soient mis en

---

nensium locum ex diuersis prouinciis Occidentalium episcopi ueniremus, ut fides claresceret omnibus ecclesiis catholicis, «L'ordre de Dieu et le précepte de ta Piété ont disposé, croyons-nous, qu'évêques des Occidentaux, nous venions des diverses provinces à Rimini, pour que la foi pût resplendir aux yeux de toutes les Églises catholiques.» La traduction grecque est donnée par Athanase, *De syn.* 10, Socrate, *H.E.* II, 37, Théodoret, *H.E.* II, 19 (Cassiodore, *Hist. trip.* V, 21, a refait une traduction latine à partir du texte de Théodoret).

ἔκδηλοι γένωνται. Ὡς γὰρ ἐπὶ πλεῖον διασκοποῦντες εὑρή–
καμεν, ἀρεστὸν ἐφάνη τὴν πίστιν τὴν ἐκ παλαιοῦ διαμένουσαν,
ἣν καὶ οἱ προφῆται καὶ τὰ εὐαγγέλια καὶ οἱ ἀπόστολοι τοῦ
κυρίου ἡμῶν Ἰησοῦ Χριστοῦ ἐκήρυξαν, τοῦ καὶ τῆς σῆς βασι–
λείας ἐφόρου καὶ τῆς σῆς ῥώσεως προστάτου, ἵνα ταύτην
κατασχόντες φυλάττωμεν μέχρι τέλους διατηροῦντες.

3 Ἄτοπον γὰρ καὶ ἀθέμιτον ἐφάνη τῶν ὀρθῶς καὶ δικαίως
ὡρισμένων τι μεταλλάσσειν καὶ τῶν ἐν Νικαίᾳ κοινῇ μετὰ τοῦ
ἐνδοξοτάτου Κωνσταντίνου τοῦ σοῦ πατρὸς καὶ βασιλέως ἐσ–
κεμμένων, ὧν ἡ διδασκαλία καὶ τὸ φρόνημα διῆλθέ τε καὶ
ἐκηρύχθη εἰς πάσας ἀνθρώπων ἀκοάς τε καὶ διανοίας · 4 ἥτις
ἀντίπαλος μόνη καὶ ὀλετὴρ τῆς Ἀρείου αἱρέσεως ὑπῆρξε, δι'
ἧς οὐ μόνον αὕτη, ἀλλὰ καὶ αἱ λοιπαὶ πᾶσαι αἱρέσεις καθῃρέ–
θησαν, ἐν ᾗ ὄντως καὶ ‹τὸ› προσθεῖναί τι σφαλερὸν καὶ τὸ
ἀφελέσθαι τι ἐπικίνδυνον ὑπάρχει · ὡς εἴπερ τι θάτερον
γένηται, ἔσται τοῖς ἐχθροῖς ἄδεια τοῦ ποιεῖν ἅπερ βούλονται.

5 Ὅθεν Οὐρσάκιός τε καὶ Οὐάλης, ἐπειδὴ πάλαι μέτοχοί
τε καὶ σύμβουλοι τοῦ Ἀρειανοῦ δόγματος ἦσαν καθεστηκότες,
καὶ τῆς ἡμετέρας κοινωνίας χωρισθέντες ἀπεφάνθησαν · ἧς ἵνα
μετάσχωσιν, ἐφ' οἷς ἑαυτοῖς συνεγνώκεισαν πλημμελήσαντες,
μετανοίας τε καὶ συγγνώμης ἠξίουν τυχεῖν, ὡς καὶ τὰ ἔγγραφα
τὰ ὑπ' ἐκείνων γεγενημένα μαρτυρεῖ, δι' ὧν ἁπάντων φειδὼ
γεγένηται καὶ τῶν ἐγκλημάτων συγγνώμη (ἦν δὲ ὁ καιρὸς καθ'
ὃν ταῦτα ἐπράττετο, ὅτε ἐν Μεδιολάνῳ τὸ συνέδριον τῆς

---

1. La construction ἀρεστὸν ἐφάνη ... ἵνα φυλάττωμεν est peu correcte;
elle correspond à ἤρεσε φυλάττειν. Un peu plus loin (18, 6), il faut faire
dépendre ἄτοπον εἶναι d'un ἐνομίσαμεν non exprimé : le verbe se trouve
dans le manuscrit H de THÉODORET, II, 19, 5 (GCS p. 140), il est dans
la traduction latine de CASSIODORE, Hist. eccl. trip. V, 21 (CSEL 71,
p. 248 incongruum iudicamus), il est chez HILAIRE, Coll. Ant. Par. Ser.
A V 1, 2, p. 81 Feder, = Fragm. hist. VIII, 2 dans PL 10, 700 : nefas

évidence ceux qui pensent de façon contraire. Selon ce que nous avons trouvé par un examen plus approfondi, il nous est apparu bon[1] que cette foi qui dure depuis les temps anciens et qu'ont prêchée les Prophètes, les Évangiles et les Apôtres de Notre Seigneur Jésus Christ, qui est le gardien de ton Empire et le patron de ta Force, nous la gardions, puisque nous la tenons, et l'observions jusqu'à la fin. 3 Il nous est apparu absurde et illicite de changer quoi que ce soit aux définitions correctement et justement établies et qui ont été examinées en commun à Nicée avec le très illustre empereur Constantin ton père, définitions dont l'enseignement et l'esprit ont pénétré et ont été proclamés jusqu'aux oreilles et aux intelligences de tous les hommes; 4 enseignement qui a été le seul adversaire et destructeur de l'hérésie d'Arius, grâce auquel non seulement cette hérésie, mais toutes les autres ont été supprimées, dans lequel il est véritablement peu sûr de faire une addition et dangereux de faire une soustraction, étant donné que, si l'un ou l'autre a lieu, il y aura licence pour les ennemis de faire ce qu'ils veulent.

5 Par suite, comme Ursace et Valens avaient autrefois participé à la croyance arienne et s'en étaient faits les conseillers, ils furent déclarés séparés de notre communion. Pour participer à cette communion, ils demandèrent d'obtenir repentance et pardon pour les fautes qu'ils reconnurent avoir commises, comme en témoignent les pétitions écrites qu'ils ont faites. Pour toutes ces raisons, on les a épargnés et il y a eu pardon pour les griefs qu'on avait contre eux (l'époque où tout cela eut lieu est celle où s'organisait l'assemblée du synode à

putamus) et il a été introduit par Opitz dans son édition d'ATHANASE, *De syn*. 10, 5.

συνόδου συνεκροτεῖτο, συμπαρόντων δὲ καὶ τῶν πρεσβυτέρων
τῆς τῶν Ῥωμαίων ἐκκλησίας).

6 Ἐγνωκότες ἅμα καὶ τὸν μετὰ τελευτὴν ἄξιον μνήμης
Κωνσταντῖνον μετὰ πάσης ἀκριβείας καὶ ἐξετάσεως τὴν συγ-
γραφεῖσαν πίστιν ἐκτεθεικότα, ἐπειδὴ δὲ ὡς ἐξ ἀνθρώπων
ἐγένετο βαπτισθεὶς καὶ πρὸς τὴν ὀφειλομένην εἰρήνην ἀνεχώ-
ρησεν, ἄτοπον εἶναι μετ' ἐκεῖνόν τι καινοτομεῖν καὶ τοσούτους
ἁγίους ὁμολογητὰς καὶ μάρτυρας, τοὺς δὲ καὶ τοῦ δόγματος
166 συγγραφέας | τε καὶ εὑρετὰς ὑπεριδεῖν, οἵτινες κατὰ τὸν
παλαιὸν τῆς ἐκκλησίας θεσμὸν τῆς καθολικῆς ἅπαντα φρονοῦντες διαμεμενήκασιν. Ὧν ὁ θεὸς τὴν πίστιν καὶ εἰς τοὺς
σοὺς χρόνους τῆς βασιλείας μεταδέδωκε διὰ τοῦ δεσπότου
ἡμῶν Ἰησοῦ Χριστοῦ, δι' οὗ σοι καὶ τὸ βασιλεύειν οὕτως
ὑπῆρξεν ὡς καὶ τῆς καθ' ἡμᾶς οἰκουμένης κρατεῖν.

7 Πάλιν γοῦν ⟨οἱ⟩ ἐλεεινοὶ καὶ οἰκτροὶ τῷ φρονήματι ἀθε-
μίτῳ τολμήματι τῆς δυσσεβοῦς φρονήσεως κήρυκάς τε ἑαυτοὺς
1168 ἀνήγγειλαν καὶ ἐπιχειροῦσιν ἀνατρέπειν πᾶν ἀληθείας | σύν-
ταγμα. 8 Ὡς γὰρ κατὰ τὸ σὸν πρόσταγμα τὸ συνέδριον τῆς
συνόδου συνεκροτεῖτο, κἀκεῖνοι τῆς ἰδίας ἀπάτης ἐγύμνουν
τὴν σκέψιν · ἐπειρῶντο γὰρ πανουργίᾳ τινὶ καὶ ταραχῇ προσ-
φέροντές τι καινοτομεῖν, τῆς τοιαύτης ἑταιρείας τοὺς συνα-
λισκομένους εὑρόντες Γερμήνιον, Αὐξέντιον καὶ Γάιον τοὺς
τὴν ἔριν καὶ διχοστασίαν ἐμποιοῦντας. 9 Ὧν ἡ διδασκαλία
μία μὲν οὖσα πᾶν πλῆθος βλασφημιῶν ὑπερβέβηκεν · ὡς δὲ
συνεῖδον οὐχὶ τῆς αὐτῆς αἱρέσεως ὄντας οὔτε ὁμογνωμο-

---

1. Ce synode de Milan est de 347 : BARDY, p. 134-135. HILAIRE, Coll.
Antiariana Paris. Ser. A V 1, 2, p. 80-81 Feder (= Fragm. hist. VIII,
2, PL 10, 700) atteste aussi la présence des délégués de l'Église de
Rome : et rogauerunt ueniam sicut eorum continent scripta quam
meruerant tunc temporis a concilio Mediolanensi assistentibus etiam
legatis Romanae ecclesiae, « et ils demandèrent le pardon – comme l'in-
diquent leurs écrits – qu'ils obtinrent à ce moment-là du concile de
Milan auquel assistaient même les délégués de l'Église de Rome».
   2. Ursace de Singidunum et Valens de Mursa, «conseillers impériaux»,
«champions de l'homéisme» et «vainqueurs de Rimini» (MESLIN, Les
ariens d'Occident, p. 71-84), auxquels il est renvoyé par delà le § 6.

Milan[1], alors qu'étaient présents aussi les prêtres de
l'Église de Rome).

6 Comme nous savons aussi que Constantin, cet homme
digne de mémoire après sa mort, a publié la foi composée à Nicée avec toute espèce d'exactitude et d'examen,
et puisqu'il a quitté les hommes baptisé et s'en est allé
à la paix qui lui était due, nous avons jugé qu'il serait
absurde d'innover en quoi que ce soit après lui et après
tant de saints confesseurs et martyrs, et de mépriser ceux
qui ont composé et trouvé le dogme, qui ont persisté à
conformer en toutes choses leur pensée aux anciennes
règles de l'Église catholique. C'est à la foi de ces hommes
que Dieu nous a donné part jusqu'aux temps de ton
règne, par l'intermédiaire de Notre Seigneur Jésus-Christ,
grâce auquel il t'a été accordé aussi de régner, tout comme
de dominer sur notre partie occidentale de l'Empire.

7 Quoi qu'il en soit, ces malheureux, dignes de pitié
pour leur orgueil[2], par une audace illicite, se sont faits
de nouveau les hérauts de la pensée impie et ils tentent
de bouleverser tout le camp de la vérité. **8** C'est en effet
au moment où sur ton ordre s'organisait l'assemblée du
concile[3] que ces gens-là dévoilaient le plan de leur tromperie : ils essayaient, avec une sorte de fourberie et en
créant le désordre, de présenter une innovation, après
avoir trouvé comme compères d'une pareille bande Germinius, Auxence et Gaïus, fauteurs de la querelle et de
la discorde. **9** De ces gens l'enseignement, bien qu'il soit
unique, a dépassé toute quantité possible de blasphèmes.
Quand pourtant ils s'aperçurent que beaucoup n'étaient

3. Le concile de Rimini fut préparé à Sirmium, à la Cour impériale,
dans les semaines précédant son ouverture. C'est au cours de cette préparation que Marc d'Aréthuse rédigea le symbole appelé le « Credo
daté ». On régla également diverses questions de procédure relatives à
la tenue du concile : voir BARDY, p. 162-163.

νοῦντας ἐφ' οἷς κακῶς ἐφρόνουν, εἰς τὸ συμβούλιον ἡμῶν μετή–
γαγον ἑαυτοὺς ὡς δοκεῖν ἕτερόν τι γράφειν. Ἦν δὲ ὁ καιρὸς
βραχὺς ὁ καὶ τὰς γνώμας αὐτῶν ἐξελέγχων.

10 Ἵν' οὖν μὴ τοῖς αὐτοῖς τὰ τῆς ἐκκλησίας περιπίπτῃ καὶ
ταραχὴ καὶ θόρυβος καλινδούμενος ἅπαντας συνέχῃ, βέβαιον
ἐφάνη τὰ πάλαι ὡρισμένα καὶ ἀμετακίνητα φυλάττειν, τοὺς
δὲ προειρημένους τῆς ἡμετέρας κοινωνίας ἀποκεχωρίσθαι · δι'
ἣν αἰτίαν τοὺς ἀναδιδάξοντας πρέσβεις πρὸς τὴν σὴν ἐπιεί–
κειαν ἀπεστάλκαμεν, τὴν γνώμην τοῦ συνεδρίου διὰ τῆς
ἐπιστολῆς μηνύσοντας. 11 Τοῖς δὲ πρέσβεσι πρό γε πάντων
τοῦτο παρεκελευσάμεθα τὸ τὴν ἀλήθειαν πιστώσασθαι ἐκ τῶν
πάλαι ἀρχαίων δικαίως ὡρισμένων · οἳ καὶ τὴν σὴν ἀναδι–
δάξουσιν ὁσιότητα ὅτι οὐχ, ὥσπερ ἔφησαν Οὐρσάκιος καὶ
Οὐάλης, ἔσται εἰρήνη, εἴπερ τι τῶν δικαίων ἀνατραπείη. Πῶς
γὰρ εἰρήνην οἷόν τε ἄγειν τοὺς τὴν εἰρήνην καταλύοντας;
Μᾶλλον γὰρ ἔρις καὶ ταραχὴ ἐκ τούτων σὺν ταῖς λοιπαῖς
πόλεσι καὶ τῇ τῶν Ῥωμαίων ἐκκλησίᾳ γενήσεται.

167 | 12 Διὸ δὴ ἱκετεύομεν τὴν σὴν ἐπιείκειαν, ἵνα προσηνέσιν
ἀκοαῖς καὶ γαληνιαίῳ βλέμματι τοὺς ἡμετέρους πρέσβεις ἀθ–
ρήσειας μηδὲ πρὸς ὕβριν τῶν τετελευτηκότων καινόν τι μεταλ–
λάττειν ἐπιτρέψειας, ἀλλὰ ἐάσῃς ἐμμένειν ἡμᾶς τοῖς παρὰ τῶν
προγόνων ὁρισθεῖσί τε καὶ νενομοθετημένοις, οὓς ἅπαντα μετὰ
ἀγχινοίας τε καὶ φρονήσεως καὶ πνεύματος ἁγίου πεποιηκέναι
φήσαιμεν ἄν. Τὰ γὰρ νῦν παρ' ἐκείνων καινοτομούμενα τοῖς
μὲν πιστεύουσιν ἀπιστίαν ἐνεποίει, τοῖς δὲ ἀπιστοῦσιν
ὠμότητα. 13 Ἱκετεύομεν δὲ ἔτι ἵνα κελεύσῃς τοὺς ἐπισκόπους
τοὺς ἐν ταῖς ἀλλοδαπαῖς διατρίβοντας, οὓς καὶ τὸ τῆς ἡλικίας
ἐπίπονον καὶ τὸ τῆς πενίας ἐνδεὲς τρύχει, τὴν εἰς τὰ οἰκεῖα

pas de leur secte et ne s'accordaient pas avec eux dans leurs fausses opinions, ils se transportèrent à notre assemblée pour paraître produire une autre formule. Mais il ne fallut pas beaucoup de temps pour mettre au jour leur dessein.

10 Afin donc que l'Église ne se heurte pas aux mêmes maux et que le trouble et le désordre, en se propageant, n'accablent pas tout le monde, il a paru sûr de conserver sans changement les définitions établies depuis longtemps et de séparer de notre communion les évêques susdits. Pour cette cause nous avons envoyé à Ta Clémence des ambassadeurs qui t'instruiront, qui te feront connaître par notre lettre la décision du concile. **11** À nos ambassadeurs nous avons enjoint avant tout de confirmer la vérité d'après les anciennes définitions justement établies depuis longtemps. Ils feront comprendre aussi à Ta Sainteté qu'il n'y aura pas de paix, comme l'ont dit Ursace et Valens, si l'on renverse quoi que ce soit de l'ordre juste. Comment serait-il possible que gardent la paix ceux qui rompent la paix? Bien plutôt, du fait de ces hommes, il y aura querelle et trouble, non seulement pour les villes en général, mais encore pour l'Église de Rome.

12 C'est pourquoi nous supplions Ta Clémence d'accueillir nos ambassadeurs d'une oreille favorable et d'un regard serein, de ne pas permettre qu'on introduise une innovation qui fasse violence aux morts, mais de nous laisser persévérer dans les dogmes définis et édictés par nos ancêtres, dont nous pourrions bien dire qu'ils ont tout composé avec intelligence et jugement, et avec l'aide du Saint-Esprit. Les innovations issues actuellement de ces gens-là ont valu à ceux qui les croient de perdre la foi, et à ceux qui ne les croient pas, de cruels sévices. **13** Nous te supplions en outre d'ordonner que les évêques séjournant actuellement en une terre étrangère, que consument le poids de l'âge et l'indigence due à la pau-

ἀνακομιδὴν ῥᾳδίαν ποιήσασθαι, ἵνα μὴ ἔρημοι τῶν ἐπισκόπων ἀφωρισμένων αἱ ἐκκλησίαι διαμένωσιν. **14** Ἔτι δὲ πρὸς ἅπασι καὶ τοῦτο δεόμεθα, ἵνα μηδὲν μήτε ἐλλείπῃ τῶν προϋπαρξάντων μήτε πλεονάζῃ, ἀλλὰ πάντα ἄρρηκτα διαμένῃ ἐκ τῆς τοῦ σοῦ πατρὸς εὐσεβείας καὶ εἰς τὸν νῦν χρόνον διαφυλαττόμενα, μήτε λοιπὸν ἡμᾶς μοχθεῖν καὶ τῶν ἰδίων παροικήσεων ἀλλοτρίους ἐπιτρέψειας γενέσθαι, ἀλλ' ἵνα οἱ ἐπίσκοποι σὺν τῷ ἰδίῳ λαῷ μετ' εἰρήνης εἰς εὐχάς τε καὶ λατρείας σχολὴν ἄγοιεν, ἱκετεύοντες ὑπὲρ τῆς σῆς σωτηρίας καὶ βασιλείας καὶ εἰρήνης, ἣν ἡ θεότης σοὶ εἰς τὸ διηνεκὲς χαριεῖται. **15** Οἱ δὲ ἡμέτεροι πρέσβεις τάς τε ὑπογραφὰς καὶ τὰς τῶν ἐπισκόπων προσηγορίας κομίζουσιν, οἵτινες καὶ ἐξ αὐτῶν τῶν θείων γραμμάτων τὴν σὴν ἀναδιδάξουσι θειότητα.»

19

1 Τάδε μὲν τῶν ἐν Ἀριμήνῳ συνελθόντων τὰ γράμματα. Οἱ
1169 δὲ περὶ Οὐρσάκιον καὶ Οὐάλεντα φθάσαντες | τοὺς παρ' αὐτῶν

1. Cette lettre de Constance adressée aux évêques de Rimini, datée du 27 mai 359, est conservée par Hilaire, *Coll. Antiariana Paris.* Ser. A VIII, p. 93-94 Feder (= *Fragm. hist.* VII, 1-2, *P. L.* 10, c. 695-696) : *proinde super his tantum, quae ad uos pertinere cognoscit grauitas uestra, tractare debebitis et conpletis celeriter uniuersis consentiente consensu decem mittere ad comitatum meum, ut prudentiae uestrae intimauimus*, « par conséquent vous ne devrez vous occuper que des questions dont votre Gravité sait qu'elles vous concernent et, après avoir tout rapidement réglé, envoyer d'un consentement unanime dix porte-parole à ma Cour, comme nous l'avons fait savoir à votre Prudence ». D'après les derniers mots de l'original latin, la lettre du 27 mai ne ferait que confirmer une lettre précédente.

2. Les titres donnés par les évêques à l'empereur (ta Piété, ta Clémence, ta Divinité), si choquants que le dernier puisse paraître à un chrétien, sont attestés par les Panégyriques latins, le Code Justinien, la *Collectio Avellana*. Ils se trouvent dans la lettre conservée par HILAIRE, *Coll. Antiar. Paris.* Series A V § 1, Feder, p. 78 *(praecepto pietatis tuae...)*, § 2, p. 81 *(pietas tua)*, § 3, p. 83 *(tuam rogamus clementiam)*, § 3,

vreté, retournent aisément dans leur patries, pour que les Églises ne restent pas privées de leurs évêques qui en ont été séparés. **14** Et encore, outre tout cela, nous demandons aussi ceci : qu'il n'y ait ni soustraction ni addition superflue aux décisions prises antérieurement, mais que demeurent infrangibles toutes les mesures qu'on garde depuis la Piété de ton père jusqu'à ce jour, et que tu permettes que nous ne soyons plus désormais dans la peine et éloignés de nos diocèses, mais que les évêques avec leur peuple soient de loisir en paix pour la prière et le culte, suppliant Dieu pour ton salut, pour ton règne et pour la paix, que la Déité t'accordera pour toujours. **15** Nos ambassadeurs t'apportent les signatures et les salutations des évêques : selon l'ordre même de ta divine lettre[1], ils instruiront ta Divinité[2]. »

Chapitre 19

*Les ambassadeurs du concile ; lettre de l'empereur ;
comment les évêques de l'entourage d'Ursace et Valens,
plus tard, donnent leur assentiment à la lettre apportée ;
l'exil des évêques ; le concile de Niké ;
pour quelles raisons s'est tenu le concile de Rimini.*

1 Telle fut la lettre des pères réunis à Rimini. Cependant Ursace et Valens avaient devancé les ambassadeurs

p. 85 (*sanctam religiosamque prudentiam*). Néanmoins le texte de la lettre transmis par ATHANASE, *De syn.* 10 porte ὁσιότητα, terme donné également par Théodoret, alors que Sozomène suit Socrate qui donne θειότητα. AMM. mentionne, comme une insupportable marque d'orgueil, les titres que se donnait Constance dans ses lettres, titres qui font en fait partie de la phraséologie officielle (15, 1, 3... *a iustitia declinauit ita intemperanter ut* « *Aeternitatem meam* » *aliquotiens subsereret ipse dictando...*, « il s'écarta de la vérité avec tant de démesure qu'il lui arrivait quelquefois d'introduire lui-même "mon Éternité" en dictant »).

ἀποσταλέντας πρέσβεις ἐπέδειξαν τῷ βασιλεῖ τὴν γραφὴν ἣν ἀνέγνωσαν καὶ τὴν σύνοδον διέβαλλον. Ὁ δὲ λυπηθεὶς ἴσως, ὅτι μὴ ταύτην προσεδέξαντο τὴν πίστιν ὡς καὶ αὐτοῦ παρόντος ἐν Σιρμίῳ βεβαιωθεῖσαν, τοὺς μὲν ἐν τιμῇ εἶχε, τῶν δὲ πρέσβεων ἠμέλει καὶ τῇ προσεδρείᾳ ταλαιπωρούντων ὑπερεώρα. 2 Ὀψὲ δέ ποτε ἔγραψε τῇ συνόδῳ παραιτούμενος ὡς ἀναγκαία τις αὐτὸν ἤπειγεν ἡ πρὸς τοὺς βαρβάρους ὁδὸς καὶ διὰ τοῦτο τοὺς πρέσβεις ἰδεῖν οὐ δεδύνηται. Ἐκέλευσε δὲ ἐν Ἀδριανουπόλει ἐπανιόντα αὐτὸν ἐπιμεῖναι, ἵν᾽ ἐπειδὰν τὰ κοινὰ πράγματα δια- τεθείη καλῶς, ἐλεύθερος ὢν φροντίδων τὰ παρὰ τῶν πρέσβεων 168 ἀκούσοι | καὶ δοκιμάσοι· προσήκειν γὰρ τὸν περὶ τῶν θείων διαλαμβάνειν μέλλοντα καθαρὰν ἔχειν τῶν ἄλλων τὴν ψυχήν. 3 Καὶ ὁ μὲν τοιάδε ἔγραψε. Πρὸς ταῦτα δὲ ἡ σύνοδος ἀν- τεδήλωσεν ἰσχυριζομένη μηδαμῶς ἀναχωρεῖν τῶν δεδογμένων, καὶ τοῦτο γράψαι καὶ τοῖς πρέσβεσιν ἐντείλασθαι. Καὶ ἀντι- βολεῖ μετ᾽ εὐνοίας αὐτοὺς ἰδεῖν καὶ ὧν ἐνετείλατο δι᾽ αὐτῶν ἐπακοῦσαι καὶ τὰ γραφέντα ἀναγνῶναι· χαλεπὸν γὰρ καὶ αὐτῷ φανεῖσθαι τοσαύτας ἐκκλησίας χωρὶς ἐπισκόπων εἶναι ἐν καιρῷ τῆς αὐτοῦ βασιλείας· χρῆναι δέ, εἰ καὶ αὐτῷ συνδοκεῖ, εἰς τὰς αὐτῶν ἐκκλησίας πρὸ τοῦ χειμῶνος ἐπανελθεῖν.

1. Cette formule avait été mise au point, le 22 mai 359, au pré-concile qui eut lieu à Sirmium. Mais elle n'avait pas pour autant l'aval officiel de l'Église et fut rejetée par les pères de Rimini.

2. Les Perses de Sapor II venaient de s'emparer en septembre 359, après un long siège, de la place stratégique d'Amida sur le Haut Tigre, un des verrous de la frontière romaine. Contrairement à ce que laisse entendre Sozomène, la raison invoquée par Constance n'est pas un pré-texte : la gravité exceptionnelle de la situation militaire justifiait, aux yeux d'un prince, certes très interventionniste en matière religieuse, mais surtout très profondément pénétré de ses obligations d'*imperator*, un départ immédiat vers l'Orient et d'abord vers Constantinople (dès novembre 359, d'après SEECK, *Regesten*, p. 207).

3. Sur le détail des tractations entre les évêques et l'empereur, après la clôture du concile de Rimini, voir BARDY, p. 164. Les évêques de Rimini commencèrent par envoyer à l'empereur, comme il l'avait lui-même exigé, une délégation chargée de lui exprimer leur sentiment (lettre conservée dans HILAIRE, *Coll. Antiariana Paris.* Ser. A V, 1, p. 78-

envoyés par les pères, ils avaient montré à l'empereur l'écrit qu'ils avaient lu et ils attaquaient le concile. L'empereur, fâché peut-être de ce que les pères n'eussent pas accepté cette formule de foi puisqu'elle avait été sanctionnée en sa présence à Sirmium[1], tenait Ursace et Valens en honneur, mais négligeait les ambassadeurs et ne se préoccupait nullement de ce qu'ils languissent dans une longue attente. **2** Tardivement enfin, il écrivit au concile, donnant pour excuse qu'une nécessité le pressait, l'expédition contre les Barbares[2], et que, pour cela, il n'avait pu voir les ambassadeurs. Il leur ordonna d'attendre son retour à Andrinople[3], afin que, une fois les affaires publiques heureusement réglées, libre de soucis, il pût entendre et examiner ce qu'avaient à lui dire les ambassadeurs : il convenait en effet, si l'on voulait décider des choses divines, qu'on eût l'esprit libre de tout le reste.

3 Telle fut sa lettre. À cela, le concile répondit avec force qu'en aucun cas il ne renoncerait aux dogmes établis, que c'est là ce qu'il avait écrit et enjoint aux ambassadeurs. Il le suppliait de voir avec bonté ces ambassadeurs, d'écouter ce que le concile avait recommandé par leur entremise et de lire ce que les pères avaient écrit. Il devait en effet lui paraître pénible à lui-même que tant d'Églises fussent privées d'évêques au temps de son règne. Il fallait, si l'empereur était d'accord, que les évêques revinssent dans leurs Églises avant l'hiver.

---

85 Feder = *Fragm. hist.* VIII, 1-3, *PL* 10, 699-701). Les opposants minoritaires firent de même (lettre mentionnée dans Hilaire, *Coll. Antiar. Paris.* Ser. A V, 2, 4, p. 85 Feder = *Fragm. hist.* VIII, 4, *PL* 10, 701-702). Les deux délégations rejoignirent Constance près de Constantinople : celui-ci fit bon accueil aux ariens, mais refusa de recevoir les orthodoxes menés par Restitutus, évêque de Carthage (cf. A. Mandouze, *Prosopographie chrétienne du Bas-Empire. I. Afrique (303-533)*, Paris 1982, p. 968-969), «fort inférieur malheureusement aux circonstances», d'après Bardy, p. 164, et leur enjoignit d'attendre à Andrinople, puis à Nikè, villes situées en Thrace.

4 Τοιαῦτα γράψαντες καί, ὡς εἰκὸς ἦν, ἐν ἱκεσίας τάξει καὶ ὀνόματι τὴν ἐπιστολὴν συντάξαντες ὀλίγον χρόνον ἐπέμειναν · ὡς δὲ οὐδὲν αὐτοῖς ἀντεδήλωσεν, ἐπὶ τὰς αὐτῶν ἀνεχώρησαν πόλεις.

Ὡς μὲν οὖν ἐξ ἀρχῆς τοῖς ἐν Νικαίᾳ δόξασι καὶ οἱ ἐν Ἀριμήνῳ συνελθόντες ἐψηφίσαντο, μαρτυρεῖ τὰ εἰρημένα · ῥητέον δὲ νῦν ὅπως ὕστερον συνήνεσαν τῇ προκομισθείσῃ γραφῇ παρὰ τῶν ἀμφὶ Οὐάλεντα καὶ Οὐρσάκιον. 5 Διάφορος δὲ ὁ λόγος περὶ τούτου εἰς ἐμὲ ἦλθεν. Οἱ μὲν γάρ φασι πρόφασιν ὕβρεως βασιλέα ποιησάμενον τὴν παρὰ γνώμην αὐτοῦ ἐξ Ἀριμήνου τῶν ἐπισκόπων ἀποδημίαν ἐπιτρέψαι Οὐάλεντι καὶ τοῖς σὺν αὐτῷ ᾖ ἂν θέλωσι τὰς πρὸς δύσιν ἐκκλησίας διοικεῖν καὶ τὴν ἀναγνωσθεῖσαν ἐν Ἀριμήνῳ πίστιν ἐκδιδόναι, τοὺς δὲ ὑπογράφειν ταύτῃ παραιτουμένους ἐκβάλλειν τῶν ἐκκλησιῶν, ἀντὶ δὲ τούτων ἑτέρους χειροτονεῖν. 6 Ἀδείας δὲ ἐντεῦθεν λαβομένους βιάσασθαι ταύτῃ τῇ πίστει ὑπογράψαι, πολλοὺς δὲ μὴ πειθομένους διῶξαι τῶν ἐκκλησιῶν καὶ πρῶτον Λιβέριον τὸν Ῥωμαίων ἐπίσκοπον. 7 Ἐπεὶ δὲ τάδε τοῖς κατὰ τὴν Ἰταλίαν ἔπραξαν, βουλεύσασθαι καὶ τὰς ἀνὰ τὴν ἕω ἐκκλησίας τὸν ἴσον διαθεῖναι τρόπον. Διιόντας δὲ τὴν Θρᾴκην παραγενέσθαι εἰς Νίκην, πόλιν τοῦδε τοῦ ἔθνους, καὶ συνέδριον ἐνθάδε καθίσαντας τὴν ἀναγνωσθεῖσαν ἐν Ἀριμήνῳ γραφὴν εἰς Ἑλλάδα μεταβαλεῖν φωνὴν καὶ δημοσιεύσαντας βεβαιῶσαι καὶ λογοποιεῖν ὡς ὑπὸ τῆς οἰκουμενικῆς συνόδου

1. ATHANASE, *De syn*. 55, nous a conservé la lettre adressée par Constance aux pères restés à Rimini pour les avertir que leurs délégués devaient attendre son retour et que le concile ne devait pas se séparer sans sa permission. Athanase cite également la réponse des pères se plaignant d'être si longtemps retenus loin de leurs églises et demandant d'y être renvoyés avant l'hiver.

2. C'est le « Credo daté ». Sur les manœuvres, les ruses et les mensonges employés par les ariens pour « endoctriner » les naïfs ambassadeurs orthodoxes, conduits par Restitutus de Carthage, voir BARDY, p. 164-165.

3. Sozomène ne précise pas la source de ces deux versions et il ne paraît pas possible de les identifier car elles sont toutes deux hostiles

4 Après qu'ils eurent ainsi écrit et, comme il est naturel, composé cette lettre sous forme et avec le nom de supplication, les pères demeurèrent un peu de temps encore à Rimini. Mais comme l'empereur ne leur fit aucune réponse, ils retournèrent dans leurs villes[1].

Qu'ainsi donc, dès le début, les pères réunis à Rimini aient approuvé aussi les décisions de Nicée, ce que j'ai dit en témoigne. Mais il faut dire maintenant comment, plus tard, ils donnèrent leur assentiment à l'écrit qui avait été apporté par Valens et Ursace[2]. 5 Les récits sur ce point parvenus jusqu'à moi diffèrent[3]. Les uns disent que l'empereur, sous prétexte que c'était un crime de lèse-majesté pour les évêques que d'avoir quitté Rimini malgré son ordre, permit à Valens et à ses compagnons de gouverner les Églises d'Occident selon leur bon plaisir, de publier le credo qu'ils avaient lu à Rimini, de chasser des Églises ceux qui refusaient d'y souscrire et d'ordonner d'autres évêques à leur place. 6 De ce fait, prenant toute liberté, Valens et Ursace avaient forcé les évêques à souscrire à ce credo et, comme beaucoup n'obéissaient pas, ils les avaient chassés des Églises, et d'abord Libère, l'évêque de Rome. 7 Quand ils eurent accompli cela en Italie, ils avaient délibéré de mettre aussi les Églises d'Orient dans les mêmes dispositions. Traversant la Thrace, ils étaient arrivés à Niké, ville de cette province, et, après avoir réuni là une assemblée, ils avaient fait traduire en grec le texte lu à Rimini, l'avaient sanctionné en le publiant et avaient répandu la fable que le credo de Niké avait été prescrit et tenu

aux ariens. La première rejette toute la responsabilité sur Constance. Le Credo lu à Rimini est le «Credo daté», préparé par l'arien Marc d'Aréthuse et rejeté par le concile. La déposition de Libère, à l'initiative de Valens et d'Ursace, est une décision qui n'a pas pu entrer dans les faits.

ἡ ἐν Νίκῃ πίστις ὑπηγορεύθη καὶ ἐδοξάσθη. 8 Ἐπίτηδες δὲ τάδε
ἐν Νίκῃ πρᾶξαι καὶ ὧδε ἐπευφημῆσαι, ὥστε τοὺς ἁπλουστέρους
169 1172 ῥᾳδίως πείθεσθαι ταύτῃ τῇ πίστει συναινεῖν τῷ παραπλησίῳ
τῶν ὀνομάτων ἀπατωμένους καὶ οἰομένους ταύτην εἶναι τὴν
ἐν Νικαίᾳ βεβαιωθεῖσαν γραφήν. Ταῦτα μὲν ὧδε λέγουσιν.

9 Οἱ δέ φασιν, ὡς τῆς ἐν Ἀριμήνῳ συνόδου τῇ προσεδρείᾳ
ταλαιπωρουμένης, ὡς τοῦ βασιλέως μήτε ἀποκρίσεως
ἀξιοῦντος τοὺς ἐπισκόπους μήτε ἀναχωρεῖν συγχωροῦντος, οἱ
ἀπὸ τῆς ἐναντίας αἱρέσεως σπουδασταὶ καθῆκάν τινας συμ-
βουλεύοντας, ὡς οὐκ ἄξιον ἑνὸς ὀνόματος τοῦ τῆς οὐσίας
ἕνεκα διαφέρεσθαι τοὺς πανταχοῦ ἱερέας, ἐξὸν ὅμοιον τῷ πατρὶ
τὸν υἱὸν λέγειν καὶ τὰς ἀφορμὰς τῆς ἔριδος ἀνελεῖν · ὡς τῶν
ἀνὰ τὴν ἕω οὔποτε ἡσυχασόντων, εἰ μὴ τὸ τῆς οὐσίας ὄνομα
περιαιρεθείη. Τοιαῦτα δὲ κομψευομένων τῶν διαλλακτῶν πεισ-
θῆναι τὴν σύνοδον συναινέσαι τῇ σπουδασθείσῃ συγγραφῇ
τοῖς ἀμφὶ τὸν Οὐρσάκιον. 10 Δείσαντας δὲ τούτους, μὴ παρα-
γενόμενοι οἱ παρὰ τῆς συνόδου ἀποσταλέντες πρὸς βασιλέα
πρέσβεις δήλην ποιήσωσι τῶν δυτικῶν ἐπισκόπων τὴν ἐξ ἀρχῆς
ἔνστασιν καὶ τὴν αἰτίαν τῆς τοῦ ὁμοουσίου ἀναιρέσεως, ἐπι-
σχεῖν τοὺς πρέσβεις ἐν Νίκῃ τῆς Θρᾴκης, διὰ χειμῶνα καὶ
ταλαιπωρίαν τῶν δημοσίων νωτοφόρων προφασισαμένους μὴ
ῥᾳδίαν ἔσεσθαι τὴν ὁδοιπορίαν · 11 πεῖσαι δὲ τὴν ἀναγνωσθεῖσαν παρ' αὐτῶν γραφὴν ἐκ τῆς Ῥωμαίων μεταφράσαι φωνῆς
καὶ Ἑλληνιστὶ συντεθεῖσαν ἐκπέμψαι τοῖς ἀνὰ τὴν ἕω ἐπισκόποις · οὕτω γὰρ συμβήσεσθαι τὴν μὲν γραφὴν κατορθοῦν
αὐτοῖς τὸ σπουδαζόμενον κατὰ σκοπὸν συγκειμένην, μὴ φωρα-
θήσεσθαι δὲ τὸν δόλον ἀπό‹ντων› τῶν ἐλεγχόντων, ὡς οὐχ

1. Ursace et Valens ont donc présenté (aux Orientaux) comme adopté
par les pères de Rimini un Credo en fait refusé par ces mêmes pères.
Le Credo de Nikè est connu par THÉODORET, *H.E.* II, 21. Il interdit de
penser qu'il y a une seule hypostase du Père, du Fils et du Saint-Esprit
(BARDY, p. 164). Se contentant d'affirmer la similitude du Père et du
Fils, il marque un recul par rapport à la troisième formule de Sirmium
(358), qui était orthodoxe dans son fond et que Libère avait signée
(BARDY, p. 158).

pour dogme par le concile œcuménique[1]. **8** C'est à
dessein qu'ils avaient accompli cela à Niké et l'avaient
mis ainsi sous le patronage d'un nom favorable, en sorte
que les gens plus naïfs fussent facilement persuadés de
consentir à ce credo, trompés par la ressemblance des
noms et pensant que c'était là le texte qui avait été
sanctionné à Nicée. Voilà donc ce que disent ceux-ci.

9 D'autres disent que, le concile de Rimini languissant
dans une longue attente du fait que l'empereur ne dai-
gnait pas répondre aux évêques ni ne leur permettait de
se retirer, les partisans de la secte adverse avaient introduit
des gens qui les conseillaient, alléguant qu'il n'était pas
juste que les évêques de partout fussent en désaccord
pour un seul mot, celui d'*ousia*, quand il était permis
de dire le Fils semblable au Père et de supprimer les
occasions de querelle : ceux d'Orient, disaient-ils, ne
seraient jamais en paix à moins que ne fût abrogé le
mot *ousia*. Sur cette ingénieuse invention des concilia-
teurs, le concile s'était laissé convaincre de donner son
assentiment à l'écrit préparé par Ursace et ses partisans.
10 Comme ils avaient craint que les ambassadeurs envoyés
par le concile au prince, une fois arrivés auprès de lui,
ne fissent connaître la résistance, dès le début, des évêques
occidentaux et la cause de la suppression du terme
homoousios, ils avaient retenu les ambassadeurs à Niké
de Thrace, prétextant qu'à cause de l'hiver et la fatigue
des chevaux publics le voyage de retour ne leur serait
pas facile. **11** Ils avaient obtenu par persuasion qu'on
traduisît du latin le credo qu'ils avaient lu et que, une
fois composé en grec, on l'envoyât aux évêques d'Orient :
il arriverait ainsi que, d'une part, leur texte, composé à
dessein, fît réussir leurs vues, et que, d'autre part, leur
ruse ne serait pas mise au jour en l'absence de ceux qui

290   HISTOIRE ECCLÉSIASTIQUE

ἑκόντες οἱ ἐν Ἀριμήνῳ τοῦ ὀνόματος τῆς οὐσίας ἀπέστησαν, ἀλλὰ διὰ τὴν εἰς τοὺς ἀνατολικοὺς σκῆψιν ὡς ἀποστρεφομένους τὸ ὄνομα. **12** Ὅπερ ψεῦδος περιφανῶς ἐτύγχανε · πάντες γὰρ πλὴν ὀλίγων καὶ κατ' οὐσίαν ὅμοιον εἶναι τῷ πατρὶ τὸν υἱὸν ἰσχυρίζοντο · διεφέροντο δὲ μόνον οἱ μὲν ὁμοούσιον, οἱ δὲ ὁμοιούσιον τὸν υἱὸν ὀνομάζοντες. Ταῦτα οἱ μὲν οὕτως, οἱ δὲ ἐκείνως ἐροῦσιν.

20

1173   **1** Ἐν ᾧ δὲ τὰ περὶ Ἰταλίαν ὡς εἴρηται ἐγίνετο, | πρὶν συστῆναι τὴν ἐν Σελευκείᾳ σύνοδον μέγισται ταραχαὶ κατὰ τὴν ἕω συνέβησαν. Οἱ μὲν γὰρ ἀμφὶ Ἀκάκιον καὶ Πατρόφιλον ἀφε-

---

1. Cette deuxième version, plus compliquée, est la plus généralement admise. Elle attribue au mensonge des ariens le revirement de la majorité orthodoxe des pères de Rimini. La fraude selon laquelle le concile simultané de Séleucie aurait, de son côté, proscrit à l'unanimité le terme d'*ousia*, est connue aussi par la lettre des évêques de Gaule aux Orientaux, conservée dans Hilaire, *Coll. Antiar. Paris.* Series A, I, 4, p. 45-46 Feder = *Fragm. hist.* XI, 4, *PL* 10, 712-713.

Mais Sozomène ne distingue pas, comme il faudrait, les deux phases de cette tromperie. Elle abusa d'abord les ambassadeurs menés par Restitutus qui, contrairement à leur mandat, souscrivirent à la formule de Sirmium, le «Credo daté», présentée par Ursace et Valens : le protocole, daté du 10 octobre 359 (Seeck, *Regesten*, p. 206) enregistrant cette capitulation, est conservé dans Hilaire, *Coll. Antiar. Paris.* Ser. A V 3, 1-2, p. 85-86 Feder = *Fragm. hist.* VIII, 5, *PL* 10, 702 qui donne les noms de quatorze légats. La seconde phase fut la ratification de ce protocole par l'ensemble des pères de Rimini, lassés d'attendre et pressés par le préfet du prétoire Taurus et les ordres formels de Constance : Bardy, p. 165.

pouvaient prouver que les pères de Rimini n'avaient pas renoncé au mot *ousia* de plein gré, mais sur l'allégation que les Orientaux rejetaient ce terme. **12** Or cela était manifestement faux[1] : car tous les Orientaux, sauf ce petit nombre, soutenaient que le Fils est semblable au Père même selon l'*ousia*[2]. Ils différaient seulement en ce que les uns nommaient le Fils *homoousios*, les autres *homoiousios*. Voilà donc ce qu'ils disent, les uns dans un sens, les autres dans l'autre.

Chapitre 20

Les événements survenus dans les Églises d'Orient;
Marathonius, Eleusios de Cyzique et Macédonius
chassent les partisans de l'homoousios;
le transfert de l'église des novatiens;
ils sont en communion avec les orthodoxes.

1 Tandis que ces événements se passaient en Italie, comme j'ai dit, de très grands troubles survinrent dans l'Orient avant que ne se réunît le concile de Séleucie[3]. Acace et Patrophile en effet, après avoir déposé Maxime,

2. Sozomène met à part les ariens radicaux, notamment les anoméens. De fait, les autres Orientaux étaient soit des nicéens orthodoxes, tenants de l'*homoousios*, soit des modérés, les partisans de Basile d'Ancyre, tenants de l'*homoiousios*.

3. Les événements d'Italie semblent bien désigner le concile de Rimini, par dessus le récit de ses suites rapportées dans deux versions à la fin du chapitre précédent. Il faudrait donc croire que tous les événements qui vont suivre ont trouvé place entre le concile de Rimini, ouvert à la fin du printemps de 359, et le concile de Séleucie, ouvert au début de l'automne, exactement le 27 septembre de la même année!

170 λόμενοι Μάξιμον τὴν Ἱεροσολύμων ἐκ| κλησίαν Κυρίλλῳ ἐπέ-
τρεψαν. Μακεδόνιος δὲ τὴν Κωνσταντινούπολιν καὶ τὰς πέριξ
πόλεις ἐτάραττεν † ὡς ἤρξατο χειροτονεῖν ὁ Μακάριος † συλ-
λαμβανομένους ἔχων Ἐλεύσιον καὶ Μαραθώνιον. **2** Ὧν τὸν
μὲν ἤδη πρότερον ἐκ διακόνου τῆς ὑπ' αὐτὸν ἐκκλησίας καὶ
σπουδαῖον ἐπίτροπον πτωχείων τε καὶ μοναχικῶν συνοικιῶν
ἀνδρῶν τε καὶ γυναικῶν ἐπίσκοπον Νικομηδέων κατέστησεν,
Ἐλεύσιον δὲ Κυζίκου, οὐκ ἀσήμως ἐν τοῖς βασιλείοις στρα-
τευσάμενον. Ἄμφω δέ φασιν ἀγαθὼ γενέσθαι τὸν βίον, σπου-
δαίω δὲ κακῶσαι τοὺς ὁμοούσιον τῷ πατρὶ τὸν υἱὸν δοξάζοντας, ἀλλ' οὐχ ἁπλῶς οὕτως ὡς Μακεδόνιος. **3** Οὗτος γὰρ
οὐ μόνον ἤλαυνε τοὺς παραιτουμένους αὐτῷ κοινωνεῖν, ἀλλὰ
καὶ δεσμώτας ἐποίει καὶ δικασταῖς παρεδίδου, τοὺς δὲ καὶ
ἄκοντας κοινωνεῖν ἐβιάζετο, παῖδάς τε καὶ γυναῖκας ἀμυήτους
ἁρπάζων ἐμυσταγώγει. Οὐ μὴν ἀλλὰ καὶ πολλὰς πολλαχῇ
ἐκκλησίας καθεῖλε βασιλέως πρόσταγμα προϊσχόμενος, καθαιρεῖσθαι προστάττον τοὺς εὐκτηρίους οἴκους τῶν ὁμοούσιον
τῷ πατρὶ τὸν υἱὸν εἶναι ἰσχυριζομένων.

1. Acace, évêque de Césarée depuis 340, favorisa, en 358 et 359, la
constitution d'un regroupement modéré, hostile à la fois aux ariens
radicaux et aux homéousiens conduits par Basile d'Ancyre, qui aboutit
à la formule de Sirmium (le «Credo daté» du 22 mai 359). Patrophile
était un partisan d'Arius dès la première heure et un adversaire acharné
d'Athanase. Cyrille fut en fait ordonné évêque de Jérusalem, par les
eusébiens Acace et Patrophile, après la mort – et non la déposition –
de Maxime en 348. C'est Cyrille lui-même qui fut déposé par Acace à
la suite d'un synode tenu à Jérusalem en 357 (*DECA,* p. 612-613,
M. SIMONETTI).
2. Eleusios, consacré évêque de Cyzique par Macédonius vers 358,
collabora avec Basile d'Ancyre à l'action des homéousiens en 358-
359 (voir déjà IV, 13, 5 et la note ainsi que IV, 15, 1). Quant à Marathonius, d'abord diacre de Constantinople, il aurait été nommé par
Macédonius évêque de Nicomédie dès 342, d'après M. SIMONETTI, *DECA,*
p. 1531-1532. L'évêque de Nicomédie, qui périt dans le tremblement
de terre qui détruisit la ville (le 24 août 358) étant appelé Cécropius
en IV, 16, 5, faut-il croire qu'il y avait deux évêques en même temps
à Nicomédie, l'un, Marathonius, «macédonien», l'autre, nicéen sans
doute et partisan de Paul, Cécropius? En tout cas Marathonius, repré-

confièrent l'Église de Jérusalem à Cyrille[1]. Macédonius
jetait le trouble à Constantinople et dans les villes à
l'entour, aidé par Eleusios et Marathonius[2]. **2** L'un des
deux, qui déjà auparavant était diacre en son Église et
intendant zélé des hospices et monastères d'hommes et
de femmes, il l'établit évêque de Nicomédie, et Eleusios,
qui avait fait une carrière distinguée au palais, il l'établit
évêque de Cyzique. Ces deux, dit-on, étaient de vie méritante, mais zélés à nuire aux partisans de l'homoousie
du Père et du Fils, pourtant pas de manière aussi absolue
que Macédonius. **3** Celui-ci, en effet, non seulement
chassait ceux qui lui refusaient la communion, mais il les
jetait en prison et les livrait aux juges, il contraignait les
non consentants à entrer en communion avec lui, et,
enlevant enfants et femmes non baptisés, il les baptisait.
Bien plus, il détruisit, en beaucoup de lieux, beaucoup
d'églises, mettant en avant l'ordre de l'empereur, qui pres-
crivait de détruire les maisons de prière de ceux qui soutenaient l'homoousie du Père et du Fils[3].

sentant des homéousiens, fut déposé comme tel au concile homéen de
Constantinople en 360, avant de figurer parmi les «pneumatomaques».
    3. Il n'a plus été question du rival victorieux de Paul pour le siège
de Constantinople depuis III, 24, 3 et IV, 2. C'est à partir de 350 que,
Paul étant définitivement éloigné, Macédonius se déchaîna contre les
partisans de l'exilé. Ce que Sozomène présente comme le déploiement
arbitraire de sa cruauté est considéré aujourd'hui comme une politique
concertée de sa part pour étendre l'influence de Constantinople en
plaçant des fidèles sur des sièges épiscopaux qui n'étaient pas de son
ressort : Marathonius à Nicomédie, Eleusios à Cyzique, Sophronios à
Pompéiopolis (voir DAGRON, p. 438-442). Le résultat de cette politique
est, de l'aveu même de Sozomène (IV, 27, 2), qu'en 360, date de la
déposition de Macédonius, les «macédoniens» constituaient l'opinion
dominante à Constantinople, mais aussi en Bithynie, Thrace, Hellespont
et dans les provinces voisines (Paphlagonie et Pont). Malgré son hostilité à Macédonius, Sozomène laisse apercevoir, au § 2, que cette politique s'appuyait sur un mouvement de spiritualité, animé par les nombreux monastères qu'il avait fondés à Constantinople.

4 Ἐκ δὴ τοιαύτης αἰτίας καὶ ἡ πρὸς τῷ καλουμένῳ Πελαργῷ
ἐν Κωνσταντινουπόλει Ναυατιανῶν ἐκκλησία καθηρέθη.
Ἡνίκα δὴ λέγεται τοὺς ἀπὸ ταύτης τῆς αἱρέσεως ἀνδρεῖον
ἔργον ἐργάσασθαι · ἴσως δὲ καὶ οἱ ἀπὸ τῆς καθόλου ἐκκλησίας
ὡς ὁμόφροσι συνελάβοντο. 5 Ἐπιταττόντων γὰρ οἷς τοῦτο
προστέτακτο λύειν τοῦτον τὸν οἶκον πανοικὶ συνελθόντες οἱ
μὲν τὰς ὕλας κατέβαλλον, οἱ δὲ εἰς τὰς ἀντιπέραν Συκὰς μετε-
κόμιζον · καὶ ἐν τάχει πέρας ἡ σπουδὴ ἔσχεν · ἐκοινώνουν γὰρ
τοῦ ἔργου οὐ μόνον ἄνδρες, ἀλλὰ καὶ γυναῖκες καὶ παῖδες ·
ἕκαστος γὰρ ὡς αὐτῷ θεῷ τὸ ἔργον προσφέρων ὑπερφυῶς προὔ-
θυμεῖτο · ὑπὸ τοιαύτῃ δὲ σπουδῇ τὸν ἴσον τρόπον ἥδε ἡ
ἐκκλησία ἀνενεώθη, καὶ τὸ ἐξ ἐκείνου ἐκ τοῦ συμβάντος
1176 Ἀναστασία ὠνόμασται. 6 Τελευτήσαν|τος γὰρ Κωνσταντίου
διαδεξάμενος Ἰουλιανὸς τὴν βασιλείαν τὸν τόπον τοῖς Ναυα-
τιανοῖς ἀπέδωκε καὶ τὴν ἐκκλησίαν οἰκοδομῆσαι ἐπέτρεψεν.
Ὅ καὶ ἐγένετο τοῦ λαοῦ προθύμως συλλαβομένου καὶ τὰς
αὐτὰς ὕλας ἐκ τῶν Συκῶν μετακομίσαντος. Καὶ τὰ μὲν ὕστερον
ὧδε ἔσχεν.

7 Ἐν δὲ τῷ τότε μικροῦ Ναυατιανοὶ καὶ οἱ ἀπὸ τῆς καθόλου
171 ἐκκλησίας ἡνώθησαν · | ὁμοίως γὰρ περὶ τὸ θεῖον δοξάζοντες
καὶ κοινῇ ἐλαυνόμενοι καὶ ἐν ὁμοίαις συμφοραῖς ὄντες εὖνοι
ἀλλήλοις ἦσαν καὶ εἰς ταὐτὸν συνῄεσάν τε καὶ συνηύχοντο ·
τοῖς γὰρ ἀπὸ τῆς καθόλου ἐκκλησίας εὐκτήριος οὐκ ἦν οἶκος,
ἀλλὰ πάντες πρὸς τῶν τὰ Ἀρείου φρονούντων ἀφῄρηντο · καὶ

1. Il s'agit sans doute de la plus célèbre des trois églises que les
novatiens possédaient à Constantinople (cf. DAGRON, p. 448, note 1 sur
l'organisation et l'histoire des novatiens sous Constance, Julien et Valens).
Cette église se trouvait près du quartier dit de Pélargos (cf. JANIN, *Géographie*, p. 490).
2. Cette église novatienne, au nom symbolique, reconstruite à Pélargos
sous Julien entre 361 et 363, après avoir été «déménagée» pierre par
pierre à Sykae-Galata, devait ultérieurement devenir le siège de la très
minoritaire communauté nicéenne de Constantinople : c'est dans cette

4 Pour cette raison fut aussi démolie à Constantinople l'église des novatiens[1] près de ce qu'on nomme Pélargos. À ce moment-là donc, on rapporte que ceux de cette secte accomplirent un acte de grand courage, et peut-être bien aussi ceux de l'Église catholique leur portèrent secours comme à des gens de même sentiment. **5** Sur la recommandation en effet de leurs chefs qui avaient reçu l'ordre de démolir ce bâtiment, tous les novatiens se rassemblèrent, eux et leurs familles, et les uns abattaient les matériaux de construction, les autres les transportaient à Sykae sur la côte opposée. Leur zèle obtint rapidement le but. Participaient en effet à la tâche non seulement les hommes, mais aussi les femmes et les enfants. Chacun, en effet, était pris d'une ardeur incroyable comme offrant son travail à Dieu lui-même. Sous l'effet d'un même zèle cette église fut rétablie comme elle était auparavant et, de ce moment, en raison de l'événement, elle a été nommée Anastasia[2] (Résurrection). **6** À la mort de Constance en effet, son successeur à l'Empire, Julien, rendit le lieu aux novatiens et leur permit d'y construire l'église. Ce qui arriva grâce au concours ardent de tout le peuple fidèle qui transporta les mêmes matériaux de construction depuis Sykae : mais ces événements eurent lieu plus tard.

7 À ce moment, peu s'en fallut que les novatiens et ceux de l'Église catholique ne fissent l'union : car leurs opinions théologiques étaient les mêmes, ils étaient pareillement chassés et ils se trouvaient dans les mêmes malheurs; par suite, ils avaient mutuellement de la bienveillance et se réunissaient et priaient ensemble. Ceux de l'Église catholique en effet n'avaient pas de maison de prière, mais ils en avaient été tous dépossédés par les

église que s'installera Grégoire de Nazianze, appelé comme évêque en 379 pour redonner vie à cette communauté moribonde.

ὡς εἰκὸς ἐκ τῆς συνεχοῦς ὁμιλίας μάτην διαφέρεσθαι πρὸς σφᾶς λογισάμενοι κοινωνεῖν ἀλλήλοις ἐβουλεύοντο. **8** Καὶ δὴ τοῦτ᾽ ἐγεγόνει, εἰ μὴ βασκανία ὀλίγων οἶμαι τὴν τοῦ πλήθους προθυμίαν ἔβλαψεν, ἀρχαῖον εἶναι λόγον ἰσχυριζομένων παραιτεῖσθαι τοῦτο ποιεῖν.

21

1 Κατὰ δὲ τοῦτον τὸν χρόνον καὶ Ἐλεύσιος τὴν ἐν Κυζίκῳ ἐκκλησίαν Ναυατιανῶν ἄρδην καθεῖλε. Τούτων δὲ τῶν κακῶν ἐς τὰ μάλιστα μετέσχον οἱ Μαντίνειον οἰκοῦντες καὶ ἄλλοι Παφλαγόνες. Μαθὼν γὰρ Μακεδόνιος τοὺς πλείους ἐνθάδε τὰ Ναυάτου φρονεῖν μὴ ἱκανούς τε μόνους εἶναι τούτους τοὺς ἐκκλησιαστικοὺς ἀπελαύνειν ἔπεισε τὸν βασιλέα τέσσαρα τάγματα τῶν στρατιωτῶν ἐκπέμψαι τούτου χάριν. Ὧδε γὰρ ᾤετο ἀνθρώπους ἀήθεις ὅπλων, εἰ ὁπλίτας θεάσοιντο, δείσαντας εὐθὺς πρὸς τὴν αὐτοῦ δόξαν μεταθήσεσθαι. **2** Τὸ δὲ ἄλλως ἀπέβη. Οἱ γὰρ ἐκ τοῦ Μαντινείου πλῆθος γενόμενοι δρεπάνοις τε καὶ πελέκεσι καὶ ἄλλως ᾗ ἔτυχεν ἕκαστος σφᾶς ὁπλίσαντες συνέμιξαν τοῖς στρατιώταις. Καρτερᾶς δὲ μάχης γενομένης πίπτουσι Παφλαγόνων μὲν πλεῖστοι, τῶν δὲ στρατιωτῶν σχεδὸν πάντες. Ἐντεῦθεν ὡς τηλικούτων συμφορῶν αἴτιον ὄντα Μακεδόνιον πολλοὶ τῶν ἐπιτηδείων ἐμέμφοντο. **3** Ἀποστραφεὶς δὲ καὶ ὁ βασιλεὺς οὐκέτι ὑγιῶς πρὸς αὐτὸν εἶχεν· ἐπεγένετο

---

1. Sozomène a déjà exprimé plusieurs fois sa sympathie et même son admiration pour les novatiens (I, 14, 9 et II, 32, 1) et pour Novatus lui-même (I, 22, 2 et III, 8, 7), dont il apprécie la foi austère et la pureté de vie, proches, à ses yeux, à la fois de l'orthodoxie nicéenne et de la vie ascétique.

2. Sozomène résume sans doute ici SOCRATE, *H.E.* II, 38, qui, d'après DAGRON, p. 438, «tirant ses renseignements d'une des victimes, s'étend longuement sur les atrocités commises contre les novatiens dans la petite ville paphlagonienne de Mantineion».

ariens; comme il est naturel donc, du fait de leur constant commerce, ils se dirent qu'entre eux et les novatiens on différait sans raison et ils délibéraient de faire l'union[1]. **8** Et de fait c'est ce qui fût arrivé, si le désir général du peuple n'avait été ruiné par le mauvais vouloir d'un petit nombre, je pense, qui soutenaient que c'était une règle ancienne de refuser d'agir ainsi.

Chapitre 21

Les agissements de Macédonius à Mantinéion;
il est chassé de son siège pour avoir fait transférer le
cercueil du grand Constantin; Julien est promu César.

1 Vers le même temps, Eleusios détruisit aussi de fond en comble l'église des novatiens à Cyzique. Ceux qui eurent le plus à souffrir de ce malheur furent les habitants de Mantineion[2] et d'autres Paphlagoniens. Macédonius en effet, ayant appris que la plus grande part des gens du lieu étaient novatiens et que les clercs de l'église, à eux seuls, n'avaient pas assez de force pour les chasser, persuada l'empereur d'envoyer à cause de cela quatre corps de troupes. Macédonius pensait en effet que des hommes inexperts aux armes, à la vue de gens armés, seraient pris de crainte, et qu'ainsi il les convertirait aussitôt à sa manière de croire. **2** Mais l'événement fut différent. Ceux de Mantineion en effet s'étant réunis en foule et s'étant armés de faux, de haches, et de ce que chacun trouvait sous la main, se heurtèrent aux soldats. Il y eut une violente bataille : parmi les Paphlagoniens beaucoup tombèrent, mais parmi les soldats, presque tous. De ce moment, beaucoup de familiers de Macédonius le blâmaient d'être la cause de si grands maux. **3** L'empereur aussi changea de sentiment et il ne le regardait plus d'un

γὰρ καὶ μείζονος ἀπεχθείας πρόφασις τοιάδε · Κωνσταντίνου τοῦ βασιλεύσαντος τὴν θήκην ἐβούλετο Μακεδόνιος ἑτέρωθι μεταφέρειν · ἠπείλει γὰρ πτῶσιν ὁ ταύτην καλύπτων οἶκος. 1177 4 Τοῦ δὲ λαοῦ οἱ μὲν | ὧδε γενέσθαι συνεχώρουν, οἱ δὲ ἀντεῖχον ἀνόσιον εἶναι ἡγούμενοι καὶ τῷ ἀνορύττειν ὅμοιον. Συνελαμβάνοντο δὲ τούτοις καὶ οἱ τὸ δόγμα τῆς ἐν Νικαίᾳ συνόδου πρεσβεύοντες, μήτε ὑβρίζεσθαι Κωνσταντίνου τὸ σῶμα ὡς ὁμοδόξου ἀνεχόμενοι καὶ Μακεδονίῳ οἶμαι ἐναντίοι εἶναι σπουδάζοντες. Ἀλλ' ὁ μὲν μηδὲν μελλήσας μετεκόμισε τὴν θήκην εἰς τὴν ἐκκλησίαν ἐν ᾗ Ἀκακίου τοῦ μάρτυρός ἐστιν ὁ τάφος. 5 Τὸ δὲ πλῆθος οἱ μὲν τὸ γεγονὸς ἐπαινοῦντες, 172 οἱ δὲ μεμφόμενοι | κατ' αὐτὴν τὴν ἐκκλησίαν εἰς ἀλλήλους ἐτράπησαν. Καὶ τελευτῶντες αὐτόν τε τὸν εὐκτήριον οἶκον καὶ τὸν πέριξ χῶρον αἱμάτων καὶ φόνων ἐνέπλησαν. 6 Ὁ δὲ βασιλεὺς ἔτι διάγων ἐν τῇ πρὸς δύσιν ἀρχομένῃ τάδε μαθὼν ἐχαλέπαινε καὶ ὡς ὑβρισμένου τοῦ πατρὸς καὶ τῶν περὶ τὸν λαὸν ἀτυχημάτων ἐπητιᾶτο Μακεδόνιον καὶ δι' ὀργῆς εἶχε · βουλευσάμενος δὲ τὴν ἕω καταλαβεῖν εἴχετο τῆς ὁδοῦ. Μετακαλεσάμενος δὲ Ἰουλιανὸν τὸν ἀνεψιὸν Καίσαρα κατέστησε καὶ εἰς τοὺς πρὸς δύσιν Γαλάτας πέπομφεν.

1. Ce cercueil se trouvait dans l'église des Saints-Apôtres : cf. II, 34, 5-6, *SC* 306, p. 383-385. Il n'est pas impossible que l'église ait souffert du tremblement de terre de Nicomédie, le 24 août 358 : d'après IV, 16, 3, le bruit avait couru que le séisme avait ébranlé Nicée, Périnthe et d'autres villes et s'était propagé même jusqu'à Constantinople. Mais DAGRON, p. 404-405, remarque que, si telle était la seule raison, on comprendrait mal « l'émotion populaire et la fureur impériale. Le transfert devait remettre en cause les dispositions testamentaires de Constantin, éveiller des craintes sur les destinées de la ville, liée à la personne de son fondateur, et engager l'Église sur un point de doctrine... »

2. Sur saint Akakios, « le plus byzantin des martyrs », voir DAGRON, p. 393 : centurion cappadocien, il affronta le martyre à Byzance le 7 ou le 8 mai 303 (ou 306), avec 77 compagnons – nombre légendaire –, d'après le martyrologe hiéronymien. Sa *Passio* est peut-être d'époque constantinienne (*AA.SS.* Mai II, p. 762-766) : elle précise que le martyr fut exécuté hors de l'enceinte sévérienne et que son corps fut enseveli sur place, au lieu dit Staurion (Zeugma).

bon œil. Il s'était ajouté d'ailleurs un motif de plus grand ressentiment, que voici. Macédonius voulait transporter ailleurs le cercueil de l'ancien empereur Constantin[1], car l'église qui le couvrait menaçait ruine. 4 Dans le peuple, les uns acceptaient que ce transfert eût lieu, les autres s'y opposaient, estimant que c'était impie et pareil à une violation de sépulture. S'associaient aussi à ces derniers les tenants du dogme du concile de Nicée, qui ne souffraient pas qu'on fît injure au corps de Constantin en tant qu'il avait pensé comme eux, et qui s'efforçaient, je pense, de s'opposer à Macédonius. Lui pourtant, sans hésiter, fit passer le cercueil dans l'église où est la tombe du martyr Acace[2]. 5 Dans la foule, les uns approuvaient ce geste, les autres le blâmaient, et, dans l'église même, on en vint aux mains. Le résultat fut que la maison de prière même et le lieu à l'entour furent remplis de sang et de cadavres. 6 L'empereur, qui se trouvait encore dans l'Empire d'Occident, à cette nouvelle, fut irrité, il accusait Macédonius et pour l'outrage infligé à son père et pour les infortunes du peuple, et il était en colère. Ayant délibéré de gagner l'Orient, il se mit en route. Il fit venir à lui son cousin Julien, l'établit César et l'envoya dans la Gaule occidentale[3].

Son martyrion fut construit très tôt : SOCRATE, *H.E.* VI, 23 évoque un vaste bâtiment nommé Karya parce que, dans la cour, se trouvait le noyer auquel fut pendu Akakios; contre ce noyer, une petite chapelle martyriale avait été édifiée en l'honneur du martyr : l'empereur Arcadius vint y prier en 408. D'après DAGRON, p. 393-395, le cercueil de Constantin fut transféré dans ce premier martyrion (Saint-Akakios de Karya à proximité des Saints-Apôtres dans la Xe Région) et non dans un autre martyrion de Saint-Akakios, situé à l'Heptaskalon, quartier situé au bord de la Propontide, à l'Est du port d'Éleuthère, construit au plus tôt par Théodose II (*contra*, JANIN, *Géographie*, p. 18). Sur l'émeute qui s'ensuivit, voir SOCRATE, *H.E.* II, 38.

3. Régression chronologique : Julien fut nommé César à Milan le 6 novembre et partit pour la Gaule le 1er décembre 355 (AMM. 15, 8), alors que les «agissements» de Macédonius se placent à la fin de 359.

22

1 Ἐν τούτῳ δὲ οἱ ἀπὸ τῆς ἕω ἐπίσκοποι ἀμφὶ ἑκατὸν καὶ ἑξήκοντα ὄντες εἰς Σελεύκειαν τὴν παρὰ Ἰσαύροις συνῆλθον · ἔτος δὲ ἦν ἐν ᾧ ὑπάτευεν Εὐσέβιός τε καὶ Ὑπάτιος. 2 Συνελη- λύθει δὲ αὐτοῖς καὶ Λεωνᾶς ὁ ἐν ἀξιώμασι λαμπρῶς ἐν τοῖς βασιλείοις στρατευόμενος, ὃς ἐκ προστάγματος Κωνσταντίου τῇ συνόδῳ παρῆν, ὥστε ἐπ᾽ αὐτοῦ γενέσθαι τὴν περὶ τοῦ δόγματος πύστιν. Παρῆν δὲ καὶ Λαυράκιος ὁ τῶν στρατιωτῶν τοῦ ἔθνους ἡγεμών, εἴ τι δέοι παρασκευάσων · ὑπουργεῖν γὰρ αὐτῷ βασιλέως ἐπέταττε γράμμα. 3 Κατὰ δὲ τὸν πρῶτον σύλ- λογον ἀπολιμπάνονται ἕτεροί τινες ἐπίσκοποι καὶ Πατρόφιλος ὁ Σκυθοπόλεως καὶ Μακεδόνιος ὁ Κωνσταντινουπόλεως καὶ Βασίλειος ὁ Ἀγκύρας. Πρόφασις δὲ γέγονε τοῖς μὲν ἄλλοις ἄλλη, Πατροφίλῳ δὲ ὀφθαλμία καὶ Μακεδονίῳ νόσος · ὑπόνοια δὲ ἦν, ὡς δεδιότες ἐγκλήματα κατηγόρων οὐ παρεγένοντο τότε. 4 Παραιτουμένων δὲ τῶν ἄλλων διὰ τὴν τούτων ἀπουσίαν ἐξετάζειν τὰ ἀμφίβολα καὶ οὕτως ἐκέλευσε Λεωνᾶς τὰς ζητήσεις κινεῖν. Ἐντεῦθεν οἱ μὲν πρότερον τὸ δόγμα ἐξετάζειν, οἱ δὲ τοὺς βίους ἀνακρίνειν τῶν κατηγορουμένων ἐν αὐτοῖς, ὧν ἦν Κύριλλος Ἱεροσολύμων καὶ Εὐστάθιος ὁ Σεβαστείας,

---

1. Le 27 septembre 359. L'histoire de ce concile nous est surtout connue par SOCRATE, *H.E.* II, 39-40, qui analyse les actes qu'il a consultés dans le *Synodikon* de Sabinos d'Héraclée. Sozomène a lui aussi lu per- sonnellement ces actes puisqu'il ajoute des détails qui ne sont pas chez Socrate. HILAIRE, qui était alors exilé en Phrygie, participa au concile qu'il évoque dans l'*Ad Constantium*, 12-15 : voir BARDY, p. 165-167.
2. Léônas était comte du Consistoire comme *quaestor sacri palatii* (voir *P.L.R.E.*, t. 1, p. 498-499). Il a déjà été question *supra* de Bas- sidius Lauricius, *comes et praeses Isauriae* (cf. *P.L.R.E.*, t. 1, p. 497). L'Isaurie avait été en 354 gravement troublée par des brigandages qui avaient tourné à l'insurrection armée (AMM. 14, 2). La province devait être, en 359, considérée comme pacifiée pour que son chef-lieu fût choisi pour la tenue d'un concile : sur l'histoire de l'Isaurie, voir J. ROUGÉ, « L'Histoire Auguste et l'Isaurie au IVᵉ siècle », *REA* 68, 1966, p. 282-315.

Chapitre 22

Le concile de Séleucie.

1 En ce temps-là, les évêques d'Orient, au nombre d'environ cent soixante, se réunirent à Séleucie d'Isaurie[1] : ce fut l'année du consulat d'Eusèbe et d'Hypatios. **2** Léônas, qui tenait avec éclat une haute fonction au Palais[2], s'était joint aussi à eux; sur l'ordre de Constance, il assistait au concile pour que l'enquête sur le dogme eût lieu en sa présence. Était présent aussi Lauracius, commandant des troupes de la province, pour pourvoir au nécessaire : une lettre impériale lui commandait en effet de se mettre sous les ordres de Léônas. **3** À la première séance manquaient plusieurs évêques, et entre autres Patrophile de Scythopolis, Macédonius de Constantinople et Basile d'Ancyre[3]. Ils prétextaient l'un une chose, l'autre une autre, Patrophile une ophtalmie, Macédonius une maladie, mais on soupçonnait qu'ils ne parurent pas alors par crainte des plaintes de leurs accusateurs. **4** Comme les autres évêques refusaient, à cause de leur absence, d'examiner les points en litige, Léônas, même ainsi, ordonna qu'on mît en route les recherches. Sur ce, les uns jugeaient nécessaire d'examiner d'abord le dogme, les autres d'enquêter sur la vie de ceux qu'on accusait devant eux, dont étaient Cyrille de Jérusalem et Eustathe

---

3. Outre la cause particulière invoquée par chacun et l'appréhension inspirée à tous par les plaintes de leurs accusateurs, on peut supposer que les craintes de Patrophile concernaient son long passé arien, que Macédonius était encore embarrassé dans l'affaire précédente (le transfert du cercueil de Constantin hors des Saints-Apôtres) et se savait mal vu de l'autorité impériale à cause d'elle, que Basile d'Ancyre n'ignorait pas qu'il avait laissé passer sa chance dans les longues hésitations de 358-359 et que ses adversaires, les anoméens, avaient pris le dessus dans l'esprit de Constance.

ἀναγκαῖον ἔλεγον. 5 Πρόφασιν δὲ αὐτοῖς καὶ βασιλέως ἐδίδου
1180 γράμματα, πῇ μὲν τοῦτο πῇ δὲ ἐκεῖνο δηλοῦντα. Ἐκ | ταύτης
δὲ τῆς ἔριδος ἀρξάμενοι οὐκέτι ὑγιῶς πρὸς ἀλλήλους εἶχον,
ἀλλ' εἰς δύο διῃρέθησαν.
Ἐκράτει δὲ ὅμως πρότερον περὶ τοῦ δόγματος τὴν διάλεξιν
ποιεῖσθαι. 6 Ἐπεὶ δὲ εἰς τοὺς τοιούτους καθίσταντο λόγους,
τοῖς μὲν ἐδόκει παντελῶς τὸ τῆς οὐσίας ἀνελεῖν ὄνομα προϊσ-
χομένοις τὴν πίστιν, ἣν οὐ πρὸ πολλοῦ κατὰ τὸ Σίρμιον ὁ
Μᾶρκος συνέθηκε, κατεδέξαντο δὲ οἱ παρατυχόντες ἐν τῷ
στρατοπέδῳ, μεθ' ὧν ἦν καὶ Βασίλειος ὁ τῆς Ἀγκύρας
ἐπίσκοπος · τοῖς δὲ πλείοσιν ἐσπουδάζετο ἡ ἐκτεθεῖσα πίστις
173 ἐπὶ τῇ τελεσιουργίᾳ τῆς Ἀντιοχέων | ἐκκλησίας. 7 Προΐσταντο
δὲ μάλιστα τῆς προτέρας γνώμης Εὐδόξιος καὶ Ἀκάκιος καὶ
Πατρόφιλος καὶ Γεώργιος ὁ Ἀλεξανδρείας καὶ Οὐράνιος ὁ
Τύρου καὶ ἕτεροι τριάκοντα δύο, τῆς δὲ δευτέρας Γεώργιος ὁ
Λαοδικείας τῆς Συρίας καὶ Ἐλεύσιος ὁ Κυζίκου καὶ
Σωφρόνιος ὁ Πομπηιουπόλεως τῆς Παφλαγόνων, οἷς οἱ πλείους
εἵποντο. 8 Ὑπενοοῦντο δὲ οἱ ἀμφὶ Ἀκάκιον ἐπίτηδες πρὸς
τοὺς ἄλλους περὶ τὸ δόγμα διαφέρεσθαι καὶ προφάσει ταύτῃ
τὰς κατ' αὐτῶν εὐθύνας ἀναιρεῖν · καθότι πρὶν δι' ὧν ἔγραψαν
Μακεδονίῳ τῷ Κωνσταντινουπόλεως ἐπισκόπῳ συνομολογή-

---

1. Sur la déposition de Cyrille par Acace, voir 20, 1. Eustathe avait
été parmi les ambassadeurs envoyés à Constance après le synode
d'Ancyre (358) pour lui faire part de la formule orthodoxe à laquelle
on s'était rangé. Avait-il été déposé entre temps par un synode local
dominé par des ariens?
2. D'un côté, d'après BARDY, p. 165, le groupe le plus considérable,
Basile d'Ancyre et ses partisans homéousiens, notamment Macédonius,
quand il fut arrivé, Eleusios de Cyzique, Silvain de Tarse, Cyrille de
Jérusalem, Sophronios de Pompéiopolis; de l'autre, les partisans de
l'anoméisme radical menés par Georges d'Alexandrie et Eudoxe d'Antioche. Mais Acace, évêque de Césarée de Palestine, se présentait comme
le chef d'un tiers parti, favorable à une modération fondée sur des
équivoques : on le verra *infra* (§ 8) chercher à se disculper, auprès de
ses partisans, du soupçon d'avoir souscrit à l'*homoiousios* et même à
l'*homoousios* pour complaire à Macédonius!

de Sébaste[1]. **5** Ce qui leur donnait un prétexte, c'était une lettre de l'empereur, qui en partie ordonnait la première chose, en partie la seconde. En raison de cette querelle, les pères, au début, ne se regardaient plus d'un bon œil, mais se divisèrent en deux camps[2].

Ce qui l'emporta pourtant, ce fut de disputer d'abord sur le dogme. **6** Lors donc qu'ils en furent venus à cette discussion, les uns jugeaient bon qu'on supprimât totalement le nom d'*ousia* : ils mettaient en avant le credo que, peu auparavant, Marc avait composé à Sirmium et qu'avaient accepté les évêques alors présents à la Cour, du nombre desquels était aussi Basile évêque d'Ancyre. Mais la plupart favorisaient l'exposition de foi des Encaenies de l'Église d'Antioche[3]. **7** A la tête du premier parti étaient surtout Eudoxe, Acace, Patrophile, Georges d'Alexandrie, Uranius de Tyr et trente-deux autres ; à la tête du second, Georges de Laodicée de Syrie, Eleusios de Cyzique, Sophronios de Pompéiopolis en Paphlagonie, et la majorité les suivait. **8** On soupçonnait Acace de se séparer des autres pour une raison précise : c'était là un prétexte pour lever les accusations qu'on portait contre lui. Comme en effet, auparavant, par une lettre à Macédonius évêque de Constantinople, il avait convenu que

---

3. Le deuxième groupe, celui des ariens et des anoméens, veut imposer le « Credo daté », élaboré par Marc d'Aréthuse à Sirmium, présenté à Rimini et refusé par les pères. Le premier groupe, majoritaire, est mené par l'ennemi personnel d'Eudoxe, Georges de Laodicée (qui avait dénoncé les agissements d'Aèce et d'Eudoxe dans une lettre adressée à Macédonius, Basile, Cécropius et Eugène, cf. IV, 13, 2-3) et par Eleusios et Sophronios, évêques installés par Macédonius et appartenant, comme lui, au parti homéousien dirigé par Basile d'Ancyre. Noter que ni Macédonius ni Basile n'assistaient à la deuxième séance. Ils n'arrivèrent que pour la troisième (§ 11). La position en retrait de Basile au concile de Séleucie s'explique par le fait, relevé par ses adversaires (§ 6), qu'il avait eu la faiblesse ou l'imprudence de souscrire au « Credo daté ».

σαντες κατὰ πάντα ὅμοιον εἶναι τῷ πατρὶ τὸν υἱὸν καὶ τῆς
αὐτῆς οὐσίας, ἀνέδην νῦν ἀπεμάχοντο ταῖς προτέραις ὁμολογίαις.

9 Ἐριστικῶς δὲ πολλῶν κινηθέντων οὐκ ἀνεκτὸν εἶναι ἀνε-
βόησε Σιλβανὸς ὁ Ταρσοῦ ἐπίσκοπος καινὴν ἑτέρας πίστεως
ἐπεισάγειν γραφὴν παρὰ τὴν ἐν Ἀντιοχείᾳ δοκιμασθεῖσαν ·
ταύτην δὲ μόνην χρῆναι κρατεῖν. 10 Ἐπὶ τούτῳ δὲ χαλεπῶς
ἐνεγκόντες οἱ ἀμφὶ Ἀκάκιον ἐξανέστησαν · οἱ δὲ ἕτεροι τότε
μὲν ἀνέγνωσαν τὰ ἐν Ἀντιοχείᾳ δόξαντα, τῇ δὲ ὑστεραίᾳ εἰ-
σελθόντες εἰς τὴν ἐκκλησίαν τὰς θύρας ἀπέκλεισαν καὶ καθ'
ἑαυτοὺς γενόμενοι ἐπεψηφίσαντο τούτοις. Ἀκάκιος δὲ τὰ μὲν
οὕτω γενόμενα διέβαλλεν, ἰδίᾳ δὲ Λεωνᾷ καὶ Λαυρακίῳ τὴν
σπουδαζομένην αὐτῷ γραφὴν ἐπέδειξε. 11 Τρίτῃ δὲ πάλιν
ἡμέρᾳ οἱ μὲν ἄλλοι συνῆλθον Μακεδόνιός τε καὶ Βασίλειος
οἱ πρὶν ἀπολειφθέντες, Ἀκάκιος δὲ καὶ οἱ ἀμφ' αὐτὸν οὐκ
ἠξίουν τοῦ συλλόγου κοινωνεῖν, εἰ μὴ πρότερον ὑπεξέλθωσιν
οἱ πρὸς αὐτῶν καθηρημένοι καὶ κατηγορηθέντες · καὶ τοῦτο
ἐγένετο. 12 Συνεχώρουν γὰρ οἱ ἀπὸ τοῦ ἑτέρου μέρους ὑπολαβόντες Ἀκάκιον ταύτην πρόφασιν θηρᾶσθαι διαλῦσαι τὴν
σύνοδον, ὡς καὶ τὴν Ἀετίου αἵρεσιν τὴν παροῦσαν ἐξέτασιν
1181 διαφυγεῖν | καὶ σφᾶς αὐτοὺς τὰς εὐθύνας τῶν κατηγορουμένων.
13 Ἐπεὶ δὲ πάντες παρῆσαν, βιβλίον ἔφη Λεωνᾶς ἔχειν ἐπιδοθὲν
παρὰ τῶν ἀμφὶ Ἀκάκιον · τὸ δὲ πίστεως ἦν γραφὴ σὺν προοιμίῳ
τινί, καὶ τοὺς ἄλλους ἐλάνθανεν · ἑκὼν γὰρ τοῦτο καὶ Λεωνᾶς
ἀπεκρύψατο τὰ Ἀκακίου φρονῶν. Ὡς δὲ ἀνεγνώσθη, θορύβου

---

1. La proposition de Silvain de Tarse fut adoptée par une large
majorité (105 évêques), alors qu'Acace quittait l'assemblée suivi seulement de 17 partisans : voir SOCRATE, *H.E.* II, 39 (BARDY, p. 165). Sur
Silvain de Tarse qui finit par se rallier à la foi de Nicée lors de son
ambassade à Rome en 365-366, voir *DECA*, p. 2341 (M. SIMONETTI) et,
surtout pour sa carrière ultérieure, M. A. G. HAYKIN, «ΜΑΚΑΡΙΟΣ
ΣΙΛΟΥΑΝΟΣ. Silvanus of Tarsus and his view of the Spirit», *VChr* 36,
1982, p. 261-274.

2. Il faut donc supposer que Cyrille de Jérusalem, Eustathe de Sébaste,
et quelques autres évêques antiariens moins connus durent être exclus
du concile, non pour des raisons dogmatiques, mais par tactique.

le Fils est en tout semblable au Père et de la même substance, il repoussait maintenant sans réserve ses précédentes concessions.

9 Comme beaucoup de questions avaient été soulevées
dans un esprit de querelle, Silvanus, évêque de Tarse,
s'exclama qu'on ne pouvait supporter qu'on introduisît
une nouvelle formule de foi, autre que celle qui avait
été approuvée à Antioche : celle-là seulement devait l'em-
porter. **10** Sur ce, irrités, les acaciens quittèrent la salle.
Les autres alors lurent les définitions d'Antioche et, le
lendemain, entrèrent dans l'église, fermèrent les portes et,
entre eux, approuvèrent par vote ces définitions[1]. Quant
à Acace, il attaquait ces mesures et montra en privé à
Léônas et à Lauracius le texte qu'il favorisait. **11** Le troisième jour, à nouveau, ils se réunirent et avec eux Macédonius et Basile qui avaient été auparavant absents ; mais
Acace et ses partisans refusaient de participer à l'assemblée, à moins que ne se retirassent ceux qu'ils avaient
déposés et accusés : c'est ce qui arriva[2]. **12** Ceux de
l'autre camp cédaient en effet dans la pensée qu'Acace
cherchait là un prétexte pour rompre le concile, en sorte
que l'hérésie d'Aèce échappât à l'examen présent et qu'ils
échappassent eux-mêmes aux comptes qu'ils auraient à
rendre sur les points dont on les accusait. **13** Lorsque
tous furent présents, Léônas dit qu'il avait un libelle qui
lui avait été remis par les acaciens. Ce libelle était une
formule de foi, avec un certain préambule[3], et les autres
n'étaient pas au courant : Léônas en effet avait caché
volontairement la chose, car il était du parti d'Acace.
Quand on le lut, il n'y eut plus que tumulte dans l'as-

3. Le libelle des acaciens est également cité, dans des termes analogues, par ATHANASE, *De syn.* 29, par ÉPIPHANE, *Panarion*, haer. 73,
25 et par SOCRATE, *H.E.* II, 11. Quelques expressions du symbole étaient
des concessions aux homéousiens : ainsi l'explication du terme *homoios*
par la formule de saint Paul (*Col.* 1, 15).

πλήρης ὁ σύλλογος γέγονεν. **14** Ἐδήλου γάρ, ὡς βασιλέως προστάξαντος μηδὲν ἐπεισάγειν τῇ πίστει παρὰ τὰς ἱερὰς
174 γραφὰς ἐπαγό|μενοί τινες τοὺς καθῃρημένους ἐκ διαφόρων ἐθνῶν καὶ τοὺς παρανόμως ἐπισκόπους καταστάντας ἐτάραξαν τὴν σύνοδον καὶ τοὺς μὲν αὐτῶν ὕβρισαν, τοὺς δὲ λαλεῖν οὐ συνεχώρησαν. **15** Σφᾶς δὲ τὴν ἐκτεθεῖσαν πίστιν ἐν Ἀντιοχείᾳ μὴ ἀποφυγεῖν, εἰ καὶ πρὸς τὴν τότε συμβᾶσαν ζήτησιν οἱ συνελθόντες ἐκεῖσε ταύτην τὴν γραφὴν εἰσηγήσαντο · ἐπεὶ δὲ τὸ ὁμοούσιον καὶ τὸ ὁμοιούσιον εἰσέτι νῦν πολλοὺς θορυβεῖ, ἀρτίως δὲ καινοτομεῖν τινες ἐπιχειροῦσι τὸ ἀνόμοιον υἱοῦ πρὸς πατέρα, διὰ τοῦτο τὸ μὲν ὁμοούσιον καὶ τὸ ὁμοιούσιον ἐκβάλλειν χρεὼν ὡς ἀλλότριον γραφῶν, ἀποκηρύττειν δὲ τὸ ἀνόμοιον, τὸ δὲ ὅμοιον υἱοῦ πρὸς πατέρα σαφῶς ὁμολογεῖν · ἔστι γάρ, ὥς πού φησι Παῦλος ὁ ἀπόστολος, εἰκὼν τοῦ ἀοράτου θεοῦ.

16 Ταῦτα προοιμιασάμενοι ἑξῆς πίστεως ἐπισυνῆψαν γραφὴν μήτε τοῖς ἐν Νικαίᾳ μήτε τοῖς ἐν Ἀντιοχείᾳ δόξασι συνάδουσαν, ἀλλ' ἁπλῶς οὕτως συγκειμένην, ὡς καὶ τοὺς τὰ Ἀρείου καὶ τὰ Ἀετίου φρονοῦντας μηδὲν δοκεῖν ἁμαρτάνειν, εἰ καὶ ὧδε πιστεύουσι. **17** Παραδραμόντες γὰρ τὰ ὀνόματα, δι' ὧν τὴν Ἀρείου δόξαν ἐκβάλλουσιν οἱ ἐν Νικαίᾳ συνελθόντες, σιωπήσαντες δὲ καὶ ὡς ἀναλλοίωτός ἐστι τῆς θεότητος ὁ υἱός, οὐσίας τε καὶ βουλῆς καὶ δυνάμεως καὶ δόξης ἀπαράλλακτος εἰκὼν τοῦ πατρός, οἷα τῇ ἐν Ἀντιοχείᾳ συνόδῳ εἴρηται, ὡμολόγησαν πιστεύειν εἰς πατέρα, πιστεύειν δὲ καὶ εἰς τὸν υἱὸν καὶ εἰς τὸ ἅγιον πνεῦμα. **18** Ἐφ' ἑκάστῳ δὲ ἐπι-

---

1. C'est le second symbole d'Antioche : cf. III, 5, 8.

2. Il faut entendre qu'ils croyaient aussi à la *divinité* du Fils et à celle du Saint-Esprit, la dernière affirmation pouvant être une allusion polémique à la négation de la divinité du Saint-Esprit par les macédoniens dits «pneumatomaques». Les acaciens, en fait, adoptent la formule de Sirmium, le «Credo daté», en y ajoutant la condamnation de l'*anomoios* et en adoucissant certaines expressions : BARDY, p. 166.

semblée. **14** Ce préambule disait en effet que, bien que l'empereur eût commandé de ne rien introduire dans le credo qui fût contre les saintes Écritures, certains pourtant, s'étant concilié les évêques déposés de diverses provinces et les évêques illégitimement établis, avaient perturbé le concile, violenté certains des pères, empêché les autres de parler; **15** eux-mêmes, acaciens, ne repoussaient pas le credo publié à Antioche, même si les pères qui s'étaient réunis à Antioche n'avaient introduit cette formule qu'en raison de la question qui s'était alors présentée; mais puisque les termes *homoousios* et *homoiousios* troublaient encore beaucoup de gens, et que tout récemment certains tentaient d'innover en disant que le Fils est dissemblable au Père, pour cette raison il fallait d'une part expulser les termes *homoousios* et *homoiousios* comme étrangers aux Écritures, d'autre part anathématiser le terme *anomoios* (dissemblable), et confesser clairement la ressemblance du Fils avec le Père : le Fils en effet, comme le dit quelque part l'Apôtre Paul (*Col* 1,15), est l'image du Dieu invisible.

16 Après ce préambule, Acace et ses partisans y attachèrent une formule de foi qui ne s'accordait ni avec les définitions de Nicée ni avec celles d'Antioche, mais qui était purement et simplement composée en telle sorte que ni les partisans d'Arius ni ceux d'Aèce ne parussent être en faute, quand bien même ils croyaient à leur manière. **17** Omettant en effet les termes au moyen desquels les pères réunis à Nicée avaient chassé l'hérésie d'Arius, et passant sous silence aussi la formule que le Fils est sans altération par rapport à la déité du Père, image sans différence de l'*ousia*, de la volonté, de la puissance et de la gloire du Père, comme il avait été dit au synode d'Antioche[1], ils professèrent qu'ils croyaient au Père, et qu'ils croyaient aussi au Fils et au Saint-Esprit[2]. **18** Pour chacun, ils se servaient d'épithètes communément

θέτοις ὀνόμασι κοινοῖς τισι χρησάμενοι, ἃ μήτε αὐτοῖς μήτε τοῖς ἐναντίως δοξάζουσιν ἐμάχετο, τοὺς ἄλλως πιστεύοντας «ἀλλοτρίους» τῆς καθόλου ἐκκλησίας ἐψηφίσαντο.

Τοιάδε μὲν τὸ παρὰ Λεωνᾶ προκομισθὲν βιβλίον περιεῖχεν, ὑπ' αὐτοῦ δὲ Ἀκακίου καὶ τῶν αὐτῷ πειθομένων ὑπογεγραμμένον. 19 Μετὰ δὲ τὴν τούτου ἀνάγνωσιν ἀναβοήσας Σωφρόνιος ὁ Παφλαγών «εἰ τὸ ἑκάστης ἡμέρας», ἔφη, «ἰδίαν ἐκτίθεσθαι βούλησιν πίστεώς ἐστιν ἔκθεσις, ἐπιλείψει ἡμᾶς ἡ τῆς ἀληθείας ἀκρίβεια.» 20 Ἰσχυριζομένου δὲ Ἀκακίου μηδὲν κωλύειν ἑτέραν ὑπαγορευθῆναι γραφήν, εἴ γε ἅπαξ καὶ ἡ ἐν
175 Νικαίᾳ πίστις μετεποιήθη καὶ | μετὰ ταῦτα πολλάκις,
1184 ὑπολαβὼν Ἐλεύσιος «ἀλλ' ἡ | σύνοδος», ἔφη, «συνεκροτήθη νῦν, οὐχ ἵνα μάθῃ ἃ μὴ μεμάθηκεν, οὐδ' ἵνα πίστιν ἑτέραν παραλάβῃ παρὰ τὴν ἤδη δοκιμασθεῖσαν παρὰ τῶν ἐν Ἀντιοχείᾳ συνελθόντων», καὶ μέχρι ζωῆς καὶ θανάτου ταύτης ἔχεσθαι σφᾶς. 21 Ὧδε προϊούσης τῆς διαλέξεως ἐπὶ ἑτέραν μετέβησαν ζήτησιν. Καὶ ἐπυνθάνοντο τῶν ἀμφὶ Ἀκάκιον, κατὰ τί ὅμοιον τῷ πατρὶ τὸν υἱὸν ὡμολόγησαν· τῶν δὲ κατὰ βούλησιν μόνον, οὐ μὴν κατ' οὐσίαν εἰπόντων οἱ μὲν ἄλλοι πάντες καὶ κατ' οὐσίαν ὅμοιον αὐτὸν ἰσχυρίζοντο. Καὶ τὸν Ἀκάκιον ἤλεγχον διὰ τὸν λόγον, ὃν συνεγράψατο καὶ ἐκδέδωκεν, ὡς ὁμοίως αὐτοῖς ἐδόξαζε πρότερον. 22 Τοῦ δὲ μὴ δεῖν ἀπὸ συγγραμμάτων τὰς εὐθύνας ἐπάγειν λέγοντος καὶ τῆς

1. Identique à Sophronios de Pompéiopolis, fidèle de Macédonius. Sa réplique est la même chez Socrate, *H.E.* II, 40.
2. Eleusios de Cyzique est aussi un macédonien. Il est le porte-parole des homéousiens. D'après Bardy, p. 166, le rôle de premier plan qu'il assume ici, puis dans la suite de la discussion (§ 22-23) montre que le «groupe homéousien... n'approuvait pas l'attitude de Basile, ni la signature qu'il avait donnée à la 4ᵉ formule de Sirmium. Depuis cette concession, il avait perdu l'autorité nécessaire pour mener les négociations...». Ce rôle vaudra à Eleusios d'être déposé au concile de Constantinople (360), qui sanctionna la défaite des homéousiens. Sur l'importance du personnage qui fut, avec Eustathe de Sébaste et

reçues, qui n'étaient en contradiction ni avec les thèses
de Nicée et d'Antioche ni avec les thèses contraires, et
ils déclarèrent ceux qui croyaient autrement étrangers à
l'Église catholique.

Voilà ce que contenait le libelle apporté par Léônas,
et qui avait été soussigné et par Acace lui-même et par
ceux de son obédience. **19** Après la lecture du texte,
Sophronios de Paphlagonie s'écria[1] : «Si une exposition
de la foi consiste en ce que, chaque jour, on expose
son opinion particulière, c'en sera fait de la certitude de
la vérité.» **20** Comme Acace soutenait que rien n'empêchait qu'on suggérât une nouvelle formule, s'il est vrai
que la foi de Nicée avait été réformée une première fois
et souvent ensuite, Eleusios, l'interrompant, dit[2] : «Mais
le concile actuel n'a pas été réuni pour apprendre des
choses qu'il ne connaissait pas encore, ni pour recevoir
une foi différente de celle qui avait été déjà approuvée
par les pères réunis à Antioche», et il déclara qu'ils tien-
draient fermement à cette foi jusqu'à la vie et la mort.
21 Comme la discussion se prolongeait, ils passèrent à
une autre question, et se mirent à demander à Acace
sous quel rapport il avait reconnu que le Fils était semblable au Père. Celui-ci répondant que c'était seulement
quant à la volonté, non quant à l'essence, tous les pères
soutenaient qu'il était aussi semblable quant à l'essence :
et ils confondaient Acace au moyen du document qu'il
avait écrit et livré[3], alléguant qu'antérieurement il avait
pensé comme eux. **22** Comme Acace rétorquait qu'il ne
fallait pas demander des comptes sur des écrits et que

Marathonius de Nicomédie, l'un des chefs historiques des «pneumatomaques», voir BARDY, p. 254.
3. Il s'agit de la lettre adressée à Macédonius où Acace admettait
l'*homoiousios* – dont Macédonius se fût contenté ! – et même l'*homoousios* nicéen (cf. IV, 22, 8).

διαλέξεως ἐπὶ μᾶλλον ἐριστικῶς προϊούσης τὸ τελευταῖον
Ἐλεύσιος ὁ Κυζικηνός «εἰ μέν», ἔφη, «Βασίλειος ἢ Μᾶρκος
καθ' ἑαυτούς τινα πεπράχασιν, ἢ ἰδίᾳ περί τινων ἀλλήλοις ἐγκαλοῦσιν αὐτοί τε καὶ οἱ ἀμφὶ Ἀκάκιον, οὐδὲν τῇ συνόδῳ
διαφέρει, οὐδὲ πότερον καλῶς ἢ ἄλλως ἔχει ἡ ἐκτεθεῖσα παρ'
αὐτῶν πίστις πολυπραγμονεῖν ἀναγκαῖον»· τῇ μέντοι παρὰ
τῶν παλαιοτέρων ἐνενήκοντα καὶ ἑπτὰ ἱερέων ἐν Ἀντιοχείᾳ
κυρωθείσῃ χρῆναι ἕπεσθαι· παρὰ ταῦτα δὲ εἴ τις εἰσηγοῖτο,
ἀλλότριον εἶναι εὐσεβείας καὶ τῆς ἐκκλησίας. 23 Ὡς δὲ
τούτοις οἱ σὺν αὐτῷ πάντες ἐπευφήμησαν, τότε μὲν ὁ σύλλογος
διελύθη.

Τῇ δὲ ὑστεραίᾳ οὐκέτι εἰς ταὐτὸ συνιέναι ἠνείχοντο οἱ περὶ
Ἀκάκιον καὶ Γεώργιον. 24 Οὐ μὴν οὐδὲ Λεωνᾶς κληθεὶς παρε-
γένετο· περιφανῶς γὰρ ἤδη τὰ τούτων ἐφρόνει. Ἀμέλει τοι οἱ
πρὸς αὐτὸν ἀφικόμενοι ἐν τῇ αὐτοῦ οἰκίᾳ κατέλαβον τοὺς περὶ
Ἀκάκιον. Δεομένων δὲ καὶ καλούντων αὐτὸν ἐπὶ τὸν σύλλογον
οὐχ ὑπήκουσεν, ὡς τῆς συνόδου διχονοούσης, αὐτοῦ δὲ
παρεῖναι προσταχθέντος παρὰ βασιλέως συναινούντων πάντων
καὶ εἰς ταὐτὸν συνιόντων. 25 Ἐπεὶ δὲ χρόνος διετρίβετο, πολλάκις μὲν τῶν ἄλλων τοὺς ἀμφὶ Ἀκάκιον καλούντων, τῶν δὲ
πῇ μὲν εἰς τὴν Λεωνᾶ οἰκίαν ῥητοὺς συνελθεῖν ἀξιούντων, πῇ
δὲ αὐτοὺς κρίνειν τοὺς ἄλλους ἰσχυριζομένων παρὰ βασιλέως
ἐπιτετράφθαι, οὐδὲ τὴν αὐτὴν πίστιν ὁμολογεῖν ἠβούλοντο ἢ
176 περὶ τῶν ἐγκλη|μάτων ἀπολογεῖσθαι, οὔτε εἰς τὴν κατὰ

---

1. Allusion à la préparation du concile de Rimini et à l'élaboration
du «Credo daté» de Marc d'Aréthuse. D'après BARDY, p. 162-163, la
formule «était destinée à plaire à tout le monde». En fait, elle ne satis-
faisait ni Ursace ni Basile : ce dernier, comme il se voyait refuser
l'emploi du «mot homoiousios, auquel il tenait, accumula les synonymes pour mettre sa croyance en relief» et... il signa. Épiphane,
Panarion, haer. 73, 22, utilisant un document homéousien, est particulièrement bien renseigné sur les incidents de la controverse. Basile
et Marc s'étaient finalement entendus sur la formule de l'homéisme.
2. Le nombre des dissidents acaciens a varié : ils étaient 18 (ou 19)
lors de la première séance. Mais le symbole acacien présenté lors de

la discussion se prolongeait encore en pure disputaille, à la fin, Eleusios de Cyzique déclara : «Si Basile et Marc ont fait quelque chose en leur particulier[1], ou si eux et les acaciens s'entr'accusent en privé sur un point ou l'autre, cela ne regarde en rien le concile, et il n'y a pas à se donner la peine de rechercher si leur exposition de la foi est ou non satisfaisante» : il n'y avait qu'à suivre le credo sanctionné par les quatre-vingt-dix-sept anciens pères d'Antioche; si quelqu'un introduisait une innovation par rapport à ce credo, il était étranger à la piété et à l'Église. **23** Tous les partisans d'Eleusios applaudirent à cette déclaration, et la séance fut alors levée.

Or le lendemain, les partisans d'Acace et de Georges (d'Alexandrie) n'acceptèrent plus de tenir réunion commune[2]. **24** Et Léônas non plus, bien qu'invité, n'assista pas à la séance : c'est qu'il était déjà ouvertement de leur parti. Quoi qu'il en soit, les évêques qui s'étaient rendus chez lui trouvèrent dans sa maison les acaciens. Malgré leurs prières et leur invitation à se rendre à l'assemblée, Léônas refusa, alléguant que le concile était divisé et qu'il avait reçu de l'empereur l'ordre d'assister à un concile où tous seraient d'accord et réunis en commun. **25** Comme on perdait son temps, les évêques répétant leur invitation aux acaciens, ceux-ci tantôt demandant qu'on se réunît, à un jour fixé, chez Léônas, tantôt soutenant qu'ils avaient reçu charge de l'empereur de juger les autres, comme aussi ils refusaient de professer le même credo ou de se défendre contre les accusations et n'acceptaient pas non plus d'assister à l'en-

la troisième session porte 32 signatures. Et Épiphane, *Panarion,* haer. 73, 25-26 le reproduit avec 43 signatures. Cela peut s'expliquer par la diplomatie d'Acace, par les pressions de Léônâs ou par la signature postérieure d'évêques qui ne participaient pas au concile.

Κύριλλον ἐξέτασιν παραγενέσθαι ἠνείχοντο, ὃν αὐτοὶ
καθεῖλον, καὶ ὁ κατεπείγων οὐκ ἦν, καθαιροῦσιν ἄλλους τέ
τινας καὶ Γεώργιον τὸν Ἀλεξανδρείας ἐπίσκοπον καὶ Ἀκάκιον
τὸν Καισαρείας καὶ Οὐράνιον τὸν Τύρου καὶ Πατρόφιλον τὸν
Σκυθοπόλεως καὶ Εὐδόξιον τὸν Ἀντιοχείας. 26 Τοὺς δὲ πλείους
ἀκοινωνήτους ἐποίησαν, ἄχρις ἂν πρὸς τὰ ἐπαγόμενα
1185 ἐγκλήματα ἀπολογήσωνται, καὶ τὰ πρα|χθέντα τῇ ἑκάστου
παροικίᾳ ἔγραψαν. 27 Ἀντὶ δὲ Εὐδοξίου Ἀδριανὸν ἐχειροτόνησαν Ἀντιοχέων ἐπίσκοπον, πρεσβύτερον ὄντα τοῦ ἐκεῖσε
κλήρου. Συλλαβόντες δὲ τοῦτον οἱ ἀμφὶ Ἀκάκιον Λεωνᾷ καὶ
Λαυρακίῳ παρέδωκαν · οἱ δὲ τότε μὲν ἐν στρατιωτικῇ φρουρᾷ
αὐτὸν εἶχον, ὕστερον δὲ ὑπερορίαν αὐτοῦ φυγὴν κατεδίκασαν.
Τοῦτο πέρας, ὡς ἐν βραχεῖ, ἡ ἐν Σελευκείᾳ σύνοδος ἔσχεν.
28 Ὧ δὲ φίλον ἀκριβῶς τὰ καθ' ἕκαστον εἰδέναι, ἐκ τῶν ἐπὶ
τούτοις πραχθέντων ὑπομνημάτων εἴσεται, ἃ ταχυγράφοι
παρόντες ἀνεγράψαντο.

23

1 Ἐπεὶ δὲ τάδε ὧδε ἐγένετο, οἱ μὲν ἀμφὶ τὸν Ἀκάκιον σπουδῇ
ἐπὶ τὰ βασίλεια ἀφίκοντο, οἱ δὲ ἄλλοι ἕκαστος οἴκαδε ἀνεχώ-
ρουν. Δέκα δέ, ὡς προστέτακτο, κοινῇ γνώμῃ ἐπιτραπέντες πρὸς
βασιλέα παραγενέσθαι καταλαμβάνουσι τοὺς ἀπεσταλμένους
δέκα παρὰ τῶν ἐν Ἀριμήνῳ συνελθόντων, τοὺς δὲ ἀμφὶ

1. Sacré évêque de Jérusalem, en 348, par les eusébiens Acace de
Césarée et Patrophile de Scythopolis, Cyrille était entré en conflit avec
Acace en revendiquant l'indépendance de son siège par rapport au siège
métropolitain de Césarée. Il avait été déposé par un synode réuni par
Acace à Jérusalem en 357. Il fut réhabilité à Séleucie (359) avant d'être
à nouveau déposé par le concile homéen de Constantinople (360).
   2. SOCRATE, H.E. II, 40 donne à cet éphémère successeur d'Eudoxe
le nom d'Annianos, comme fait du reste Sozomène en IV, 24, 15.
   3. Sozomène indique ainsi rétrospectivement la source de son information : les actes du concile, sténographiés par les notaires, tachy-

quête sur Cyrille qu'ils avaient eux-mêmes déposé[1], et comme enfin il n'y avait personne pour les forcer, les pères déposèrent plusieurs évêques et entre autres Georges d'Alexandrie, Acace de Césarée, Uranius de Tyr, Patrophile de Scythopolis et Eudoxe d'Antioche. **26** Ils excommunièrent la plupart, jusqu'à ce qu'ils se fussent défendus sur les accusations qu'on portait contre eux, et ils écrivirent au diocèse de chacun ce qui avait été fait. **27** En place d'Eudoxe, ils ordonnèrent évêque d'Antioche Adrianos[2], prêtre du clergé local. Mais, l'ayant saisi, les acaciens le livrèrent à Léônas et à Lauracius : ceux-ci le détinrent, à ce moment, dans une forteresse et plus tard le condamnèrent à l'exil. Telle fut la fin, en bref, du concile de Séleucie. **28** Si l'on veut connaître les événements en détail, on les apprendra par les Actes de ce concile, que les notaires qui s'y trouvaient présents ont rédigés[3].

Chapitre 23

Acace et Aèce; l'empereur met tout en œuvre pour que les ambassadeurs des deux conciles, celui de Rimini et celui de Séleucie, aient les mêmes opinions.

1 Après que les choses se furent passées ainsi[4], les acaciens se rendirent en hâte au palais, les autres évêques rentrèrent chacun chez soi. Dix évêques, comme il avait été commandé, furent chargés, par un vote commun, d'aller chez l'empereur; ils trouvèrent à Constantinople les dix qui avaient été envoyés par les pères réunis à

---

graphes officiels opérant sous le contrôle de Léonâs, sans doute reproduits *in extenso* dans le *Synodikon* de Sabinos d'Héraclée, mais résumés ici selon le principe énoncé dans la préface générale (I, 1, 14).

4. Sur les suites du concile de Séleucie, voir BARDY, p. 167-169.

Ἀκάκιον ἤδη κατωρθωκότας τὰ αὐτῶν φρονεῖν τοὺς ἐν τοῖς βασιλείοις δυναμένους καὶ διὰ τούτων πραγματευσαμένους τὴν παρὰ τοῦ κρατοῦντος εὔνοιαν. 2 Εἶναι γάρ, ὡς ἐλέγετο, τοὺς μὲν ὁμοδόξους αὐτοῖς, τοὺς δὲ ταῖς ἐκκλησιαστικαῖς οὐ–σίαις διεφθάρθαι, τοὺς δὲ θωπείαις λόγων ἐξηπατῆσθαι καὶ τῇ ἀξίᾳ τοῦ πείθοντος. Οὐ γὰρ ὁ τυχὼν ἐδόκει Ἀκάκιος, φύσει τε δεινὸς ὢν νοεῖν καὶ λέγειν καὶ τὰ βεβουλευμένα εἰς ἔργον ἄγειν καὶ ἐπισήμου προεστὼς ἐκκλησίας καὶ Εὐσέβιον τὸν Παμφίλου, μεθ' ὃν τὴν αὐτοῦ ἐπισκοπὴν ἤνυε, διδάσκαλον 177 αὐχῶν καὶ τῇ δοκήσει καὶ διαδοχῇ τῶν | αὐτοῦ βιβλίων πλείω τῶν ἄλλων εἰδέναι ἀξιῶν. Καὶ ὁ μὲν τοιοῦτος ὢν ῥᾳδίως ἅ γε ἠβούλετο διεσκεύαζεν.

3 Ὄντων δὲ ἐν Κωνσταντινουπόλει τῶν ἐξ ἑκατέρας συνόδου εἴκοσι καὶ ἄλλων, οἵπερ ἔτυχον ἐνδημοῦντες, τὸ μὲν πρῶτον ἐπιτρέπεται δικάσαι τῇ κατὰ Ἀέτιον ζητήσει παρόντων τῶν ἀπὸ τῆς μεγάλης βουλῆς ἐξάρχων ὁ Ὀνωρᾶτος, ὃν βασιλεὺς 1188 οὐ πρὸ πολλοῦ ἀπὸ τῆς | πρὸς δύσιν ἀρχομένης ἐπανελθὼν

1. Il s'agit d'Acace dont Sozomène, malgré son antipathie pour l'homme et sa doctrine, fait un portrait élogieux : il alliait l'intelligence, l'éloquence et l'activité. La bibliothèque d'Eusèbe, désormais entre ses mains, était le signe et la garantie de sa science. D'après JÉRÔME, Vir. ill. 98, il œuvra aussi pour la conservation de la bibliothèque d'Origène (DECA, p. 14-15, M. SIMONETTI).

2. Sur ce haut personnage, gouverneur consulaire de Syrie vers 350, puis comte d'Orient vers 354-355, préfet du prétoire des Gaules, puis, après une brève retraite, nommé comme premier préfet de Constantinople le 11 septembre 359, voir P.L.R.E. t. 1, p. 438-439 et DAGRON, p. 240-242 (étude prosopographique).

3. D'après BARDY, p. 167, il ne s'agirait pas d'un procès, mais d'un passe-temps imaginé par les acaciens pour présenter à Constance une de ces disputes théologiques dont il «était si friand». Mais il reste surprenant (cf. ibid., note 3) que les acaciens aient poussé Aèce en avant, alors qu'ils le savaient anoméen radical, et non homéen comme eux, et que Constance détestait autant l'anoméisme que l'homoousios de Nicée. Peut-être voulaient-ils perdre Aèce, et par lui Eudoxe, aux yeux

Rimini, mais aussi les acaciens qui avaient déjà réussi à gagner à leur opinion les puissants du palais et, par eux, avaient cherché à obtenir la faveur du prince. **2** À ce qu'on disait, les uns étaient de même opinion qu'eux, d'autres avaient été corrompus par des pots-de-vin pris sur les biens de l'Église, d'autres avaient été trompés par des paroles flatteuses et par le talent de celui qui cherchait à les persuader[1]. Car Acace ne paraissait pas le premier venu : il était naturellement habile à concevoir et à parler et à faire aboutir ce qu'il avait délibéré ; il présidait à une Église en vue, et se glorifiait d'avoir eu pour maître Eusèbe de Pamphile auquel il avait succédé dans l'épiscopat, et il estimait que la réputation de sa bibliothèque dont il avait hérité lui valait d'en savoir plus que les autres. Étant tel, il lui était facile d'arranger les choses à son gré.

3 Alors qu'étaient à Constantinople les vingt évêques de l'un et l'autre conciles et d'autres évêques qui se trouvaient présents dans la ville, tout d'abord on chargea Honoratus[2] de rendre un jugement, dans l'enquête sur Aèce[3], en présence des magistrats de l'ordre sénatorial : à son retour de la partie occidentale l'empereur l'avait

de Constance pour pouvoir se démarquer eux-mêmes de son extrémisme et apparaître comme un recours de juste milieu. Un tel machiavélisme pourrait avoir échappé à Sozomène.

Pour Dagron, p. 241, il s'agit bien d'un procès, à la suite d'une plainte déposée contre Aèce (par les basiliens ou les acaciens ?), devant deux juridictions saisies successivement : le nouveau préfet assisté par les exarques du grand Sénat, puis l'empereur avec les ministres en charge. Sozomène ferait sentir discrètement qu'aucune de ces juridictions n'était appropriée et qu'il eût mieux valu confier cette affaire ecclésiastique à un synode, puisque, dit-il, plus de vingt évêques étaient présents.

πρῶτον ὕπαρχον Κωνσταντινουπόλεως ἀπέφηνεν. 4 ῞Υστερον δὲ καὶ αὐτοῦ Κωνσταντίου σὺν τοῖς ἄρχουσι διαγνόντος φωρᾶται ᾿Αέτιος κακόνους ὢν περὶ τὴν πίστιν, ὡς καὶ τὸν βασιλέα καὶ τοὺς ἄλλους ὡς ἐπὶ βλασφήμοις αὐτοῦ λόγοις χαλεπῆναι. Λέγεται δὲ τοὺς περὶ ᾿Ακάκιον ἄγνοιαν σκηπτομένους τὴν ἀρχὴν τῆς τοιαύτης αἱρέσεως ἐπίτηδες σπουδάσαι τὸν βασιλέα καὶ τοὺς ἀμφ᾿ αὐτὸν δικάσαι, ἀκαταμάχητον ἔσεσθαι τοῖς λόγοις τὸν ᾿Αέτιον οἰηθέντας καὶ ἱκανὸν πειθοῦς ἀνάγκη τοὺς ἀκούοντας ἑλεῖν καὶ ἀκονιτὶ κρατῦναι τὴν αἵρεσιν. 5 ᾿Επεὶ δὲ τοῦτο παρ᾿ ἐλπίδας αὐτοῖς ἀπέβη, προκομίσαι τὴν ἐξ ᾿Αριμήνου διακομισθεῖσαν γραφὴν καὶ τοὺς ἀπεσταλμένους παρὰ τῆς ἐν Σελευκείᾳ συνόδου ἀξιῶσαι ταύτην καταδέξασθαι · ἰσχυριζομένους δὲ μηδαμῶς τὸ τῆς οὐσίας ὄνομα παραλιμπάνειν ὅρκοις πεῖσαι, ὡς οὐκ ἀνόμοιον κατ᾿ οὐσίαν τὸν υἱὸν δοξάζουσιν ἑτοίμως τε ἔχουσι ταύτην ἀποκηρύττειν τὴν αἵρεσιν. 6 ᾿Αλλ᾿ ἐπεὶ παραδόξως οἱ δυτικοὶ τὸ τῆς οὐσίας ὄνομα παρέλιπον ἐν ᾿Αριμήνῳ, περισπούδαστον αὐτοῖς εἶναι ἰσχυρίζοντο τὴν τοιαύτην γραφήν · εἰ γάρ, φησι, κρατήσοι, πάντως που τῷ τῆς οὐσίας ὀνόματι συσσιωπηθήσεσθαι καὶ τὸ τοῦ ὁμοουσίου, ὃ δὴ μάλιστα οἱ ἀνὰ τὴν δύσιν ἱερεῖς αἰδοῖ τῆς ἐν Νικαίᾳ συνόδου περὶ πολλοῦ ἐποιοῦντο. 7 Πρὸς τούτοις δὲ καὶ αὐτὸς ὁ βασιλεὺς ἐπείσθη ταύτην

1. Sur la portée institutionnelle de la nomination d'un préfet de Constantinople, par dédoublement de la Préfecture urbaine de Rome, voir le chapitre de DAGRON, p. 215 s. L'étape est importante dans le processus qui fait de la nouvelle capitale «le double institutionnel de Rome».

2. C'est toujours la formule homéenne du «Credo daté», pourtant rejetée à l'origine par la très grande majorité des pères de Rimini.

3. Sur les négociations menées victorieusement par les acaciens avec les envoyés de Séleucie, voir BARDY, p. 168 : Eleusios de Cyzique et Silvain de Tarse surtout, qui avaient joué le rôle principal à Séleucie pour faire triompher la formule orthodoxe d'Antioche, luttèrent pourtant pour obtenir la condamnation de l'anoméisme par l'empereur qui se laissa tromper par Eudoxe. Quand se présentèrent les nouveaux délégués de Rimini, c'est-à-dire ceux que les évêques, las d'attendre et soumis

peu auparavant nommé premier préfet de la ville[1].
4 Ensuite, Constance lui-même ayant tranché avec les
autorités, Aèce est convaincu d'opinions fausses sur la foi
au point d'avoir irrité par ses propos, comme si c'étaient
des blasphèmes, et l'empereur et les autres. On dit aussi
que les acaciens, feignant au début d'être ignorants de
cette hérésie, s'étaient à dessein employés à ce que l'empereur jugeât Aèce et ses partisans, pensant que l'éloquence d'Aèce le rendrait invincible et capable, par la
force de ses arguments, d'enlever la conviction des auditeurs et d'affermir sans contestation l'hérésie. **5** Quand le
résultat pourtant eut trompé leurs espoirs, les acaciens
produisirent la formule qu'ils avaient apportée de Rimini[2]
et ils demandèrent aux envoyés du concile de Séleucie
de l'accepter. Comme ceux de Séleucie soutenaient que
jamais ils n'abandonneraient le terme d'*ousia*, les acaciens les persuadèrent par serment[3] qu'ils ne tenaient
pas le Fils pour dissemblable quant à l'*ousia* et qu'ils
étaient prêts à excommunier cette hérésie. **6** Mais puisque,
contre toute attente, les Occidentaux avaient laissé de
côté à Rimini le terme d'*ousia*, ils soutenaient que ce
texte de Rimini était pour eux tout à fait bienvenu : si
en effet il l'emportait, disaient-ils, de toute façon, comme
on tairait le terme d'*ousia*, on tairait du même coup
aussi celui de *homoousios*, dont les prêtres occidentaux
ne faisaient si grand cas que par respect pour le concile
de Nicée.
7 Outre cela, l'empereur lui-même se laissa persuader

---

aux pressions impériales, avaient envoyés pour annoncer leur capitulation, Silvain, Sophronios, Néon, Helpidius et les autres homéousiens
adressèrent en vain une lettre pathétique aux Occidentaux pour les
mettre en garde contre les acaciens, lettre conservée par Hilaire, *Coll.
Antiariana Paris.* Ser. B VIII, 1, p. 174-175, Feder = *Fragm. hist.* X, 1,
PL 10, 705-706).

ἐπαινεῖν τὴν γραφήν, λογιζόμενος τῶν ἐν Ἀριμήνῳ συνελθόντων τὸ πλῆθος, καὶ ὡς οὐκ ἂν ἁμάρτοι ὅμοιον ‹τῷ πατρὶ
τὸν υἱὸν λέγων, εἶναι κατὰ δύναμιν ταὐτὸν τὸ ὅμοιον› ὁμο-
λογῶν ‹καὶ τὸ ὁμοιούσιον› καὶ ὁμοούσιον καὶ μηδὲν αὐτῷ δια-
178 φέρειν κατ᾽ ἔννοιαν, εἰ ὀνόμασιν ἀγνώστοις | τῇ ἱερᾷ γραφῇ
μὴ χρῷτο, ἐν ἰσοδυνάμῳ τε καὶ ἀναμφηρίστῳ ὀνόματι τῷ
ὅμοιον τὴν αὐτὴν σημασίαν ὁμολογοίη. 8 Οὕτως οὖν ἔχων
γνώμης ὁμονοεῖν ἐκέλευσε τοὺς ἐπισκόπους περὶ τὴν ἐκτεθεῖσαν ὑπὸ τῶν ἐν Ἀριμήνῳ συνελθόντων. Ἑτοιμαζόμενός τε
τῇ ὑστεραίᾳ πρὸς ὑπατικὴν πομπήν, καθὰ Ῥωμαίοις ἔθος ἐν
τῇ νουμηνίᾳ τοῦ παρ᾽ αὐτοῖς Ἰαννουαρίου μηνός, πᾶσαν τὴν
ἡμέραν καὶ πολὺ τῆς ἐπιλαβούσης νυκτὸς ἀνάλωσε μεταξὺ
τῶν ἐπισκόπων διαγιγνώσκων, εἰσότε δὴ τῇ διακομισθείσῃ ἐξ
Ἀριμήνου γραφῇ καὶ οἱ ἐκ Σελευκείας ἀφιγμένοι ὑπέγραψαν.

24

1 Οἱ δὲ ἀμφὶ Ἀκάκιον ἐπιμείναντές τινα χρόνον ἐν Κωνσταντινουπόλει μετεκαλέσαντο τοὺς ἐκ Βιθυνίας ἐπισκόπους,
1189 ἐν οἷς ἦν καὶ Μάρις ὁ Χαλκηδόνος καὶ | Οὐλφίλας ὁ τῶν
Γότθων. Πεντήκοντα δὲ ὄντες εἰς ταὐτὸν συνῆλθον καὶ ἐβε-

1. C'est-à-dire la formule homéenne du «Credo daté» par laquelle
le Fils était déclaré «semblable au Père selon les Écritures». Les négociations se prolongèrent pendant la journée et la nuit du 31 décembre
359 au 1ᵉʳ janvier 360 : la dernière signature arrachée fut celle d'Eustathe.
2. Maris de Chalcédoine avait signé le symbole de Nicée (H.E. I, 21,
1), mais son ralliement avait été tardif et de pure tactique (SC 306,
p. 208, note 1); puis il avait participé à la commission d'enquête en
Maréotis dirigée contre Athanase (H.E. II, 25, 19). Sur ses démêlés ulté-
rieurs avec Julien qui se moquait de sa cécité, voir H.E. V, 4, 8.
Ulfila est nommé ici pour la première fois. Par la suite, en VI, 37,
6, on le voit diriger une ambassade envoyée à l'empereur Valens par
les Goths. C'est lui qui évangélisa ces derniers et fit d'eux des ariens
(VI, 37, 8-10) : né vers 310 en Cappadoce, d'une famille chrétienne,
enlevé par les Goths, mais resté chrétien, il fut, à son retour en terri-

d'approuver ce texte; il calculait le nombre des pères réunis à Rimini, et pensait qu'il ne se tromperait pas en disant le Fils semblable au Père, en professant qu'il y avait identité de valeur entre *homoios*, *homoiousios* et *homoousios*, et qu'il n'y avait là nulle différence à ses yeux quant au sens, pourvu qu'il ne se servît pas de termes inconnus de la sainte Écriture et qu'il reconnût au terme équivalent et incontesté de *homoios* la même signification. **8** Étant donc dans ces dispositions, il ordonna que les évêques fussent d'accord sur le credo publié par les pères réunis à Rimini. Comme il s'apprêtait pour le lendemain à une procession consulaire, selon l'usage chez les Romains le 1er du mois appelé chez eux janvier, il passa tout le jour et une partie de la nuit à discuter avec les évêques, jusqu'à ce que les délégués de Séleucie eussent souscrit aussi au texte apporté de Rimini[1].

Chapitre 24

*Les acaciens confirment le concile de Rimini;
liste des évêques déposés, avec les motifs
de leur déposition.*

1 Les acaciens, étant demeurés quelque temps encore à Constantinople, firent venir à eux les évêques de Bithynie, avec lesquels il y avait aussi Maris de Chalcédoine et Ulfila évêque des Goths[2]. Ils se rassemblèrent ainsi au nombre de cinquante et ils confirmèrent la formule

toire romain, ordonné évêque à Constantinople par l'arien Eusèbe en 341. Son activité missionnaire se poursuivit sept ans au-delà du Danube. Puis une persécution, exercée par ceux des Goths qui étaient restés païens, l'obligea à se réfugier avec les siens en Mésie : voir *DECA* p. 2501 (M. SIMONETTI). Il ne faut donc pas croire que la phrase de Sozomène implique qu'en 360, Ulfila avait quitté la Mésie et se trouvait en Bithynie. Ce serait hautement invraisemblable. Sur le problème de

βαίωσαν τὴν ἐν Ἀριμήνῳ ἀναγνωσθεῖσαν γραφήν, προσθέντες
τοῦ λοιποῦ οὐσίαν ἢ ὑπόστασιν ἐπὶ θεοῦ ὀνομάζειν μηδόλως,
παρὰ ταύτην δὲ τὴν γραφὴν ἀποκεκηρύχθαι πᾶσαν ἄλλην ἢ
γενομένην ἢ μέλλουσαν. **2** Ἐπεὶ δὲ ταῦτα ἔπραξαν, καθαιροῦσιν Ἀέτιον τῆς διακονίας ὡς ἐριστικῶς καὶ πρὸς ἔνδειξιν
σοφίας ἐκκλησιαστικῆς προαιρέσεως ἀπαδούσης συγγράφοντά
τε καὶ τὰς διαλέξεις δυσφήμως ποιούμενον, ταραχῆς τε καὶ
στάσεων ταῖς ἐκκλησίαις αἴτιον. Λέγεται δὲ πρός τινων, ὡς
οὐκ ἀπὸ γνώμης τοῦτον καθεῖλον, ἀλλ' ἀφοσιούμενοι καὶ ταῖς
περὶ αὐτῶν δόξαις πρὸς βασιλέα· διεβάλλοντο γὰρ τὰ αὐτοῦ
φρονεῖν.

3 Ἀποχρησάμενοι δὲ τῇ ὀργῇ βασιλέως, ἣν κατὰ Μακεδο-
179 νίου εἶχεν ἐκ τῶν πρόσθεν εἰρημένων, καθαιροῦσιν αὐτὸν | καὶ
Ἐλεύσιον τὸν Κυζίκου ἐπίσκοπον καὶ Βασίλειον τὸν Ἀγκύρας
καὶ Ἑορτάσιον τὸν Σάρδεων καὶ Δρακόντιον τὸν Περγάμου.
4 Διαφερόμενοί τε περὶ δόγματος ἐν τῷ καθαιρεῖν τούτους οὐκ
ἐμέμφοντο τὴν αὐτῶν πίστιν, αἰτίας δὲ ἐπῆγον κοινῇ μὲν πᾶσιν,

la date de la conversion des Goths, voir P. HEATHER, «The crossing of
the Danube and the Gothic conversion», dans *Greek, Roman and
Byzantine Studies* 27, 1986, p. 289-318 (qui penche pour 376 et pense
que seuls les Tervinges, ou Wisigoths, furent alors évangélisés).

1. Il s'agit bien du Credo préparé à Sirmium, lu par les homéens à
Rimini et refusé par les pères, avant le retournement de leurs délégués
et leur propre acceptation résignée. Le concile homéen de Constantinople se réunit dans les premiers jours de janvier 360, «pour sanctionner les décisions prises par les légats de Rimini et de Séleucie et
régler toutes les questions personnelles» (BARDY, p. 169-171). Sozomène,
qui avait lu les actes de ce concile chez Sabinos, est la principale
source d'information (THÉODORET, *H.E.* II, 24 nous a conservé un seul
document officiel, une lettre relative à la condamnation d'une dizaine
d'évêques refusant de sanctionner Aèce, lettre adressée à Georges
d'Alexandrie).

2. Rapprocher THÉODORET, *H.E.* II, 24. Seule la personne d'Aèce fut
condamnée d'une manière précise. Sa doctrine échappa aux sentences :
cf. BARDY, p. 170, note 2. Du reste, une dizaine d'évêques de la secte,
et parmi eux Théophile dit l'Indien, le fameux thaumaturge, s'oppo-

lue à Rimini[1], ajoutant qu'à l'avenir il ne fallait absolument pas parler dans le cas de Dieu ni d'*ousia* ni d'hypostase, et que tout autre texte que celui-là avait été
anathématisé, et dans le passé et à l'avenir. **2** Cela fait,
ils déposent du diaconat Aèce[2] comme composant des
écrits dans un esprit de querelle et pour faire exhibition
d'une sagesse étrangère aux principes de l'Église, comme
employant, dans ses discussions, des termes blasphéma-
toires et comme cause de trouble et de divisions pour
les Églises. Certains disent que ce n'est pas de bon gré
qu'ils le déposèrent, mais pour se disculper aussi devant
l'empereur des opinions qu'on avait d'eux : car on les
accusait de penser comme Aèce.

3 Profitant de la colère du prince contre Macédonius
d'après ce qui a été dit plus haut[3], ils le déposèrent et,
avec lui, Eleusios évêque de Cyzique, Basile d'Ancyre,
Héortasius de Sardes et Dracontius de Pergame[4]. **4** Bien
que différant d'opinion avec eux sur le dogme, ils ne
s'en prirent pas, en les déposant, à leur foi, mais ils les
incriminaient tous en commun d'avoir troublé les Églises

sèrent à toute sanction décidée par les acaciens contre Aèce : cf. IV,
25, 5 et PHILOSTORGE, *H.E.* VII, 6 et VIII, 9.

3. En III, 7, 8 et IV, 21, 3 et 6.

4. Selon BARDY, p. 170, le concile de Constantinople «fit un véritable massacre parmi les homéousiens» (p. 170). La résistance à l'homéisme triomphant se limita à l'Égypte, encouragée par une encyclique
d'Athanase. L'ordre d'énumération des évêques semble indiquer que
Basile, pendant quelques mois chef du parti homéousien, était rentré
dans le rang pour s'être déconsidéré en signant, avec quelques ajouts
personnels, le «Credo daté» et que Macédonius était désormais plus
prestigieux. Les deux évêques d'Asie Mineure, Héortasius de Sardes et
Dracontius de Pergame, nommés seulement ici, faisaient peut-être partie
des fidèles que Macédonius avait «placés», pour étendre le rayonnement du siège de Constantinople (sur cette «politique concertée»,
DAGRON, p. 438). Mais ils peuvent également avoir été liés et dévoués
à Basile d'Ancyre.

ὡς τὰς ἐκκλησίας ἐτάραξαν καὶ εἰς τοὺς ἐκκλησιαστικοὺς
νόμους ἐξήμαρτον, ἰδίᾳ δὲ ἐγκλήματα ἐπέφερον Βασιλείῳ μὲν
ὡς Διογένην πρεσβύτερον ἐκ τῆς Ἀλεξανδρείας τὴν Ἄγκυραν
διοδεύοντα χάρτας τε ἀφείλετο καὶ ἐτύπτησε καὶ κληρικοὺς
ἐκ τῆς Ἀντιοχείας καὶ τῶν παρὰ τὸν Εὐφράτην ποταμὸν
Κίλικάς τε καὶ Γαλάτας καὶ Ἀσιανοὺς ὑπερορίαις φυγαῖς καὶ
ἄλλαις τιμωρίαις ζημιοῦν ἀκρίτως τοῖς ἄρχουσιν ἐπέταττεν,
ὡς καὶ σιδηρῶν αὐτοὺς πειραθῆναι δεσμῶν καὶ τὰ ὄντα προ-
σαπολλύειν τοῖς ἀπάγουσι στρατιώταις, ἵνα μὴ ὑβρίζωνται.

5 Ἐπῃτιῶντο δὲ αὐτὸν καὶ ὡς βασιλέως προστάξαντος
ἀχθῆναι πρὸς Κεκρόπιον Ἀέτιόν τε καί τινας τῶν σὺν αὐτῷ
ἀπολογησομένους ἐφ᾽ οἷς ἐνεκάλει, πέπεικε τὸν ἐπιτραπέντα
τὴν τοῦ κρατοῦντος πρόσταξιν ἅ γε αὐτῷ ἐδόκει πρᾶξαι, Ἑρμο-
γένει δὲ τῷ ὑπάρχῳ καὶ τῷ ἡγουμένῳ Συρίας ἔγραψε, τίνας τε
καὶ ὅποι χρὴ μετοικισθῆναι, καὶ τοῦ βασιλέως μετακαλεσα-
μένου τούτους ἀπὸ τῆς ὑπερορίας οὐ συνεχώρησεν ἄρχουσι
καὶ ἱερεῦσιν ἐναντιούμενος. **6** Προσέθεσαν δὲ ὅτι καὶ Γερ-

---

1. En effet, Basile «avait profité de ses quelques mois de faveur
pour abattre momentanément tous ses adversaires» (BARDY, p. 171). Il
avait persécuté les anoméens en 358, fait exiler Aèce, Théophile le
Thaumaturge, Eunome et même Eudoxe. À en croire PHILOSTORGE, H.E.
IV, 8-9, il aurait fait porter soixante-dix sentences d'exil contre des
évêques ariens. On l'accusait principalement d'avoir exercé des pressions sur le pouvoir civil, de s'être montré cruel, d'avoir très largement
excédé les limites de son diocèse pour gouverner jusqu'à Antioche, jusqu'aux pays riverains de l'Euphrate, la Cilicie, la Galatie, l'Asie.
2. Ce Diogène, prêtre d'Alexandrie, devait être du parti de Georges
et non d'Athanase. On comprendrait mal que les acaciens, proches de
l'anoméen Georges, aient pu reprocher à Basile de s'en être pris à un
fidèle d'Athanase, leur pire adversaire! En revanche, il est logique que
les ennemis de Basile lui aient fait grief de s'être attaqué à un prêtre
fidèle à l'un des leurs. Faut-il prêter un sens très technique à χάρτας,
celui de lettres testimoniales, c'est-à-dire d'attestation et d'ordre de
mission, données par l'évêque à l'un de ses prêtres, ou plutôt le sens
plus courant de papiers, documents?
3. Cécropius était l'évêque de Nicomédie. Comme, d'après IV, 15, 5,
il mourut dans le tremblement de terre du 24 août 358, l'ordre impérial

22

et commis des fautes contre les lois ecclésiastiques, et en particulier ils portaient contre Basile l'accusation[1] d'avoir soustrait des documents à Diogène, prêtre d'Alexandrie, de passage à Ancyre[2], de l'avoir frappé, et aussi de commander aux magistrats de punir, sans jugement, de bannissement et d'autres châtiments des clercs d'Antioche et des lieux proches de l'Euphrate, de Cilicie, de Galatie, d'Asie, au point qu'ils avaient fait l'expérience des fers et qu'ils acceptaient de perdre leurs biens en les offrant aux soldats qui les emmenaient, pour n'en pas subir de violences. **5** Ils l'accusaient en outre de ceci : alors que l'empereur avait commandé qu'Aèce et certains de ses partisans fussent amenés à Cécropius[3] pour se défendre sur les griefs qu'on avait contre eux, il avait persuadé celui qui avait été chargé de l'ordre du prince de faire comme il lui semblait bon à lui-même, et il avait écrit à Hermogène, le préfet du prétoire d'Orient[4], et au gouverneur de Syrie pour leur indiquer qui il fallait déporter et où, et, tandis que l'empereur avait rappelé ces gens de l'exil, il ne l'avait pas permis, en opposition aux magistrats et aux évêques. **6** Ils ajou-

concernant l'examen des opinions d'Aèce était antérieur. De fait, Aèce avait commencé sa brillante carrière en 355 : ordonné diacre à Antioche par l'évêque eusébien Léonce, bien vu du César Gallus, il fut ensuite chassé de la ville par les protestations du peuple, puis rappelé en 357, quand Eudoxe succéda à Léonce : *DECA,* p. 38-39 (M. SIMONETTI). L'examen de ses opinions doit se situer au moment de la plus grande faveur de Basile (première moitié de l'année 358) : Basile, désireux à la fois de faire condamner l'anoméisme d'Aèce et d'amorcer un rapprochement avec les nicéens, a pu suggérer à Constance le choix de Cécropius, probablement un nicéen, comme juge.

4. Natif du Pont, ce préfet du prétoire apprécié par Libanios et par AMM. (19, 12, 6), avait succédé à Strategius Musonianus et exerça ses fonctions de 358 à 360 : voir *P.L.R.E.,* t. 1, p. 423 (H. 3).

324 HISTOIRE ECCLÉSIASTIQUE

μανίῳ τὸν ἐν Σιρμίῳ κλῆρον ἐπανέστησε καί, κοινωνῶν αὐτῷ
καὶ Οὐάλεντι καὶ Οὐρσακίῳ, γράφων διέβαλλεν αὐτοὺς πρὸς
τοὺς τῆς Ἀφρικῆς ἐπισκόπους, ἐγκαλούμενός τε ἠρνεῖτο καὶ
ἐπιώρκει καὶ φωραθεὶς ἐπεχείρει σοφίζεσθαι τὴν ἐπιορκίαν, καὶ
1192 διχονοίας καὶ στάσεως αἴτιος ἐγένετο Ἰλλυριοῖς | καὶ Ἰταλοῖς
καὶ Ἄφροις καὶ τῶν περὶ τὴν Ῥωμαίων ἐκκλησίαν συμβάντων,
7 δούλην τε δεσμῶτιν γενέσθαι σπουδάσας ἐβιάζετο ψευδῆ
καθομολογεῖν τῆς δεσποίνης, καὶ ἄνδρα ἐπὶ γοητείαις ἁλόντα
αἰσχρῶς τε βεβιωκότα οὐδὲ νόμῳ γάμου γυναικὶ συνοικοῦντα
ἐβάπτισέ τε καὶ διακονίας ἠξίωσε, περιοδευτὴν δὲ φόνων αἴτιον
γενόμενον οὐκ ἐχώρισε τῆς ἐκκλησίας, 8 καὶ ὅτι γε παρὰ τὴν
180 | ἱερὰν τράπεζαν συνωμοσίας ἐποιεῖτο, ἁρώμενός τε καὶ τοὺς
κληρικοὺς ἐπόμνυσθαι παρασκευάζων μὴ κατηγορεῖν
ἀλλήλων · εἶναι δὲ ταύτην τέχνην τοῦ αὐτὸν προεστῶτα τοῦ
κλήρου τὰς τῶν ἐγκαλούντων κατηγορίας διαφυγεῖν.

Βασιλείου μὲν οὖν, ὡς ἐν βραχεῖ εἰπεῖν, τάδε αἴτια τῆς
καθαιρέσεως ἐποιοῦντο · 9 Εὐσταθίου δὲ πρῶτον μὲν ὡς ἡνίκα

1. Allusion au concile de Sirmium en 358, auquel participaient les
Illyriens Germinius, Ursace et Valens, quatre évêques africains alors présents à la cour, Athanase, Alexandre, Sévère et Sévérien et quelques
Orientaux groupés autour de Basile. Comme les évêques s'y contentaient de juxtaposer le symbole de 351 et celui du concile de la
Dédicace en 341, Libère signa la formule (BARDY, p. 158).
2. Allusion au retour de Libère, après qu'il eut signé, en 358, la
formule de Sirmium, et aux troubles qui s'ensuivirent. Cette signature
avait déterminé Constance à remettre Libère sur le siège de Rome. Les
évêques de Sirmium, puis l'empereur, écrivirent au peuple de Rome et
à Félix que le pouvoir épiscopal serait exercé conjointement par Libère
et Félix. Le retour de Libère provoqua des protestations en sa faveur
et une émeute violente contre Félix. Ses adversaires imputaient ces
troubles à Basile d'Ancyre qui avait joué un rôle important lors du

tèrent qu'il avait soulevé le clergé de Sirmium contre Germanius, et que, bien qu'associé à Germanius, à Valens et à Ursace, il les avait calomniés[1] en des lettres aux évêques d'Afrique, et ensuite, accusé, il avait nié et avait fait un faux serment, et, pris sur le fait, il avait tenté de sophistiquer sur son faux serment, et il était devenu la cause de discorde et de division chez les Illyriens, les Italiens, les Africains, et la cause de ce qui était arrivé à l'Église de Rome[2]. **7** En outre, s'étant employé à faire mettre une esclave en prison, il l'avait forcée à avouer des choses fausses contre sa maîtresse, et il avait baptisé et honoré du diaconat un homme convaincu d'opérations magiques, qui avait mené une vie honteuse et vivait en concubinage avec une femme, et il n'avait pas exclu de l'Église un périodeute[3] qui avait été cause de meurtres. **8** Et, de plus, il fomentait des conjurations par serment sur le saint autel, prononçant des imprécations et faisant s'engager les clercs par serment à ne pas s'accuser l'un l'autre ; c'était là un moyen pour lui, qui était à la tête du clergé, d'échapper aux accusations de ceux qui se plaindraient de lui.

Pour Basile donc, tels étaient les motifs que les évêques donnaient à sa déposition. **9** Quant à Eustathe, voici ce

---

concile. D'après eux, si le concile n'avait pas adopté, à l'instigation de Basile, une formule acceptable par Libère, celui-ci aurait refusé de signer et aurait laissé Félix exercer paisiblement et seul l'épiscopat !

3. Prêtre chargé par l'évêque de la ville de visiter les villages et les campagnes. L'institution des périodeutes remonte au IIIᵉ siècle. Elle est localisée aux provinces orientales : Asie Mineure, ce qui est ici le cas, Syrie et surtout Égypte (voir ATHANASE, *Apol. contra Arianos* 85) : *DECA*, p. 1993-1994 (A. DI BERARDINO).

πρεσβύτερος ἦν προκατεγνώκει αὐτοῦ Εὐλάλιος ὁ πατὴρ καὶ
τῶν εὐχῶν ἀφώρισεν, ἐπίσκοπος ὢν τῆς ἐν Καππαδοκίᾳ
ἐκκλησίας Καισαρείας, μετὰ δὲ τοῦτο ἐν Νεοκαισαρείᾳ τοῦ
Πόντου ὑπὸ συνόδου ἀκοινώνητος ἐγένετο καὶ ὑπὸ Εὐσεβίου
τοῦ Κωνσταντινουπόλεως ἐπισκόπου καθῃρέθη ἐπὶ διοικήσεσί
τισιν αἷς ἐπετράπη καταγνωσθείς, ἔπειτα δὲ ὡς οὐ δέον
διδάσκων τε καὶ πράττων καὶ φρονῶν ἀφῃρέθη τῆς ἐπισκοπῆς
παρὰ τῶν ἐν Γάγγραις συνεληλυθότων, ἐπὶ δὲ τῆς ἐν Ἀντιοχείᾳ συνόδου ἐπιορκίας ἥλω · καὶ ὅτι ἀνατρέπειν ἐπιχειρεῖ
τὰ δόξαντα τοῖς ἐν Μελιτινῇ συνελθοῦσι καὶ πλείστοις ἐγκλή-

1. En fait, ses ennemis lui reprochaient d'être un des principaux
représentants de l'*homoiousios* et d'avoir renforcé Macédonius, en créant
à Constantinople un puissant mouvement de spiritualité et en conver-
tissant Marathonius, l'un des proches de Macédonius, à son idéal de
vie ascétique et communautaire (DAGRON, p. 439).

Sur Eustathe, qui inspira d'abord Basile de Césarée avant de rompre
avec lui, voir, outre la notice de J. GRIBOMONT dans *DECA*, p. 925-926,
l'histoire de sa carrière mouvementée dans BARDY, p. 252-254 : malgré
les décisions du synode de Mélitène (358) qui le remplaçaient par
Mélèce, il ne bougea pas. Bien qu'il eût été contraint de signer la
formule de Constantinople, il fut déposé et exilé, en Dardanie d'après
Socrate (360). Il retrouva son évêché sous le règne de Julien, joua un
rôle important à Lampsaque (364), fut des légats qui allèrent en Occident
s'entendre avec Libère, et, malgré l'arianisme de l'empereur Valens, se
maintint jusqu'au bout à Sébaste.

2. Eulalios n'est enregistré ni dans le *LTK*, ni dans le *DECA*, où il est
mentionné néanmoins au début de la notice consacrée à Eustathe de
Sébaste. L'article Césarée de Cappadoce dans *DHGE*, t. 12, p. 199-203 (R.
JANIN) donne une liste, présentée comme incomplète, de 120 des titu-
laires successifs du siège : parmi eux figure bien, pour l'année 341, entre
Eusèbe III (340) et Hermogène (341), un certain Eulalios ou Eulabios.

Mais la date ne permet pas de voir en cet Eulalios, évêque de Césarée
en 341, le père d'Eustathe. Celui-ci, né vers 300, avait été condamné
par son père *avant* le concile de Néocêsarée du Pont, daté de 314-
326 par HEFELE-LECLERCQ, I, 1, p. 326-334. La condamnation d'Eustathe
par «Eusèbe de Constantinople» est postérieure à 338 ou 339, date de
la consécration d'Eusèbe de Nicomédie comme évêque de la nouvelle
capitale (DAGRON, p. 421). Le concile de Gangres, en Paphlagonie, est
daté de 340 (HEFELE-LECLERCQ, I, 2, p. 1029-1045) : il donna lieu à vingt
canons et à une synodale adressée aux évêques d'Arménie condamnant

qu'on alléguait[1]. Tout d'abord, quand il était prêtre, son
père, Eulalios, qui était évêque de l'Église de Césarée en
Cappadoce[2], l'avait condamné d'avance et exclu des
prières liturgiques; puis, à Néocésarée du Pont, il avait
été excommunié par un synode et il avait été déposé
par Eusèbe évêque de Constantinople, ayant été condamné
pour certaines gestions dont il avait été chargé; ensuite,
pour des enseignements, des agissements, des opinions
contraires à la règle, il avait été dépossédé de l'épiscopat
par les pères réunis à Gangres, et, au synode d'Antioche,
il avait été pris en flagrant délit de faux serment; en
outre, il tentait de bouleverser les décisions du synode
de Mélitène[3] et, bien que sous le coup lui-même d'une

les excès de l'ascétisme d'Eustathe et des eustathiens. Eustathe fut alors
déposé (de quel siège?) par le concile de Gangres, d'après Sozomène,
selon d'autres (cf. J. GRIBOMONT, *DECA*, p. 925-926) par le synode d'Antioche (340-341). Il n'en fut pas moins élu à Sébaste avant 357 (ou
rétabli, si c'est de ce siège qu'il avait été déposé).

La chronologie nous amène à prendre en considération la suggestion
de J. GRIBOMONT, *ibid.*, faisant d'Eulalios un évêque de Sébaste plutôt
que de Césarée, comme l'écrit Sozomène à la suite de Socrate *H.E.* II,
43. C'est du reste déjà l'avis de BARDY, p. 252, note 6, selon lequel
l'erreur de Socrate et de Sozomène est «manifeste», le nom d'Eulalios
figurant, comme évêque de Sébaste, parmi les signataires des conciles
de Nicée et de Gangres.

3. Ce synode, enregistré dans Mansi, *Collectio conciliorum*, t. III,
p. 291, est daté de 358: cf. BARDY, p. 252-254 et *DECA*, p. 1611-
1612 (NARDI). Mélitène, aujourd'hui Malatya, était une ville de Petite
Arménie (cf. AMM. 19, 8, 12) et le siège d'un évêché (*PW* t. XV, 1,
1931, c. 548-549, RUGE). Le synode eut sans doute un caractère disciplinaire. Nous connaissons aussi par la lettre 263, 3 de Basile de Césarée
Ad Occidentales la condamnation portée contre Eustathe. Sozomène a
déjà présenté ce dernier (en III, 14, 31-37) comme le partisan d'un
ascétisme particulièrement rigoureux (dont il introduisit les règles en
Asie mineure et en Arménie). Les excès d'Eustathe dans la pratique de
l'ascèse lui valurent plusieurs condamnations, en particulier au concile
de Gangres (340). Sozomène a fait preuve d'un notable respect à l'égard
du maître en attribuant certains de ses excès à ses disciples (*H.E.* III,
14, 33).

μασιν ἔνοχος ὢν δικαστὴς ἠξίου εἶναι καὶ ἑτεροδόξους τοὺς ἄλλους ἀπεκάλει.

10 Ἐλεύσιον δὲ καθεῖλον ὡς Ἡράκλειόν τινα Τύριον τὸ γένος, ἱερέα τοῦ ἐνθάδε Ἡρακλέος γενόμενον, ἐπὶ γοητείᾳ γραφέντα καὶ ζητητέον ὄντα καὶ διὰ τοῦτο φυγάδα ἐν Κυζίκῳ διατρίβοντα διακονίας θεοῦ ἀπερισκέπτως ἠξίωσε Χριστιανισμὸν ὑποκρινόμενον, καὶ οὐδὲ τοιοῦτον ὄντα μετὰ ταῦτα μαθὼν τῆς ἐκκλησίας ἐχώρισε, καὶ ὡς παρὰ Μάρι τοῦ Χαλκηδόνος ἐπισκόπου, ὃς ἐκοινώνει ταύτης τῆς συνόδου, ἄνδρας κατεγνωσμένους, εἰς Κύζικον ἀφικομένους, ἐχειροτόνησεν ἀκρίτως. 11 Ἑορτάσιον δὲ καθεῖλον ὡς ἐπίσκοπον Σάρδεων γενόμενον μὴ συναινεσάντων τῶν ἐν Λυδίᾳ ἐπισκόπων, Δρακόντιον δὲ τὸν Περγάμου ὡς πρότερον ἐν Γαλατίᾳ ἐπισκο-
1193 ποῦντα · καὶ ὡς παράνομον τὴν ἐφ' |ἑκατέρῳ χειροτονίαν ἔλυσαν. 12 Ἐπὶ τούτοις αὖθις συνελθόντες καθαιροῦσι Σιλβανὸν τὸν Ταρσοῦ ἐπίσκοπον καὶ Σωφρόνιον τὸν Πομ-

1. La prêtrise d'Héraklès était de celles dont se prévalaient, même en Occident, les aristocrates païens à la fin du IVᵉ siècle, comme Prétextat et Nicomaque Flavien (Prétextat était néocore d'Héraklès : voir le tableau des prêtrises dans H. BLOCH, «A new document of the last pagan revival in the West 393-394 A.D.», *Harvard Theological Review* 38, 3, 1945, p. 199-241). Tyr, dans la province de Phénicie, était un lieu important du culte d'Héraklès puisqu'il s'y célébrait des concours gymniques, comme en Éolide, en Asie Mineure (Tralles, Iasos, Téos, Lesbos) : Commode y avait instauré des jeux en l'honneur de ce dieu auquel il prétendait s'identifier (Daremberg-Saglio, *Dictionnaire des Antiquités...*, t. III-1, art. Herakleia, p. 78). Au-delà de ce prétexte, Eleusios a, en fait, été condamné comme tenant de l'*homoiousios* et fidèle de Macédonius.

2. Ces deux évêques obscurs sont condamnés sous un prétexte disciplinaire : leur changement de siège est uniquement motivé pour des raisons d'intérêt ou d'orgueil (le canon 15 de Nicée avait interdit toute translation d'évêque : cf. J. GAUDEMET, *L'Église dans l'Empire romain*, Paris 1958, p. 356 s.). Sardes et Pergame figuraient en effet, avec Éphèse, Philadelphie, Smyrne et Thyatires, parmi les centres les plus prospères du christianisme lydien (*DACL* IX, 2, c. 2800). Éphèse avait la juridiction ecclésiastique sur les 11 provinces constituant le diocèse d'Asie (*DECA*, p. 821, M. FORLIN PATRUCCO). Dans le cas de Dracontius, le changement de siège hors de la province d'origine mettait en cause

foule d'accusations, il se posait en juge et déclarait hétérodoxes tous les autres.

10 Les pères déposèrent Eleusios pour les raisons suivantes : un certain Hérakléios, Tyrien, qui avait été à Tyr
prêtre d'Héraklès[1], ayant été accusé de magie et déclaré
homme à rechercher, avait pour cela pris la fuite et vivait
à Cyzique : or, comme il feignait d'être chrétien, Eleusios
l'avait inconsidérément jugé digne du diaconat, et même
quand il avait appris ensuite de quelle sorte était l'homme,
il ne l'avait pas séparé de l'Église ; en outre, des individus qui avaient été condamnés par Maris, évêque de
Chalcédoine, qui participait à ce concile, il les avait, à
leur arrivée à Cyzique, ordonnés sans examen. **11** Ils déposèrent Héortasius comme étant devenu évêque de Sardes
sans l'approbation des évêques de Lydie, Dracontius de
Pergame comme étant auparavant évêque en Galatie[2] : et
ils cassèrent, pour chacun d'eux, leur ordination comme
illégitime. **12** Là-dessus, s'étant réunis à nouveau, ils déposèrent Silvain évêque de Tarse[3], Sophronios[4] de Pom-

l'autorité des évêques de Lydie et de Galatie. L'évêque d'Éphèse, Eventius,
étant alors un macédonien, on peut penser qu'il avait, sans réunir les
évêques, placé des macédoniens sur les sièges de Sardes et de Pergame.
Au-delà des prétextes disciplinaires, Héortasius et Dracontius sont pour-
suivis comme partisans de Macédonius (ou, moins probablement, de
Basile d'Ancyre).

3. Silvain de Tarse (*DECA*, p. 2341, M. SIMONETTI) avait joué un rôle
de premier plan au concile de Séleucie (cf. *supra*, IV, 22, 9) pour
déjouer les manœuvres des acaciens et pour maintenir à Constantinople,
avant l'ouverture du concile, sinon l'orthodoxie, du moins l'*homoiousios*,
doctrine qualifiée ici de «folie» par les homéens retranchés derrière leur
formule du Fils semblable au Père selon les Écritures. Plus tard (VI, 4,
3), avec Basile d'Ancyre et Sophronios de Pompéiopolis, il remettra à
l'empereur Jovien un écrit en faveur de l'*homoiousios*. Sur ses orienta-
tions doctrinales, M. A. G. HAYKIN, «ΜΑΚΑΡΙΟΣ ΣΙΛΟΥΑΝΟΣ. Silvanus of
Tarsus and his view of the Spirit», *VChr* 36, 1982, p. 261-274.

4. Sophronios est un des partisans les plus fidèles de Macédonius :
IV, 21, 7 et IV, 22, 19, puis V, 14, 1-2 et VI, 4, 3 où il est des
homoiousiens qui adressent une lettre à l'empereur orthodoxe Jovien.

πηιουπόλεως τῆς Παφλαγόνων, Ἐλπίδιόν τε τὸν Σατάλων καὶ
181 Νέωνα τὸν ἐν Σελευκείᾳ τῆς Ἰσαυρίας. | 13 Καθεῖλον δὲ
Σιλβανὸν ὡς ἀρχηγὸν γενόμενον ἀπονοίας τοῖς ἄλλοις ἕν τε
Σελευκείᾳ καὶ Κωνσταντινουπόλει καὶ Θεόφιλον προστήσαντα
τῆς ἐν Κασταβάλοις ἐκκλησίας, Ἐλευθερουπόλεως ἐπίσκοπον
χειροτονηθέντα πρότερον παρὰ τῶν ἐπισκόπων Παλαιστίνης
καὶ ἐπομοσάμενον παρὰ γνώμην ἑτέραν μὴ ὑπεισιέναι ἐπισκοπήν, 14 Σωφρόνιον δὲ ὡς πλεονεκτεῖν καὶ καπηλεύειν ἐπι-
χειροῦντα τὰ προσφερόμενα τῇ ἐκκλησίᾳ καὶ μετὰ κλῆσιν
πρώτην καὶ δευτέραν, ἐπειδὴ μόλις ἀπήντησε, μὴ ἐθελήσαντα
παρ' αὐτοῖς ἀπολογήσασθαι πρὸς τὰ ἐγκλήματα, ἀλλὰ τοὺς
ἔξωθεν αἱρεῖσθαι δικαστάς, 15 Νέωνα δὲ ὡς ἐπὶ τῆς ἰδίας
ἐκκλησίας σπουδάσαντα Ἀννιανὸν χειροτονηθῆναι Ἀντιοχέων ἐπίσκοπον καὶ ἀπείρους τινὰς ἱερῶν γραφῶν καὶ θεσμῶν
ἐκκλησίας ἀπερισκέπτως πολιτευομένους ὄντας ἐπισκόπους
καταστήσαντα, οἳ μετὰ ταῦτα χρημάτων κτῆσιν τῆς ἱερω-
σύνης προὐτίμησαν καὶ ἐγγράφως εἵλοντο τὰς οὐσίας ἔχοντες
λειτουργεῖν ἢ δίχα τούτων ἐπισκοπεῖν, 16 τὸν δὲ Ἐλπίδιον ὡς

1. Le fond de l'accusation portée contre Elpidius est son accointance
avec Basile d'Ancyre. Satala, son siège, est soit une ville de Petite
Arménie (aujourd'hui Sadagh : *PW*, t. II A1, 1921, c. 59, Satala 2), siège
d'un important évêché, soit une petite ville de Lydie, siège également
d'un évêché (*ibid.*, c. 58, Satala 1). Comme il a contesté les décisions
du synode de Mélitène en Arménie, il nous semble que, ce synode
ayant eu un caractère surtout local (bien que Cyrille de Jérusalem y
eût participé cependant, d'après IV, 25, 1), Elpidius devait plutôt être
le titulaire du siège de Satala en Petite Arménie.

2. Néon fut sans doute condamné pour avoir appuyé de son autorité
d'évêque de Séleucie, où le concile se tenait, le parti des homéousiens,
comme en 355, à Milan, l'évêque Denys avait été exilé pour s'être
opposé aux ariens soutenus par Constance.

3. Théophile, qui sera mentionné en VI, 10, 4, puis en VI, 11, 1
comme co-auteur avec Eustathe et Silvain d'une lettre à Libère, enfin
en VII, 7, 4, était d'abord évêque d'Éleuthéropolis en Palestine première (AMM. 14, 8, 11), siège d'un important évêché (*PW*, t. V, 2, 1905,
c. 2353-2354, BENZINGER), avant de passer à Castabala, en Cilicie (aujour-
d'hui Budrun Kalessi : *PW*, t. X, 2, c. 2335-2336, RUGE).

4. Les décurions, propriétaires fonciers qui constituaient la *boulè* de

péiopolis en Paphlagonie, Elpidius de Satala[1] et Néon de Séleucie d'Isaurie[2] : **13** ils déposèrent Silvain comme ayant été pour les autres la cause première d'une folie et à Séleucie et à Constantinople, et pour avoir mis Théophile[3] à la tête de l'Église de Castabala alors qu'il avait été ordonné auparavant évêque d'Éleuthéropolis par les évêques de Palestine et qu'il avait juré de ne pas s'insinuer dans un autre évêché contrairement à l'avis des évêques; **14** ils déposèrent Sophronios comme tentant de s'enrichir et de faire commerce de ce qu'on offrait à l'Église, et parce que, après une première et une seconde convocation, quand il avait accepté avec peine de comparaître, il n'avait pas consenti à se défendre contre les accusations devant les évêques, mais avait réclamé des juges civils; **15** ils déposèrent Néon comme ayant tout fait pour qu'Annianos fût, en sa propre Église, ordonné évêque d'Antioche, et comme ayant inconsidérément établi évêques, alors qu'ils étaient décurions, des individus ignorants des saintes Écritures et des lois de l'Église, lesquels, après cela, firent plus de cas de la possession de leur fortune que du sacerdoce et déclarèrent par écrit qu'ils aimaient mieux remplir des services publics en gardant leurs biens que d'être évêques sans leurs biens[4]; **16** ils

la cité, étaient soumis à de très lourdes pressions de leurs concitoyens (qui leur imposaient des liturgies) et du pouvoir impérial qui les tenait pour responsables de la perception des impôts. Entrer dans l'armée ou dans l'Église constituent les deux principaux privilèges permettant d'échapper au décurionat : voir P. PETIT, *Libanius et la vie municipale à Antioche au IV*^e *siècle ap. J.C.*, Paris, 1955; JONES, p. 543-545; 748-752 et pour l'évasion dans l'Église, p. 361-362; 745-746; 924-927. Mais, en entrant dans les ordres, on devait céder les deux tiers de ses biens à la curie. Une loi de Constance (*Code Théodosien* XII, 1, 49), datée du 29 août 361, dispensa, un an après les événements rapportés ici, les seuls évêques d'une telle obligation. Cette loi était peut-être destinée à mettre un terme à des voltes-faces comme celles-ci, qui déconsidéraient l'épiscopat et par là l'Église.

Βασιλείῳ ἐπὶ ταραχῇ συμμίξαντα καὶ καθηγητὴν γενόμενον
ἀταξίας καὶ παρὰ τὰ δόξαντα τῇ ἐν Μελιτινῇ συνόδῳ Εὐσέβιον μὲν ἄνδρα καθῃρημένον πρεσβυτερίῳ ἀποκαταστή-
σαντα, Νεκταρίαν δέ τινα διὰ παραβάσεις συνθηκῶν καὶ
ὅρκων ἀκοινώνητον γενομένην διακονίας ἀξιώσαντα, μὴ μετὸν
αὐτῇ τιμῆς κατὰ τοὺς νόμους τῆς ἐκκλησίας.

25

1196   **| 1** Σὺν τούτοις δὲ καὶ Κύριλλον τὸν Ἱεροσολύμων καθεῖλον
ὡς Εὐσταθίῳ καὶ Ἐλπιδίῳ κεκοινωνηκότα, ἐναντία σπου-
δάσασι τοῖς ἐν Μελιτινῇ συνελθοῦσι, μεθ' ὧν καὶ αὐτὸς
συνεληλύθει, καὶ ὡς μετὰ τὴν ἐν Παλαιστίνῃ καθαίρεσιν
κοινωνίας μετασχόντα σὺν Βασιλείῳ καὶ Γεωργίῳ [καὶ] τῷ
Λαοδικείας ἐπισκόπῳ. **2** Ἐπειδὴ ⟨γὰρ⟩ ἐπετράπη τὴν Ἱεροσολύμων ἐπισκοπήν, περὶ μητροπολιτικῶν δικαίων διεφέρετο πρὸς
Ἀκάκιον τὸν Καισαρείας ὡς ἀποστολικοῦ θρόνου ἡγούμενος ·

1. Mentionné déjà en IV, 5, 1 et IV, 20, 1, Cyrille avait participé au
concile de Séleucie (IV, 17, 1; IV, 22, 4; IV, 22, 25) dans le parti
homéousien de Macédonius et avait été réhabilité. Après sa déposition
de 360, il retrouva tardivement son siège (en 378, sous Théodose :
cf. IV, 30, 3) et participa au concile de Constantinople en 381. Son
image a souffert du patronage qu'avaient donné à son élection les eusébiens Acace de Césarée et Patrophile de Scythopolis : *DECA*, p. 612-
613 (M. Simonetti).

2. D'abord prêtre d'Alexandrie et arien radical, déposé par Alexandre
d'Alexandrie (320), il fut sacré évêque de Laodicée en Syrie peu après
328, participa au synode des Encaénies à Antioche, excommunia, vers
342, Apollinaire comme nicéen et ami d'Athanase. Il fut déposé par les
Occidentaux à Sardique (342/343), mais participa au concile de Séleucie
(359). C'est là qu'effrayé lui-même par les excès des anoméens, il
s'aligna sur les positions plus modérées des homéousiens menés par
Basile d'Ancyre : voir *DECA*, p. 1034 (M. Simonetti).

3. Cyrille avait été déposé en 357 par un synode tenu à Jérusalem
dominé par Acace de Césarée, son métropolitain. Il voulait émanciper
de la tutelle de Césarée le siège apostolique de Jérusalem, en s'appuyant sur le 7ᵉ canon du concile de Nicée qui avait reconnu le pri-

déposèrent Elpidius comme s'étant associé à Basile pour
troubler l'Église, comme ayant été instigateur de désordre,
comme ayant, malgré les décisions du synode de Mélitène,
rétabli dans le presbytérat un certain Eusèbe qui avait été
déposé, et comme ayant jugé digne du diaconat une certaine Nectaria qui avait été excommuniée pour des viola-
tions de conventions et de serments, alors que, selon les
lois de l'Église, elle ne pouvait participer à aucun honneur.

Chapitre 25

Raisons des dépositions de Cyrille, évêque de Jérusalem ;
dissensions entre les évêques
qui se remplacent alors les uns les autres ;
Mélèce, ordonné par les ariens, est promu
à la place d'Eustathe à Sébaste.

1 Avec ceux-là ils déposèrent aussi Cyrille de Jérusalem[1] comme s'étant associé à Eustathe et à Elpidius
qui avaient pris parti contre les pères du synode de
Mélitène auquel il avait lui-même participé, et comme
ayant, après leur déposition en Palestine, gardé la communion avec Basile et Georges, évêque de Laodicée[2].
2 En effet, après que lui avait été confié l'évêché de
Jérusalem, il avait été en désaccord, sur les droits métropolitains[3], avec Acace de Césarée, alléguant qu'il gou-

---

vilège honorifique de l'Église de Jérusalem « en vertu de la coutume
et d'une antique tradition » : c'est à Jérusalem qu'avaient eu lieu les
premières persécutions et qu'avaient combattu les premiers martyrs,
Étienne en 36-37, Jacques, fils de Zébédée, vers 44 ; c'est à Jérusalem
aussi que s'était constituée la première communauté chrétienne, composée des apôtres, de 7 membres se consacrant au « service », de pres-
bytres et de prophètes. Mais le même concile de Nicée n'en avait pas
moins maintenu la prééminence de Césarée comme métropole de
Palestine exerçant la juridiction sur Jérusalem.

ἐντεῦθέν τε εἰς ἀπέχθειαν κατέστησαν καὶ ἀλλήλους διέβαλλον, ὡς οὐχ ὑγιῶς περὶ θεοῦ φρονοῖεν· καὶ γὰρ καὶ πρὶν
ἐν ὑπονοίᾳ ἑκάτερος ἦν, ὁ μὲν τὰ Ἀρείου δογματίζων,
Κύριλλος δὲ τοῖς ὁμοούσιον τῷ πατρὶ τὸν υἱὸν εἰσηγουμένοις
ἑπόμενος. 3 Οὕτως δὲ ἔχων γνώμης Ἀκάκιος σὺν τοῖς τὰ αὐτοῦ
182 φρονοῦσιν ἐπισκόποις τοῦ ἔθνους φθάνει | καθελὼν Κύριλλον
ἐπὶ προφάσει τοιᾷδε· λιμοῦ καταλαβόντος τὴν Ἱεροσολύμων
χώραν, ὡς εἰς ἐπίσκοπον ἔβλεπε τὸ τῶν δεομένων πλῆθος τῆς
ἀναγκαίας τροφῆς ἀπορούμενον, ἐπειδὴ χρήματα οὐκ ἦν οἷς
ἐπικουρεῖν ἔδει, κειμήλια καὶ ἱερὰ παραπετάσματα ἀπέδοτο.
4 Ἐκ τούτων δὲ λόγος τινὰ ἐπιγνῶναι οἰκεῖον ἀνάθημα
γυναῖκα ἐκ τῶν ἐπὶ θυμέλης ἠμφιεσμένην, πολυπραγμονῆσαί
τε ὅθεν ἔχοι καὶ εὑρεῖν ἔμπορον αὐτῇ ἀποδόμενον, τῷ δὲ ἐμ-
πόρῳ τὸν ἐπίσκοπον. Αἰτίαν δὲ ταύτην προϊσχόμενον καθελεῖν
αὐτὸν Ἀκάκιον.

Καὶ τὰ μέν, ὡς ἐπυθόμην, ὧδε ἔχει· τοὺς δὲ δηλωθέντας, ὡς
εἴρηται, καθαιρεθέντας ἐξήλασαν οἱ ἀμφὶ Ἀκάκιον τῆς Κωνσταντινουπόλεως. 5 Τοὺς δὲ σὺν αὐτοῖς, οἳ ταῖς καθαιρέσεσιν
ὑπογράφειν οὐκ ἠνείχοντο, δέκα τὸν ἀριθμὸν ὄντας, καθ᾽
ἑαυτοὺς εἶναι τέως παρεκελεύσαντο καὶ μήτε λειτουργεῖν μήτε
τὰς ἐκκλησίας διοικεῖν, ἄχρις ἂν ταύταις ὑπογράψωσιν. Εἰ δὲ
μὴ μεταμεληθεῖεν ἐντὸς μηνῶν ἓξ καὶ πᾶσι τοῖς δόξασι καὶ
1197 πεπραγμένοις ἐν τῇ συνόδῳ ταύτῃ συναινέσωσι, καὶ | αὐτοὺς
καθαιρεῖσθαι, τοὺς δὲ κατ᾽ ἔθνος ἐπισκόπους συνιόντας ἀντὶ
αὐτῶν χειροτονεῖν ἑτέρους.
6 Ἐπεὶ δὲ ταῦτα αὐτοῖς ἐβεβούλευτο καὶ εἰς ἔργον ἴκτο,

1. La doctrine de Cyrille, telle qu'elle se perçoit dans celles de ses
catéchèses (2 à 19) qui sont consacrées à l'interprétation détaillée du
symbole baptismal en usage à Jérusalem, n'est pas nicéenne, mais «elle
se situe très loin de l'arianisme proprement dit: il affirme clairement
que le Christ est vraiment le Fils de Dieu, par nature et non par
adoption, engendré réellement par le Père et semblable à lui en toutes
choses. Il affirme également... que le Fils est coéternel au Père»: DECA,
p. 612-613 (M. SIMONETTI).

vernait un siège apostolique. De ce fait, ils étaient entrés en une haine réciproque, et ils s'accusaient mutuellement de n'avoir pas d'opinions théologiques saines : en effet, auparavant déjà, l'un et l'autre avaient été l'objet de soupçons, l'un comme professant la doctrine d'Arius, Cyrille comme suivant ceux qui enseignaient que le Fils est consubstantiel au Père[1]. **3** Telles étant ses dispositions, Acace, avec les évêques de la province qui pensaient comme lui, avait pris les devants en déposant Cyrille sous le prétexte que voici : une famine ayant saisi la région de Jérusalem, comme la masse des indigents, manquant du nécessaire, s'était tournée vers l'évêque, celui-ci, faute d'argent pour leur venir en aide, avait vendu le trésor et les courtines sacrées de l'Église. **4** À la suite de cela, dit-on, quelqu'un avait reconnu sa propre offrande sur le dos d'une actrice de théâtre ; il avait recherché d'où elle l'avait et avait trouvé qu'un marchand le lui avait vendu, et que l'évêque l'avait vendu au marchand. Mettant ce motif en avant, Acace avait déposé Cyrille.

Pour les faits, autant que j'ai pu l'apprendre, voilà ce qu'il en est ; pour les évêques susnommés, une fois déposés, comme j'ai dit, les acaciens les chassèrent de Constantinople. **5** Quant à ceux qui s'associaient à ces évêques et qui n'acceptaient pas de souscrire à leurs dépositions – au nombre de dix –, les acaciens leur ordonnèrent de se tenir pour l'instant à l'écart, sans célébrer le culte ni diriger leurs Églises, jusqu'à ce qu'ils eussent souscrit à ces dépositions. Si, dans l'espace de six mois, ils ne se repentaient pas et ne donnaient pas leur assentiment à toutes les décisions et mesures de ce concile, ils seraient eux aussi déposés, et les évêques de leurs provinces se réuniraient et en ordonneraient d'autres à leur place.

6 Quand tout cela eut été ainsi délibéré par eux et

γράφουσι τοῖς πανταχοῦ ἐπισκόποις καὶ κληρικοῖς τάδε
φυλάττειν καὶ ἐπιτελεῖν · ἐκ τούτου τε οὐ πολλῷ ὕστερον ἀν-
τικαθίστανται πρὸς τῶν ἀμφὶ τὸν Εὐδόξιον ἄλλος ἄλλῳ, Μακεδονίῳ τε αὐτὸς Εὐδόξιος καὶ Βασιλείῳ Ἀθανάσιος καὶ
Ἐλευσίῳ Εὐνόμιος, ὃς ἀρχηγὸς μετὰ ταῦτα ἐγένετο τῆς ἀπ'
αὐτοῦ καλουμένης αἱρέσεως · ἀντὶ δὲ Εὐσταθίου Μελέτιος τὴν
ἐν Σεβαστείᾳ ἐκκλησίαν ἐπετράπη.

26

1 Ἀφαιρεθεὶς δὲ Μακεδόνιος τὴν Κωνσταντινουπόλεως
ἐκκλησίαν εἴς τι περὶ Πύλας χωρίον τῆς Βιθυνίας διέτριβεν,

---

1. Eudoxe succéda à Macédonius dès le 27 janvier 360 (SOCRATE,
H.E. II, 43. Voir BARDY, p. 172). D'après DAGRON, p. 440-444, Constance
voulut conférer un sens exceptionnel à cet événement qui « change la
nature même du siège épiscopal... Constantinople acquiert sa nouvelle
Grande Église et est confirmée dans son droit à une procédure exceptionnelle pour la désignation de son évêque. Le choix d'Eudoxe par
le synode de 72 évêques réunis dans la capitale sous le patronage
impérial prend un caractère de solennité ». Ainsi Antioche, abandonnée
par son évêque au profit de Constantinople, est définitivement reléguée
au second rang.
2. Le nouvel évêque d'Ancyre Athanase est naturellement distinct
d'Athanase d'Alexandrie. Ce n'est pas une confusion, due à cette homo-
nymie, qui explique le dépit de l'historien arien PHILOSTORGE, soulignant amèrement (*H.E.* V, 1) qu'on installa partout des partisans du
consubstantiel, mais simplement le fait qu'avec une certaine habileté,
on ne choisit pas des anoméens déclarés, mais des hommes nouveaux
qui n'avaient pas eu l'occasion de se compromettre dans les intrigues
qui suivirent les conciles de Rimini et de Séleucie. Cet Athanase, dont
il n'a pas été question jusqu'ici, fait partie de ces hommes nouveaux.
On le verra ensuite au synode d'Antioche (363) en VI, 4, 6 et à Tyane
en VI, 12, 2. Sozomène ne signale pas le choix d'autres hommes nouveaux, Onésime à Nicomédie, Acace à Tarse, Pélage à Laodicée (BARDY,
p. 172).

parvenu à l'effet, ils écrivirent aux évêques et clercs de tout lieu d'observer et accomplir ces décisions. Ensuite, peu après, il fut procédé, par Eudoxe et les siens, au remplacement de chaque évêque par un autre : au lieu de Macédonius, Eudoxe[1] lui-même; au lieu de Basile, Athanase[2], et au lieu d'Eleusios Eunome[3], qui après cela devint le chef de l'hérésie dénommée d'après lui; au lieu d'Eustathe, c'est Mélèce[4] qui reçut la charge de l'Église de Sébaste.

Chapitre 26

Mort de Macédonius, évêque de Constantinople;
propos tenus dans un sermon par Eudoxe;
Eudoxe et Acace font tous leurs efforts pour éliminer
la formule de foi de Nicée et de Rimini;
troubles qui en résultent dans les Églises.

1 Une fois dépossédé de l'Église de Constantinople, Macédonius vécut à Pyles, une bourgade de Bithynie, et

3. Eunome, cappadocien, secrétaire et disciple d'Aèce, est le principal représentant de l'anoméisme radical. Ordonné diacre par Eudoxe en 357, il ne put pas se maintenir sur le siège de Cyzique et organisa une communauté d'anoméens avec Aèce, rompant avec Eudoxe de Constantinople et Euzoïos d'Antioche, jugés trop tièdes. Il fut combattu par Basile de Césarée, par Grégoire de Nysse, Théodore de Mopsueste. Son étoile pâlit sous Théodose : *DECA*, p. 909 (M. SIMONETTI).

4. Mélèce, arménien d'origine, ami d'Acace de Césarée, fut élu évêque de Sébaste à la place d'Eustathe qui avait été déposé, soit après le synode de Mélitène, en 358, soit, comme il est dit ici, en 360 après le concile de Constantinople. Il dut abandonner son siège à cause de l'opposition du peuple fidèle à Eustathe, et se retira à Bérée de Syrie. Il a participé, comme prêtre ou comme évêque, dans les rangs des acaciens au concile de Séleucie. On le verra un peu plus tard (cf. IV, 28) accéder au siège d'Antioche grâce à Eudoxe et Acace (*DECA*, p. 1610, M. SIMONETTI).

ἔνθα καὶ ἐτελεύτησεν · Εὐδόξιος δὲ τὴν ἐκκλησίαν κατέσχεν ·
ἡνίκα δὴ Κωνσταντίου τὸ δέκατον καὶ Ἰουλιανοῦ τοῦ
Καίσαρος τὸ τρίτον ὑπατευόντων τὸ πρῶτον ἐκκλησιάζων ἐπὶ
τῇ τελεσιουργίᾳ τῆς μεγάλης ἐκκλησίας, ἣν Σοφίαν ὀνομά-
ζουσι, λέγεται ἐπὶ τὸ τοῦ ἱερέως ἀναβὰς βῆμα, οἷα δὴ τὸν
183 λαὸν διδάσκων, ἀρχόμενος τοῦ λόγου | εἰπεῖν, ὡς ὁ μὲν πατὴρ
ἀσεβής, ὁ δὲ υἱὸς εὐσεβής. Θορυβήσαντος δὲ τοῦ πλήθους
«ἠρεμεῖτε», ἔφη · «ὁ μὲν πατὴρ ἀσεβής, ὅτι οὐδένα σέβει · ὁ
δὲ υἱὸς εὐσεβής, ὅτι πατέρα σέβει.» Καὶ ὁ μὲν ὧδε εἰπὼν εἰς
γέλωτα τοὺς ἀκούοντας μετέβαλε · 2 κοινῇ δὲ ὅτι μάλιστα
πᾶσαν αὐτός τε καὶ Ἀκάκιος ἐποιοῦντο σπουδὴν εἰς λήθην
ἄγειν πάντας τῶν ἐν Νικαίᾳ δοξάντων, καὶ τὴν ἀναγνωσθεῖσαν
ἐν Ἀριμήνῳ γραφὴν μεθ' ὧν αὐτοὶ προστεθείκασιν ὡς διορ-
θώσοντες ἀνὰ πᾶν τὸ ὑπήκοον ἐξέπεμψαν, καὶ τοὺς ταύτῃ μὴ
ὑπογράφοντας ἐκέλευον ὑπερορίᾳ φυγῇ ζημιοῦσθαι κατὰ
πρόσταγμα τοῦ βασιλέως. 3 Ὧδε γὰρ σφίσιν ἐσπούδαστο λογι-
ζομένοις ἀκονιτὶ τῆς σπουδῆς ἐπιτεύξασθαι. Τὸ δὲ ἦν ἀρχὴ
μεγίστων συμφορῶν, ἐμφερὴς δὲ ἦν τοῖς εἰρημένοις τάραχος
ἀνὰ πᾶν τὸ ὑπήκοον, καὶ τὰς πανταχοῦ ἐκκλησίας μονονουχὶ
διωγμὸς εἶχε παραπλήσιος τοῖς πρὶν ἐπὶ τῶν Ἑλληνιστῶν βασιλέων. 4 Εἰ γὰρ ταῖς εἰς σῶμα τιμωρίαις μετριώτερος ἐδόκει,

1. Pyles est un port de Bithynie à l'ouest du golfe de Nicomédie.
La date de la mort de Macédonius n'est pas tout à fait assurée : pour
DAGRON, p. 437, interprétant Sozomène, Macédonius «ne tarda pas à
mourir»; pour M. SIMONETTI, suivant SOCRATE, H.E. II, 45, «en 362,
nous le retrouvons en pleine action contre les ariens», à la tête d'un
nouveau parti» (DECA, p. 1515). D'après DAGRON, p. 437, note 8,
Socrate tendrait ainsi à justifier l'assimilation ultérieure des macédoniens
aux «pneumatomaques».
2. Le concile de Constantinople s'acheva le 15 février par la consécration de Sainte-Sophie. D'après BARDY, p. 172, Constance avait commencé la construction près de vingt ans auparavant. Certains historiens
attribuent même le début des travaux à Constantin. Mais DAGRON, p. 397-
401, récuse cette date, fondée sur des sources incertaines tendant à
magnifier tant Constantin que Sainte-Sophie. En fait, la première mention
historique des travaux est dans SOCRATE, H.E. II, 16 : elle ne permet
pas de placer le début des travaux bien avant 350. Cette première

c'est là qu'il mourut[1]. Eudoxe occupa son Église. C'est à ce moment que, sous le dixième consulat de Constance et le troisième du César Julien, comme il célébrait le culte pour la première fois lors de la consécration de la grande église qu'on nomme de la Sagesse[2], il monta, dit-on, au pupitre du prêtre, comme pour enseigner le peuple fidèle, et commença son sermon par ces mots : « Le Père est impie, le Fils pieux[3] ». Comme la foule était en tumulte, « Restez tranquilles », dit-il ; « Le Père est impie parce qu'il n'a personne à révérer, le Fils est pieux parce qu'il révère le Père ». Par ces mots, il fit changer le tumulte en rire chez ses auditeurs. 2 Cependant, lui et Acace faisaient en commun tous les efforts possibles pour amener tout le monde à l'oubli des dogmes de Nicée ; ils envoyèrent à tout l'Empire le texte lu à Rimini avec les additions qu'ils y avaient eux-mêmes faites pour les corriger, et ils ordonnaient que fussent frappés de bannissement, selon le commandement impérial, ceux qui n'y souscrivaient pas. 3 Ils s'y étaient ainsi efforcés dans la pensée qu'ils obtiendraient sans combat le fruit de leurs efforts. Mais ce fut le principe de très grands malheurs, le trouble dans tout l'Empire fut semblable à ceux qu'on a dits plus haut, et sur les Églises de tout lieu fondit une persécution presque pareille à celles qu'on avait vues auparavant sous les empereurs païens. 4 Car même si elle paraissait plus modérée pour les châtiments corporels,

église brûla le 20 juin 404. Le second édifice, élevé par Arcadius et Théodose II, fut inauguré le 10 octobre 415. C'est celui que connaît Sozomène. L'édifice actuel est l'œuvre de Justinien (532).

3. SOCRATE, *H.E.* II, 43 donne le même mot. Voir BARDY, p. 172, note 6 : « cette formule était chère à Eudoxe, car on la retrouve dans sa profession de foi ». Minimisant la portée théologique de la formule, DAGRON, p. 399, parle d'une « intervention malencontreuse de l'évêque arien Eudoxe » et, p. 444, d'« un faux pas... auquel les fidèles réagissent comme à une provocation ».

χαλεπώτερος εἰκότως τοῖς εὖ φρονοῦσι διὰ τὴν αἰσχύνην
ἐφαίνετο. Ἄμφω γάρ, ὅ τε διώκων καὶ ὁ διωκόμενος, ἐκ τῆς
ἐκκλησίας ὥρμηντο. Καὶ τοσοῦτον αἰσχρὸν τὸ κακόν, ὅσον
1200 πρὸς | τῷ ὁμοφύλους τὰ πολεμίων δρᾶν καὶ περὶ ἀλλοφύλους
τοιούτους εἶναι ὁ ἱερατικὸς θεσμὸς ἀπηγόρευεν.

5 Ἡ δὲ καινότης ἐπαινουμένη ἔτι μᾶλλον ἐπεδίδου καὶ πρὸς
νεωτερισμὸν εἶρπεν, ἀπαυθαδιαζομένη τε καὶ τῶν πατρικῶν
ὑπερφρονοῦσα ἰδίους ἐτίθει νόμους. Καὶ τὰ αὐτὰ τοῖς ἀρ-
χαιοτέροις περὶ θεοῦ δοξάζειν οὐκ ἠξίου, ἀεὶ δὲ ξένα περι-
νοοῦσα δόγματα οὐκ ἠρέμει τῶν καινῶν καινοτέροις σπουδά-
ζουσα, ὥσπερ δὴ καὶ νῦν συνέβη.

27

1 Ἐπειδὴ γὰρ Μακεδόνιος ἀφηρέθη τὴν Κωνσταντινουπόλεως ἐκκλησίαν, οὐκέτι παραπλησίως ἐδόξαζε τοῖς ἀμφὶ τὸν
Ἀκάκιον καὶ Εὐδόξιον · εἰσηγεῖτο δὲ τὸν υἱὸν θεὸν εἶναι κατὰ
πάντα τε καὶ κατ᾽ οὐσίαν ὅμοιον τῷ πατρί, τὸ δὲ ἅγιον πνεῦμα
ἄμοιρον τῶν αὐτῶν πρεσβείων ἀπεφαίνετο διάκονον καὶ
ὑπηρέτην καλῶν καὶ ὅσα περὶ τῶν θείων ἀγγέλων λέγων τις
184 οὐκ ἂν ἁμάρτοι. | 2 Ταύτης δὲ τῆς δόξης ἐκοινώνουν αὐτῷ
Ἐλεύσιός τε καὶ Εὐστάθιος καὶ ὅσοι τότε παρὰ τῶν ἐκ τῆς
ἐναντίας αἱρέσεως ἐν Κωνσταντινουπόλει καθηρέθησαν, οἷς

1. Macédonius est bien considéré comme l'initiateur du mouvement
qui mit en cause la divinité du Saint-Esprit, problème dont on ne s'était
guère préoccupé dans les controverses précédentes (cf. *DECA*, p. 1515,
art. Macédonius-macédoniens, M. SIMONETTI). Mais Sozomène qui lui est
hostile, parce qu'il ne voit en lui que l'adversaire heureux de l'orthodoxe Paul, lui prête, à tort, les opinions d'Acace et d'Eudoxe,
confondant l'*homoiousios* de Macédonius avec l'homéisme fortement
teinté de complaisance pour l'anoméisme professé par Acace et Eudoxe.
Et il présente son éloignement des thèses ariennes comme la *conséquence* circonstancielle qu'il aurait tirée, par dépit, de sa condamnation,
alors qu'en fait, sa condamnation eut pour *cause* son attachement doctrinal à l'*homoiousios*.

elle était à bon droit plus pénible, aux yeux des gens de bon sens, à cause de la honte. Tous deux en effet, et le persécuteur et le persécuté, étaient issus de l'Église. Et le mal était d'autant plus honteux que, outre le fait qu'on agissait hostilement entre gens de même communauté, la loi ecclésiastique défendait de se conduire ainsi même à l'égard de gens d'une autre communauté.

5 Cependant la doctrine nouvelle, à mesure qu'on l'approuvait, progressait encore davantage et tendait à toujours plus d'innovations; elle se faisait arrogante et, méprisant les traditions, posait ses lois propres. Elle n'acceptait pas d'avoir les mêmes opinions théologiques que les anciens, mais méditant toujours des dogmes insolites, elle ne cessait de favoriser du plus nouveau que le nouveau, comme précisément il arriva à ce moment même.

Chapitre 27

Après avoir été chassé de son siège, Macédonius parle
en termes impies contre le Saint-Esprit;
Marathonius, avec d'autres,
développe l'hérésie de Macédonius.

1 En effet, après que Macédonius eut été dépossédé de l'Église de Constantinople, il cessa d'avoir les mêmes opinions qu'Acace et Eudoxe. Il introduisit la doctrine que le Fils était Dieu et en tout et quant à l'essence semblable au Père, mais il déclarait que le Saint-Esprit ne jouissait pas des mêmes privilèges[1], lui donnant les noms de serviteur et de valet et tous autres noms qu'on appliquerait aux saints anges sans se tromper. **2** S'associaient à lui en cette doctrine Eleusios, Eustathe et tous ceux qui, alors, avaient été déposés à Constantinople par la secte adverse, et ils étaient suivis aussi par une partie

οὐκ ὀλίγη μοῖρα τοῦ λαοῦ ἐπείθετο κατὰ τὴν Κωνσταντινούπολιν Βιθυνίαν τε καὶ Θράκην καὶ Ἑλλήσποντον καὶ τὰ πέριξ
ἔθνη. 3 Καὶ γὰρ δὴ τὰ περὶ τὸν βίον, ᾧ μάλιστα τὰ πλήθη
προσέχει τὸν νοῦν, οὐ φαύλως εἶχον. Πρόοδός τε γὰρ ἦν αὐτοῖς
σεμνὴ καὶ παραπλησία μοναχοῖς ἡ ἀγωγὴ καὶ λόγος οὐκ
ἄκομψος καὶ ἦθος πείθειν ἱκανόν.

4 Οἷον δὴ τότε καὶ Μαραθώνιον γενέσθαι φασίν · ὃς ἀπὸ
ψηφιστοῦ δημοσίου τῶν ὑπὸ τοὺς ὑπάρχους στρατιωτῶν
πλοῦτον πολὺν συλλέξας, ἐπειδὴ τῆς στρατείας ἐπαύσατο,
συνοικίας νοσούντων καὶ πτωχῶν ἐπεμελεῖτο, μετὰ δὲ ταῦτα
πείσαντος Εὐσταθίου τοῦ Σεβαστείας ἐπισκόπου τὸν ἀσ-
κητικὸν βίον ἐπήνεσε καὶ συνοικίαν μοναχῶν ἐν Κωνσταντινουπόλει συνεστήσατο, ἣ καὶ ἐξ ἐκείνου εἰσέτι νῦν ἐστι
ταῖς διαδοχαῖς σῳζομένη. 5 Ἐπὶ τοσοῦτον δὲ ταύτῃ τῇ αἱρέσει σπουδῇ καὶ χρήμασιν ἰδίοις συνελάβετο, ὡς καὶ πρός
τινων Μαραθωνιανοὺς τοὺς Μακεδονίου ὀνομάζεσθαι, ἐμοὶ
1201 δοκεῖ, οὐκ ἀπεικότως. Φαίνεται γὰρ |μόνος οὗτος μετὰ τῶν
συνοίκων τοῦ μὴ παντελῶς ἀποσβῆναι ταύτην τὴν αἵρεσιν
ἐν Κωνσταντινουπόλει αἴτιος γενόμενος. 6 Ἀφ᾽ οὗ γὰρ
καθῃρέθη Μακεδόνιος, οὔτε ἐκκλησίας οὔτε ἐπισκόπους εἶχον

1. Marathonius a fait d'abord une carrière administrative qui l'a mené
jusqu'à la fonction de *numerarius* dans l'*officium* du préfet du prétoire
d'Orient, ensemble de bureaux chargés d'attributions judiciaires et finan-
cières. Les bureaux judiciaires étaient sous l'autorité d'un *princeps*, les
bureaux financiers sous celle de deux *numerarii*, placés hiérarchi-
quement juste au dessous du *princeps* : cf. JONES, p. 597.

Sur l'importance historique et le rayonnement spirituel de Marathonius,
voir BARDY, p. 254-255 qui se demande à quelle date placer son épiscopat à Nicomédie, Cécropius ayant été évêque de cette ville de 351 à
358 et Acace ayant fait donner sa succession à Onésime (PHILOSTORGE,
H.E. V, 1). TILLEMONT, *Mémoires...*, t. VI, p. 397 et 770, a proposé de
le placer sous Julien qui l'aurait opposé à Onésime. DAGRON, p. 438-
439, laisse entendre, à juste titre, que la nomination de Marathonius se
situe peu après 342, au moment où Macédonius plaçait ses fidèles dans
des sièges lui permettant d'étendre la zone d'influence de Constantinople : cf. aussi *DECA*, p. 1531- 1532 (M. SIMONETTI). Nous avons émis
supra l'hypothèse de l'existence simultanée à Nicomédie de deux

non négligeable du peuple fidèle à Constantinople, en Bithynie, en Thrace, dans l'Hellespont et les provinces à l'entour. 3 Et en effet, par leur façon de vivre, ce à quoi porte principalement attention la foule, ils n'étaient pas sans valeur : leur démarche était digne, leur règle de vie semblable à celle des moines, leur langage non sans élégance et leur caractère propre à persuader.

4 Tel fut alors, dit-on, Marathonius[1]. Ancien comptable du bureau des préfets du prétoire, il avait amassé une grande fortune ; puis, ayant renoncé au service, il avait pris soin d'une communauté de malades et de pauvres et après cela, sur la persuasion d'Eustathe évêque de Sébaste, il s'était adonné à la vie d'ascèse et avait fondé à Constantinople une communauté de moines qui s'est conservée depuis cette époque jusqu'à ce jour par une succession d'higoumènes. 5 Il avait si bien contribué à cette hérésie par son zèle et sa fortune personnelle que les partisans de Macédonius sont par certains nommés marathoniens, non sans raison, à mon avis. Car il apparaît, lui et sa communauté, comme ayant été la seule cause de ce que cette hérésie ne se soit pas complètement éteinte à Constantinople. 6 Du jour où Macédonius fut déposé, les macédoniens[2] n'eurent plus ni Églises ni

évêques, un nicéen, Cécropius, un macédonien, Marathonius. Sur les fondations hospitalières d'inspiration eustathienne à Constantinople sous Constance II, fondations dont Macédonius fut l'initiateur et Marathonius l'«épitrope», voir DAGRON, p. 510-511.

2. Le nom de macédoniens a connu une extension progressive : il désignait à l'origine les groupes homéousiens de Constantinople et des zones limitrophes qui se réunissaient autour de Macédonius. À partir de 380, le terme désigna tous ceux qui, sans être ariens, refusaient d'admettre la divinité du Saint-Esprit, autrement dit les «pneumatomaques». Nombreux surtout dans les Détroits, ils envoyèrent des représentants, conduits par Eleusios de Cyzique, au concile de Constantinople en 381. Quand s'adjoignirent à eux les homéousiens qui refusaient le credo nicéen, ils se caractérisèrent *à la fois* par le refus d'admettre la divinité du Saint-Esprit et par la profession que le Christ est

μέχρι τῆς Ἀρκαδίου βασιλείας. Οὐ γὰρ συνεχώρουν οἱ Ἀρείου, πάντας τοὺς ἐναντίως δοξάζοντας ἐκ τῶν ἐκκλησιῶν ἐξελαύνοντες καὶ ὠμῶς τιμωρούμενοι. 7 Πάντας μὲν οὖν, ὅσοι τότε τῶν ἱερέων ἐκ τῶν ἰδίων πόλεων ἠλάθησαν, ἔργον ἄρα καταλέγειν· οὐδὲν γὰρ ἔθνος τῆς Ῥωμαίων οἰκουμένης ἀπείρατον οἶμαι διαμεῖναι τῆς τοιαύτης συμφορᾶς.

28

1 Ἐν δὲ τῷ τότε Εὐδοξίου κατασχόντος τὴν Κωνσταντινουπόλεως ἐκκλησίαν πολλοὶ τὸν Ἀντιοχείας θρόνον περιποιεῖν ἑαυτοῖς ἐσπούδαζον, καὶ ὡς εἰκὸς ἐπὶ πράγμασι τοιούτοις, φιλονικίαι καὶ στάσεις διάφοροι τοῦ κλήρου καὶ τοῦ λαοῦ συνέβησαν. 2 Ἕκαστοι γὰρ τὸν ὁμόφρονα περὶ τὴν ἰδίαν πίστιν προσδοκώμενον ἡροῦντο τῆς ἐκκλησίας ἄρχειν. Οὔπω γὰρ πεπαυμένοι ἦσαν τῆς περὶ τὸ δόγμα διαφορᾶς οὐδὲ
185 ἐν ταῖς ψαλμῳδίαις συνεφρόνουν | ἀλλήλοις, πρὸς δὲ τὴν

homoiousios par rapport au Père, c'est-à-dire d'une ressemblance parfaite, mais sans identité de substance : DECA, p. 1515 (M. SIMONETTI).
1. Le monopole des ariens sur l'épiscopat et les églises à Constantinople aurait donc duré de 360 à 395 (mort de Théodose) ou 383 (proclamation par Théodose de son fils aîné, Arcadius, comme Auguste). En fait, si Sozomène a raison en ce qui concerne Constantinople entendue comme ville stricto sensu, l'évêque arien Eudoxe, élu en 360, rencontra beaucoup plus de résistances qu'il ne le dit, malgré l'appui de l'empereur arien Valens à partir de 364 : Constantinople se trouva coupée de sa zone d'influence naturelle (Thrace, Bithynie, Pont), toujours tenue par les homéousiens, et isolée diplomatiquement, quand les homéousiens obtinrent en 365 la caution de l'Occident : cf. DAGRON, p. 442.
Noter que, seuls les macédoniens intéressant ici Sozomène, celui-ci ne tient pas compte du fait qu'après les ariens Eudoxe (360-370) et Démophile (370-380), le nicéen Grégoire de Nazianze devint en 381 évêque de Constantinople par la volonté de Théodose, et qu'à la suite de son bref et tumultueux épiscopat, Nectaire « réconcilia la tradition orthodoxe d'Alexandre et Paul avec la tradition impériale d'Eusèbe

évêques jusqu'au règne d'Arcadius[1]. Car les ariens ne le permettaient pas, en chassant des Églises et en punissant cruellement tous ceux qui s'opposaient à leur doctrine. 7 Assurément, énumérer tous ceux des évêques qui furent alors chassés de leurs villes serait trop long : car il n'y a aucune province de l'Empire romain qui soit restée, je crois, à l'abri de cette infortune.

Chapitre 28

Les ariens considérant que le divin Mélèce partage
leur opinion le transfèrent de Sébaste à Antioche;
Mélèce confesse franchement son orthodoxie
et les ariens couverts de honte le déposent
et établissent Euzoïos sur le siège (d'Antioche);
Mélèce tient les assemblées de culte en privé,
car les « homoousiens» se détournent de lui,
comme ayant été ordonné par des ariens.

1 À ce moment, tandis qu'Eudoxe s'était emparé de l'Église de Constantinople, beaucoup s'efforçaient de s'attribuer le siège d'Antioche, et, comme il arrive en pareil cas, il y eut de multiples discordes et divisions dans le clergé et dans le peuple. 2 Tous en effet préféraient que gouvernât l'Église celui qu'ils espéraient devoir être de même sentiment qu'eux touchant leur propre credo. Car ils n'avaient pas mis fin encore à leur différend sur le dogme et ils n'étaient même pas d'accord sur la manière de chanter les psaumes, mais, comme il a été dit plus

et Eudoxe» (DAGRON, p. 453). Sozomène fait-il allusion à une restitution précise d'une ou de plusieurs églises aux macédoniens à partir de 383 ? Voir sur les églises et *martyria* des premiers temps et sur les Saints-Apôtres, DAGRON, p. 388-409.

οἰκείαν δόξαν, ὡς ἐν τοῖς πρόσθεν εἴρηται, μεθήρμοζον τὸ ψαλ-
λόμενον. 3 Οὕτω δὲ διακειμένης τῆς Ἀντιοχέων ἐκκλησίας
ἔδοξε τοῖς ἀμφὶ τὸν Εὐδόξιον καλῶς ἔχειν μεταστῆσαι ἐνθάδε
Μελέτιον ἐκ τῆς Σεβαστείας, οἷά γε λέγειν τε καὶ πείθειν ἱκανὸν καὶ τὰ περὶ τὸν βίον ἀγαθὸν καὶ ὁμόδοξον αὐτοῖς τὸ πρὶν
ὄντα. 4 Κατὰ πάντα γὰρ ᾤοντο τῇ δοκήσει τοῦ ἀνδρὸς πρὸς
τὴν οἰκείαν αἵρεσιν θηράσειν τοὺς Ἀντιοχείας οἰκήτορας καὶ
τὰς πέριξ πόλεις, καὶ μάλιστα τοὺς καλουμένους Εὐστα-
θιανούς, οἳ κατὰ τὴν παράδοσιν τῆς ἐν Νικαίᾳ συνόδου τὰ
περὶ θεοῦ ἐδόξαζον. Ἔμελλον δὲ παρὰ πολὺ τῆς ἐλπίδος ἀπο-
τεύξεσθαι.

5 Ἐπεὶ γὰρ ἧκεν εἰς Ἀντιόχειαν, λέγεται δῆμος πολὺς
συνελθεῖν τῶν τὰ Ἀρείου φρονούντων καὶ Παυλίνῳ κοινωνούντων, οἱ μὲν ἱστορήσοντες τὸν ἄνδρα, ὅτι πολὺ κλέος ἦν
αὐτοῦ καὶ πρὸ τῆς παρουσίας, οἱ δὲ μαθησόμενοι τί ἄρα ἐρεῖ
καὶ τίσιν ἐπιψηφίζεται. Ἤδη γὰρ φήμη διεφοίτα ἐπαινέτην
1204 | αὐτὸν εἶναι τοῦ δόγματος τῶν ἐν Νικαίᾳ συνελθόντων · καὶ
τὸ ἀποβὰν ἔδειξε. 6 Τὴν μὲν γὰρ ἀρχὴν τοὺς καλουμένους
ἠθικοὺς λόγους δημοσίᾳ ἐδίδασκε, τελευτῶν δὲ ἀναφανδὸν τῆς
αὐτῆς οὐσίας εἶναι ‹τῷ πατρὶ› τὸν υἱὸν ἀπεφήνατο. Λέγεται δὲ
προσδραμὼν ὁ ἀρχιδιάκονος, ὃς τότε ἦν τοῦ ἐνθάδε κλήρου,

---

1. En III, 20, 8. La division s'exprimait ainsi quotidiennement entre
les ariens alors dominants à Antioche et la minorité eustathienne
regroupée autour de son évêque Flavianus et soutenue depuis Alexandrie
par Athanase.
2. Originaire de Mélitène en Arménie, Mélèce avait été nommé, par
le synode réuni en 358 dans cette ville, évêque de Sébaste à la place
d'Eustathe (voir *supra*). Ses idées n'étaient pas connues, mais ses qualités morales estimées. Il ne put se maintenir à Sébaste. Mais il participa au concile de Séleucie : il y signa, ou peu après, la formule
homéenne d'Acace. Il fut nommé évêque d'Antioche en 361, d'après
HEFELE-LECLERCQ, t. I, 2, p. 960 ou plutôt vers la fin de 360, d'après
DECA, p. 1610 (M. SIMONETTI). Lors de son installation, Constance
voulut l'entendre disserter, avec deux des évêques les plus en vue, les ariens
Georges d'Alexandrie et Acace de Césarée, sur le texte des Proverbes
(VIII, 22) relatif à la création de la Sagesse (THÉODORET, *H.E.* II, 27).

haut[1], ils adaptaient le texte chanté à leur propre façon de penser. **3** Les conditions étant telles dans l'Église d'Antioche il parut bon à Eudoxe d'y transférer Mélèce[2] depuis Sébaste, vu qu'il était habile à parler et à persuader, qu'il était de sainte vie, et que, jusqu'ici, il partageait leurs opinions théologiques. **4** Ils pensaient en effet que, par la réputation de l'homme, ils captureraient totalement pour leur propre secte les habitants d'Antioche et des villes environnantes, et surtout ceux qu'on nommait eustathiens, qui suivaient, dans leurs opinions sur Dieu, la tradition du concile de Nicée. Mais ils devaient être grandement trompés dans leur espoir.

5 Quand, en effet, Mélèce arriva à Antioche, une grande foule, dit-on, se rassembla des partisans d'Arius et de ceux qui étaient en communion avec Paulin[3], les uns pour voir l'homme parce qu'avant même de paraître, il avait grande réputation, les autres pour apprendre ce qu'il dirait et à quel parti il se rangerait. Déjà en effet s'était répandu le bruit qu'il approuvait le dogme des pères réunis à Nicée, et le résultat le montra. **6** Car au début, il se livra dans son sermon public à ce qu'on appelle des considérations morales, mais il termina en déclarant ouvertement que le Fils était de la même *ousia* que le Père. On dit que celui qui était alors l'archidiacre du

ÉPIPHANE, *Panarion*, haer. 73, 29-33, nous a conservé entièrement son discours : d'après BARDY, p. 174, n. 1, bien que Mélèce se tînt à la formule d'Acace en prétendant que le Christ, γέννημα, est semblable au Père, le ton qu'il employait «était celui d'un sage attaché à l'orthodoxie, mais qui ne veut pas faire de scandale».

3. Prêtre antiochien vers 350, il dirigeait la petite communauté nicéenne qui s'était séparée de la grande Église dirigée par les ariens. Alors que le nouvel évêque Mélèce amorçait un rapprochement avec la théologie nicéenne, Lucifer de Cagliari, en 362, ordonna évêque Paulin qui fut reconnu par Athanase. Ce qui enflamma le schisme d'Antioche : *DECA*, p. 1954 (M. SIMONETTI).

ἔτι τοῦτο λέγοντος ἐπιβαλὼν τὴν χεῖρα, ἔβυσεν αὐτοῦ τὸ στόμα. 7 Ὁ δὲ τῇ χειρὶ σαφέστερον ἢ τῇ φωνῇ τὴν γνώμην κατεσήμαινε, καὶ τρεῖς μόνους εἰς τὸ προφανὲς δακτύλους ἐκτείνων, εἰς ταὐτὸν δὲ πάλιν τούτους συνέλεγε καὶ τὸν ἕνα ὤρθου, τῷ σχήματι τῆς χειρὸς εἰκονίζων τοῖς πλήθεσιν, ἅπερ ἐφρόνει καὶ λέγειν ἐπείχετο. Ὡς δὲ ἀμηχανήσας ὁ ἀρχιδιάκονος ἐπελάβετο τῆς χειρός, τοῦ στόματος ἀφέμενος, ἐλευθερωθεὶς τὴν γλῶσσαν ἔτι μᾶλλον μεγάλῃ τῇ φωνῇ σαφέστερον ἐδήλου τὴν αὐτοῦ δόξαν καὶ τῶν ἐν Νικαίᾳ δεδογμένων ἔχεσθαι παρε-κελεύετο καὶ διεμαρτύρετο τοὺς ἀκούοντας ἁμαρτάνειν τῆς
186 ἀληθείας τοὺς ἄλλως φρονοῦν|τας. 8 Ἐπεὶ δὲ οὐκ ἐνεδίδου τὰ αὐτὰ λέγων ἢ τῇ χειρὶ δεικνὺς ἀμοιβαδόν, ὡς ἐνεχώρει πρὸς τὴν τοῦ ἀρχιδιακόνου κώλυσιν, καὶ φιλονικία ἦν ἀμφοτέρων μονονουχὶ παγκρατίῳ ἐμφερής, μέγα ἀνέκραγον οἱ Εὐσταθιανοὶ καὶ ἔχαιρον καὶ ἀνεπήδων, οἱ δὲ Ἀρείου κατηφεῖς ἦσαν.

9 Ἀκούσαντες δὲ οἱ ἀμφὶ τὸν Εὐδόξιον ἐχαλέπαινον καὶ ἐλαθῆναι τῆς πόλεως τὸν Μελέτιον ἐσπούδασαν · καὶ πάλιν μετεκαλοῦντο ὡς ἐπὶ διορθώσει τῶν εἰρημένων μεταμελούμενον καὶ τἀναντία δοξάζοντα. Μὴ μεταθέμενον δὲ τῆς γνώμης ἐκ-βάλλεσθαι τῆς ἐκκλησίας καὶ ὑπερορίαν οἰκεῖν προσέταξεν ὁ βασιλεύς. 10 Ἐπεὶ δὲ τοῦτο γέγονεν, ἐπιτρέπεται τὸν Ἀντιο-χέων θρόνον Εὐζώιος, ὃς ἅμα Ἀρείῳ πρότερον ἤδη καθῄρητο ·

---

1. THÉODORET, H.E. II, 31, 8 a bien l'anecdote des trois doigts, mais non la longue scène mettant aux prises Mélèce et l'archidiacre arien qui paraît être une amplification d'origine populaire. L'archidiacre est le plus ancien des diacres ; en raison de l'importance de ses fonctions, il n'était pas élu par les diacres, mais choisi par l'évêque (l'antagoniste de Mélèce avait donc été choisi par Eudoxe avant que celui-ci ne passât à Constantinople). Outre ses fonctions liturgiques, administratives et dis-ciplinaires, il pouvait remplacer l'évêque absent et le représenter dans les conciles : DECA, p. 222 (A. DI BERARDINO).

2. Un mois après sa nomination, Mélèce fut exilé en Arménie Mineure : voir THÉODORET, H.E. II, 27 (BARDY, p. 174). Il fut remplacé par Vital. Ce dernier est sans doute identique au chef de file des apollinaristes, mentionné par Sozomène en H.E. VI, 23 (autour de 375, à Antioche). Quand Mélèce revint d'exil après la mort de Valens (août 378), Vital

clergé local se précipita alors qu'il parlait encore, et lui mit la main sur la bouche pour la lui fermer. **7** Mais il manifesta plus clairement par la main que par la parole son opinion : il tendit, bien en vue, trois doigts seulement, puis, les ayant repliés ensemble, il en érigeait un seul, signifiant au peuple, par ce geste de la main, ce qu'il pensait et qu'il était empêché de dire. Quand, ne sachant que faire, l'archidiacre se fut emparé de sa main en lâchant la bouche, Mélèce, la langue désormais libre, proclamait plus clairement encore, à haute voix, son opinion, il recommandait de s'en tenir aux dogmes de Nicée et protestait devant les auditeurs qu'étaient hors de la vérité ceux qui pensaient autrement. **8** Comme il ne cédait pas, tenant les mêmes propos ou faisant ce geste de la main alternativement, selon que le lui permettaient les efforts de l'archidiacre pour l'empêcher, et que les deux partis se querellaient presque comme en un pancrace, les eustathiens poussaient de grands cris, jubilaient et sautaient de joie, les ariens baissaient les yeux de honte[1].

9 À cette nouvelle, Eudoxe et ses partisans furent irrités et firent tous leurs efforts pour que Mélèce fût chassé de la ville. Puis, à nouveau, ils le firent revenir, pour voir si, se repentant, il corrigerait ce qu'il avait dit et passerait à la thèse contraire. Mais comme il ne changeait pas d'avis, il fut chassé de l'Église et condamné au bannissement sur l'ordre de l'empereur[2]. **10** Quand ce fut fait, le siège d'Antioche est confié à Euzoïos[3] qui, en

entra en concurrence avec lui et avec Paulin pour l'évêché d'Antioche, mais fut vite écarté : voir *DECA*, p. 2557 (F. Cavalcanti).
3. Sur cet arien de la première heure, déjà déposé du diaconat par Alexandre à Alexandrie, voir *H.E.* I, 15, 7 ; II, 27, 1 et II, 27, 6-10 (lettre qu'il adressa avec Arius à Constantin pour se justifier). Il fut réhabilité en 335 par le concile de Jérusalem sur l'ordre de Constantin (II, 27, 14). Il participa au concile de Séleucie en 359 dans les rangs des proariens. Devenu évêque d'Antioche, il dirigea avec Eudoxe de Constan-

οἱ δὲ Μελετίου ἐπαινέται ἀποτεμόμενοι σφᾶς τῶν τὰ Ἀρείου φρονούντων ἰδίᾳ ἐκκλησίαζον · οἱ γὰρ ὁμοούσιον ἐξ ἀρχῆς τὸν υἱὸν τῷ πατρὶ δοξάζοντες παρῃτοῦντο κοινωνεῖν αὐτοῖς, ὡς Μελετίου πρὸς Ἀρειανῶν ἐπισκόπων χειροτονηθέντος καὶ ὑπὸ τοιούτοις ἱερεῦσι βαπτισθέντων τῶν ἑπομένων αὐτῷ. 11 Καὶ οἱ μὲν κατὰ πρόφασιν τήνδε διῄρηντο καίπερ ὁμοίως φρο– νοῦντες · ὁ δὲ βασιλεὺς ἀκούσας Πέρσας νεωτερίζειν ἧκεν εἰς Ἀντιόχειαν.

29

1 Οἱ δὲ ἀμφὶ Ἀκάκιον ἠρεμεῖν πάλιν οὐκ ἠνείχοντο · συνελ–
1205 θόντες ‹δὲ› εἰς Ἀντιόχειαν ἅμα ὀλίγοις τὰ δε|δογμένα ἤδη σφίσιν ἐμέμφοντο, καὶ τῆς ἀναγνωσθείσης ἐν Ἀριμήνῳ καὶ Κωνσταντινουπόλει γραφῆς περιτεμεῖν ἐδοκίμασαν τὸ ὅμοιον ὄνομα, καὶ κατὰ πάντα, οὐσίαν τε καὶ βούλησιν, ἀνόμοιον

tinople le parti des ariens modérés, adversaires des anoméens, jusqu'à la fin de son épiscopat et sa mort (vers 375) : *DECA* p. 930-931 (M. Simo-netti).

1. Ceux qui tenaient le Fils pour consubstantiel au Père sont les eus-thatiens, c'est-à-dire les fidèles à la doctrine d'Eustathe, évêque d'Antioche en 324, qui joua un rôle important au concile de Nicée, s'opposa à Eusèbe de Césarée et fut déposé, en 327, par un concile réuni à Antioche et présidé par son adversaire (cf. Cavallera, p. 89 s.). Mélèce avait été ordonné évêque de Sébaste au concile de Mélitène (358) par des évêques ariens avant même d'être poussé à Antioche par Eudoxe et les acaciens (IV, 25, 6). La question de la validité du baptême conféré par les ariens, déjà présente en 360/361, ne tardera pas à être avivée par l'intervention brutale de Lucifer de Cagliari lors de son passage à Antioche en 362.

2. Constance était à Constantinople en janvier-février 360 pour le concile, l'installation d'Eudoxe et la consécration de Sainte-Sophie. Il quitta la ville en mars et reçut à Césarée la nouvelle de l'usurpation de Julien (Amm. 20, 9, 1). Il ne se dirigeait pas, comme le dit Sozomène, vers Antioche, quartier général habituel lors des guerres contre les

même temps qu'Arius, avait été jadis déjà déposé. De leur côté, les partisans de Mélèce se séparèrent des ariens et ils tenaient leurs assemblées de culte en privé : ceux, en effet, qui dès le principe avaient tenu le Fils pour consubstantiel au Père refusaient d'entrer en communion avec eux, alléguant que Mélèce avait été ordonné par les évêques ariens et que ceux qui le suivaient avaient été baptisés par des prêtres également ariens[1]. **11** Ainsi, pour ce motif, les orthodoxes se trouvaient divisés, tout en pensant de même. L'empereur, lui, ayant appris que les Perses reprenaient l'offensive, vint à Antioche[2].

Chapitre 29

Les acaciens à nouveau ne se tiennent pas tranquilles;
ils essaient de supprimer le terme homoousios
et de raffermir l'hérésie arienne.

1 Cependant, de nouveau, les acaciens n'acceptaient pas de rester tranquilles. S'étant réunis à Antioche avec quelques autres, ils blâmaient leurs opinions antérieures et ils jugèrent bon de supprimer du texte lu à Rimini et à Constantinople le terme de semblable (*homoios*); ils introduisirent la formule que le Fils était en tout, et quant à l'essence et quant à la volonté, dissemblable (*anomoios*)

Perses. Mais, à partir de Césarée, il prit par Mélitène, Lacotena, Samosate pour parvenir à Édesse (AMM. 20, 11, 4). En fait, il voulait constater *de visu* la situation créée par la destruction d'Amida, place du haut Tigre vers laquelle il se mit en marche après l'équinoxe d'automne. Et ce n'est qu'après avoir vainement tenté de reprendre Bézabdé (AMM. 20, 11, 6-25) qu'il prit la route d'Antioche : il n'y arriva qu'en décembre (AMM. 20, 11, 32), puisque le 17 décembre, il était encore à Hiérapolis (cf. SEECK, *Regesten*, p. 207-208).

εἶναι τῷ πατρὶ τὸν υἱὸν καὶ ἐξ οὐκ ὄντων γεγενῆσθαι εἰση-
γοῦντο, ὡς ἐξ ἀρχῆς Ἀρείῳ ἐδόκει. **2** Συνελαμβάνοντο δὲ
τούτοις καὶ οἱ τὰ Ἀετίου φρονοῦντες, ὃς μετὰ Ἄρειον πρῶτος
περιφανῶς χρήσασθαι τοῖς ὀνόμασι τούτοις ἐθάρρησεν. Ὅθεν
δὴ καὶ ἄθεος ὠνομάζετο καὶ οἱ τὰ αὐτοῦ δοκιμάζοντες Ἀνό-
μοιοι καὶ Ἐξουκόντιοι. **3** Πυνθανομένων δὲ αὐτῶν τῶν ἑπομένων τοῖς ἐν Νικαίᾳ δόξασιν, ὅπως θεὸν ἐκ θεοῦ τὸν υἱὸν
συνομολογοῦντες ἀνόμοιόν τε καὶ ἐξ οὐκ ὄντων καὶ παρὰ τὴν
σφῶν αὐτῶν ἔκθεσιν ὀνομάζειν θαρροῦσιν, ὅτι καὶ Παῦλος ὁ
187 ἀπόστολος, ἔφασαν, εἶπε · «τὰ δὲ πάντα ἐκ τοῦ θεοῦ», | πάντων
δὲ εἶναι καὶ τὸν υἱόν. Καὶ κατὰ τοῦτο νοεῖσθαι τὸ προκεί-
μενον ἐν οἷς ἐξέθεντο «κατὰ τὰς θείας γραφάς». Καὶ τὸ μὲν
ὧδε μετέφραζον καὶ ἐσοφίζοντο. **4** Τελευτῶντες δέ, ὡς οὐχ οἷοί
τε ἦσαν τοῖς περὶ τούτων ἐγκαλοῦσιν ἢ ὀνειδίζουσιν ἱκανῶς
ἀπολογεῖσθαι, πάλιν τὴν ἐν Κωνσταντινουπόλει δοκιμασθεῖσαν πίστιν ἀναγνόντες διελύθησαν καὶ εἰς τὰς αὐτῶν πόλεις
ἀπεχώρησαν.

30

1 Ἐν τούτῳ δὲ ἔτι Ἀθανασίου κρυπτομένου ἐπανελθὼν Γεώργιος εἰς Ἀλεξάνδρειαν χαλεπῶς ἐκάκου τοὺς Ἕλληνας καὶ

1. Le jeu de mots Aetios/atheos a déjà été indiqué en III, 15, 7.
2. Sozomène dérive de SOCRATE, *H.E.* II, 45, 11 qui remonte lui-
même à ATHANASE, *De syn.* 31, 3. Cette radicalisation ou plutôt cette
déviation de l'homéisme, passant à l'anoméisme en se ralliant aux positions extrêmes d'Aèce, prit place, selon Sozomène, lors du concile d'Antioche qui désigna Mélèce (fin 360), en tout cas dans son prolongement
immédiat. À la suite de sa rétractation, Mélèce sera déposé et exilé par
Constance (IV, 28, 9).
3. Les textes invoqués par les anoméens sont *I Cor.* 11, 12 et *II Cor.*
5, 18. Les ariens s'abritent toujours derrière les Écritures. Mais, alors
que l'expression «conformément aux saintes Écritures» employée dans
le Credo homéen permettait à celui-ci de garder un semblant d'orthodoxie, le texte très général : «Le Fils est l'image du Père», maintenant
invoqué, est censé prouver à lui seul que le Fils est une créature.

par rapport au Père et qu'il avait été tiré du néant (*ex
ouk ontôn*), comme, dès le principe, l'avait enseigné Arius.
2 Ils avaient pour auxiliaires des partisans d'Aèce qui, le
premier après Arius, avait osé se servir ouvertement de
ces termes. D'où vient qu'il était dit lui-même sans Dieu[1]
et que ses fidèles étaient dits anoméens et exoukontiens[2].
3 Comme les tenants des dogmes de Nicée leur demandaient comment, s'ils convenaient que le Fils est «Dieu
de Dieu», ils osaient, même contre leur propre exposition de foi, le dire dissemblable et tiré du néant, ils
répondirent : «L'Apôtre Paul a dit "Tout vient de Dieu"[3].
Or le Fils aussi est inclus dans 'tout' » : c'est dans ce
sens qu'il fallait entendre, dans leurs exposés de foi, la
proposition «conformément aux saintes Écritures». Telles
étaient donc les paraphrases et les sophismes dont ils
usaient. **4** Mais à la fin, comme ils ne trouvaient plus de
réponse suffisante contre ceux qui les accusaient à ce
sujet et leur faisaient des reproches, après avoir lu de
nouveau le credo approuvé à Constantinople, ils se séparèrent et rentrèrent chacun en sa ville.

Chapitre 30

*Georges évêque d'Antioche; les évêques de Jérusalem;
après Cyrille trois évêques se succèdent, puis à nouveau
Cyrille recouvre le trône de Jérusalem.*

1 En ce temps-là, alors qu'Athanase se cachait encore,
Georges, rentré à Alexandrie[4], maltraitait cruellement les

---

4. Il avait été chassé par une émeute provoquée par son compor-
tement tyrannique et sanguinaire (*supra*, IV, 10, 9-12). Sozomène anticipe
ici quelque peu, entraîné par le mouvement de son idée qui est le
développement triomphant, désastreux pour l'Église, de l'arianisme le
plus radical. En fait, le retour de Georges, le 26 novembre 361, est

τοὺς ἑτέρως αὐτῷ δοξάζοντας Χριστιανούς · ἑκατέρους τε γὰρ ὡς ἠβούλετο θρησκεύειν ἐβιάζετο καὶ παραιτουμένους ἤλαυνεν. Ἐμισεῖτο δὲ παρὰ μὲν τῶν ἐν λόγῳ ὡς ὑπερορῶν αὐτοὺς καὶ τοῖς ἄρχουσιν ἐπιτάττων, παρὰ δὲ τοῦ πλήθους ὡς τυραννικὸς καὶ πλέον πάντων δυνάμενος. 2 Ἐχαλέπαινε δὲ μάλιστα τὸ Ἑλληνικόν, ὅτι τε θύειν αὐτοὺς καὶ τὰς πατρίους ἑορτὰς ἄγειν ἐκώλυε καὶ στρατιώτας καὶ τὸν ἐν Αἰγύπτῳ στρατηγὸν σὺν ὅπλοις ἐπεισαγαγὼν τῇ πόλει, εἰκόνας τε καὶ ἀναθήματα καὶ τὸν ἐν τοῖς ναοῖς κόσμον ἀφαιρούμενος. Ἃ δὴ πρόφασις ὕστερον αὐτῷ ἐγένετο τῆς ἀναιρέσεως, ὡς αὐτίκα λέξω.

1208 3 Κυρίλλου δὲ καθαιρεθέντος, ὡς εἴρηται, | παραλαμβάνει τὴν Ἱεροσολύμων ἐκκλησίαν Ἐρέννιος καὶ μετ' ἐκεῖνον Ἡράκλειος ἐφεξῆς τε τούτου Ἱλάριος. Τούτους γὰρ ἐν τῷ τότε τὴν ἐνθάδε ἐκκλησίαν ἐπιτροπεῦσαι παρειλήφαμεν μέχρι τῆς Θεοδοσίου βασιλείας, ἡνίκα δὴ Κύριλλος πάλιν εἰς τὸν αὐτοῦ ἐπανῆλθε θρόνον.

postérieur de quelques jours à la mort de son protecteur Constance à Mopsucrène le 3 novembre 361 (SEECK, *Regesten*, p. 208-209). Sur l'unanimité réalisée par Georges contre lui, voir AMM. 22, 11, 10 (*Georgi odio omnes indiscrete flagrabant* : «Ils brûlaient tous indistinctement de haine contre Georges»).

1. En V, 7, 1. Georges fut assassiné le 23 ou le 24 décembre 361 (récit détaillé chez AMM. 22, 11). Dès que la mort de Constance (3 novembre 361) fut connue à Alexandrie, les athanasiens, poussés par le duc Artemius, se soulevèrent. Artemius fut alors rappelé et exécuté. Quand ils apprirent l'exécution d'Artemius, les Alexandrins massacrèrent Georges. Rapprocher AMM. 22, 11 de la *Lettre* 60 de Julien adressée aux Alexandrins.

païens et ceux des chrétiens qui ne pensaient pas comme lui : il les contraignait les uns et les autres à célébrer le culte comme il le voulait et il chassait ceux qui refusaient. Il était haï des gens de distinction comme les méprisant et donnant des ordres aux magistrats, de la plèbe comme agissant en tyran et plus puissant que tous. **2** Il irritait principalement les païens en ce qu'il les empêchait de sacrifier et de célébrer leurs fêtes traditionnelles et en ce que, ayant fait venir dans la ville des soldats armés et le duc d'Égypte, il faisait enlever statues, offrandes et ornements des temples. Ce qui fut cause plus tard de son assassinat, comme je le dirai bientôt[1].

3 Cyrille ayant été déposé, comme il a été dit[2], l'Église de Jérusalem passa à Hérennius, après lui à Héraclius, et après celui-ci à Hilaire. Tels sont en effet ceux dont nous avons appris qu'ils dirigèrent en ce temps-là l'Église de ce lieu jusqu'au règne de Théodose, quand Cyrille de nouveau revint sur son trône.

Sur les causes objectives de l'assassinat de Georges (nouvelle de la mort de Constance et accession de Julien dont l'adhésion au paganisme était connue) et la vision biaisée qu'en donnent les historiens ecclésiastiques du Ve s. en mettant l'accent d'une manière excessive sur les raisons religieuses, voir M. CALTABIANO, «L'assassino di Giorgio di Cappadocia», *Quaderni Catanesi di Studi classici e medievali* 7, 1985, p. 17-59.

2. En IV, 25, 1. Cyrille retrouva son siège en 362 après la mort de Constance. Puis il en fut à nouveau chassé vers 367, avant de le retrouver en 378 seulement, après la mort de Valens. Il prit alors part sous Théodose, proclamé Auguste le 19 janvier 379, aux conciles de Constantinople en 381 et 382, où fut affirmée la validité de son ordination.

ANNEXES

par Bernard GRILLET

LES ÉVÊQUES DE ROME, ALEXANDRIE, ANTIOCHE, JÉRUSALEM ET CONSTANTINOPLE

depuis le Concile de Nicée (325)
jusqu'à la mort de Constance (361)[1]
(Règnes de Constantin et de ses fils)

Évêques de Rome

SILVESTRE		
314	† 335	I, *2*, 1
MARC		
336 (18/1 – 7/10)	† 336	II, *20*, 1

---

1. Les faits et les dates concernant les évêques qui se sont succédé sur le trône des cinq sièges (qui deviendront, à partir de 451, les cinq patriarcats de la chrétienté), ne sont pas toujours établis avec certitude, et les historiens modernes apportent quelques nuances à l'interprétation traditionnelle des documents. Ainsi en est-il, en particulier, de Paul de Constantinople dont l'existence, comme celle d'Athanase d'Alexandrie, a été assez mouvementée. Les conclusions de W. TELFER («Paul of Constantinople», *Harvard Theological Revue* 43, 1950, p. 28-92) sont contestées par DAGRON, p. 425. Nous avons adopté les dates données par Dagron qui ne reconnaît comme certains que deux exils de Paul (338/9, et après les événements de 342) et qui explique certaines confusions chronologiques par la volonté de mettre en parallèle, dans un souci hagiographique, la vie de Paul et celle d'Athanase (DAGRON, p. 431).

JULES

337	II, *20*, 1
	III, *6*, 8 - 7, 2 et 3 - *8*, 2 à 9 - *10*, 2
	et 3 - *11*, 5
	déposé à Sardique III, *11*, 7 -
† avril 352	III, *12*, 6 - *13*, 3 - mort *20*, 2

LIBÈRE

352	succède à Jules IV, *8*, 2 - *11*, 3 -
déposé par Constance 355	exil *11*, 4 à 11 - *19*, 6

FÉLIX

355	succède à Libère IV, *11*, 11 et 12
	(cf. p. 238, n. 1)
évêque jusqu'à sa mort † 365	mort IV, *15*, 5

358	double épiscopat IV, *15*, 4

LIBÈRE

358	retour autorisé par	IV, *15*, 1 à 3 - retour IV, *15*, 4 et 5
	Constance	
365 seul évêque	† 366	seul évêque IV, *15*, 6

Évêques d'Alexandrie

ALEXANDRE

312

I, *2*, 1 - *15*, *passim* - *16*, 2 et 4 - *17*, 2 et 7

II, *17*, *passim* - mort *17*, 1 - II, *25*, 4 -
† 328   *27*, 2

ATHANASE

328
   condamné concile de Tyr 335
         exilé à Trèves

I, *17*, 7 - succède à Alexandre -
II, *17*, *passim* - *18*, 1 et 2 -
II, *22*, *passim* - *23*, *passim* -
condamné à Tyr II, *25* - fuite à
Constantinople II, *25*, 14 - II, *28*, *1*
exilé à Trèves II, *28*, 14

   337 rétabli par Constantin II
Troubles à Alexandrie, fuite 339
      Condamné au synode
            d'Antioche 341
   Décisions contradictoires de
           Sardique 343

III, *1*, 3 – rétabli III *2*, 1 et 7 – III,
3, 1 à 5 – *4*, 2

déposé III, *5*, 3 et 4 (cf. p. 68, n. 3 ;
p. 77, n. 5 ; p. 90, n. 1) – III, *6*, 4
– *6*, 8 à 11 – *7*, 2 – *8*, 1 – *8*, 4 et
6 – *9*, 5 – *10*, 1 – *10*, 2 et 4 – *11*,
3, 4, 7 – *12*, 1 – *13*, 6 – *15*, 5

GRÉGOIRE DE CAPPADOCE

339
      chassé par les ariens 342
        excommunié par les
Occidentaux à Sardique 343
     reste évêque officiel † 345

élu III, *5*, 4 et 10 – III, *6*, 4, 9, 11
– *7*, 8
chassé IV, *7*, 9
Sardique III, *12*, 2

GEORGES DE CAPPADOCE

342   élu par les ariens
ne sera évêque officiel qu'en 357

élu III, *7*, 9 (cf. p. 86, n. 2)

ATHANASE

346 retour grâce à Constant	retour III, *20,* 1 à 7 – à Alexandrie III, *21,* 1 à 5 – III, *22,* 1 à 6 – *23,* 1 à 3 – *24* – IV, *1,* 3
condamné concile Milan 355	Milan IV, *9,* 2
fuite au début 356	fuite IV, *4,* 1 (cf. p. 198, n. 1) – IV, *9,* 6 à 10 – *10,* 1 à 8 – IV, *11,* 1, 4, 7 – *17,* 2 et 10 – *30,* 1

GEORGES DE CAPPADOCE

357 (24 février)	IV, *4,* 1 – élu IV, *6,* 4 – IV, *8,* 4 – à Alexandrie IV, *10,* 9 à 12 – IV, *16,* 19 – *17,* 1 – *22,* 7 – *22,* 23
chassé (octobre) 358	déposé à Séleucie IV, *22,* 25
361 retour après mort de Constance	IV, *30,* 1 (cf. p. 353, n. 4)
assassiné † 361	mort V, 7

ATHANASE

362 (21/2)	annulation par Julien du décret d'exil, retour à Alexandrie exilé par Julien (octobre) 362
364	retour, à la mort de Julien – exilé par Valens (octobre) 365
366	retour – † 373

Évêques d'Antioche

PHILOGONE

324
                      Sozomène cite le diacre Romanos I, *2*, 1

EUSTATHE de Bérée

324
                      intronisé I, *2*, 2 – I, *17*, 2 – II, *18*, 4

déposé synode d'Antioche 330
                      déposé II, *19*, 1 à 3 – *19*, 6 III, *6*, 2 – *11*, 7 – *20*, 4

PAULIN de Tyr, arien

331   † 331
                      ignoré de Sozomène

le prêtre PAULIN, orthodoxe

331   (cf. plus bas, en 362)
                      n'apparaît qu'en 362 III, *11*, 7 (cf. p. 104, n. 3)

EULALIOS, arien

331/2   332
                      ignoré de Sozomène (cf. sur cette période de troubles *SC* 306, p. 310, n. 1).

EUPHRONIOS, arien

332   334
                      succède à Eustathe II, *19*, 6 – III, *6*, 2 – *20*, 4

FLACILLOS, arien

334   343
                      appelé Plakêtos, succède à Euphronios III, *6*, 2 et 5 – III, *20*, 4

STEPHANOS, arien

344 déposé comme indigne 344
                      déposé III, *20*, 4

LÉONCE, arien

344
                      élu III, *20*, 4

                      † 357   IV, *12*, 1 – mort IV, *12*, 3

EUDOXE DE GERMANICIE

357/8

déposé concile d'Ancyre 358

déposé concile de Séleucie 359
évêque de Constantinople 360

III, *5*, 10 – *11*, 2 – *14*, 42
IV, *2*, 4 – *11*, 3 – élu IV, *12*, 3
    à 7
déposé IV, *13*, 6 et *14 passim* –
    IV, *15*, 3 – *16*, 21 – *22*, 7
déposé IV, *22*, 25
succède à Macédonius à Constan-
    tinople IV, *25*, 6 – *26*, 1

ADRIANOS (ou ANNIANOS)

?

IV, *22*, 27 – IV, *24*, 15 (Annianos)

MÉLÈCE

360   désigné par les ariens

        exilé par Constance 360

évêque de Sébaste IV, *25*, 6
    (p. 337, n. 4) – élu IV, *28*, 3
exilé IV, *28*, 9 et 10

EUZOÏOS, arien

360

I, *15*, 7 – II, *27*, 1, 12 et 14 – élu
    IV, *28*, 10 (cf. p. 349, n. 3)
→ livre V

MÉLÈCE

362   rétabli à la mort
        de Constance

PAULIN le prêtre, orthodoxe

362   évêque des nicéens
    reconnu à Antioche en 381
        à la mort de Mélèce

MÉLÈCE

    exilé sous Valens 365, 369
    retour 378   † 381

Évêques de Jérusalem

MACAIRE

314 † 333

I, *2*, 1 – *10*, 1 – *17*, 2
II, *1*, 7 – *4*, 7 – *20*, 1

MAXIME

334 (?)

déposé par Acace (?) † 348

I, *1*, 10 succède à Macaire II, *20*, 1
– II, *25*, 20 – III, *6*, 8 – *21*, 5
– IV, *5*, 1
déposé IV, *20*, 1

CYRILLE

348

déposé au concile
de Jérusalem 357

359 rétabli (à Séleucie)
déposé synode de
Constantinople 360
362 rétabli à la mort de Constance
déposé, exilé par Valens 367

378 rétabli
† 387

III, *14*, 42 – IV, *5*, 1 et 4 – succède à Maxime IV, *20*, 1 (cf.
p. 292, n. 1) – déposé IV, *22*,
25 (cf. p. 312, n. 1)
IV, *17*, 1 – Séleucie IV, *22*, 4 et 5
déposé IV, *25*, 1 et 4 – IV, *30*, 3
(cf. p. 355, n. 2)
Sozomène cite trois évêques pendant l'exil de Cyrille : Hérennios –
Héraclios – Hilaire (cf. IV, *30*, 3)
mort VII, *14*, 4

Évêques de Constantinople

ALEXANDRE

314	I, *18*, 5 – II, *29*, 1 et 3 – *30*, 4 – III, *4*, 1
† 337	mort IV, *3*, 1

PAUL

337 choisi par les nicéens	succède à Alexandre III, *3*, 1 à 5
déposé par Constance 338	déposé III, *4*, 2 et 3 – III, *5*, 10 – *7*, 3 – *7*, 4 à 8
	intervention Jules III, *8*, 1 et 11 – III, *10, passim*
1er exil à Thessalonique 339	exil III, *9*, 1 et 2 (confusion cf. p. 92, n. 1)

EUSÈBE

338 désigné par Constance	succède à Paul III, *4*, 3 – III, *5*, 10
† 341	mort III, *7*, 4

PAUL

341/2 rétabli par les nicéens	rétabli III, *7*, 4

MACÉDONIUS

341/2 élu par les ariens	élu III, *7*, 4
troubles à Constantinople 342	III, *7*, 4 à 7 – III, *7*, 8
2e exil de Paul 344	exilé III, *9*, 2 à 4 cf. p. 92, n. 1 – Sardique IV, *11*, 7 – *13*, 6 – *20*, 1
344 Macédonius seul évêque	

PAUL

346 rétabli grâce à Constant	rétabli III, *24*, 3 et 4
Macédonius évêque des ariens	III, *24*, 4
Paul déposé, exilé à Cucuse 351	exilé IV, *2*, 2 et 3 – IV, *3*, 1
† 351	

MACÉDONIUS

351 rétabli	rétabli IV, *2*, 3
déposé au concile de	déposé IV, *24*, 4
Constantinople 360	
mort à Pyles † 370	

EUDOXE

360	élu IV, *25*, 6 – IV, *26*, 1
† 370	

Les conciles (synodes)[1]
depuis le Concile d'Alexandrie (320)
jusqu'à la mort de Constance (361)[2]

date	lieu	H.L.		Sozomène
320/1	Alexandrie	363	réuni par Alexandre, condamne Arius	
322	Bithynie	378	dominé par Eusèbe de Nicomédie	I, *15*, 10
323 (?)	Césarée	382	synode arien (cf. Bardy p. 77)	I, *15*, 12 cf. *SC* 306, p. 190, n. 1
325	Nicée	386	concile œcuménique	I, *17* à I, *25*
330	Antioche	641	synode arien, dépose Eustathe	II, *19*, 1
334	Césarée	654	synode arien sur Athanase (absent)	II, *25*, 1
335	Tyr	656	concile dominé par les eusébiens dépose Athanase	II, *25*, 2
335	Jérusalem	666	réadmission des ariens	II, *27*, 1
335	Constantinople	667	synode eusébien	II, *29*, 1
338/9	Constantinople	687	synode eusébien, dépose Paul	III, *4*, 3
338	Alexandrie	691	synode réuni par Athanase	
339/40	Antioche	696	synode eusébien, dépose Athanase	III, *5*, cf. p. 68, n. 3 III, *6*, 3, cf. p. 77, n. 5
340 (?)	Gangres	1029	sur Eustathe	III, *14*, 35 IV, *24*, 9
340	Rome	699	réuni par Jules en faveur d'Athanase	III, *8*, 1 cf. p. 87, n. 3

---

1. Les termes « synode » (grec σύνοδος) et « concile » (latin *concilium*) sont synonymes et s'emploient dans les premiers temps de l'Église pour désigner les assemblées d'évêques délibérant sur les affaires religieuses. Il s'agit aussi bien des assemblées œcuméniques que des assemblées particulières. Pour ce texte grec de Sozomène le terme grec « synode » a donc été préféré, sauf dans certains cas où « concile » est consacré par l'usage (conciles de Nicée, de Sardique, de Tyr, de Rimini).

2. La liste des conciles (synodes) a été établie d'après HEFELE-LECLERCQ dont la pagination est donnée dans la troisième colonne. Les références au texte de Sozomène (5e colonne) sont parfois suivies d'un renvoi à une note quand il s'agit de rétablir l'ordre chronologique réel.

341	Antioche	702	synode *in encaenis*	III, *5*, – III, *6* III, *8*, 4 cf. p. 90, n. 1
343	Sardique	737	différends entre Orientaux et Occidentaux définition de la vraie foi	III, *11*, 3 cf. p. 102, n. 1 III, *12*, 4 cf. p. 108, n. 3
343	Philippopolis	813	synode eusébien	III, *11*, 4 cf. p. 102, n. 2
344	Antioche	740	synode eusébien, dépose Stéphanos d'Antioche	III, *11*, 1 cf. p. 100, n. 1 et 2
		828	et accuse Photin – le μακρόστιχος	III, *20*, 4
345	Milan	848	synode orthodoxe contre Photin	
346	Jérusalem	836	synode réuni par Maxime en faveur d'Athanase	III, *21*, et III, *22*
346	Alexandrie	836	synode réuni par Athanase après son retour	IV, *1*, 3
347	Milan	848	synode occidental sur Photin	III, *23*, 4
347	Sirmium	850	synode oriental sur Photin	
351	Sirmium I	852	dépose Photin – 1re formule de foi	IV, *6*, 4 cf. p. 204, n. 1 et 2
352/3	Antioche		synode mélécien contre Athanase (Bardy p. 140)	IV, *8*, 4 cf. p. 216, n. 4
353	Arles	869	contre Athanase, synode arien	
355	Milan	872	contre Athanase, synode arien	IV, *8*, et IV, *9*
356	Béziers	884	contre Athanase, synode arien	cf. p. 166, n. 2
357	Sirmium II	899	2e formule de foi signature d'Hosius	IV, *12*, 6, cf. p. 243 n. 3
357/8	Antioche	903	synode arien	IV, *12*, 5 p. 242, n. 2
358	Ancyre	903	synode semi-arien réuni par Georges de Laodicée	IV, *13*, 4 s.
358	Sirmium III	904	3e formule de foi signature de Libère (?)	IV, *15*, 1 s. cf. p. 324, n. 1
358	Mélitène		dépose Eustathe de Sébaste (Bardy p. 253)	IV, *24*, 9 et 16 cf. p. 326, n. 1 et p. 327, n. 3
359	Sirmium IV	931	synode préparatoire au concile de Rimini, le «credo daté» (22 mai)	IV, *17*, 3 cf. p. 271, n. 3
359	Rimini (mai)	929	Double concile réuni par Constance (évêques d'Occident)	IV, *16*, 21 – IV, *17* IV, *18* – cf. III, *19*
	Séleucie (sept)	946	(évêques d'Orient)	IV, *16*, 20 – IV, *22*

359	Nikê	941	synode arien	IV, *19,* 7 et 8
360	Constantinople	956	synode homéen contre anoméens et semi-ariens, dépose Macédonius	IV, *24* – IV, *25*
360/1	Paris	960	synode anti-arien	
360/1	Antioche	960	synode arien, désigne Mélèce à Antioche (exilé peu après)	IV, *29,* 1 cf. p. 352, n. 2
362	Alexandrie	963	réuni par Athanase	

INDEX

DES LIVRES I À IV

INDEX TOPOGRAPHIQUE

(voir carte en fin de volume pour les évêchés)

Les chiffres romains en gras renvoient aux livres; le premier chiffre arabe, au chapitre; le second, à l'alinéa.

Arabie / Arabes : **I**, 13, 11; **II**, 4, 2
Arcadia (province d'Égypte) : **I**, 13, 2
Aréthuse (évêché) : **II**, 19, 6; **III**, 10, 4; **IV**, 6, 4; 12, 4; 16, 19
Arménie / Arméniens : **II**, 7, 1; 8, 1.2; **III**, 14, 31; **IV**, 2, 2
Asalea (Palestine) : **III**, 14, 28
Asie / Asiates : **II**, 6, 2; **IV**, 24, 4
Athènes : **I**, 5, 4

Bérée (Syrie) : **I**, 2, 2
Bérée (Thrace) : **IV**, 11, 3; 15, 1
Béthagathon (Palestine) : **III**, 14, 28
Bethléem : **II**, 2, 1
Beyrouth : **I**, 11, 8
Bithynie : **dédicace** 13; **I**, 7, 4; 14, 9; 15, 10; 17, 1; **II**, 2, 5; 3, 1.3; 21, 6; 34, 1; **III**, 1, 2; **IV**, 16, 2; 24, 1; 26, 1; 27, 2
Borée (cap de Cyrénaïque) : **II**, 3, 5
Bosphore : **IV**, 16, 5
Bostra : **III**, 14, 42
Bretagne / Bretons : **I**, 5, 3; 6, 3; 8, 2
Byzance : **I**, 14, 11; 18, 5; **II**, 3, 1.3

Calvaire (à Jérusalem) : **II**, 1, 1.3; 26, 1; **IV**, 5, 2
Calydon : **I**, 1, 11
Cappadoce : **II**, 19, 6; 33, 4; **III**, 5, 10; 7, 9; 16, 3; **IV**, 24, 9
Castabala (évêché) : **IV**, 24, 13
Celtes : voir Gaule / Gaulois
Céos : **II**, 24, 4
Césarée (Cappadoce) : **III**, 5, 10; **IV**, 24, 9
Césarée (Palestine) : **I**, 15, 11; **II**, 25, 1.17; **III**, 2, 9; 12, 3; 14, 42; **IV**, 12, 5; 22, 25; 25, 2
Chalcédoine (évêché) : **I**, 21, 2; **II**, 3, 3; 25, 19; **IV**, 24, 1.10
Chypre : **I**, 11, 1.8; **III**, 14, 26.27
Cibalae : **I**, 6, 6
Cilicie : **I**, 10, 1; **II**, 5, 5; **III**, 10, 4; **IV**, 8, 4; 24, 4
Constantia (ancienne Maïouma) : **II**, 5, 8
Constantina (Phénicie) : **II**, 5, 8
Constantinople : **I**, 18, 5; **II**, 3, 5.8; 21, 6; 25, 14; 28, 1.5; 29, 1; 30, 4; 32, 5; 33, 1; 34, 5.6; **III**, 3, 1.5; 4, 1.3; 5, 10; 6, 3; 7, 4.6.7; 8, 1; 9, 1.5; 11, 7; 13, 6; **IV**, 2, 3.4, 3, 1.2; 16,

INDEX PROSOPOGRAPHIQUE

Alaphion (moine) : **III**, 14, 28

Alcmène : **I**, 5, 4

Aleuades (rois de Thessalie) : **dédicace** 5.6

Alexandre (roi de Macédoine) : **dédicace** 14

Alexandre (évêque d'Alexandrie) : **I**, 2, 1 ; 15, 2.4.5.8.9.10.11.12 ;
  16, 2.4 ; 17, 2.7 ; **II**, 17, 1.3.4.6.9.11 ; 21, 1 ; 25, 4 ; 27, 2

Alexandre (évêque de Constantinople) : **I**, 18, 5.7 ; **II**, 29, 1.2.3 ;
  30, 4 ; **III**, 3, 1.2.3. ; 4, 1

Alexandre (évêque d'Afrique) : **IV**, 15, 2

Alexion (moine) : **III**, 14, 28

Amoun (moine) : **I**, 14, 1.5.7.8

Amphion (évêque d'Epiphaneia) : **I**, 10, 1 ; **II**, 16, 2

Amphion (évêque de Nicomédie) : **I**, 21, 5

Annianos (évêque d'Antioche ; cf. Adrianos) : **IV**, 24, 15

Anninas (prêtre) : **II**, 10, 5 ; 11, 1

Anoméens : **IV**, 14, 7 ; 16, 20 ; 29, 2

Anouph (moine) : **III**, 14, 20

Antoine (moine) : **I**, 13, 1.11.12.13.14 ; 14, 7.8 ; **II**, 17, 11 ; 31, 3 ;
  III, 13, 6 ; 14, 22 ; 15, 4

Aphrodite : **II**, 1, 3 ; 5, 5

Apis (prêtre) : **II**, 22, 7

Apollinaire (évêque de Laodicée) : **II**, 17, 2.4

Apollon : **I**, 7, 3 ; **II**, 5, 4

Apollonios (moine) : **III**, 14, 18

Apôtres : **III**, 14, 40 ; **IV**, 18, 2

Aquilinus (avocat) : **II**, 3, 10

Aranad (écrivain syrien) : **III**, 16, 4

Arcadius (empereur) : **dédicace** 20 ; **IV**, 27, 6

Argo : **I**, 6, 4.5

Argonautes : **I**, 6, 5

Arien(s) : **II**, 21, 1.4 ; 30, 5 ; **III**, 23, 4, **IV**, 17, 5 ; 28, 10

Aristote : **III**, 15, 8

Arius : **I**, 1, 15 ; 15, 1.5.8.9.10.11.12 ; 16, 2.4 ; 17, 6 ; 19, 1 ; 20, 1 ;
  21, 3.4 ; **II**, 16, 1 ; 17, 4 ; 18, 1.2 ; 19, 1 ; 20, 3 ; 21, 3.4.5.6 ; 22,
  1.6.9 ; 25, 8 ; 27, 1.2.4.6.11.12 ; 29, 1.2.4 ; 30, 1.3.4.5.6.7 ; 32, 1 ;
  33, 4 ; 34, 2 ; **III**, 1, 2.3.4 ; 2, 7 ; 4, 1.2 ; 5, 5 ; 6, 9 ; 7, 9 ; 8, 1 ;
  9, 3 ; 12, 4.6 ; 13, 3 ; 19, 1 ; 21, 3.4 ; 23, 4 ; **IV**, 6, 3.5 ; 9, 4 ; 12,
  1.2 ; 17, 6 ; 18, 4 ; 20, 7 ; 22, 16.17 ; 25, 2 ; 27, 6 ; 28, 5.8.10 ;
  29, 1.2

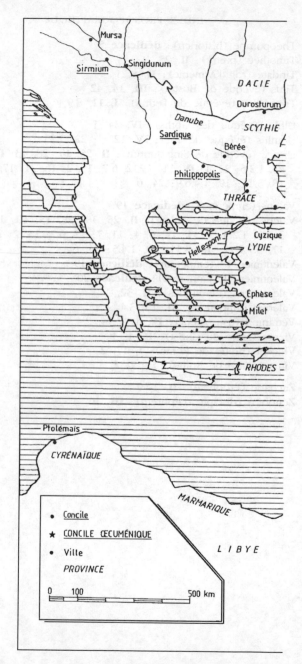

CARTE DES
ÉVÊCHÉS
cités par
Sozomène
(*H.E.* I-IV)

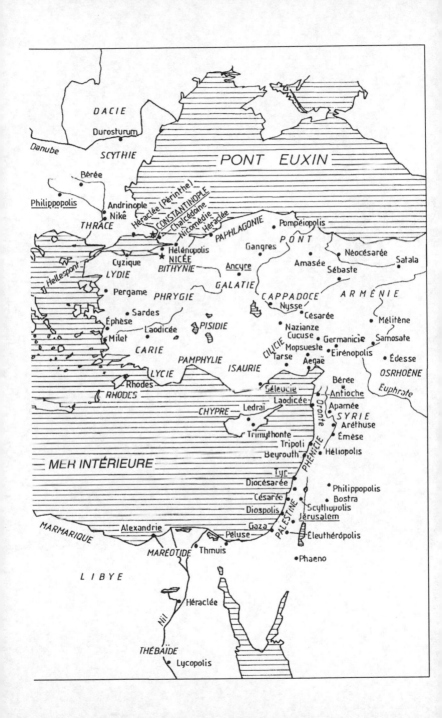

TABLE DES MATIÈRES

SOURCES CHRÉTIENNES

Fondateurs : † *H. de Lubac, s.j.*
† *J. Daniélou, s.j.*
† *C. Mondésert, s.j.*
Directeur : D. Bertrand, s.j.
Directeur de la collection : J.-N. Guinot

Dans la liste qui suit, dite «liste alphabétique», tous les ouvrages sont rangés par nom d'auteur ancien, les numéros précisant pour chacun l'ordre de parution depuis le début de la collection. Pour une information plus complète, on peut se procurer deux autres listes au secrétariat de «Sources Chrétiennes» – 29, rue du Plat, 69002 Lyon (France) – Tél. : 78 37 27 08 :

1. la «liste numérique», qui présente les volumes et leurs auteurs actuels d'après les dates de publication; elle indique les réimpressions et les ouvrages momentanément épuisés ou dont la réédition est préparée.

2. la «liste thématique», qui présente les volumes d'après les centres d'intérêt et les genres littéraires : exégèse, dogme, histoire, correspondance, apologétique, etc.

LISTE ALPHABÉTIQUE (1-418)

SOUS PRESSE

Apponius, **Commentaire sur le Cantique.** Tome I. L. Neyrand, B. de Vregille.

Barsanuphe et Jean de Gaza, **Correspondance.** Tome I. P. De Angelis-Noah, F. Neyt, L. Regnault.

Isidore de Péluse, **Lettres.** Tome I. P. Évieux.

Marc le Moine, **Traités.** Tome I. G.-M. de Durand.

Richard de Saint-Victor, **Les douze patriarches.** J. Châtillon (†), M. Duchet-Suchaux, J. Longère.

Tertullien, **Le Voile des vierges.** P. Mattei, E. Schulz-Flügel.

PROCHAINES PUBLICATIONS

Les Apophtegmes des Pères. Tome II. J.-C. Guy (†).

Bernard de Clairvaux, **Lettres.** Tome I. M. Duchet-Suchaux, H. Rochais.

Eudocie, **Centons homériques.** A.-L. Rey.

Jean Chrysostome, **Sermons sur la Genèse.** L. Brottier.

Livre d'heures ancien du Sinaï. M. Ajjoub.

Théodoret de Cyr, **Correspondance.** Tome IV. Y. Azéma.

Victorin de Poetovio, **Commentaire sur l'Apocalypse.** M. Dulaey.

Également aux Éditions du Cerf :

LES ŒUVRES DE PHILON D'ALEXANDRIE
publiées sous la direction de
R. ARNALDEZ, C. MONDÉSERT, J. POUILLOUX.
Texte original et traduction française.

Photocomposition laser
Abbaye de Melleray
C.C.S.O.M.
44520 Moisdon-la-Rivière